Knau

Knaur.

Anne Hertz

Trostpflaster

Roman

Knaur Taschenbuch Verlag

Bei dem vorliegenden Buch handelt es sich um einen Roman.
Ähnlichkeiten mit lebenden oder verstorbenen Personen sind rein zufällig.

Besuchen Sie uns im Internet:
www.knaur.de

Wenn Ihnen dieser Roman gefallen hat,
empfehlen wir Ihnen gerne ausgewählte Titel
aus unserem Programm – schreiben Sie einfach
eine E-Mail mit dem Stichwort »Trostpflaster« an:
frauen@droemer-knaur.de

Originalausgabe November 2008
Copyright © 2008 by Knaur Taschenbuch.
Ein Unternehmen der Droemerschen Verlagsanstalt
Th. Knaur Nachf. GmbH & Co. KG, München
Alle Rechte vorbehalten. Das Werk darf – auch teilweise –
nur mit Genehmigung des Verlags wiedergegeben werden.
Umschlaggestaltung: Hilden Design, München –
www.hildendesign.de
Satz: Uhl + Massopust, Aalen
Druck und Bindung: CPI – Clausen & Bosse, Leck
Printed in Germany
ISBN 978-3-426-63869-9

*Wenn Liebe die Antwort ist,
könnten Sie dann bitte die Frage
noch einmal formulieren?*

*Lily Tomlin,
US-Schauspielerin*

1. Kapitel

Uiii! Guckt mal, eine Braut!«

»Oh, sieht die toll aus!« Begeistert winkt mir eine Gruppe Schulkinder zu, die bei schönstem Sommerwetter neben dem Kirchenportal steht. Zufälligerweise in genau dem Moment, in dem ich versuche, mich trotz Schleppe, bodenlangem Schleier und dreier Unterröcke möglichst elegant aus dem Fond der festlich geschmückten Limousine zu winden. Ich kann es mir nicht verkneifen, huldvoll zurückzuwinken. Wahnsinn – ich fühle mich wie Lady Di beim Eintreffen vor St. Paul's Cathedrale!

Mittlerweile ist meine beste Freundin und Trauzeugin Katja um das Auto herumgelaufen, um mir zu helfen. Als ich endlich stehe, zupft sie mir das Kleid und den Schleier zurecht, überprüft noch einmal den Sitz meiner aufwendigen Hochsteckfrisur und drückt mir den Brautstrauß in die Hand: weiße und cremefarbene Rosen, passend zu meinem Traum aus Duchesse-Seide und Organza.

Katja umarmt mich kurz, dann spuckt sie mir über die rechte Schulter. »Toi, toi, toi – wird schon gutgehen!«

Mein Vater taucht neben ihr auf, sehr elegant im dunklen Anzug mit Fliege. Er sieht noch nervöser aus, als ich mich fühle, aber trotzdem versucht er, mir aufmunternd zuzuzwinkern. »Na, meine Schöne?« Seine Stimme zittert leicht, doch dann räuspert er sich und strafft die Schultern. »Dann mal auf in die Schlacht!«

Ich hake mich bei ihm unter und lasse mich von ihm zum Eingang führen – jetzt wird's ernst!

Als wir in die Kirche kommen, brauche ich erst einmal einen Augenblick, bis sich meine Augen an die Dunkelheit gewöhnt haben. Dann erkenne ich, dass die Hochzeitsgesellschaft ein Spalier bildet: links die Damen, rechts die Herren. Meine Mutter steht neben ihrer Schwester und hat schon das Taschentuch gezückt. Es ist keine Übertreibung zu sagen, dass die Frauen unserer Familie sehr nah am Wasser gebaut haben – auch meine Oma wühlt bereits hektisch in ihrer Handtasche.

Papa und ich schreiten den Mittelgang hinunter, langsam und erhaben zum Takt von Pachelbels *Kanon*, den ein von mir höchstpersönlich engagiertes Kammerorchester spielt. Im Geiste summe ich mit, setze mit jedem Geigenstrich einen Fuß vor den anderen: *Hhhmmm, hhhmmm, hhhmmm, hmmmm.*

Ja, genau so habe ich es mir vorgestellt, *genau so* sollte es immer sein.

Kurz vor dem Altarraum treffen Papa und ich auf den Pastor, der dort schon mit Paul wartet. Mein Zukünftiger sieht einfach umwerfend aus: Der elegante hellgraue Cut mit Weste betont seine gute Figur, er wirkt fast so, als wäre er einem Katalog für festliche Herrenmode entsprungen. Ja, ich weiß, dass das jetzt nach Angeberei klingt. Aber es ist so! Pauls blonde Haare sind heute für seine Verhältnisse sehr ordentlich gestriegelt, ich muss mich beherrschen, ihm nicht gleich über den Kopf zu wuscheln. Mit seinen großen braunen Augen strahlt er mich an, und als ich schließlich neben ihm stehe, flüstert er mir ins Ohr: »Du bist wunderschön – ich bin ein sehr glücklicher Mann!« Mir wird heiß und kalt. Endlich ist er da, der Moment, auf den ich so lange gewartet habe.

Nachdem die Gäste Platz genommen haben und auch Paul und ich auf den samtbezogenen Louis-XV-Stühlen vorm Altar sitzen, tritt eine Sängerin oben auf die Empore und schmettert Mozarts *Laudate Dominum*. Als der helle Klang ihrer Stimme die gesamte Kirche erfüllt, muss ich mit den Tränen kämpfen. Die Entscheidung für ein wasserfestes Make-up war auf alle Fälle schon mal richtig.

Während wir auf den mit Rosen geschmückten Stühlen nebeneinander sitzen, drückt Paul immer wieder meine Hand. Er scheint zu merken, wie aufgeregt ich bin. Tatsächlich beruhigt mich das etwas, und als die eigentliche Trauzeremonie beginnt, bin ich wieder einigermaßen bei mir.

»Paul Ewald Meißner«, stellt der Pastor schließlich die eine, die wichtige Frage, »willst du diese Julia Marie Lindenthal, die Gott dir anvertraut, als deine Ehefrau lieben und ehren und die Ehe mit ihr nach Gottes Gebot und Verheißung führen, in guten wie in bösen Tagen, bis der Tod euch scheidet? So antworte: Ja, mit Gottes Hilfe.«

Paul blickt mir in die Augen, schaut zum Pastor, holt tief Luft und sagt klar und deutlich: »Ja, mit Gottes Hilfe.«

Dann wendet sich der Pastor an mich. »Und du, Julia Marie Lindenthal, bist du bereit, jetzt *endlich* in den Konferenzraum zu kommen?«

Ich traue meinen Ohren nicht.

Wie bitte?

»Hallo, Frau Lindenthal, kommen Sie bitte? Wir warten alle nur noch auf Sie!« Völlig entgeistert starre ich den Pastor an. Er starrt zurück. »Frau Lindenthal, ist Ihnen nicht gut?«

»Ich, äh, also … doch, doch, alles in Ordnung.« Jetzt weiß ich endlich, warum mir der Pastor so bekannt vorkommt: Es ist mein Chef, Herbert Teschner! Was in gewisser Weise Sinn macht, denn leider stehe ich nicht bei meiner Trauung vorm Altar von St. Gertrud, sondern sitze an meinem Schreibtisch im vierten Stock der Fidelia-Versicherung, Abteilung Rechnungswesen. Anscheinend habe ich die letzten fünfzehn Minuten mit offenen Augen geträumt. Und nun steht Teschner vor mir und guckt mich böse an.

Wie konnte ich nur vor lauter Träumerei die für heute anberaumte Betriebsversammlung vergessen? So ein Mist!

Immerhin ist die Besprechung schon seit Tagen *das* Thema in unserer Abteilung. Alle Mitarbeiter der Hauptverwaltung haben Anwesenheitspflicht. Die wildesten Gerüchte kursieren, von »Umstrukturierung«, »Sanierung«, sogar »Auflösung« ist die Rede. Und ausgerechnet diesen Termin habe ich verbaselt? Kein Wunder, dass Teschner so sauer ist – schließlich kommt der Vorstand, da will mein Boss mit seiner Abteilung natürlich einen guten Eindruck machen.

»Äh, ja, sicher, ich war schon auf dem Weg!« Ich springe auf und greife nach meinem Notizblock, lasse ihn allerdings in letzter Sekunde doch liegen, weil unter ihm eine Ecke der neuesten Ausgabe von *Braut und Bräutigam* hervorlugt. Wenn Teschner jetzt auch noch dieses Magazin auf meinem Schreibtisch entdeckt, erschießt er mich bestimmt standrechtlich.

Wortlos hetzen Teschner und ich zum Konferenzraum, auf Small Talk verzichte ich jetzt lieber. Er stößt energisch die Tür auf und setzt sich – natürlich ohne mich eines weiteren Blickes zu würdigen – nach vorne zu den anderen Abteilungsleitern und direkt neben unseren Finanzvorstand Dr. Henning Schümann. Ich versuche, so unauffällig wie möglich weiter hinten auf einen noch leeren Platz zwischen meine Kollegen zu huschen. Wobei *unauffällig* natürlich ein dehnbarer Begriff ist, wenn man als Einziger zehn Minuten zu spät kommt und noch dazu vom Chef höchstpersönlich herbeigezerrt wurde.

»So, meine Damen, meine Herren, sind wir denn jetzt endlich vollzählig?«, beginnt Schümann und starrt überdeutlich in meine Richtung. *Boden, tu dich auf, verschling mich!* Aber natürlich passiert nichts dergleichen, nur drei Köpfe in der Reihe vor mir drehen sich in meine Richtung und grinsen mich dämlich an. Danke, ihr Lieben!

»Wie Sie sicherlich wissen, ist die Fidelia-Versicherung schon seit Monaten in einer schwierigen Lage«, fährt Schümann fort. »Während der Wettbewerb insbesondere bei den fondsgebundenen Riesterrenten zum Teil Zuwachsraten von über zwanzig Prozent aufweist, haben wir auf diesem Geschäftsfeld sogar eine rückläufige Entwicklung hinnehmen müssen – und das, obwohl wir als eine der ersten Gesellschaften mit diesem Produkt am Markt waren.« Er wirft einen ernsten Blick in die Runde. »Die anderen Versicherungsbereiche sehen leider nicht viel besser aus, und auch die Übernahme der Sicurenza-Versicherung in München ist bei weitem nicht so reibungslos verlaufen, wie wir uns das gewünscht hätten.« Mit seiner sonoren Stimme fährt Schümann fort, die Lage der Fidelia-Versicherung in den finstersten Farben zu schildern. Irgendetwas sagt mir, dass unser Finanzvorstand nicht vorhat, es heute bei einem *Kinder, dieses Jahr gibt es leider kein Weihnachtsgeld* zu belassen. Meinen Kollegen geht es offenbar genauso, unruhig rutschen sie auf ihren Stühlen hin und her. Die ganze Situation erinnert mich fatal an jenen kurzen, aber unangenehmen Moment, der entsteht, wenn der Mathelehrer eine sehr schlecht ausgefallene Arbeit an die Klasse zurückgibt und vorher noch ein paar mahnende Worte verliert.

»Kurzum, meine Damen und Herren, die Lage ist ernst, sehr ernst. Ich möchte Ihnen deshalb heute einen Herrn vorstellen, der gemeinsam mit dem Vorstand in den vergangenen Wochen die Situation analysiert hat und uns nun Wege aus der Krise aufzeigen wird. Frau Schulte«, nickt Schümann seiner Assistentin zu, »bitten Sie Herrn Hecker herein.«

Eine Minute später kommt er durch die Tür, unser mutmaßlicher Retter, und baut sich selbstsicher vor uns auf. Zwei Worte, um ihn zu beschreiben? *Aalglatter Schönling.*

Ich bin normalerweise niemand, der Menschen nur nach dem ersten Eindruck beurteilt. Generell gehe ich immer erst mal vom Guten aus. Aber wie dieser Hecker nun vor uns steht – etwa Mitte bis Ende dreißig, den Astralkörper in teures Tuch gepackt, die vollen schwarzen Haare zurückgegelt, dazu eine selbstherrliche Gestik ohnegleichen –, da kann auch ich nicht anders, als ihn sofort in diese Kategorie einzusortieren.

Ein Blick auf meine Sitznachbarin sagt mir, dass sie offenbar gerade das genaue Gegenteil denkt. Kollegin Doreen Krüger wirft dem Kerl – jetzt bemerke ich, dass er unter seinem Anzug auch noch ein rosafarbenes Hemd trägt, *uahhh!* – einen nahezu schmachtenden Blick zu. »Wow«, flüstert sie mir zu, »endlich mal ein gutaussehender Typ hier in diesem Laden.«

»Das findet er selbst offensichtlich auch«, zische ich zurück.

»Gegen ein gutes Selbstbewusstsein ist doch nichts einzuwenden«, erwidert sie und himmelt ihn weiter an. Schon fast peinlich ist das, wie sie kokett die Haare zurückwirft und einen Schmollmund macht. Wie kann eine Frau nur derart das Weibchen mimen? Aber gut, Doreen begutachtet eigentlich jeden Kerl zuerst einmal unter dem Aspekt der potenziellen Partnertauglichkeit. Das habe ich ja zum Glück nicht nötig, Paul und ich sind schon seit Ewigkeiten zusammen und wollen nächstes Jahr im Sommer heiraten, da können mir andere Kerle wurscht sein.

Bei dem Gedanken an Paul schweife ich unwillkürlich wieder ab und denke an die Liste, die ich heute Vormittag erstellt habe. Im Internet habe ich eine tolle Vorlage zur Hochzeitsplanung entdeckt und mir gleich mal heruntergeladen.

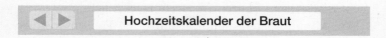

12 Monate vorher:

Entscheiden Sie sich für ein Hochzeitsdatum, und machen Sie Standesamt- bzw. Kirchentermine klar, und entscheiden Sie sich für Trauzeugen.

Das ist natürlich bereits erledigt. Unser Standesamtstermin soll am 4. August sein, ich muss nächste Woche unbedingt anrufen und den Termin reservieren! In der Kirche werden wir am 5. August heiraten, den Termin in St. Gertrud habe ich bereits gemacht. Und die Trauzeugen stehen eigentlich schon seit Jahren fest, nämlich Katja für mich und Jan für Paul.

Entscheiden Sie sich, wie viel Sie für die Hochzeit ausgeben wollen, und stellen Sie die Gästeliste zusammen.

Auch das habe ich bereits im Detail geplant – und ja, so stelle ich mir die Nahostverhandlungen vor: Wenn Onkel Heinrich kommt, müssen wir auch Tante Inge einladen. Die will aber sicher ihren Mann Ottmar mitbringen; das ist okay, der ist eine Stimmungskanone, besonders wenn er gemeinsam mit seinem Bruder Helmut so richtig in Fahrt kommt. Allerdings können der und Heinrich sich nicht ausstehen … Lange Rede, kurzer Sinn: Nach Berücksichtigung aller möglicher Fettnäpfchen und Ausschluss diverser bereits zu erahnender Komplikationen kommen wir auf hundert Gäste beim Polterabend, dreißig bei der standesamtlichen und hundertzwanzig bei der kirchlichen Trauung sowie der anschließenden Feier. Eine Menge Leute, zugegeben. Das Budget darf trotzdem auf keinen Fall mehr als 25 000 Euro betragen.

Beginnen Sie mit der Suche nach dem Ort der Festlichkeit.

Als ich Paul die Summe zum ersten Mal verraten habe, ist er ein bisschen blass um die Nase geworden und hat gefragt, ob ich die Hochzeit von Fürst Rainier mit seiner Gracia Patrizia nachstellen wollte. Als ich ihm daraufhin gestanden habe, dass ich unbedingt auf Schloss Wakenitz feiern möchte, musste er zum Glück laut lachen und hat mich in die Arme genommen.

Apropos Schloss Wakenitz, da muss ich unbedingt noch mal wegen der Saalmiete fragen.

Schauen Sie sich nach einem Verlobungsring um.

Ha! Die haben wir doch schon längst.

Überlegen Sie sich, ob Sie mit einem professionellen Hochzeitsplaner arbeiten wollen.

Auf gar keinen Fall! Ich habe nichts gegen Profis, die mir die Arbeit abnehmen, aber sein Honorar kann und will ich nicht zahlen. 25 000 Euro – so viel wird die Hochzeit realistisch betrachtet schon kosten. Einen Löwenanteil davon habe ich schon zusammengespart. Jeden Monat habe ich von meinem Gehalt ein paar Hundert Euro beiseite gelegt, was wirklich alles andere als einfach war; aber wer braucht schon große Urlaube oder nette Shopping-Trips durch die Stadt, wenn es ein Ziel gibt, auf das es sich zu warten lohnt? Außerdem haben Pauls und meine Eltern uns zu den Geburtstagen und zu Weihnachten immer etwas Geld geschenkt, das ich natürlich auch aufs Hochzeitssparbuch gepackt habe. Fünftausend Euro fehlen noch – und die kriege ich bis nächstes Jahr zusammen, zur Not durch verschärfte Sponsorenakquise bei Eltern, Großeltern und anderen wohlmeinenden Spendern.

Sicher, es ist schon der Hammer, so viel Geld für einen einzigen Tag – okay, mit Standesamt und Polterabend drei Tage – auszugeben. Aber wenn schon, denn schon! So lange ich denken kann, träume ich von diesem wichtigsten Tag meines Lebens. Wahrscheinlich tut das im Grunde ihres Herzens jede Frau. Ist doch völlig normal, dass man es bei der eigenen Hochzeit so schön wie möglich haben will. Allein das Brautkleid wird mit Sicherheit nicht billig werden; die Modelle, die mir bisher gefallen, liegen alle bei mindestens zweitausend Euro. Aber schon die Vorstellung, in so einem Traumkleid durch den Mittelgang der Kirche zu schreiten ... Damit es richtig toll aussieht und ich locker in Größe 38 passe, will ich bis nächsten Sommer auch noch fünf Kilo abnehmen, was jemandem wie mir, der total gern isst, wahrlich nicht leichtfällt. Aber ich weiß schon genau, wie ich aussehen will, und dazu gehören nun mal ein imposantes Kleid und eine romantische Hochsteckfrisur, für die ich bereits seit einem Jahr die Haare wachsen lasse. Katja hat sie mir in ihrem Friseursalon schon einmal probehalber hochgesteckt und ihr Werk statt mit einem Schleier spaßeshalber mit einem Kleenex-Tuch gekrönt – und selbst das sah schon großartig aus. Ein bisschen wie Nicole Kidman, würde ich sagen. Okay, ich bin blond und nicht rothaarig, habe braune statt blaue Augen und werde selbst mit fünf Kilo weniger noch das Doppelte von Frau Kidman wiegen – aber immerhin bin ich mit meinen 1,75 ebenfalls recht groß und habe eine dichte Lockenmähne vorzuweisen. Doch, Nicole Kidman haut schon hin. Wenn auch nur Nicole Kidman für Arme. Aber wenn ich erst mein Hochzeitskleid trage und durch den Mittelgang schreite ... Ich seufze laut. Und werde daraufhin von Doreen zurück in die Wirklichkeit geholt, indem sie mir unsanft ihren Ellenbogen in die Seite rammt.

»Psst«, zischt sie mir zu.

Ich sehe sie überrascht an. »Was ist denn?«, flüstere ich zurück.

»Du hast gesummt.«

»Gesummt?« Vor Schreck schlage ich mir mit einer Hand vor den Mund. Wie peinlich! *Julia*, rufe ich mich innerlich zur Ordnung, *jetzt reiß dich mal zusammen!* Ich lenke meine Aufmerksamkeit wieder auf das, was sich gerade im Konferenzsaal abspielt.

»Simon Hecker«, erklärt Dr. Schümann und klopft dem

Schönling dabei auch noch anerkennend auf die Schulter, »ist Berater bei der renommierten Unternehmensberatung Poseidon Consulting, das spricht doch eigentlich schon für sich.«

Ich beuge mich wieder zu Doreen: »Genau – Poseidon Inferno!« Sie lacht. Und da ist sie leider nicht die Einzige. Denn offenbar ist die Akustik im Konferenzsaal ganz ausgezeichnet, und zufälligerweise fällt meine kleine Wortspielerei in die einzige Redepause, die Schümann seit zehn Minuten einlegt. Wie furchtbar – alle haben das gehört, und wenn ich *alle* sage, meine ich das auch: Dr. Schümann macht sich sogar die Mühe, durch den Mittelgang bis zu meiner Stuhlreihe zu kommen.

»Frau, äh … Frau?«, herrscht er mich an.

»Lindenthal«, stammle ich mit belegter Stimme.

»Frau Lindenthal, ja. Es ist wunderbar, dass Sie sich trotz dieser schwierigen Situation noch Ihren Humor bewahrt haben. Und Ihren Sinn für Prioritäten. Sind Sie nicht diejenige, auf die wir eben alle warten mussten?« Eine Antwort wartet er natürlich nicht ab, sondern beginnt einen Monolog über Arbeitsmoral im Allgemeinen, der keinen Zweifel daran lässt, dass er im Speziellen mich meint. Was ist das heute für ein furchtbarer Tag! Schlimmer geht's nimmer. Mein Abteilungsleiter versucht, mich mit Blicken zu töten, und der Schönling Hecker hat offenbar große Mühe, einen Lachkrampf zu unterdrücken. Mit leicht bebendem Oberkörper geht er zu einem mittig aufgebauten Tisch und schließt dort sein kleines Angeber-Laptop an den Beamer an. Sobald Schümann fertig ist, legt er auch schon los.

»Das Wesentliche hat Ihnen Herr Dr. Schümann vor unserer kleinen … Unterbrechung schon mitgeteilt. Wir haben tatsächlich in den vergangenen Wochen ausführlich mit dem Vorstand diskutiert und die Situation analysiert. Ich habe Ihnen da mal etwas vorbereitet.« Selbstverliebt streicht sich Hecker erst durchs Haar, dann klickt er kurz auf die Tastatur des Laptops. Zwei Sekunden später wirft der Beamer unser Organigramm an die Wand – ein schöner blauer Kreis für die Fidelia in Hamburg, ein grüner für die Sicurenza in München, und inmitten dieser Kreise viele verschiedenfarbige Kästchen, die unsere Abteilungen symbolisieren.

»Also, der Status quo ist Ihnen ja bekannt«, fährt Hecker fort. »Neu ist nach der Übernahme der Sicurenza nur der Standort München. Da dieser nicht ganz billig war, ist erklärtes Ziel, schnellstmöglich ein *Ar Oh Ei* zu realisieren.«

Offenbar guckt die erste Reihe genauso verständnislos wie ich, denn mit einem gedehnten Ton, der verdeutlichen soll, wie begriffsstutzig wir alle sind, fügt Mr. Superunternehmer jetzt hinzu: »ROI. *Return on investment.* Oder auch Amortisierung. Der Punkt, ab dem der Rubel rollt.« Dabei lacht er selbstgefällig über seine unglaublich lustige Erklärung. *Würg.* Ich weiß schon, warum mir McKinsey-Jungs und alle anderen Berater-Heinis immer suspekt waren.

»Nachdem eine Vielzahl von Optionen geprüft wurde, habe ich schlussendlich eine komplette Neuorganisation vorgeschlagen – und der Vorstand ist diesem Vorschlag gefolgt. Die neue Struktur wollen Sie bitte der nachfolgenden Folie entnehmen.«

Klick! Ein weiteres Organigramm erscheint, das bei flüchtiger Betrachtung eigentlich wie das erste aussieht, nur das alles ein bisschen weiter links, recht, oben oder unten zu stehen scheint. Doreen atmet hörbar aus und knipst erleichtert wieder ihr Dauerlächeln für Hecker an. Mir hingegen fällt auf den zweiten Blick auf, dass das orangefarbene Kästchen fehlt, das vorher in dem schönen blauen Hamburg-Kreis die Abteilung Rechnungswesen markierte. Das Kästchen, das für meine Abteilung steht! Und genau genommen fehlen noch ein paar andere Hamburger Kästchen.

»Äh, entschuldigen Sie, ich glaube, da fehlt was!«, höre ich mich zu meinem eigenen Erstaunen sagen. Schümann wirft mir sofort einen mahnenden Blick der Marke *Frau Lindenthal, haben Sie nicht schon für genug Unruhe gesorgt?* zu. Aber offenbar hat mein Unterbewusstsein entschieden, dass ich heute sowieso keinen guten Eindruck mehr hinterlassen werde und daher völlige Redefreiheit habe.

»Wenn Sie eine Frage haben, nur zu«, ermuntert Hecker mich freundlich, weiterzusprechen.

»Ich finde zum Beispiel die Abteilung Rechnungswesen in der Fidelia gar nicht wieder«, erkläre ich.

Hecker geht ein paar Schritte in meine Richtung und macht nun ein ernstes Business-Gesicht. »Richtig«, erwidert er. »Dazu wollte ich jetzt kommen.« Er knetet sich die Hände. »Wie Sie schon bemerkt haben, fehlt in der neuen Grafik das Rechnungswesen in Hamburg. Ein Versehen ist das aber leider nicht.«

Ich habe schlagartig ein ganz flaues Gefühl in der Magengegend. Okay, ich habe mich geirrt: Schlimmer geht's immer!

»Sehen Sie«, fährt Hecker fort. »Eine optimale Nutzung der Synergien ist nur dann gegeben, wenn wir die zentralen Dienstleistungsbereiche der beiden Unternehmensteile zusammenlegen. Abteilungen wie Personal, Controlling und eben auch Rechnungswesen sind daher nur noch an einem Standort konzentriert: in München.« Dabei setzt er ein mitfühlendes Gesicht auf. Eins, das ich ihm nicht im Geringsten abnehme, der Kerl hat doch nie im Leben so etwas wie Gefühle!

Ich springe auf und schaue Simon Hecker über die Köpfe meiner Kollegen hinweg jetzt direkt in die Augen. »Aber das … das kann doch nicht Ihr Ernst sein!«

»Nun, leider doch. In Zeiten von Internet und Co. machen zwei Buchhaltungen für ein Unternehmen schlicht und ergreifend keinen Sinn. Standorte können heutzutage wer weiß wie weit auseinanderliegen, das ist völlig egal. Hamburg und München sind praktischerweise auch noch in derselben Zeitzone. Kurzum: Im Gegensatz zu Hamburg gehört dem Konzern in München das komplette Verwaltungsgebäude der Sicurenza. Hier in Hamburg zahlen wir Miete, in München haben wir hingegen sogar einen gewissen Leerstand. Daher die Entscheidung für München.«

Langsam scheinen auch die anderen zu begreifen, was Simon Hecker uns hier gerade verkauft. Meinem Boss Teschner steht vor lauter Schreck der Mund offen, Doreen ist zur hektischen Schnappatmung übergegangen und Beate Hansen, eine gemütliche Mittfünfzigerin, der ich seit fünf Jahren Schreibtisch an Schreibtisch gegenübersitze, kämpft schon mit den Tränen. Jedenfalls klingt ihre Stimme ganz belegt, als sie sich zu Wort meldet: »Heißt das, Sie wollen hier alles plattmachen? Sind wir demnächst alle unseren Job los?« Im Saal rumort es. »Ja, genau!«, ruft jemand aufgebracht, dann geht es wild durcheinander: »Was soll das eigentlich bedeuten?«, »Jetzt mal Klartext und kein Geschwafel!«, »Das können Sie doch nicht machen!«, »Wir lassen uns das nicht gefallen!«

An Simon Hecker scheint das alles abzugleiten wie Butter an einer heißen Teflonpfanne. Immer noch völlig gefasst hebt er beschwichtigend die Hände: »Gemach, gemach – *platt-machen?* Das ist doch wohl maßlos übertrieben. Im Gegenteil, ich wurde geholt, um Schlimmeres für die gesamte Fidelia zu verhindern!«

Ich schnaube wie ein Brauereipferd, das gerade von seinem Kutscher zu einer Sonderfahrt genötigt wird: »Pah, *Schlimmeres zu verhindern.* Dann sind Sie wohl unser Retter, was? Verkaufen Sie uns nicht für dumm – Sie sind doch nur vorgeschickt worden, weil der Vorstand sich nicht die Finger schmutzig machen will! Und nächste Woche haben wir dann alle die Kündigung im Fach!«

»Aber, aber, Frau Lindenthal! So war doch Ihr Name, oder? Wer spricht denn hier von Kündigung? Selbstverständlich erhält jeder die Möglichkeit, nach München zu wechseln. Ihr Personalchef Herr Dr. Drechsel wird in den nächsten Tagen mit allen Betroffenen das Gespräch suchen. Es wurde bereits ein Relocationbüro beauftragt, um den Mitarbeitern, die umziehen wollen, den Vorgang zu erleichtern.« Er schickt ein Lächeln in die Runde, das wohl gewinnend wirken soll. »Betrachten Sie dieses Angebot bitte als Chance und ganz eindeutig als bessere Alternative.«

»Ja, aber München, das ist doch … also das ist ja …«, stammle ich.

»München ist eine wunderschöne Stadt, Frau Lindenthal, glauben Sie mir«, werde ich von Hecker unterbrochen. Seine ernste Miene ist jetzt wieder einem pseudo-charmanten Lächeln gewichen. »Italien direkt vor der Tür, die wunderbaren Alpen – da würden Sie auch ganz hervorragend hinpassen.« Jetzt schlägt sein Lächeln in ein breites Grinsen um. »Ich sehe Sie schon im feschen Dirndl vor mir stehen. Eine sehr aparte Vorstellung, wenn ich mir diese Bemerkung erlauben darf.«

Sagte ich eingangs *aalglatter Schönling*?
Korrigiere: *männliches Chauvinistenschwein!*

Zwanzig Minuten später schleichen wir alle betreten aus dem Konferenzraum zurück zu unseren Schreibtischen. Schweigend, der Schock hat wohl allen die Sprache verschlagen. Beate weint nun mittlerweile richtig, sie kann sich gar nicht mehr beruhigen.

»He«, ich gehe neben ihr her, lege ihr einen Arm um die Schulter und spüre, wie ihr Körper vor lauter Schluchzen zuckt. »Das wird schon wieder werden.«

»Glaube ich kaum«, kommt es aus einer anderen Richtung. Ich drehe mich zur Seite und blicke direkt in Teschners Gesicht. Er grinst mich schief an. »Ich denke, ich komme jetzt mal kurz mit zu Ihrem Platz. Ich brauche dringend was aus Ihrer süßen Schublade.«

Genau, die süße Schublade! Wenn sie jemals bitter nötig war, dann jetzt. Gott sei Dank habe ich sie erst gestern mit ungefähr zwanzig Tafeln Schokolade, fünf Tüten *Nimm Zwei*, diversen Kekspackungen, Lakritzschnecken, Gummibärchen und allem, was der Supermarkt nebenan noch so hergab, aufgefüllt. War das eine dunkle Vorahnung der heutigen Krisensitzung? Schon seit Jahren macht der Vorrat an Trost-Leckerlies meinen Schreibtisch zur ersten Anlaufstelle für frustrierte Kollegen. Die Idee habe ich von meiner Mutter: Die hatte früher auch immer eine solche Schublade. Wenn mein Bruder oder ich uns wehgetan hatten, gab's daraus etwas Süßes zum Trösten. Und Trost brauchen wir heute alle, inklusive meines Chefs. Der schaut mich immer noch abwartend an.

»Naja, ich habe zwar noch nie etwas aus dieser sagenumwobenen Schublade bekommen«, fasst er nach, »aber hier und heute wäre ich für ein Trostbonbon wirklich sehr dankbar.«

Ich nicke. Das hier haut also selbst meinen Boss um. Klar, mit der Schließung unserer gesamten Abteilung wird auch derjenige überflüssig, der sie leitet. Schätze, da kann ich Teschner ruhig ein bisschen Schokolade gönnen.

Als ich die Schublade auf meinen Schreibtisch gewuchtet habe – streng genommen ist sie nämlich eher eine große Kiste –, bedienen sich außer Beate und Herrn Teschner noch drei weitere Kollegen. Ich könnte mittlerweile eine kleine wissenschaftliche Abhandlung darüber verfassen, welche Art Kummer nach welcher Art Süßigkeit verlangt: Meiner Erfahrung nach ist zum Beispiel Liebeskummer klassischerweise ein Fall für dunkle Schokolade, während Geldsorgen eher mit Gummibärchen zu lindern sind. Bei Ärger mit dem Chef gehen Butterkekse, aber auch Schokoriegel wie Twix oder Mars ganz gut. Warum das so ist, kann ich wirklich nur vermuten, aber vielleicht ist so ein klebriger Riegel ein hervorragender Beißholzersatz? Bei Gummibärchen denken wir an die unbeschwerten Tage unserer Kindheit, als der schnöde Mammon noch keine Rolle spielte. Tja, und die dunkle Schokolade? Da bin ich ratlos. Aber ich habe glücklicherweise schon lange keine mehr gegessen.

Ich denke an Paul, und für einen kurzen Moment fühle ich mich nicht mehr ganz so schlecht. Was ist schließlich schon ein Job, wenn man den Mann fürs Leben gefunden hat? Aber leider währt das gute Gefühl nur ein paar Sekunden – dann mache ich mich über die Gummibärchen her. Für die Zukunft werde ich wohl umdisponieren müssen:

 Neuer Hochzeitskalender der Braut

12 Monate vorher:

Entscheiden Sie sich für ein Hochzeitsdatum, und machen Sie Standesamt- bzw. Kirchentermine klar, und entscheiden Sie sich für Trauzeugen.

- Standesamt: 4. August. Erkundigungen über mögliche Billigtrauung einziehen!
- Kirche: Nix Kirche! Haben kein Geld für Blumenschmuck, Kammerorchester und Sängerin. Und auch nicht für Kirchenspende.
- Trauzeugen: Ob Katja und Jan noch unsere Zeugen sein wollen, wenn wir sie demnächst andauernd anpumpen?

Entscheiden Sie sich, wie viel Sie für die Hochzeit ausgeben wollen, und stellen Sie die Gästeliste zusammen.

- vorläufige Gästezahlen: 10 inklusive Familie
- Budget: 20 Euro

Beginnen Sie mit der Suche nach dem Ort der Festlichkeit.

- Bei Mama und Papa im Schrebergarten. Gäste sollen Campingbesteck und Picknickdecke mitbringen. Und am besten auch das, was sie essen und trinken wollen.

Schauen Sie sich nach einem Verlobungsring um.

- Die Dinger so schnell wie möglich bei »Gold An- und Verkauf« verhämmern!

Überlegen Sie sich, ob Sie mit einem professionellen Hochzeitsplaner arbeiten wollen.

- Hochzeitsplaner? *Gröööööööööööööööööööööööhl!*

2. Kapitel

Einmal Bürstenschnitt und blauschwarze Tönung bitte!«
Mit diesen Worte rausche ich um kurz nach sieben in den
Friseursalon meiner besten Freundin Katja. Sie blickt überrascht vom Kopf einer Kundin auf, den sie gerade mit Aluminiumfolie bearbeitet.

»Sind wir verabredet?«, will sie erstaunt wissen, während
ich mich seufzend in den bequemen Stuhl rechts neben Katjas
Kundin sinken lasse.

»Nein«, erwidere ich, »aber ich könnte eine kleine Kopf-
wäsche vertragen.« Dann stütze ich mich mit den Ellbogen
auf die Ablage vor mir, lege den Kopf in die Hände und starre
in den großen Spiegel. Blass sehe ich aus. Blass und kaputt.
Aber das ist ja wohl auch kein Wunder!

»Moment«, meint Katja und wendet sich wieder ihrer Kundin zu. »Bin in fünf Minuten fertig, dann können wir reden.«

Ich beobachte Katja dabei, wie sie geschickt mit einem Pinsel
Färbemittel auf eine Haarsträhne nach der nächsten streicht
und dann ein Stück Aluminiumfolie darumwickelt. Wenige
Minuten später sieht ihre Kundin aus wie ein Alien mit Anten-
nen. Wenn jetzt ein Gewitter aufkommt, schlägt der Blitz garantiert hier ein.

»So, Frau Knübel«, erklärt Katja freundlich, »die Farbe muss
jetzt noch fünfzehn Minuten einwirken und dann sind wir
so gut wie fertig.« Frau Knübel nickt und hangelt nach der
Frauenzeitschrift, die vor ihr auf der Ablage liegt.

»Also, was ist los?«, will Katja wissen, nachdem sie ihren
Rollhocker neben mich geschoben und Platz genommen hat.

»Es ist alles aus«, bringe ich leicht theatralisch hervor.

»Wie, aus?«, will meine Freundin wissen.

24

»Na, aus eben«, fahre ich – mittlerweile weinerlich – fort. »Schluss, Ende, Feierabend. Nach so vielen Jahren von heute auf morgen einfach abserviert und vor die Tür gesetzt!«

»*Wie bitte?*« Jetzt scheint bei Katja der Groschen zu fallen. »Vor die Tür gesetzt? Einfach so?«

Ich nicke. »Ja, einfach so, ohne mit der Wimper zu zucken.«

»Ach du Scheiße!«, entfährt es meiner besten Freundin und sie greift nach meiner Hand. »Süße, das ist ja furchtbar!« Frau Knübel tut zwar immer noch so, als sei sie in den Artikel *Sex-Göttin in fünf Tagen* vertieft – aber ich erkenne deutlich, dass sie zu uns herüberschielt. »Aber es muss doch einen Grund dafür geben!«

»Klar«, ich lache zynisch auf, »hat sich halt eine neue Chance ergeben, eine bessere Alternative, und wer die nicht ergreift ist natürlich selber schuld.« Dabei sehe ich Heckers Gesicht vor mir und könnte losschreien.

»Das darf ja wohl nicht wahr sein!«, ruft Katja empört aus.

»Ist es aber.«

Sie überlegt einen Moment angestrengt, und weil ich dabei fast meine, kleine Zahnräder auf ihrer Stirn rotieren zu sehen, muss ich fast lächeln. »Ich weiß«, nun schlägt sie beruhigende Töne an, »im Moment fühlt es sich natürlich ganz schrecklich an, so, als würde die Welt untergehen.«

Ich nicke schicksalsergeben.

»Aber so schlimm es auch ist«, sprudelt es weiter aus Katja hervor, »du kannst natürlich erst einmal bei mir unterkommen.«

Ich drücke dankbar ihre Hand, obwohl mich das im Moment auch nicht so recht trösten kann.

»Das ist echt lieb von dir«, sage ich, »aber was soll ich denn hier machen? Haare wegfegen? Kunden den Kopf waschen?«

»Nein«, meint Katja und lacht, »ich rede doch nicht vom

Salon, sondern von meiner Wohnung. Da ist Platz genug für zwei.«

»Und was soll ich da machen?«

»Na, wohnen eben.« Jetzt sieht Katja etwas irritiert aus. »Für die erste Zeit, bis du was Neues hast.«

»Wie, was Neues?«

»Glaub mir, so schwierig ist das alles gar nicht«, spricht sie unbeirrt weiter. »Schon mal gar nicht für eine Top-Frau wie dich.«

»Ha!«, lache ich auf. »Top-Frau! Du hast ja keine Ahnung, wie hart die Welt da draußen mittlerweile ist.«

»Also bitte«, kommt es fast beleidigt zurück. »Gerade *ich* weiß das doch!«

»Nimm's mir nicht übel«, widerspreche ich ihr, »aber bei dir läuft alles super, du musst dir doch echt keine Sorgen machen.«

»Da hab ich aber auch schon mal was anderes von dir gehört.«

»Wann soll ich denn mal was anderes gesagt haben?«, wundere ich mich. Seit Katja vor sechs Jahren ihren eigenen Salon *Hairdreams* eröffnet hat, rennen ihr die Kunden die Bude ein – kann mich wirklich nicht erinnern, wann ich das mal kritisch gesehen haben sollte.

»Ist ja auch egal«, meint Katja mit einer wegwerfenden Handbewegung. »Das eigentlich Unglaubliche ist doch aber wohl, dass *du* diejenige bist, die abserviert wird. Wenn, dann hätte ich alles darauf gewettet, dass du irgendwann gehst, weil er dir zu langweilig ist. Ich meine, der kann doch froh sein, dass er dich hat, so eine Frau wie dich findet er im Leben nicht wieder.«

»Wie jetzt, langweilig? Meinst du Teschner? Langweilig fand ich den eigentlich nie, eher nervig. Und außerdem ist der ja auch rausgeflogen.«

»Jetzt verstehe ich gar nichts mehr.« Katja mustert mich verständnislos. »Was hat dein Chef mit der ganzen Sache zu tun?«

»Sag ich doch!«, wiederhole ich. »Den haben sie auch rausgeschmissen. Sie haben uns *alle* rausgeschmissen, die gesamte Hamburger Abteilung wird plattgemacht!«

Einen Moment lang starrt Katja mich fassungslos an – dann bricht sie in nahezu hysterisches Gelächter aus. Sie kann sich gar nicht wieder einkriegen.

»Wüsste nicht, was daran so lustig ist«, stelle ich etwas beleidigt fest, als sie zwei Minuten später immer noch wiehert wie ein Pferd.

»Ich«, setzt sie an, muss aber wegen eines erneuten Lachkrampfes abbrechen. »Ich«, versucht sie es eine Minute später noch einmal, »ich dachte, es geht um Paul!«

»Um *Paul?*«

Katja nickt. »Ja, ich hab gedacht, er hätte Schluss gemacht und dich aus der Wohnung geschmissen!«

Jetzt ist es an mir, zu lachen. »Wie kommst du denn auf *die* Idee?«

»Weiß auch nicht«, erwidert Katja immer noch glucksend. »An deinen Job hab ich gar nicht gedacht, irgendwie habe ich sofort vermutet, mit Paul und dir ist es aus.«

Von Frau Knübels Stuhl erklingt ein deutliches Kichern, offensichtlich scheint unser wirrer Dialog sie zu amüsieren. Katjas Kopf fährt zu ihr herum.

»Ach, Frau Knübel«, ruft sie aus und springt auf. »Das hätte ich ja fast vergessen – die Wärme!« Mit diesen Worten holt sie ein Gestell mit Trockenhaube aus der Ecke, lässt das Monstrum auf Frau Knübels Kopf niedersausen und stellt die höchste Stufe ein. Sofort erklingt ohrenbetäubender Lärm.

»Aber«, setzt Frau Knübel noch brüllend zu einem kurzen Protest an, »das machen wir doch sonst nicht so.«

»Glauben Sie mir«, schreit Katja zurück, »die Ergebnisse werden damit sehr viel brillanter!« Dann setzt sie sich wieder zu mir auf ihren Hocker. »So«, stellt sie zufrieden fest, »das hätten wir. Die hört garantiert nix mehr.«

»Meinst du nicht, du solltest deine Kundschaft besser behandeln?«, stelle ich mit einem Blick auf die arme Frau Knübel fest, die unter ihrer Trockenhaube recht unglücklich wirkt. Ist ja auch kein Spaß, mitten im August noch eine schöne Kopfheizung verpasst zu bekommen.

»Ach was«, fegt Katja meinen Einwand beiseite. »Ich habe nicht umsonst achtzig Prozent Stammkundschaft, die Leute wissen, dass sie bei *Hairdreams* bestens aufgehoben sind.«

»Hoffentlich sieht Frau Knübel das nach ihrer Behandlung immer noch so.«

»Also«, geht Katja gar nicht weiter auf meine Bedenken ein. »Was genau ist denn passiert?«

»Seit die Fidelia mit der Sicurenza in München fusioniert hat, läuft es nicht mehr so gut. Und deshalb machen sie mal eben – *schwupps!* – in Hamburg die Abteilung Rechnungswesen dicht. Wir könnten angeblich mit nach München gehen, aber … na ja, das kommt natürlich nicht in Frage. Und darum stehen jetzt alle auf der Straße.« Katja schiebt nachdenklich die Unterlippe vor.

»Dann ist es ja *wirklich* etwas Schlimmes.«

»So sieht es aus«, gebe ich ihr recht. Und füge im nächsten Moment hinzu: »Demnach hättest du es weniger schlimm gefunden, wenn ich dir meine und Pauls Trennung verkündet hätte?«

»Quatsch«, widerspricht Katja heftig, aber ihr ist anzuhören, dass sie sich ein klitzekleines bisschen ertappt fühlt.

»Doch, doch«, meine ich, »ich kenne meine beste Freundin. Genau das findest du.«

»He!«, verteidigt Katja sich. »Das ist ganz allein deine Sache,

28

da rede ich dir nicht rein. Für mich persönlich wäre die Beziehung, die du mit Paul führst, vielleicht ein bisschen … eintönig … zu sehr im Trott irgendwie. Aber schließlich musst du ja mit ihm glücklich sein und nicht ich, das habe ich dir schon immer gesagt.«

»Da hast du vollkommen recht: Ich bin *sehr* glücklich mit Paul. Und deshalb werden wir auch nächstes Jahr *heiraten*.«

»Ist ja schon gut, ich wollte dich wirklich nicht angreifen«, versucht sie mich zu beschwichtigen. Aber ich gerate gerade erst in Fahrt.

»Ich weiß ja«, erkläre ich weiter, »dass Paul nichts im Vergleich zu den wilden Typen ist, mit denen du immer um die Häuser ziehst. Aber ist doch auch nicht weiter tragisch, kann ja nicht jeder ein Draufgänger sein.«

»Na, ist ja nicht so, als wäre mir nicht auch langsam mal nach was Solidem«, meint Katja. »Aber die soliden Kerle sind alle schon vergeben, da bleiben nur noch die Verrückten übrig, für die ich selbstverständlich unwiderstehlich bin. Was soll ich bloß dagegen machen?« Wir grinsen uns an, dann müssen wir beide lachen. »Aber mal ehrlich, im Moment gibt es ganz andere Probleme«, sagt Katja schließlich. »Ich bin hier in etwa einer halben Stunde fertig, dann lass uns irgendwo hingehen und alles in Ruhe besprechen.«

»Aber du hast doch bestimmt später auch noch Kundschaft«, werfe ich ein. Normalerweise bietet Katja zwischen 20.00 und 22.00 Uhr ihren sogenannten »Mondscheintarif« an, der von Berufstätigen gern genutzt wird.

»Stimmt schon«, sagt Katja, »aber besondere Vorkommnisse erfordern nun einmal besondere Maßnahmen. Ich ruf die Kunden gleich mal alle an und sag ihre Termine ab.«

»Das geht doch nicht!«, widerspreche ich, weil ich augenblicklich ein schlechtes Gewissen bekomme. Schlimm genug, dass es bei mir beruflich gerade so katastrophal aussieht – da will ich nicht auch noch schuld sein, wenn sich einer von Katjas Stammkunden aus lauter Ärger einen neuen Friseur sucht.

»Klar geht das«, stellt Katja in ihrer unbekümmerten Art fest. »Ich biete denen einfach an, dass sie beim nächsten Mal eine Haarpackung oder ein Pflegeprodukt umsonst bekommen.«

»Aber ...«, will ich erneut widersprechen.

»Nix *aber*«, unterbricht Katja mich. Dann nimmt sie noch einmal meine Hand und drückt sie. »Wie oft warst du schon für mich da, als es mir schlecht ging?«

Ich muss nicht lange überlegen. Zwar ging es dabei nie um Katjas Salon, sondern immer um irgendeinen Typen, mit dem sie Schiffbruch erlitten hatte, aber wenn ich alle Nächte zusammenrechne, in denen ich schon auf Katjas Sofa gehockt habe, um sie nach einem Beziehungs-Aus wieder aufzupäppeln, kommt schon einiges zusammen.

»Gelegentlich«, meine ich diplomatisch.

»Siehst du?« Sie zwinkert mir aufmunternd zu. »Und wenn ich jetzt endlich auch mal für dich da sein kann, dann lasse ich mir das nicht nehmen. Setz dich da rüber«, sie deutet auf die gemütliche Sofaecke direkt neben dem Eingang, »schnapp dir was zum Lesen und warte auf mich.«

»Okay«, sage ich und trotte zu den Sofas. Und bin dabei tatsächlich verdammt froh, dass Katja sich heute Abend Zeit für mich nimmt.

Drei Stunden später sitzen wir noch immer in einem kleinen Café direkt neben *Hairdreams* und bekakeln die Lage wieder und wieder, von vorn bis hinten. »Wirst schon sehen«, hatte Katja behauptet, »nach dem ersten Glas Wein sieht die Welt gleich ganz anders aus.« Mittlerweile habe ich schon den dritten Chardonnay intus, aber bisher sieht hier leider noch rein gar nichts anders aus.

»Ich kann ja verstehen, dass du schlecht drauf bist, aber den Kopf hängen lassen bringt doch auch nichts«, will sie mich jetzt aufmuntern.

»Du hast gut reden«, erwidere ich traurig. »Wenn dir einer den Laden dichtmachen würde, würdest du auch den Kopf hängen lassen.«

»Siehst du, das ist ja gerade das Schöne an der Selbstständigkeit – ob und wann mein Laden dichtgemacht wird, entscheide ich immer noch selbst«, erwidert Katja und klingt dabei ein wenig … selbstgerecht.

»Ja, oder der Konkursrichter«, ätze ich zurück. Auf Katjas *Was-bin-ich-froh-dass-ich-die-Supergeschäftsfrau-bin-*Nummer kann ich gerade gar nicht.

»Sorry«, rudert Katja schnell zurück, »ich bin halt nicht so gut darin wie du, die richtigen Worte zu finden.« Sie lächelt mich aufmunternd an. »Aber lass es uns doch mal positiv betrachten: Ich finde, dass man versuchen sollte, in allem etwas Gutes zu sehen.«

»*Ha*«, muss ich auflachen. »Dann erklär du mir bitte mal, was an der Tatsache, dass ich demnächst meinen Job verliere, *positiv* sein könnte!« Da bin ich aber wirklich gespannt.

»Hm, zum Beispiel …«, überlegt Katja angestrengt, »… Abwechslung!«

»Abwechslung?«

»Ja!« Katja nickt energisch. »Ich meine, du hast schon deine Ausbildung bei der Fidelia gemacht und den Laden seitdem nicht verlassen – da wird es höchste Zeit für einen Tapetenwechsel.«

»Glaube nicht, dass die Tapeten bei der Agentur für Arbeit unbedingt hübscher sind als bei uns«, mache ich einen sarkastischen Scherz.

»Ach«, wischt Katja meine Bedenken beiseite, »du findest doch sofort wieder einen Job!«

»Hellsehen kannst du jetzt also auch?«

»Nein«, meint Katja, »aber ich kann mir nicht vorstellen, dass du lange auf der Straße bleibst.«

»Das kann ich mir schon vorstellen. In der Versicherungsbranche sieht es nämlich momentan nicht gerade rosig aus.«

»Na und? Dann machst du eben etwas anderes, Versicherung finde ich eh langweilig. Und Buchhaltung kann man doch überall machen. Obwohl ich persönlich das irgendwie auch langweilig finde …«

Es ist wirklich nicht zu glauben, wie unbekümmert meine beste Freundin mit dem Leben umgeht. Sie tut fast so, als hätte ich mir heute Morgen höchstens einen Fingernagel abgebrochen!

»Dann kannst du mir ja sicher auch sagen, was das andere sein könnte.«

»Weiß nicht«, gibt sie nun doch zu. »Was würdest du denn gern machen?«

»Meinen sicheren Job bei der Fidelia behalten! Da weiß ich wenigstens, was ich habe.«

Katja verdreht die Augen. »Ein bisschen mehr Abenteuerlust würde dir nicht schaden«, stellt sie fest. »Seit Jahren der gleiche Job, der gleiche Kerl …«

»Die gleiche beste Freundin«, falle ich ihr ins Wort. Immerhin kennen wir uns noch aus der Schule – grob geschätzt ist Katja schon seit mindestens fünfzehn Jahren meine beste und wichtigste Freundin.

Sie guckt mich gespielt entsetzt an. »Hast recht!«, ruft sie aus. »Diesen Umstand solltest du *dringend* als Allererstes ändern!«

»Wird gemacht«, erwidere ich grinsend und tue so, als wollte ich aufstehen. Dann müssen wir beide plötzlich loslachen.

»Na, siehste«, stellt Katja fest. »Ich hab dir doch gesagt, dass die Welt gleich schon wieder anders aussieht.«

»Das liegt aber nicht am Wein, sondern eher an einer Extradosis Katja-Brauer-Qualitätsoptimismus!«

»Stets zu Diensten. Freut mich, wenn ich dir auch mal helfen kann. Sonst bist du doch immer die Kummerkastentante.«

»Da kann ich dir kaum widersprechen.« Katja hat tatsächlich recht – als Kummerkasten bin ich legendär. Kaum einer im Freundes-, Bekannten- oder Kollegenkreis, der sich noch nicht bei mir ausgeheult hätte. Wobei *ausheulen* so negativ klingt. Ist es für mich aber nicht. Ich höre den Menschen gern zu. Nicht, dass ich immer die tollsten Tipps auf Lager hätte. Also, kommt schon mal vor, natürlich. Und die süße Schublade hat auch schon so manchen aufgebaut, wenn er von Teschner einen Einlauf bekommen hat. Aber im Grunde genommen scheint vielen das Wichtigste zu sein, dass ihnen jemand zuhört. Und zwar *ernsthaft* zuhört. Das kann ich gut, ist genau mein Ding. Katja meinte früher immer, ich sollte Psychologie studieren und Therapeutin werden. Aber die Vorstellung, selbstständig eine eigene Praxis zu verantworten – nein, da gefiel mir die Sache mit dem Rechnungswesen wesentlich besser. Und meinen Hang dazu, viel mit Menschen zu tun zu haben, kann ich ja auch so ausleben. Besser gesagt: *konnte* ich. Wenn ich mit Hartz IV allein auf dem Sofa hocke, wird wohl keiner mehr meinen Rat suchen.

Ich wische den unangenehmen Gedanken beiseite. Bringt ja nichts, wenn ich mich jetzt wieder in die düstersten Zukunftsszenarien hineinsteigere. Nur gut, dass diesmal ausnahmsweise jemand mich tröstet und Katja da ist!

»Mal im Ernst«, komme ich wieder auf unser unschönes Eingangsthema zurück. »Ich weiß noch nicht genau, wie es jetzt bei der Fidelia weitergehen wird, das werden wir wohl erst in den nächsten Wochen von diesem Arschloch Simon Hecker oder unserem ach so auf Fairness bedachten Personalchef auseinandergesetzt bekommen. München kommt für mich nicht in Frage, also rechne ich mal damit, dass ich in spätestens drei Monaten auf der Straße stehe. Und dann?«

»Du könntest zum Beispiel die Chance ergreifen, Antrag auf Existenzgründung stellen und dich auch selbstständig machen. Mit irgendetwas, das du schon immer mal versuchen wolltest.«

Energisch schüttele ich den Kopf. Ich bewundere Katja wirklich dafür, dass sie mit ihrem Salon so erfolgreich ist. Und ja, manchmal habe ich sie darum beneidet, keinen Chef zu haben. Aber diesen Gründergeist, den Katja schon zu Schulzeiten besaß, der geht mir wirklich völlig ab. Allein die Vorstellung, nicht zu wissen, was ich im nächsten Monat verdiene, würde mich komplett um den Schlaf bringen.

Katja scheint mir meine Gedanken von der Stirn abzulesen. »Okay, vielleicht machst du dich auch nicht selbstständig. Auf alle Fälle bekommst du doch erst einmal Arbeitslosengeld, bis du was Neues hast.«

»Stimmt schon, aber so richtig große Sprünge kann ich damit nicht machen.«

»Dann machst du eben erst einmal kleinere Sprünge. Oder du gehst an deine Ersparnisse.«

»Kommt überhaupt nicht in Frage!«, reagiere ich gereizt. »Du weißt doch, wofür ich das Geld brauche.«

»Sicher, wie könnte ich das vergessen? Du sprichst ja auch nur etwa achtmal am Tag über eure Traumhochzeit.« Dann fügt sie grinsend hinzu: »Außer, wenn du gerade deinen Job verlierst! Das ist hier ist das erste Mal seit Ewigkeiten, dass ich mit dir nicht über Tischdekorationen diskutieren muss.«

»Ha, ha!«, erwidere ich. »Ich freue mich eben schon seit Jahren darauf, da werde ich doch wohl mal über das Thema reden dürfen. Ist mir halt wichtig, dass Paul und ich eine echte Traumhochzeit feiern.«

»Du wirst deine Traumhochzeit auch bestimmt bekommen«,

beruhigt Katja mich. »Frisur und Make-up mache ich dir schon mal umsonst.«

»Das ist leider nicht der größte Kostenpunkt an der ganzen Sache.« Katja verzieht gespielt beleidigt das Gesicht. »War nicht so gemeint«, schiebe ich deshalb schnell hinterher, »natürlich finde ich das lieb von dir.«

»Schon okay«, sie macht eine wegwerfende Handbewegung. »Trotzdem ist die Hochzeit jetzt nicht das wichtigste Thema.«

»Das stimmt leider«, seufze ich. »Obwohl sie natürlich von den neuesten Entwicklungen betroffen sein wird.«

»Wenn alle Stricke reißen, feiert ihr halt nicht wie Lady Di, sondern nur wie Verona Pooth. Das tut's doch auch«, macht Katja einen Scherz.

»Hast ja recht«, stimme ich ihr grinsend zu. »Im Moment habe ich andere Sorgen.« Ich gähne, langsam zeigen der aufregende Tag und die drei Gläser Wein ihre Wirkung. »Ich bin schon ziemlich müde«, sage ich entschuldigend zu meiner wie üblich unerschöpflichen Freundin, »und ich will ja auch noch mit Paul über die ganze Sache reden, also nicht so spät nach Hause.«

»Dann lass uns zahlen. Ich wollte morgen auch mal früher raus, weil ich noch ein paar Dinge erledigen muss.«

Ich winke nach dem Kellner, um unsere Getränke zu bezahlen.

»Lass mal«, sagt Katja, als ich mein Portemonnaie zücke. »Du bist eingeladen.« Sie grinst. »Damit hast du schon einmal Frisur, Make-up *und* den heutigen Abend gespart.«

»Du bist zu gut zu mir!«

»Aber immer wieder gern. Und«, fügte sie mit einem breiten Grinsen hinterher, »sollte Paul nun so gar nicht auf zukünftige Arbeitslose stehen: Du bist immer herzlich bei mir willkommen.«

»Ach, komm schon, Schatz. Davon geht die Welt doch nicht unter.« Paul küsst mich zärtlich auf die Wange und streicht mir mit einer Hand übers Haar. Ich habe mich auf dem Sofa an ihn gekuschelt und ihm – wieder unter Tränen, die Dosis Katja-Brauer-Qualitätsoptimismus ist aufgebraucht – die neuesten Entwicklungen in der Firma erzählt. Oder sollte ich eher von »neuesten Katastrophen« sprechen? Jetzt schniefe ich lautstark in mein Taschentuch und schüttele den Kopf.

»Natürlich geht die Welt davon unter!«, jammere ich. »Zumindest *meine* Welt.«

»Julia, du bist doch nicht der erste Mensch, der seinen Job verliert«, stellt er auf seine typisch sachliche Paul-Art fest.

»Aber ich bin der erste Mensch, der seinen Job verliert, während er gerade jeden Cent spart, um in einem Jahr eine Traumhochzeit bezahlen zu können.«

»Julia«, Paul lacht auf, »wie du selbst schon sagtest: Unsere Hochzeit ist in einem Jahr! Da ist noch lange hin.«

»Eben. Noch lange hin!«, gebe ich bockig zurück. »Ohne meinen Job muss ich an unser Erspartes ran, da wird höchstens noch genug Kohle bleiben, um unsere Familie und Freunde zu Würstchen mit Kartoffelsalat einzuladen!«

»Quatsch«, meint Paul und gibt mir ein Küsschen auf die Nase. »Ich sehe das genau umgekehrt: Du bekommst jetzt eine tolle Abfindung und wir laden noch weitere fünfzig Onkel und Tanten von dir ein!«

»Ha, ha!«

»Mal ehrlich, mein Schatz: Die Hauptsache ist, dass wir uns lieben. Und dass du meine Frau wirst, darum geht's doch. Sollten nun wirklich alle Katastrophen eintreten, die du dir gerade ausmalst – dann tun's zur Not doch tatsächlich Würstchen mit Kartoffelsalat.«

»Auf keinen Fall!«, widerspreche ich ihm heftig. »Wenn eine Ehe schon so anfängt …«

»Jetzt sei bitte nicht abergläubisch.«

»Das hat nichts mit Aberglauben zu tun!«

»Außerdem können wir die große Feier ja zur Not auch verschieben. Heiraten wir halt erst standesamtlich und machen die Riesensause, wenn's finanziell besser passt.«

Ich gebe einen unzufriedenen Laut von mir. Dass Paul immer so sachlich sein muss! Warum versteht er denn nicht, dass »Verschieben« nicht das Gleiche ist, dass ich mir das alles anders vorstelle, dass ich … Na ja, dass tief in mir drin eben ein kleines, romantisches Mädchen steckt, dass sich nichts mehr wünscht, als ihren Prinzen bei einer Märchenhochzeit zu heiraten.

»Vielleicht hast du recht«, sage ich schließlich, um dem Thema vorerst ein Ende zu bereiten. »Wir sollten erst einmal abwarten, wie es nun weitergeht. Danach kann ich immer noch rumjammern.«

»So gefällst du mir schon viel besser.« Paul beugt sich zu mir herunter und gibt mir einen langen, zärtlichen Kuss. Ich lege meine Arme um seinen Hals, kraule seinen Nacken und genieße das Gefühl von Geborgenheit, das er mir gibt. Wenigstens bei ihm weiß ich, dass ich sicher aufgehoben bin. Paul war immer da und wird immer da sein. Ich seufze und schließe die Augen.

»Und, meine Süße?«, flüstert Paul mir schließlich ins Ohr. »Wollen wir mal langsam ins Bett?« Er steht auf, zieht mich dabei mit sich nach oben und nimmt mich mit einer einzigen geschickten Bewegung auf den Arm, als würde ich so gut wie nichts wiegen. Das hat er schon lange nicht mehr getan, aber gerade jetzt fühlt es sich besonders gut an, irgendwie … beschützend. »Meine kleine Märchenbraut«, raunt er mir zu, während er mit mir Richtung Badezimmer marschiert, »dann will ich dich mal über die Schwelle tragen.«

Zehn Minuten später haben wir Zähne geputzt, liegen im

Bett und kuscheln uns aneinander. Ich kann Pauls Herzschlag spüren, wie er – *dadam, dadam, dadam* – gegen meine Brust schlägt.

»Ich hoffe wirklich, dass am Ende nicht alles so schlimm wird, wie ich es gerade befürchte«, flüstere ich ihm leise ins Ohr.

»Das wird es schon nicht«, beruhigt er mich. Dann gibt er mir ein Küsschen und dreht sich zur Seite. »Und jetzt lass uns schlafen, das ist bei Sorgen immer noch die beste Medizin.«

»Ich weiß nicht, ob ich jetzt schlafen kann«, sage ich. »Lieber würde ich noch ein bisschen mir dir reden.«

»Schatz«, er sieht mich zärtlich an, »das kann ich ja verstehen. Aber heute Abend bewirken wir doch sowieso nichts mehr und ich muss morgen früh raus.«

Ich gebe mir Mühe, mir nicht allzu sehr anmerken zu lassen, wie enttäuscht ich bin. Sicher können wir heute nichts mehr an der Situation ändern. Aber ich würde so gern noch mit Paul sprechen, einfach, weil es mir dann besser geht. Andererseits weiß ich natürlich, dass morgen früh um sechs wieder der Wecker klingelt. Ich sage also nur:»Dann lass uns das Licht ausmachen.« Mit diesen Worten drücke ich auf den Schalter neben dem Bett, sofort wird es stockdunkel. Ein paar Minuten später höre ich an Pauls regelmäßigem Atem, dass er bereits eingeschlafen ist. Nur bei mir ist nicht daran zu denken, mir gehen so viele Gedanken durch den Kopf, dass ich heute Nacht garantiert kein Auge zubekommen werde. Unruhig wälze ich mich von einer Seite auf die andere.

»Komm schon, Julia«, sage ich halblaut zu mir selbst. »Paul hat bestimmt recht, es wird schon nicht so schlimm kommen.«

3. Kapitel

Ich weiß eigentlich genau, was in dem Brief steht, der schon seit einer Stunde ungeöffnet auf meinem Schreibtisch liegt. Deswegen könnte ich ihn auch ruhig aufmachen. Will ich aber nicht. Vielleicht verschwindet er ja von allein, wenn ich ihn nur weiter ignoriere.

Meine Schreibtischnachbarin Beate heult noch immer, seit sie ihren Brief gelesen hat. Und das ist in etwa eine halbe Stunde her.

»Komm«, sage ich leise zu mir selbst, »jetzt schau rein. Nützt doch eh alles nichts mehr.« Ich seufze. Also, Brief, komm her!

Kündigung

Sehr geehrte Frau Lindenthal,

wie Ihnen bereits mündlich dargelegt wurde,
sehen wir uns zu unserem Bedauern gezwungen,
wegen der Stilllegung der Abteilung Rechnungswesen in Hamburg Ihr Arbeitsverhältnis frist-
gerecht zum 1. 11. 2008 zu kündigen. Die Kündigung konnte auch nicht durch einen anderweitigen
Einsatz oder durch die Kündigung eines anderen
Mitarbeiters vermieden werden.
Bis zum Ablauf der Kündigungsfrist stehen Ihnen
für das laufende Jahr noch 22 Urlaubstage zu.
Diesen Urlaub erteilen wir Ihnen innerhalb
der Kündigungsfrist, so dass Sie letztmals am
30. 9. 2008 zur Arbeit zu erscheinen brauchen.
Bitte reichen Sie bis zu diesem Tag auch die

in Ihrem Besitz befindlichen Firmengegenstände
und Arbeitsunterlagen zurück.
Der Betriebsrat hat der Kündigung zugestimmt,
seine Stellungnahme ist beigefügt. Bei Verzicht
auf eine Kündigungsschutzklage Ihrerseits werden
wir Ihnen mit Ablauf der entsprechenden Klage-
frist eine Abfindung von brutto 14 000 € zahlen.
Dieses Angebot ist ohne Präjudiz für die Sach-
und Rechtslage.

Mit freundlichen Grüßen
Dr. Thomas Drechsel
Personalvorstand Fidelia Versicherung Hamburg

Jetzt ist es also amtlich. Neun Jahre Fidelia lösen sich gerade
in Luft auf. Ein komisches Gefühl.

Paul hatte also doch nicht recht: Es *ist* das Schlimmste passiert. Alle Kollegen aus meiner Abteilung, die nicht bereit
waren, nach München zu wechseln, haben heute ihre betriebs-
bedingte Kündigung erhalten. Also alle bis auf zwei von über
zwanzig.

Immerhin: Der Abschied wird uns mit einer schönen Stange
Geld versüßt. 14 000 Euro sind schon ein ziemlicher Batzen.
Ich habe zwar noch keine Ahnung, was da netto bei herauskommt, aber die Hälfte wird es schon sein. Und Katja hat natürlich auch nicht ganz unrecht – eigentlich bin ich schon viel
zu lange bei der Fidelia. Es gibt also keinen Grund, den Kopf
hängen zu lassen. Soweit der Verstand.

Mein Bauch sagt mir aber etwas völlig anderes. Ich kann
förmlich spüren, wie sich in mir Panik breitmacht. Was mache
ich denn jetzt bloß? Was, wenn ich keinen Job mehr finde? Gut,
besonders wahrscheinlich ist das nicht, schließlich bin ich mit
achtundzwanzig Jahren ziemlich jung und Hamburgs Wirt-

schaft liegt auch nicht komplett am Boden. Aber trotzdem – für einen sicherheitsliebenden Menschen wie mich ist das hier der Super-GAU! Wenn ich bis zur Hochzeit arbeitslos bin, geht wirklich nur noch die Kartoffelsalatvariante. Ich kann ja schlecht meine Ersparnisse und die Abfindung bei einem rauschenden Fest auf den Kopf hauen, wenn ich keine Ahnung habe, womit ich mich nach einem Jahr Arbeitslosengeld über Wasser halten soll.

In meinem Hals bildet sich ein Kloß und ich kämpfe mit den Tränen. In einem Anfall von Selbstzerfleischung krame ich aus der obersten Schreibtischschublade den Ausdruck der Hochzeitscheckliste aus dem Internet hervor.

 Checkliste

10–12 Monate vorher:

- Buchen Sie Musik für Kirche und Feier.
- Suchen Sie sich Ihr Hochzeitskleid und die passenden Accessoires.
- Überlegen Sie, ob Sie in einem Geschäft/Kaufhaus eine Hochzeitsliste anlegen wollen.
- Sehen Sie sich nach einem Fotografen und evtl. einem Videofilmer um.
- Holen Sie sich Angebote für die Flitterwochen ein.

8–6 Monate vorher:

- Prüfen Sie noch einmal die Gästeliste und überlegen Sie, wen Sie einladen und wen Sie nur über die Trauung informieren wollen.
- Lassen Sie Ihre Einladungs- und Dankeskarten drucken.
- Suchen Sie einen Floristen und legen gemeinsam die Dekoration fest.

41

Entmutigt lasse ich die Liste sinken. Ich kann nicht weiterlesen. Ich hatte mich so sehr darauf gefreut, alle einzelnen
Punkte abzuarbeiten: Die Musiker für die Kirche zu buchen,
mir mein Traumkleid auszusuchen, mir mit einem Floristen
die tollsten Dekomöglichkeiten zu überlegen. Und jetzt? Jetzt
kann ich meine großen Pläne komplett auf Eis legen. Seufzend stecke ich den Plan zurück in die Schublade.

Bloß nicht heulen, denke ich, *jetzt bloß nicht heulen! Wenn
du damit erst einmal anfängst, hörst du so schnell nicht mehr
auf.* Genau wie Beate. Und ein paar andere Kollegen, die
zwar nicht ganz so laut wie sie weinen, aber dennoch hörbar
schluchzen. Energisch stehe ich auf und marschiere aus dem
Büro.

Eine Viertelstunde später kehre ich zu meinem Platz zurück,
zusammen mit fünfzehn Flaschen Prosecco. Hat mich knapp
hundert Euro gekostet, aber das spielt gerade auch keine Rolle
mehr.

»Alle mal herhören!«, rufe ich meinen in Schreckstarre ver-
harrenden Kollegen zu. »Wir sind gekündigt, aber wir sind
nicht tot. Also lassen wir jetzt die Korken knallen – und plün-
dern meine süße Schublade.«

Beate sieht mich mit großen, blanken Augen an.

»*Los!*«, sage ich energisch. Und tatsächlich ist sie die Erste,
die von ihrem Platz aufspringt, Gläser und Korkenzieher aus
der Teeküche holt und mir dabei hilft, einzuschenken. Nur Minuten später sind wir von einem Pulk von Leuten umringt.
Irgendwer hat sogar Herrn Teschner in seinem Einzelbüro angerufen. Auch er greift sich ein Glas und schnappt mit der
anderen Hand nach zwei Apfelringen. Sieht ebenfalls ganz mitgenommen aus, mein Boss, so habe ich ihn noch nie erlebt. Aber
wir sind ja alle gerade in einer Art Ausnahmezustand.

»Liebe Kollegen«, sage ich laut. »Für jeden von uns ist das
heute ein extrem harter Tag. Keiner von uns weiß, was die

Zukunft bringt, wie es jetzt weitergeht. Aber ich kann nur sagen, dass ich fest darauf vertraue: Mit jeder Tür«, ich erhebe mein Glas, »die sich schließt, öffnet sich wieder eine neue!« Zustimmendes Gemurmel, dann prosten wir uns alle zu. Fidelia, du kannst uns mal!

Zwei Stunden später hat sich an der Lage an sich zwar nichts geändert, aber immerhin haben wir alle schon einen leichten Schwips, und es gibt etwas zu essen. Das hilft bekanntlich immer. Ich sitze mit Uta, Doreen und Beate in der Kantine und habe ein Stück Hackbraten mit Salzkartoffeln in einer undefinierbaren braunen Soße auf meinem Teller. Eigentlich eine lösbare Aufgabe. Eigentlich.

Denn uneigentlich habe ich den armen Hackbraten fast schon in seine einzelnen Bestandteile zerlegt, weil ich bei dem Versuch, uns alle moralisch wieder aufzurichten, so mit der Gabel herumfuchtle.

»Ich meine, Mädels, mal im Ernst – war das ein abgekartetes Spiel oder was? Und uns dann noch diesen Unternehmensberaterfuzzi auf den Hals zu hetzen. Wo der Hase im Pfeffer liegt, wissen wir doch selbst am besten!« Doreen und Uta nicken heftig.

»Der Alte hat sich bei der Übernahme von dieser blöden Sicurenza total verhoben«, zischt Doreen los, und ihre Sitznachbarin fährt nahtlos fort: »Die war viel zu teuer – und noch dazu haben die Deppen von Sicurenza überhaupt keine Ahnung, wie man auf seriöse Art und Weise Versicherungen verkauft.«

»Die verkloppen wie die Blöden, und wir haben dann den Ärger mit den ganzen Stornierungen«, konkretisiere ich. »*Das* ist doch das Problem!« Ich ersteche eine verschüchterte Salzkartoffel und starre sie so böse an, wie ich gerne Hecker anstarren würde. Aber der sitzt natürlich nicht mit dem gemeinen

43

Volk in der Kantine, sondern haut sich wahrscheinlich gerade mit unseren Vorständen statt Prosecco Schampus hinter die Binde und freut sich, dass er uns so schön hingemetzelt hat.

Nur Beate sitzt wie ein Häufchen Elend an unserem Tisch und hat noch kein Stück von ihrem Szegediner Krautfleisch angerührt. Bei dem Appetit, den sie normalerweise an den Tag legt, ein untrügliches Zeichen für großen Kummer.

»Mensch, Julia, was mache ich denn nur? Ich bin doch schon dreiundfünfzig. Wer nimmt mich denn jetzt noch?«

»Also, Beate, nun mal ruhig Blut«, versuche ich, sie aufzubauen. »Du bist doch Buchhalterin mit Leib und Seele. Ich habe neulich erst gelesen, dass viele Personalchefs dazu übergehen, gezielt nach Best Agern Ausschau zu halten.«

»Best *was?*« Beate guckt komplett verständnislos.

»Best Ager. Also, Menschen in den besten Jahren, Leute wie du!«

Beate schaut skeptisch. »Ich habe nicht das Gefühl, dass gerade meine besten Jahre angebrochen sind. Speziell momentan fühle ich mich eher wie Old Iron.« Nun gucke ich ratlos. »Na, altes Eisen eben.« Jetzt müssen wir beide lachen.

»Jedenfalls«, meine ich, nachdem wir uns wieder beruhigt haben, »bin ich mir ganz sicher, dass sich auch für dich noch etwas finden wird.«

»Ich hoffe es«, stellt Beate seufzend fest. »Bloß gut, dass Gerd einen sicheren Job hat und uns erst einmal eine Weile über Wasser halten kann.« Beates Mann Gerd ist schon seit Ewigkeiten bei einer Wachfirma angestellt. Dabei kann ich mir Gerd nur schwer in Uniform und grimmig guckend vorstellen – er ist ein richtig netter, gemütlicher Bär, der so aussieht, als könne er keiner Fliege was zuleide tun. Zumindest in Jeans und Pullover.

»Siehste«, erklärt Doreen, »damit hat deine Kündigung doch auch etwas Gutes.« Wir gucken sie alle etwas verständnislos an. »Na«, erklärt sie, »du kannst deinen Lebensrhythmus jetzt bequem an Gerds Schichten anpassen und siehst in dann häufiger.«

»Genau das macht mir ja die größte Sorge!«, sagt Beate und zeigt plötzlich ein breites Grinsen. »Bisher konnte ich ja einfach immer behaupten, dass ich gern mehr Zeit mit Gerd verbringen würde – jetzt muss ich es wohlmöglich beweisen!« Sie verdreht in gespieltem Schreck die Augen. Wieder müssen wir vier uns ausschütten vor lauter Lachen.

»Mahlzeit, die Damen! Schön, dass Sie sich so prächtig amüsieren!« Wir fahren herum – und starren in das gutgelaunte Gesicht von Simon Hecker! Also doch kein Schampus mit den Chefs; will er sich noch ein bisschen an unserem Elend erbauen? Ein anderer Grund, weshalb er hier herumlungert, fällt mir jedenfalls nicht ein. »Darf ich?«, fragt er, nimmt aber schon im gleichen Moment mit seinem Tablett am Kopf des Tisches Platz. »Hm«, er schnüffelt an seinem Hackbraten, »es geht doch nichts über gute, einfache Hausmannskost.« Dann piekt er ein Stückchen von dem Braten auf seine Gabel, stopft es sich in den Mund und stellt kauend fest: »Also, ich sag ja immer: Entweder isst man auf Gault-Millau-Niveau oder ganz simpel – alles dazwischen ist Unsinn!«

Keine von uns vieren sagt auch nur einen Ton. Dafür plaudert Simon Hecker fröhlich weiter: »Wie ich hörte, gab es heute Vormittag einen kleinen Umtrunk bei Ihnen, Frau Lindenthal? Hätten Sie mich ja ruhig auch dazubitten können.« Er lacht gönnerhaft. »Aber ich verstehe natürlich, dass Sie dabei unter sich sein wollten. Bin ja kein unsensibler Klotz oder so. Sie ja übrigens auch nicht, Frau Lindenthal. Habe während meiner Tätigkeit hier tatsächlich *immer* nur Gutes über Sie gehört. Sie seien die Seele der Abteilung, heißt es.« Er mustert mich anerkennend – und ich weiß immer noch nicht, was ich sagen soll. *Hat der sie noch alle?* »Wirklich zu schade, dass Sie nicht mit nach München wechseln wollen. Eine Mitarbeiterin wie Sie könnte man da unten mit Sicherheit gut gebrauchen. Eben nicht nur eine, die stur ihren Job macht, sondern die sich als Teil des großen Ganzen betrachtet und auch ein Auge auf ihre Kollegen hat. Das ist wichtig. Sage ich auch immer bei meinen Team-Building-Consultings.« Er schmatzt zufrieden. »Tja, meine Aufgabe ist hier ja nun beendet, mal sehen, wo es mich als Nächstes hinverschlägt.« Er nimmt den nächsten großen Bissen und trinkt einen Schluck von seiner Apfelsaftschorle. »Das ist ja auch das Spannende an meinem Beruf – jede Menge Abwechslung, neue Städte, neue Menschen … doch, das ist schon wirklich interessant.« Er kaut und ein nachdenklicher Ausdruck tritt auf sein Gesicht. »Und Sie?« Er lässt seinen Blick zwischen Beate, Uta, Doreen und mir hin- und herwandern. »Was haben Sie denn jetzt vor?«

Einen kurzen Moment lang gucken wir uns nur an. Dann nehmen wir alle vier, wie nach einer geheimen Choreographie, zeitgleich unsere Tabletts, stehen auf – und lassen den Idioten einfach sitzen.

»Der Kerl hat ja echt Nerven«, schnaubt Uta, während wir unsere Tabletts auf das Abräumband stellen.

»Das kann man wohl sagen«, gibt Beate ihr recht und guckt grimmig.

»Nicht drüber nachdenken«, sage ich entschieden. »Der ist nicht die Sekunde wert, die man zögert, bevor man ihn in den Abgrund schupst.«

»Julia!«, entfährt es Beate.

»So kennen wir dich ja gar nicht«, grinst Doreen und äfft Hecker nach: »Unsere Seele der Abteilung!« Lachend marschieren wir gemeinsam Richtung Kantinenausgang. Kurz vor der Tür drehe ich mich noch einmal zu Simon Hecker um. Da sitzt er, ganz allein, und stochert in seinem Hackbraten herum. Wie er da so hockt, die Schultern eingezogen, den Kopf über seinen Teller gebeugt – da wirkt er fast wie ein einsamer, kleiner Junge, mit dem niemand spielen will. Ohne, dass ich es verhindern kann, tut er mir fast leid. Und zwar für länger als eine Sekunde.

»So ein Quatsch«, sage ich laut zu mir selbst.

»Was ist Quatsch?«, will Beate wissen.

»Ach, nichts«, erwidere ich und schäme mich beinahe für meine unsinnigen Gedanken. Simon Hecker ist ein skrupelloses Arschloch – der muss mir garantiert nicht leidtun!

4. Kapitel

Guten Morgen, mein Schatz! Überraschung!«
Verwirrt schlage ich die Augen auf, weil mich irgendetwas an der Wange kitzelt. Paul kniet direkt neben unserem Bett und streicht mir mit einer Rose durchs Gesicht. »Na? Gut geschlafen?«

»Wie spät ist es denn?« Verwirrt setze ich mich auf.

»Schon kurz nach elf.« Er grinst mich an. »Ich warte seit acht Uhr darauf, dass du aufwachst.«

»Echt? So lange hab ich geschlafen?«

»Tja«, Paul schmunzelt, »du scheinst deinen ersten Tag als Arbeitslose gleich in vollen Zügen auskosten zu wollen.«

Arbeitslos. Da ist es wieder, das böse Wort.

»Tut mir leid«, meint Paul sofort, als er sieht, dass er mich mit seinem Witzchen auf dem falschen Fuß erwischt hat. »Ich wollte dich nur etwas aufheitern.«

»Ha, ha«, erwidere ich sauertöpfisch, »das ist dir gelungen.«

»Ach, komm, Süße!« Er gibt mir einen Kuss auf die Wange. »Ich hab mir heute Vormittag extra freigenommen, damit du an deinem ersten Morgen zu Hause nicht allein bist. Hier, schau«, er deutet auf ein Tablett, das neben dem Bett steht, »ich habe dir sogar extra Frühstück gemacht.«

Mein Blick fällt auf liebevoll angerichtete Leckereien: Rührei mit Speck und Toast, Obstsalat mit Quark, ein Croissant, Kaffee und frisch gepresster Orangensaft. Sofort muss ich lächeln. »Danke, das ist echt lieb von dir.«

Vorsichtig stellt Paul das Tablett vor mich hin, dann setzt er sich neben mir aufs Bett. Ich fange hungrig an zu essen. Ist zwar alles schon kalt – aber schließlich ist es der Gedanke, der zählt.

»Und?«, will Paul wissen. »Fühlt sich doch gar nicht sooo schlecht an, morgens mal nicht ins Büro zu müssen.«

»Stimmt«, gebe ich ihm recht. »Allerdings hoffe ich nicht, dass dieser Zustand allzu lange dauern wird.«

»Da mach dir mal keine Sorgen«, gibt Paul sich betont optimistisch.

»Nee«, meine ich kichernd, »die mache ich mir erst, wenn ich meinen Termin bei der Agentur für Arbeit hatte und man mir mitteilt, dass sie mir höchstens was als Putze anbieten können.«

»Och, gute Raumpflegerinnen werden heutzutage überall gesucht«, greift Paul meinen Scherz auf, »und ich glaube, sie werden gar nicht schlecht bezahlt.«

»Sehr witzig!«

»Im Ernst, meine Süße, mach dir mal nicht so viele Sorgen! Du wirst schon sehen, in spätestens zwei Monaten hast du einen neuen Job und alles läuft, wie du es dir vorgestellt hast.« Er grinst mich an. »Inklusive deiner Traumhochzeit.«

»Meinst du?«

»Da bin ich mir hundertprozentig sicher!«, betont er. »Wir lassen uns doch nicht unterkriegen!« Er gibt mir noch einen Kuss, dann greift er nach einem Stückchen Speck auf meinem Teller. Blitzschnell haue ich ihm auf die Hand.

»Finger weg!«, drohe ich ihm scherzhaft. »Vergreif dich bloß nicht an der kargen Mahlzeit einer Arbeitslosen!«

Paul hebt abwehrend die Hände. »Schon gut, schon gut, ich mach ja gar nichts.«

»So ist es fein.« Ich lasse mir das Frühstück weiter schmecken und streiche mir wohlig über den Bauch, nachdem ich den letzten Schluck Milchkaffee getrunken habe.

»Was hast du denn heute noch so vor?«, will Paul wissen. Ich zucke mit den Schultern.

»Keine Ahnung. Eigentlich nichts. Mein Termin bei der

Arbeitsagentur ist erst nächste Woche, bis dahin könnte ich vielleicht einen Töpferkurs belegen oder ein paar Makrame-Taschen klöppeln.«

»Spitzenidee!«

»Oder ich könnte …« Mit diesen Worten ziehe ich Paul an mich und beginne, ihn zu küssen. Er erwidert meinen Kuss, wir lassen uns in die Kissen sinken und kuscheln miteinander herum. Herrlich, das haben wir schon ewig nicht mehr gemacht – schon gar nicht am helllichten Tag, mitten unter der Woche! Meine Hand fährt unter sein Hemd, erkundet seine warme, weiche Haut. Ich will mich gerade an der Knopfleiste zu schaffen machen, als ich von Paul ausgebremst werde.

»Tut mir leid, Süße«, stellt er bedauernd fest. »Aber so langsam muss ich wirklich zum Gericht.«

»Eine halbe Stunde wirst du doch noch bleiben können«, maule ich, »der Vormittag ist ja noch gar nicht rum.«

Paul seufzt. »Ich hätte mir eigentlich schon heute früh nicht freinehmen können, mein Schreibtisch biegt sich vor lauter Arbeit.«

»Wenigstens hast du noch einen Schreibtisch, der sich biegen kann«, bringe ich mürrisch hervor.

»Ja, und der wartet jetzt ganz dringend auf mich.«

Ich lasse ihn trotzdem nicht los, sondern ziehe ihn wieder an mich. »Och, komm schon, Schnuckel«, quengele ich und nenne ihn extra bei seinem Spitznamen. Aber Schnuckel schiebt mich wieder weg.

»Wirklich, Schatz, es geht nicht. Ich hab gleich eine Besprechung, da kann ich unmöglich fehlen.« Er setzt sich auf und wirft mir einen entschuldigenden Blick zu. »Wir holen das heute Abend nach, ja?«

»Heute Abend bist du doch bestimmt wieder viel zu müde«, prognostiziere ich düster. »Was ist denn dabei, wenn wir noch kurz …«

»Ach, Süße, wir sind doch keine Teenager mehr!«

»Was hat denn das jetzt damit zu tun?«

Er gibt mir einen Kuss auf die Nase. »Ich kann nicht einfach meine Pflichten sausen lassen und mit dir den ganzen Tag im Bett bleiben«, erklärt er nachsichtig. »Auch, wenn ich gerade nichts lieber als das tun würde.« Dann steht er auf und macht sich daran, sein Hemd zurück in die Hose zu stopfen. Er geht raus in den Flur, zieht sich Schuhe und seine Jacke an, dann kommt er noch einmal kurz zu mir zurück. »Also, meine Süße – jetzt schmoll nicht, sondern genieß den freien Tag. Und heute Abend …« Er grinst, küsst mich, zwinkert mir zu und geht dann wieder hinaus. »Ich liebe dich«, ruft er noch, bevor er die Wohnungstür hinter sich zuzieht.

»Du mich auch!«, brülle ich ihm im Scherz hinterher. Doofer Paul: Hat hier eine wunderschöne, willige Frau im Bett liegen – und fährt lieber zum Gericht. Sowas aber auch!

Nachdem ich mich geduscht und angezogen habe, überlege ich, wie ich meinen ersten Tag in Freiheit sinnvoll nutzen könnte. Am liebsten würde ich mich mit Katja zu einem gemütlichen Kaffeeplausch treffen, immerhin ist Montag und da hat *Hairdreams* geschlossen. Aber meine beste Freundin hat mich gestern Abend noch angerufen und mich darüber in Kenntnis gesetzt, dass sie heute von einem *Wahnsinnstypen* zu einem Ausflug ans Meer eingeladen worden ist: »Aber ich sage das Date ab, wenn du Gesellschaft brauchst, kann ja sein, dass der Tag nicht so richtig einfach für dich wird …« Das habe ich natürlich nicht angenommen, will schließlich nicht schuld sein, wenn ihr dadurch der »Mann ihrer Träume« durch die Lappen geht. Auch wenn Katja dazu neigt, aus diesen Träumen recht schnell aufzuwachen.

Etwas unschlüssig wandere ich durch die Wohnung. Ich könnte shoppen gehen. Aber zum einen macht das allein keinen Spaß, zum anderen weiß ich nicht, wie meine finanzielle Lage in Zukunft aussehen wird. Da halte ich die Euros lieber beisammen. Während ich noch grübele, klingelt das Telefon. Ich muss unwillkürlich grinsen: Ob das ein Headhunter ist, der einen Kunden vertritt, bei dem ohne perfekte Finanzbuchhalter gar nichts mehr geht?

Am anderen Ende der Leitung ist … eine komplett aufgelöste Beate. »Hallo«, schluchzt sie in den Hörer, »gut, dass du zu Hause bist.«

»Na, wo soll ich auch sonst sein?«, versuche ich zu scherzen. Wieder bricht Beate in Tränen aus, der Witz kam wohl nicht so gut an. »Was ist denn los?«, frage ich besorgt.

Beate macht eine kurze Pause, seufzt tief und bringt dann stockend hervor: »Gerd ist heute auch entlassen worden, seine Firma ist insolvent.«

»Oh«, entfährt es mir, dicht gefolgt von einem: »Scheiße!«

»Das kannst du wohl laut sagen.«

Ich denke fieberhaft nach, was ich Beate nun Aufbauendes sagen könnte. Aber mir fällt nichts ein. Rein gar nichts.

»Ich«, stottere ich, »ich, äh …«

»Es kommt mir vor wie in einem schlechten Film«, sagt Beate niedergeschlagen. »Heute früh war ich beim Arbeitsamt, um meine Unterlagen abzugeben. Die haben mir da ziemlich deutlich gesagt, dass sie mir keine großen Hoffnungen machen können. Ich sollte es mal bei der Zeitarbeit versuchen. Sie haben mich nach privaten Versicherungen gefragt und ob es nicht sinnvoll wäre, in den vorzeitigen Ruhestand zu gehen.« Sie holt tief Luft. »Pffff! Als wäre ich schon sechzig! Ich bin doch gerade mal Anfang fünfzig!«

»Finde ich auch eine Frechheit«, gebe ich ihr recht und frage mich gleichzeitig, was mich nächste Woche bei meinem Termin erwarten wird. Aber daran will ich jetzt lieber noch nicht denken.

»Tja, und als ich dann vor zwei Stunden nach Hause kam, saß Gerd im Wohnzimmer mit dieser Hiobsbotschaft. Wirklich, ein *toller* Tag!«

»Ach, Mensch, das tut mir wirklich so leid für euch!« Und das tut es wirklich; dagegen haben Paul und ich wirklich nur Luxusprobleme. Jedenfalls hoffe ich, dass er nicht auch gleich nach Hause kommt und mir seine Kündigung präsentiert. Aber Paul ist ja glücklicherweise in seinem Job als Rechtspfleger verbeamtet, so schnell werden sie den nicht los. »Ich hab zwar auch noch keine Ahnung, wie das alles weitergeht«, sage ich zu Beate, »aber ich verspreche dir: Sobald ich irgendeine Möglichkeit sehe, dir zu helfen, kannst du auf mich zählen.«

»Das ist nett von dir«, kommt es vom anderen Ende der Leitung. »Ach Julia, es tut einfach gut, mir dir zu reden.«

»Ruf mich gern immer an, wenn dir danach ist«, sage ich. Und füge grinsend hinzu: »Ich weiß ja nicht, ob es sich schon rumgesprochen hat, aber weißt du ... ich habe jetzt jede Menge Zeit.«

»Ach nee, wirklich?« Endlich lacht Beate ein bisschen und klingt schon viel besser als noch vor wenigen Minuten. »Nochmal danke, Julia. Jetzt werde ich mal mit Gerd eine Spaziergang an der frischen Luft machen, damit wir beide wieder einen klaren Kopf bekommen. Bis bald!«

Nachdem ich aufgelegt habe, bin ich irgendwie deprimiert. Was ist das nur für eine ungerechte Welt, in der Leute wie Beate und Gerd einfach so abserviert und auf die Straße geschickt werden? Okay, wenn eine Firma wirklich pleite ist, kann man nichts mehr tun. Aber trotzdem!

Meine bis vor wenigen Minuten eigentlich noch ganz passable Laune ist jedenfalls in Anbetracht dieser Neuigkeit wieder absolut im Keller. An dem alten Spruch ist schon echt was dran: *Erst hat man kein Glück – und dann kommt auch noch Pech dazu.*

Ich überlege, was mich vielleicht ein kleines bisschen von meinen trüben Gedanken ablenken könnte. Fernsehen? Nee, wenn ich jetzt noch so eine blöde Gerichtsshow gucken muss, nehme ich mir gleich einen Strick. Auch spazieren gehen? Macht mir allein keinen Spaß.

Dann habe ich einen Geistesblitz. Paul hat recht! »Ich lasse mich nicht unterkriegen«, teile ich meinem Wohnzimmer mit entschiedener Stimme mit, »und werde mich jetzt wieder an die Hochzeitsplanung machen.« Ich sollte wirklich nicht so pessimistisch sein. Ich *werde* schon bald wieder einen Job haben. Also kann ich meine unverhofft freie Zeit dazu nutzen, mich jetzt wirklich in das Thema reinzuknien. Ich muss ja noch nichts verbindlich buchen, bis meine finanzielle Lage wieder gesichert ist – aber planen kann ich schon. Und wer weiß, vielleicht wird's am Ende ja auch gar nicht so teuer, wie ich bisher immer gedacht habe?

Beschwingt setze ich mich in Pauls Arbeitszimmer an den Computer, surfe im Internet durch ein paar Hochzeitsseiten, suche die Telefonnummern von Schloss Wakenitz, dem Standesamt, verschiedenen Caterern und Blumengeschäften raus und lege los – wenn ich erst einmal einen genauen Plan, eine genaue Kostenübersicht und alles habe, wird meine Laune mit Sicherheit wesentlich besser sein!

Drei Stunden und gefühlte fünfhundert Telefonate später ist meine Laune *nicht* besser. Im Gegenteil. Erschüttert betrachte ich die Liste, die ich erarbeitet habe. Vielleicht wird die Hochzeit am Ende ja gar nicht so teuer, wie ich gedacht habe? Bei dem Gedanken meine ich, wie in einer amerikanischen Fernsehserie schallendes Gelächter aus dem Off zu hören. Sie wird sogar viel, viel, *viiiiel* teurer, wenn ich alle meine Wunschpunkte berücksichtige. Das haut mich jetzt doch mal kurz aus den Schuhen.

Kostenplanung Hochzeit Julia & Paul

Standesamtgebühren . . . . ca.   100 Euro
Kirche/Geldspende . . . . ca.   150 Euro
Trauringe . . . . ca. 1000 Euro
Kleid für Standesamt, Schuhe . . . . ca.   750 Euro
Anzug für Standesamt, Schuhe . . . . ca.   850 Euro
Strauß für Standesamt . . . . ca.   100 Euro
Familienessen nach Standesamt . . . . ca. 1500 Euro
Polterabend . . . . ca. 2000 Euro
Brautfrisur, Make-up . . . . gratis
Brautkleid . . . . ca. 2000 Euro
Schleier . . . . ca.   250 Euro
Schuhe . . . . ca.   250 Euro
Handschuhe . . . . ca.   100 Euro
Dessous . . . . ca.   250 Euro
Tasche . . . . ca.   200 Euro
Brautstrauß . . . . ca.   200 Euro
Wurfstrauß . . . . ca.   100 Euro
Blumenschmuck/Kirche . . . . ca.   500 Euro
Miete Limousine & Deko . . . . ca.   500 Euro
Kammerorchester . . . . ca. 1000 Euro
Sängerin . . . . ca.   500 Euro
Hochzeitsanzug, Schuhe . . . . ca. 1300 Euro
Kleider für Blumenkinder . . . . ca.   400 Euro
Einladungen/
Menü- und Tischkarten . . . . ca.   500 Euro
Hochzeitstorte . . . . ca.   300 Euro
Saalmiete Schloss Wakenitz . . . . ca. 1500 Euro
Essen im Schloss (100 Personen) . . . . ca. 6000 Euro
Getränke . . . . ca. 6000 Euro
Fotograf . . . . ca.   800 Euro
Videofilmer . . . . ca. 1000 Euro
DJ . . . . ca. 1500 Euro
Suite für Hochzeitsnacht . . . . ca.   500 Euro
Übernachtungen Familie . . . . ca. 2000 Euro
Flitterwochen . . . . ca. 6000 Euro

Immer noch fassungslos starre ich auf meine vorläufige Liste. Macht summa summarum 41 100 Euro. Ich stehe kurz vor dem Herzinfarkt. *So viel Kohle kriege ich NIE IM LEBEN zusammen!* Noch dazu, wenn ich den Hinweis ernst nehme, der immer wieder auf diversen Hochzeitsseiten auftaucht: *Wenn Sie alle Kosten aufgeschrieben haben, rechnen Sie noch zehn bis fünfzehn Prozent hinzu – die Erfahrung zeigt, dass meist einige Posten übersehen wurden, die erst später auftauchen.* Na dann: Prost, Mahlzeit.

Erschöpft lasse ich mich aufs Sofa sinken. Ob sie mir bei meinem Gespräch in der Agentur für Arbeit nächste Woche möglicherweise einen gut dotierten Spitzenmanagerposten anbieten? Ich habe da so meine Zweifel …

5. Kapitel

Irgendwo habe ich gelesen, dass Farben die Stimmung von Menschen ganz wesentlich beeinflussen. Oder habe ich es irgendwo gesehen, in einem dieser Pseudo-Wissenschaftsmagazine auf den Privaten? Ich erinnere mich nicht mehr so genau, ist ja auch egal. Ziemlich sicher bin ich mir hingegen, dass die Farbkombi braun-grün-grau keinen überbordenden Motivationsschub beim Betrachter auslöst. Im Gegenteil, ich würde tippen, sie hat eher etwas Dämpfendes.

Ich frage mich also, welche Gedanken der zuständige *Facility Manager* (mit welchen Titeln heutzutage Hausmeister geschmückt werden – toll!) meiner zuständigen Arbeitsagentur hatte, als er sich entschied, die grauen Wände mit einem umlaufenden braun-grünen Farbband zu versehen. Vielleicht so etwas wie *Ganz ruhig, wird schon wieder*? Oder doch eher *Leg dich hin, hat eh keinen Sinn*?

Immerhin, das Band bildet einen aparten Kontrast zum verwaschenen Grau des Linoleumfußbodens und passt eigentlich auch ganz hervorragend zu den drei hellbraunen Plastikschalenstühlen, die im Wartebereich entlang des Flurs stehen. In einem dieser Stühle lungere ich herum, warte auf mein erstes Gespräch mit meinem Arbeitsvermittler und blättere durch die bunten Broschüren aus dem Infoständer am Eingang. Sie tragen so aufmunternde Titel wie *Mobil in Europa – Informationen für ältere Arbeitnehmer* oder *Mach's richtig – das Berufsberatungsmagazin*. Ein Flyer hat es mir besonders angetan: *Fit für den Sprung ins Berufsleben – der Berufswahltest*. Das klingt doch spannend! Vielleicht sollte ich wirklich mal über Katjas These vom radikalen Berufswechsel nachdenken und einen Termin für so einen Test vereinbaren?

Während ich noch darüber sinniere, ob der Test ergeben könnte, dass ich die geborene Architektin bin oder eine Karriere als Fitnesstrainerin meine wahre Berufung ist, trompetet auf einmal eine Stimme in mein Ohr: »Dieser Test richtet sich an Teilnehmer bis neunzehn Jahre. Steht zumindest da oben. Und darf ich ehrlich sein? Ich finde, Sie sehen deutlich älter aus.«

Erschrocken fahre ich herum und sehe …

… in ein mir leider bekanntes, unsympathisches Gesicht: Simon Hecker. Was will der denn hier? Plant die Agentur für Arbeit etwa einen großangelegten Jobabbau?

»Was wollen Sie denn hier?«, spreche ich meinen Gedanken laut aus. »Und wieso schleichen Sie sich von hinten an mich heran?«

»Sie waren so vertieft in Ihre Lektüre, da wollte ich doch mal schauen, was Sie gerade Spannendes lesen. Aber guten Tag erst mal, Frau Lindenthal. Ich freue mich auch, Sie zu sehen.« Schwungvoll streckt mir Hecker seine Hand entgegen. Ich bin so verdattert, dass ich sie tatsächlich schüttele.

»Äh, ja, guten Tag.« Hat der sich doch tatsächlich meinen Namen gemerkt.

»Sie wundern sich sicherlich, dass ich Ihren Namen noch kenne«, plaudert er auch gleich fröhlich los. »Aber ich übertreibe nicht, wenn ich sage, dass mein Gedächtnis geradezu fotografisch ist. Wen ich einmal gesehen habe, den vergesse ich nicht mehr. Und sei er noch so unscheinbar.« Er grinst.

Das ist doch wohl der Gipfel, was für eine Frechheit! Wie gerne würde ich ihn jetzt schlagfertig durch den Wolf drehen – aber leider fällt mir nichts Entsprechendes ein. Ich versuche also, auf Small Talk auszuweichen. Der soll bloß nicht glauben, dass mir sein Anblick die Sprache verschlägt.

»Ist die Agentur ein neuer Kunde von Ihnen?«

Bilde ich mir das ein oder guckt Hecker mit einem Schlag

kariert? Komisch, ist doch eigentlich eine ganz einfache Frage.

»Hm, sagen wir mal so – ich habe gewissermaßen einen … Akquisetermin«, weicht er aus und wirkt tatsächlich ein bisschen betreten. In dem Moment fällt bei mir der Groschen. Hecker ist aus demselben Grund wie ich hier! Darauf würde ich einen größeren Geldbetrag verwetten.

»Sie sind auch arbeitslos, oder?«, spreche ich ihn direkt darauf an und fühle mich, als habe ich gerade im Lotto gewonnen, während Weihnachten, Ostern und mein Geburtstag spontan auf denselben Tag fallen. Schadenfreude ist so ein kleines, böses Gefühl. Aber gerade jetzt liebe ich es sehr!

»Na ja, gewissermaßen.«

Ich lasse nicht locker: »Was heißt denn hier *gewissermaßen*? Sind Sie's oder sind Sie's nicht?«

»Okay, Sie haben mich: Ich bin arbeitslos. Nach dem Fidelia-Projekt gab es keinen Anschlussauftrag für meine Beratungsgesellschaft. Und deswegen: *Goodbye*. Sie wissen ja, wie das in meiner Branche ist: *Up or out. Grow or go.*« Er lächelt schief.

»*Up or out? Grow or go?*« Ich klimpere verständnislos mit den Augen und habe großes Vergnügen dabei, ihn seine eigene Niederlage noch mehr ausbreiten zu lassen. »Das hört sich für mich alles nach einer eher rabiaten Haarpflegeserie an …«

»Na ja«, druckst Hecker ein bisschen herum, bevor er mit einem Seufzen zugibt: »Man könnte auch *hire and fire* sagen. Und tatsächlich stehe ich momentan unverhofft auf der *fire*-Seite.« Er wirkt betreten; es fällt ihm sichtlich schwer, das mir gegenüber zuzugeben. Mein Hochgefühl schmilzt wie Eis in der Sonne.

»Hm«, mache ich, etwas unsicher, wie es nun weitergehen soll, »das ging ja dann ziemlich schnell.«

»Ja, es kam auch für mich etwas … äh … überraschend.« Er

setzt sich auf den Plastikstuhl neben mich. Wie wir da beide in diesem kargen Flur hocken, regt sich in mir auf einmal etwas wie … Mitgefühl. Ich kann halt nicht aus meiner Haut, selbst der größte Idiot rührt mich noch, wenn er auf einmal am Boden liegt.

»Tja, da haben wir wohl beide etwas gemeinsam«, versuche ich, Simon Hecker zu trösten. »Es tut mir leid, dass es Sie jetzt auch getroffen hat.«

Er schaut mich verdutzt an. »Das tut Ihnen leid? Warum? Neulich in der Kantine haben Sie mich noch mit Blicken getötet. Ich konnte förmlich spüren, wie das Blut aus meinen Adern wich.« Er grinst.

Blödmann!

»Na, dafür sehen Sie ja noch quicklebendig aus. Ich kann also offenbar *nicht* mit Blicken töten. Schade eigentlich, daran muss ich wirklich noch arbeiten …«

»Ach, Frau Lindenthal, das haben schon ganz andere versucht. In meinem Job ist man hart im Nehmen. Was meinen Sie, was ich mir von geschockten Mitarbeitern schon alles anhören musste. Ich kann Ihnen sagen …« Er kichert in sich hinein. Super, offensichtlich ist er stolz auf sein Image als harter Hund.

»Ach, und das macht Ihnen ganz offensichtlich auch noch Spaß, oder? Jedenfalls scheint es Ihnen nicht im Geringsten leid zu tun, dass Sie mich auf diesen Plastikstuhl geschickt haben. Ich an Ihrer Stelle wäre jetzt etwas freundlicher. Immerhin sind wir aus dem gleichen Grund hier.«

Er hebt die Augenbrauen, verzieht aber sonst keine Miene. »Glauben Sie das?« Jetzt lacht er kurz auf. »Das trifft wohl kaum zu. *Sie* sind nämlich hier, weil Sie einen Job suchen. *Ich* hingegen sehe das eher als Selbsterfahrung. Schließlich werde ich mich schon bald wieder damit beschäftigen, wie man möglichst schnell möglichst viele überflüssige Arbeitnehmer loswird. Da kann es nicht schaden, wenn man das Ganze mal aus der anderen Warte gesehen hat.«

Wenn das keine Abfuhr war! Ich bin sprachlos. Naja, fast. Ein »Machen Sie sich nichts vor, Herr Hecker, wir sitzen im selben Boot, ob Sie wollen oder nicht« bekomme ich schon noch heraus.

»Dem würde ich gar nicht mal widersprechen. Aber Sie, Frau Lindenthal, rudern – und ich bin ein Steuermann. Auf Solidaritätsbekundungen können Sie daher verzichten und sich Ihre Energie für Sinnvolleres aufsparen.«

Zack!

Was für eine Unverschämtheit! Ich merke, dass ich puterrot anlaufe. Diesem arroganten Idioten müsste ich mal richtig die Meinung geigen. Leider entweicht meinem Mund nicht viel mehr als ein empörtes »*Arff!*«. Nicht gerade geeignet, um diesen Deppen so richtig in den Senkel zu stellen.

Er lächelt mich jetzt so milde an wie Papst Benedikt eine Gruppe katholischer Pfadfinder beim Ostersegen. »Nehmen Sie's mir nicht so übel, Frau Lindenthal. Ich bin eben Vollprofi.« Er will gerade aufstehen und gehen, da finde ich endlich meine Muttersprache wieder.

»*Vollprofi?*«, pampe ich ihn an. »Was können Sie denn Tolles, Sie arroganter Egoist? Das Einzige, was Sie beherrschen, ist doch, Leute eiskalt abzuservieren. Da bin ich ja mal gespannt, was Ihr Vermittler Schönes für dieses Profil hat. Rausschmeißer auf dem Kiez würde doch ganz gut passen, was meinen Sie?« Ich fange an, mich richtig in Rage zu reden. »Aber dafür sind Sie unter ihrem schicken Anzug natürlich ein viel zu dünnes Hemdchen. Und das meine ich nicht nur körperlich! Sie haben doch so was von *keine* Ahnung vom Leben!«

Hecker schaut mich völlig verdattert an – ein gutes Gefühl! Endlich kann ich ihm mal richtig die Meinung sagen. Bevor ich allerdings noch zu meiner Verachtung für Unternehmensberater im Allgemeinen und ihn im Besonderen ausholen kann, steckt eine junge Frau ihren Kopf durch die Tür links von mir. »Sind Sie Frau Lindenthal? Kommen Sie bitte mit?«

Als ich mich zwei Stunden später mit Paul in der Stadt zum Mittagessen treffe, koche ich immer noch vor Wut.

»Das musst du dir mal vorstellen!«, keife ich, während ich versuche, mit der Gabel meine Spaghetti aufzurollen. »So ein unglaublicher Depp, so ein Idiot, so ein Arsch …«

»Julia«, werde ich von meinem Verlobten unterbrochen. »Ich weiß überhaupt nicht, warum du dich über diesen Simon Hecker so dermaßen aufregst. Hak' ihn einfach ab, der Typ ist es doch nicht wert, dass du auch nur einen einzigen Gedanken an ihn verschwendest.«

»Du hast gut reden«, zicke ich ihn an. Scheinbar möchten heute alle Männer auf der Welt eine Abreibung von mir bekommen. Bitte, können sie haben! »Dich hat er ja auch nicht auf die Straße gesetzt!«

»Mein Gott, Julia!«, braust Paul nun regelrecht auf. »Jetzt lass doch mal die Kirche im Dorf! Du tust ja so, als wäre er dein persönlicher Feind. Dabei hat das doch nicht das Geringste mit dir zu tun.«

»Ach, jetzt nimmst du den Kerl auch noch in Schutz? Den Typen, der deine zukünftige Frau gefeuert hat?«

»Nein, das tue ich nicht«, widerspricht Paul energisch. »Ich finde das genauso schlimm wir du. Aber ich habe keine Lust, mir jetzt eine Ewigkeit lang dein Gemaule anzuhören. Es wird sich schon bald was Neues für dich finden!«

»Ha! Mein *Gemaule*? Das ist ja super!« Wütend donnere ich meine Gabel auf den Teller. »Als würde das nur mich was angehen! Immerhin betrifft die Sache uns beide! Simon Hecker hat vielleicht meinen Lebenstraum zerstört!«

»Sei doch bitte nicht so pathetisch, Schatz«, versucht Paul, etwas versöhnlichere Töne anzuschlagen. Es ist ihm sichtlich unangenehm, dass sich mittlerweile schon die Leute an den Nachbartischen zu uns umdrehen. Mir egal, sollen sie halt gucken.

»Das hat doch nichts mit Pathos zu tun«, gebe ich immer noch bockig zurück. »Du weißt, wie wichtig mir unsere Hochzeit ist. Aber dir scheint das ja egal zu sein.«

»Natürlich ist mir das nicht egal!«, behauptet Paul. »Aber wenn ich da an deine Liste denke, die du gemacht hast ... Liebling, das ist doch alles total unrealistisch. Selbst wenn du noch deinen Job hättest, das haut doch hinten und vorne nicht hin. Wir können nicht so viel Geld für einen einzigen Tag verpulvern ...«

»Drei Tage!«, kommt es von mir wie aus der Pistole geschossen, schließlich kenne ich das Argument nur zu gut. »Plus Flitterwochen!«

»Und wenn es für einen Monat wäre, das ist immer noch absoluter Wahnsinn!« Mittlerweile ist er auch wieder lauter geworden.

»Ach, du findest es also *Wahnsinn*, wenn ich den wichtigsten Tag unseres Lebens, die Krönung unserer Liebe nicht in einer Bahnhofskaschemme begehen will?«

»Zwischen Bahnhofskaschemme und Schloss gibt's noch die eine oder andere Alternative. Wir heißen schließlich nicht von Thurn und Taxis, da tut's ja wohl auch eine Nummer kleiner!«

Fassungslos starre ich ihn an. Sicher war mir bewusst, dass Paul eine große Feier nicht ganz so wichtig ist wie mir – aber gerade in diesem Moment habe ich das Gefühl, er ist regelrecht dagegen. »Du willst das alles gar nicht«, bringe ich tonlos hervor und merke, wie mir die Tränen in die Augen steigen.

»Was redest du denn jetzt schon wieder für einen Unsinn?«
Paul mustert mich leicht genervt.

»Doch«, insistiere ich. »Meine Träume sind dir gleichgültig.«

»Herrgottnochmal!« Paul haut mit einer Hand auf den Tisch.
»Was ist denn bloß heute los mit dir? Ich erkenne dich ja kaum
wieder, du bist ja nahezu hysterisch.«

»*Hysterisch?*«, brause ich erneut auf, nehme meine Serviette vom Schoß und donnere sie auf den Tisch. »Wenn ich
dich daran erinnern darf: *Ich* habe gerade meinen Job verloren und habe noch nicht die geringste Ahnung, wie es weitergehen soll.« Dann springe ich auf. »Und mein liebreizender
Verlobter teilt mir außerdem gerade mit, dass er es vorzieht,
unsere Hochzeit in einer Eckkneipe zu feiern, damit wir ein
paar Euro sparen.« Mit diesen Worten rausche ich davon.

»Bitte, Julia, setzt dich wieder hin«, versucht Paul mich noch
zurückzuhalten.

»Nein. Ich brauche frische Luft!«

Als ich am Abend höre, wie sich die Tür zu unserer Wohnung
öffnet, stelle ich mich schlafend.

»Julia?«, höre ich Paul rufen. Schnell ziehe ich mir die Bettdecke über den Kopf. Mittlerweile habe ich mich etwas abge-
regt, und mein Ausbruch im Restaurant ist mir tatsächlich
ziemlich peinlich. Weiß auch nicht genau, was mich da geritten hat, normalerweise bin ich überhaupt nicht so emotional.
Und normalerweise streiten Paul und ich auch nicht miteinander, schon gar nicht so heftig. Aber die Situation ist gerade
auch nicht »normalerweise«.

»Julia?«, ruft Paul ein weiteres Mal. Eine Minute später
kommt er ins Schlafzimmer und setzt sich zu mir aufs Bett.
»Schatz? Schläfst du?«, flüstert er leise.

»Ja«, nuschele ich unter der Bettdecke hervor. Dann zieht
Paul die Decke von meinem Gesicht weg.

»Na?«, will er wissen. »Immer noch sauer?«

Ich schüttele den Kopf und muss beinahe kichern. Paul legt sich zu mir und nimmt mich in den Arm. »Ach, Süße«, seufzt er. »Du hast das vorhin irgendwie alles in den falschen Hals bekommen, ich habe das doch überhaupt nicht so gemeint.«

»Ich weiß«, gebe ich kleinlaut zu. »Tut mir auch leid.«

»Ich will, dass wir eine tolle Hochzeit feiern. Eine, die wir nie mehr vergessen werden. Aber trotzdem sollten wir die Dinge vernünftig angehen und genau hingucken, was wir ausgeben wollen und was nicht. Und vor allem, was wir uns unter den momentanen Umständen leisten können, ohne uns zu ruinieren.«

»Aber du hast doch gesagt, dass ich bestimmt ganz schnell wieder einen Job finde«, gebe ich trotzig zurück.

»Da bin ich mir auch immer noch sicher«, meint er. »Aber ich finde deine Vorstellungen eben ein klein wenig … übertrieben.«

»Hm«, mache ich nur. Tief in mir drinnen weiß ich ja, dass Paul genau genommen recht hat. Dass meine rauschende Traumhochzeit ein etwas versponnener Mädchentraum ist. Es ist nur … na ja, wie es halt so ist, wenn man einen Traum hat. »Tut mir leid, dass ich so aufgeregt war«, sage ich schließlich.

»Schon gut«, erwidert er und streichelt meine Wange. »Wir sind wohl beide etwas angegriffen.«

»Ja, sind wir wohl.«

»Dann lass uns jetzt schlafen«, meint Paul. »Es war ein langer und sehr anstrengender Tag, ich bin total erschossen.« Er steht auf, geht ins Badezimmer und kommt ein paar Minuten später in Boxershorts zurück.

»Gute Nacht«, flüstere ich ihm zu, ehe er das Licht seiner Nachttischlampe löscht. Fünf Minuten später schlafe ich ein. Und träume …

… von Simon Hecker, der mich auslacht, während ich in einem weißen Alptraum aus Polyester Kartoffelsalat und Würstchen in mich hineinschaufele!

6. Kapitel

Frau Lindenthal, wo sehen Sie Ihre Stärken?«
Natürlich habe ich auf diese Standardfrage die richtigen
Antworten parat. »Meine Stärken?«, sage ich selbstsicher,
lehne mich zurück, will gerade loslegen ... und merke auf einmal: Da, wo heute Morgen noch die wohldurchdachten Argumente waren, ist nun ein einziges großes Nichts. »Ja, also, ich
würde sagen, ich, ich ... äh ...« *Mist!* Was sind meine Stärken? In meinem Kopf rauscht es und ich merke, dass ich langsam rote Flecken im Gesicht bekomme. Was um Himmels
willen wollte ich zu meinen Stärken sagen? Dass ich eine be-
gnadete Doppelkopfspielerin bin und meine gedeckte Apfel-
torte Legende ist, dürfte niemanden der vor mir sitzenden
Herrschaften interessieren. Aber etwas anderes fällt mir momentan einfach nicht ein. Totaler Blackout! Dabei habe ich
mich auf dieses Vorstellungsgespräch wirklich gut vorbereitet
und den Bewerbungsleitfaden meiner Betreuerin bei der Arbeitsagentur fast auswendig gelernt. Vielleicht war das zu
viel des Guten?

»Na gut, dann frage ich mal anders herum: Was sind denn
Ihre Schwächen?« Der Personalleiter meines potenziellen
neuen Arbeitgebers schaut mich durchdringend an. »Oder
haben Sie keine?« Die Dame in dunkelblauem Tuch neben
ihm kichert.

Mir stehen Schweißperlen auf der Stirn. »Meine Schwäche
ist, gewissermaßen, also, das ist ...« Ich zermartere mir das
Hirn. Paul hat mir extra Tipps gegeben, was ich auf diese
Fangfrage antworten soll. Was war das noch mal ... Was hält
Paul für meine größte Schwäche ... *Wer, um Himmels willen,
ist Paul?* »Meine Schwäche ist meine – äh – Gutmütigkeit.«

Auweia, habe ich wirklich gerade *Gutmütigkeit* gesagt?

»Gutmütigkeit?«, wiederholt die Dame in Blau und zieht die Augenbrauen hoch. Aha, ich *habe* es gesagt. Wie komme ich aus der Nummer bloß wieder raus? Ich räuspere mich und straffe meine Schultern.

»Ja, ich würde sagen, ich bin ein gutmütiger Mensch und das wird manchmal ausgenutzt.«

»Sie können sich also nicht durchsetzen?« Der Personalleiter mit dem schönen Namen Vincent Goldbach schaut mich abschätzig an. Gutmütigkeit ist eindeutig die falsche Schwäche. Warum habe ich nicht so etwas wie *Ungeduld* gesagt? Dann wäre ich wenigstens halbwegs dynamisch rübergekommen.

»Nein, so habe ich das nicht gemeint«, versuche ich zu retten, was zu retten ist. »Ich kann mich sogar sehr gut durchsetzen. Aber ich gehe vorher erst einmal vom Guten aus … und das würde ich eindeutig zu meinen Stärken zählen.« *Super!* Das saß doch. Mit neu erwachtem Selbstvertrauen sehe ich Goldbach an.

»Das ist natürlich schön für Sie, Frau Lindenthal. Ihnen ist aber schon klar, dass wir eine Buchhalterin suchen, oder? Das hat mit dem Glauben an das Gute eher weniger zu tun. Was da zählt, sind harte Fakten. Die richtigen Zahlen eben. Oder finden Sie nicht?« Goldbach grinst.

»Natürlich«, beeile ich mich zu versichern, »nur die harten Fakten zählen. Ich meinte das eher menschlich.«

»Tja, und ich meinte es eher beruflich, schließlich ist das hier ein Vorstellungsgespräch, kein Kaffeeplausch«, lässt mich Goldbach auflaufen. Mir wird ganz flau in der Magengegend. Mein erstes Vorstellungsgespräch hatte ich mir irgendwie leichter vorgestellt. Dabei passte die Arbeitsplatzbeschreibung eigentlich perfekt zu mir, und als ich die Einladung zum Gespräch bekam, war ich ziemlich guter Dinge. Diese

Zuversicht ist wie weggeblasen. Gerne würde ich die Situation durch einen intelligenten und witzigen Spruch auflockern, aber leider gehöre ich zu den Menschen, denen der passende Spruch immer zehn Minuten zu spät einfällt. Und wenn das hier so weitergeht, stehe ich in zehn Minuten schon wieder vor der Tür. Selbstverständlich ohne neuen Job.

»Gut, Frau Lindenthal, dann schlage ich mal ein kleines Planspiel vor.« Goldbach lehnt sich auf seinem Stuhl zurück und faltet seine Hände. »Nehmen wir einmal an, Sie betreuen ein wichtiges Projekt für uns – Einführung von Kennzahlen beim Kunden XY. Als Sie morgens Ihre Mails checken, hat Ihnen der Projektleiter des Kunden geschrieben, dass er sehr unzufrieden mit dem gesamten Ablauf ist, insbesondere Ihre Kollegen A und B hätten schlechte Arbeit abgeliefert. Er will deswegen den gesamten Auftrag stornieren. Wie reagieren Sie?«

Ich überlege kurz. »Ich rufe den Projektleiter sofort an?« Das wäre doch schon mal ein Anfang. Hoffentlich der richtige.

Goldmann lächelt. Gott sei Dank! »Tja, der gute Mann ist aber telefonisch nicht zu erreichen.«

Mist. Doch nicht der richtige Anfang.

»Äh, ich spreche mit den Kollegen A und B, um herauszufinden, was eigentlich passiert ist.«

»Die sagen, es läuft alles bestens und der Projektleiter des Kunden ist ein Idiot.«

»Na ja, vielleicht haben die Kollegen ja recht und der Kunde ist wirklich ein bisschen schwierig. Ich könnte versuchen, zwischen den Kollegen und dem Kunden zu vermitteln und um Verständnis zu werben.«

Jetzt mischt sich die Frau neben Goldbach mit einem Schnauben in das Gespräch ein. »Also Frau Lindenthal! Sie sind nicht gutmütig, Sie sind gutgläubig! Ein Kunde will einen wichtigen Auftrag kündigen und Sie lassen sich von Kollegen, die ihren Job vielleicht nicht gut gemacht haben, vor den Karren spannen? Überprüfen Sie doch bitte erst einmal deren Arbeitsergebnisse, bevor Sie den Kunden behelligen!« Sie funkelt mich böse an. Schätze, bei diesem Planspiel bin ich durchgefallen. Es ist einfach zum Heulen.

»Tja, damit sind wir auch schon am Ende unseres Gesprächs«, beendet Goldbach mein Leiden. »Ich danke Ihnen, dass Sie heute zu uns gekommen sind. Wir werden uns in den nächsten Tagen bei Ihnen melden.«

»Vielen Dank«, gebe ich matt zurück. Bloß raus hier und den Ort der Schmach vergessen! Ich stehe auf und schüttele meinen beiden Peinigern die Hand, dann mache ich mich schnell vom Acker.

Bestimmt finde ich nie wieder einen Job. Hochzeit, ade!

Eine Woche nach meiner fulminanten Bewerbungspleite – in der Zwischenzeit habe ich eine Absage erhalten und kein neues Bewerbungsgespräch bekommen – treffe ich mich endlich mal wieder mit Katja. Ihr aktueller Wahnsinnstyp scheint tatsächlich der Wahnsinn zu sein – jedenfalls hat er meine beste Freundin derart mit Beschlag belegt, dass ich sie so gut wie gar nicht mehr zu Gesicht bekomme. Aber ich weiß ja, dass das bei Katja nie lange dauert. Ist die erste Verliebtheitsphase vorbei, wird der Kerl schneller aussortiert, als er überhaupt gucken kann. Das heißt, manchmal ist es auch umgekehrt und Katja kriegt den Laufpass. In dem Fall muss ich dann mein Notprogramm starten – bis der nächste Typ am Horizont auftaucht. Mit Katjas Verflossenen könnte man die Strecke zwischen Flensburg und Konstanz pflastern, nicht übertrieben!

»Und wie läuft's bei dir?«, will Katja wissen, nachdem sie mir eine halbe Stunde lang minutiös sämtliche mentalen und körperlichen Vorzüge von Lars – so der Name vom Wahnsinnstyp – auseinandergesetzt hat.

»Geht so. Gibt nicht viel Neues«, seufze ich. »Außer, dass ich heute noch mal bei der Agentur für Arbeit war. Musste denen ja leider von meinem katastrophalen Vorstellungsgespräch und der Absage berichten und überlegen, wie es nun weitergehen kann.«

»Haben sie denn für dich schon was Passendes?«

Ich schüttele den Kopf. »Nö, gab nur den einen Job, bei dem ich kläglich versagt habe. Dafür soll ich jetzt nächste Woche an einem Bewerbungstraining teilnehmen. Was für ein Schwachsinn!«

»Wieso?«, fragt Katja. »Das kann doch nützlich sein!«

»Wieso soll ich an einem Bewerbungstraining teilnehmen, wenn's gar keine Jobs gibt, auf die ich mich bewerben könnte?«

»Du siehst das schon wieder viel zu negativ«, stellt Katja fest. »Die werden schon ihre Gründe haben, dich zu so etwas zu schicken.«

»Jetzt tu mal nicht so verständnisvoll. Wenn du zu diesem Training müsstest, würdest du auch einen Hals bekommen.«

»Stimmt gar nicht. Ich bin neuen Sachen und Erfahrungen gegenüber immer sehr aufgeschlossen.«

»Katja, wir reden hier nicht über dein Sexualleben, sondern über meinen Werdegang als Neu-Arbeitslose. Und da kann ich nur sagen, dass ich absolut keine Lust auf einen Kurs mit dem beknackten Titel *Bewerben I – die perfekte Papierform* habe. Was fällt denen ein? Ich weiß, wie ein Lebenslauf aussehen muss – ich bin ja nicht blöd.«

Katja zuckt mit den Schultern. »Also, offen gestanden – dein letztes Gespräch ist doch anscheinend nicht so gut verlaufen. Vielleicht kann ein kleines Training also nicht schaden.«

»Mag sein. Aber mit meinem Lebenslauf hatte das eindeutig nichts zu tun. Die haben mich einfach ganz fies in die Pfanne gehauen.«

»Sieh es doch mal so: Je besser deine Unterlagen aussehen, desto mehr Gespräche bekommst du und desto mehr Übung hast du irgendwann. Und dann können solche Typen wie Goldbach dich nicht mehr aus der Fassung bringen und du hast bald wieder eine super Stelle. Und dann, *traraaa:* Traumhochzeit!« Katja strahlt mich an, ich lächle gequält.

»Sicher, so wird es sein.«

»Ach, komm schon! Wann hattest du denn dein letztes erfolgreiches Bewerbungsgespräch? Hast du dich überhaupt schon einmal richtig beworben? Ich meine, vor der Goldbach-Katastrophe?«

Ich schnaube empört. »Natürlich! Und zwar sehr erfolgreich. Beim ersten Anlauf hat es gleich geklappt.« Kein Wunder, denn meine Bewerbungsunterlagen waren tipptopp.

Katja grinst. »Ach genau. Aber das ist doch schon ein Weilchen her. Denn wenn ich mich richtig erinnere, war das die Bewerbung für den Ausbildungsplatz bei der Fidelia. Und außerdem war deine Tante damals Sekretärin beim Personalchef. Ich finde, das zählt nicht.«

Dazu sage ich nichts mehr, denn Katja hat blöderweise recht. Meine letzte erfolgreiche Bewerbung ist neun Jahre her. Eine ganz schön lange Zeit. Lust auf das Bewerbungstraining habe ich trotzdem nicht die geringste. Das war aber leider heute die letzte Idee meiner Jobberaterin bei der Arbeitsagentur. Sie murmelte etwas von »wieder fit für den Markt machen« und »mentale Blockaden ab-, Selbstbewusstsein aufbauen«. Ehrlicherweise bewirkte dieser Vorschlag bei mir eher das Gegenteil. Ich dachte nämlich, ich sei bereits fit für den Markt. Und blockiert fühlte ich mich vor dem Gespräch mit Goldbach auch nicht. Hinterher umso mehr.

»Komm, Süße, vielleicht lernst du ein paar interessante Leute bei dem Seminar kennen. Könnte doch sein«, versucht Katja, mich aufzumuntern.

»Danke, kein Bedarf«, winke ich ab. Schließlich weiß ich nur zu genau, dass Katja mit »interessante Leute« immer »attraktive Männer« meint. Und nach Flirten ist mir derzeit überhaupt nicht. Wozu auch? Ich habe schließlich Paul.

Katja verdreht die Augen. »Also gut, dann dämmere weiter deinem Ende entgegen. Aber erwarte nicht, dass ich dir weiter zuhöre. Ich habe jetzt schließlich genügend gute Tipps gegeben. Anscheinend willst du nur bemitleidet werden.«

»Also hör mal!«, zicke ich zurück. »Sonst bin ich es immer, die sich deine Geschichten anhört. Kaum ist es mal andersherum, stellst du gleich auf Durchzug! Und welche guten Tipps eigentlich? Für mich war da noch nichts Brauchbares dabei.«

»Das ist ja wirklich nett von dir!«, blökt Katja mich an. »Denk doch da zum Beispiel mal an …«

Mitten in unseren Streit hinein klingelt mein Handy. Nach einigem Gekrame fische ich es aus den Tiefen meiner Handtasche und drücke wahrscheinlich gerade noch auf *Annehmen*, ehe der Anrufer zur Mailbox umgeleitet wird.

»Hallo?«, melde ich mich hektisch.

»Na, wie geht's uns denn so, Fräulein Lindenthal?«, tönt es mir vergnügt entgegen.

»Äh, wer ist denn da bitte?«, stottere ich.

»Jetzt bin ich aber enttäuscht, dass Sie meine Stimme nicht erkennen«, kommt es zurück. »Wo ich doch in Ihrem Leben eine dermaßen wichtige Rolle gespielt habe.«

»So wichtig kann die nicht gewesen sein«, erwidere ich und komme mir ungewohnt schlagfertig vor, »denn ich habe leider immer noch keine Ahnung, mit wem ich da spreche.«

»Dann will ich das Geheimnis mal lüften.« Ein Lachen erklingt – und mit einem Schlag weiß ich, wer dran ist. Dieses selbstgerechte Wiehern würde ich unter hunderttausen-

73

den erkennen. Eine Sekunde später werde ich in meiner Vermutung bestätigt.

»Ich bin's«, sagt die Stimme, »Simon Hecker.«

7. Kapitel

Herr Hecker?«, wiederhole ich ungläubig, woraufhin Katja mir sofort ein aufgeregtes »Was will der denn von dir?« zuflüstert. Sie legt ihr Ohr gegen meinen Kopf, wohl in dem Versuch, mithören zu können, was er sagt. Ich schiebe sie von mir weg – so kann ich mich nicht konzentrieren –, schalte dafür aber den Lautsprecher meines Handys ein.

»Hallo? Sind Sie noch da oder vor lauter Freude umgefallen?«, kommt es blechern aus dem Lautsprecher.

»Woher haben Sie meine Telefonnummer?«, frage ich, statt auf sein müdes Witzchen zu reagieren. Wieder erklingt ein Lachen.

»Warum gehöre ich wohl zu den Top-Unternehmensberatern des Landes?«

Uh, da bleibt mir glatt die Luft weg. Wie kann man nur so von sich selbst voreingenommen sein?

»Gehörte«, wispert Katja mir zu. Und obwohl ich im ersten Moment nicht ganz verstehe, was sie meint, wiederhole ich es einfach mal und sage ein »Gehörte« ins Telefon.

»Wie meinen?«

In diesem Moment fällt auch bei mir der Groschen und ich muss ein Kichern unterdrücken. Was für ein Glück, dass Katja so schlagfertig ist. »Lieber Herr Hecker, Sie *gehörten* zu den Top-Unternehmensberatern des Landes«, erkläre ich ihm süffisant. »Wenn ich Sie daran erinnern darf: Das letzte Mal, als wir uns sahen, saßen Sie auf einem Plastikstuhl in der Agentur für Arbeit.«

»Ach, das!« Er zeigt keine Spur von Unsicherheit. »Ja, das war mal eine interessante Erfahrung. Aber lassen wir das, ich rufe aus einem anderen Grund an.«

»Der da wäre?«

»Ich könnte Ihnen für Ihre Zukunft eine interessante Perspektive bieten.«

»*Sie?*«

»Ja, genau, ich.«

»Tut mir leid, Herr Hecker. Aber die Kombination aus Zukunft, Perspektive und ausgerechnet Ihrer Person – das klingt für mich alles andere als verheißungsvoll.«

»Jetzt seien Sie mal nicht so, Frau Lindenthal.« Aha, er hat von *großkotzig* auf *versöhnlich* umgeschaltet. »Ich kann doch nichts dafür, dass es ausgerechnet Ihre Abteilung erwischt hat. Schließlich habe ich nur meinen Job gemacht, und da …«

Klick. Mit einem energischen Drücken lege ich auf. Wütend starre ich auf mein Handy – und bemerke erst dann Katjas entgeisterten Blick.

»Wieso hast du denn aufgelegt?«

»Weil ich keine Lust habe, mit dem Idioten zu reden.«

»Aber warum hast du dir nicht wenigstens mal angehört, was er dir vorschlagen wollte?«

Irritiert ziehe ich die Augenbrauen hoch und mustere meine beste Freundin verständnislos. »Wieso sollte ich ausgerechnet *dem* auch nur eine Minute zuhören? Der Typ ist doch nicht mehr als eine Tüte heiße Luft!«

»Also, ich fand eigentlich, dass er ganz witzig klang.«

»Witzig? Du findest diesen großkotzigen Ton *witzig?*«

»Na ja, sicher braucht man dafür eine ganz spezielle Art von Humor«, meint Katja, »aber …«

»Ach, jetzt liegt es also an meinem Humor und nicht daran, dass Simon Hecker ein arroganter Wichtigtuer ist?«

»Mensch, jetzt fahr doch deinen Puls mal ein bisschen runter, das geht doch nicht gegen dich!«, grinst Katja mich versöhnlich an. »Ich finde ja nur, du hättest dir kurz anhören können, was er will. Hätte dich ja nichts gekostet.«

»Doch. Zeit und Nerven. Und Stolz.« In diesem Moment piept mein Handy. Eine SMS.

Sorry, das war echt blöd von mir. Würde mich freuen, wenn Sie mich noch einmal anrufen. S.H.

Ich zeige Katja die Nachricht. »Na also«, kommentiert sie, »er schluckt seinen Stolz auch runter, obwohl du einfach so aufgelegt hast. Also ruf ihn halt noch einmal an!«

»Du witterst doch nur wieder ein Abenteuer«, werfe ich ihr vor.

»Wieso sollte ich ein Abenteuer wittern?« Aus großen, unschuldigen Augen sieht sie mich an.

»Weil er ein *Mann* ist. Ein für dich *fremder* Mann. Das reicht doch schon.«

»Stimmt«, gibt Katja kichernd zu. »Außerdem mag ich es, wenn jemand selbstbewusst ist.«

»Ja, selbstbewusst ist er, das kann man sagen.« Ich seufze. »Also gut, rufe ich ihn halt noch einmal an.« Ich drücke auf *Angenommene Anrufe* und wähle Heckers Nummer. Diesmal bleibt der Lautsprecher aus; ich habe keine Lust, dass meine beste Freundin mir hinterher wieder erklärt, wie unglaublich witzig der Typ ist, der meine Arbeitslosigkeit zu verantworten hat. Ich finde das nämlich alles andere als zum Lachen.

Es tutet, eine Sekunde später habe ich Simon Hecker wieder am Ohr. »Wusste ich's doch. Die zerknirschte Nummer zieht bei Ihnen auf jeden Fall.«

Argh! Soll ich jetzt gleich wieder auflegen? Ich beherrsche mich.

»Herr Hecker«, sage ich so ruhig, wie es mir möglich ist, »für Ihre Schaumschlägereien habe ich leider überhaupt keine Zeit. Und noch dazu auch nicht das geringste Interesse. Sie haben genau fünf Minuten, mir zu erklären, worum es geht.«

»Eine Stunde. Und das nicht am Telefon, sondern bei einem persönlichen Gespräch.«

»Zehn Minuten maximal.«

»Eine halbe Stunde. Mein letztes Angebot.«

»Das ist nicht mein Problem. Ich will Ihr Angebot ja gar nicht hören.«

Er seufzt theatralisch. »Zehn Minuten. Aber ich habe das Recht, zu verlängern.«

Ich kann ein kleines Lächeln nicht ganz unterdrücken, schieße aber zurück: »Sie haben gar keine Rechte, Herr Hecker. Aber Sie bekommen zehn Minuten.«

Als ich um sechs Uhr im *Intermezzo* an der Rothenbaumchaussee sitze, kann ich immer noch nicht fassen, dass ich mich zu einem Treffen mit Simon Hecker habe breitschlagen lassen. So ein kompletter Unsinn! Als würde ausgerechnet er sich plötzlich als Retter in letzter Minute herausstellen. Aber ich muss schon zugeben, dass ich ein bisschen neugierig bin. Am Telefon hat Hecker ziemlich geheimnisvoll getan, und unser kleiner Schlagabtausch hat mir irgendwie Spaß gemacht.

Katja ist natürlich auch neugierig – und deshalb einfach gleich mitgekommen. Ich konnte sie nicht davon abhalten. Jetzt sitzt sie ein paar Tische weiter, blättert in einem Magazin und tut so, als würde sie auf gar keinen Fall zu mir gehören. »Wehe, du stellst irgendwas an«, habe ich sie noch gewarnt, bevor sich jede von uns an einen anderen Tisch verzogen hat.

»Was soll ich denn anstellen?« Wieder ihr unschuldiger Blick.

»Was weiß ich, irgendwas fällt dir schon ein!«

»Keine Sorge. Ich sitze mucksmäuschenstill an meinem Platz und gebe nur die heimliche Beobachterin. Schließlich muss ja hinterher mal jemand eine objektive Meinung dazu abgeben, was von diesem Simon Hecker nun tatsächlich zu halten ist.«

»Ach? Und du meinst, dafür bist du genau die Richtige?«

»Natürlich!« Katja setzte ein selbstbewusstes Grinsen auf. »Bei meinem Job bleibt das gar nicht aus – in Sachen Menschenkenntnis bin ich unschlagbar!«

»Weißt du was? Genau genommen müsstest *du* dich mit Simon Hecker treffen. In Bezug auf ein eindeutig übersteigertes Selbstbewusstsein steht ihr euch jedenfalls in nichts nach.«

»Aber ich brauche keine Zukunftsperspektive. Jedenfalls nicht im beruflichen Bereich.« Dann wurde ihr Grinsen noch breiter. »Und was das Private betrifft: Im Moment habe ich Lars – aber für den Fall, dass sich das doch irgendwann erledigen sollte, kann ich mir den Kerl ja schon mal aus der Ferne begucken.«

»Glaub mir, so ein arroganter Schnösel ist auf Dauer selbst für dich nichts.«

»Wer hat was von ›auf Dauer‹ gesagt?«

Und so sitzen wir jetzt, unheimlich konspirativ, im *Intermezzo*. Der Einzige, der fehlt, ist Simon Hecker. Genervt gucke ich auf meine Uhr. Viertel nach sechs. Wenn der mich jetzt versetzt, nachdem ich mehr oder weniger gegen meinen Willen hier bin, drehe ich durch!

Ich werfe einen Blick rüber zu Katja, die gerade mal wieder von ihrem Magazin aufblickt und zur Tür starrt. Sie zieht die Achseln in die Höhe. Was tun: noch warten? Oder lieber gehen und Hecker endgültig in der Schublade lassen, in die ich ihn ja ohnehin schon längst einsortiert habe: größter Schwachkopf und Schwätzer aller Zeiten.

In diesem Moment erscheint der größte Schwachkopf und Schwätzer aller Zeiten. Mit einem breiten Lächeln kommt er durch die Tür und eilt mit großen Schritten auf mich zu.

79

»Frau Lindenthal!«, ruft er so laut durch den Laden, dass sich einige Gäste irritiert nach uns umsehen. Auweia, der ganz große Auftritt – wie peinlich! Und dazu noch dieses aufgesetzte Grinsen von einem Ohr zum anderen. Das sieht so dermaßen bescheuert aus, als wolle er bei einem Shopping-Sender gelangweilte Hausfrauen dazu bringen, das sensationelle zwölfteilige Raspelset zu kaufen. Jetzt fährt er sich auch noch mit einer Hand selbstgefällig durchs Haar, das mal wieder eine Portion zu viel Gel abbekommen hat.

Aus den Augenwinkeln schiele ich nach Katja. Sie starrt Hecker völlig ungeniert an – das Strahlen, das sich auf ihrem Gesicht ausbreitet, spricht Bände: Er gefällt ihr. Oh weh, ich hatte es befürchtet. Wie kann sie *so einen* Kerl nur gut finden?

»Hallo, Herr Hecker«, begrüße ich ihn, stehe von meinem Stuhl auf und reiche ihm die Hand.

»Aber, aber, wer wird denn so förmlich sein?« Ehe ich weiß, wie mir geschieht, zieht er mich auch schon an sich und haucht mir links und rechts ein Küsschen auf die Wange. Mal abgesehen davon, dass ich noch nie ein großer Freund der Bussi-Bussi-Kultur war – Hecker ist nun wirklich der Letzte, von dem ich mich abknutschen lassen möchte.

»Äh«, ich schiebe ihn von mir weg. »Ja, freut mich ebenfalls, Sie zu sehen.«

Er nimmt Platz. »Tut mir leid, dass ich mich verspätet habe. Aber mit meinem Jaguar war hier einfach kein Parkplatz zu finden.« Gleich kotze ich direkt vor seinen Augen auf den Tisch. »So ein Auto stellt man ja nicht einfach an jeder Ecke ab.«

»Sicher«, murmele ich und frage mich, ob die Idee, mich mit ihm zu treffen, nicht in der Tat ein großer Fehler war.

»Na, jetzt bin ich ja da.« Das sagt er in einem Ton, als sei er der Messias persönlich, der mir soeben erschienen ist. Er dreht sich Richtung Bar, winkt einem der Kellner und ruft dabei ein lautes »*Un Espresso doppio, per favore!*« Dann wendet er sich an mich: »Und was möchten Sie trinken?«

»Äh, hier ist … Selbstbedienung«, stottere ich, vollkommen fassungslos ob seiner peinlichen Vorstellung.

»Ach, was«, erwidert er, »da muss nur das Trinkgeld stimmen.« Als sich aber nach wiederholter Aufforderung von Simon Hecker, ihm seinen affektierten »Espresso doppio« zu bringen, noch immer niemand hinter der Bar veranlasst sieht, der Bitte nachzukommen, steht er schließlich doch selbst auf. Anscheinend ist ihm nicht anzusehen, dass er für ein Sensationstrinkgeld gut ist.

»Ich sag nur: Service-Wüste Deutschland!«, stellt er missbilligend fest, während er sich erhebt. »Was soll ich Ihnen denn mitbringen?«

»Ein Mineralwasser bitte.«

»Wie aufregend. Darf's denn wenigstens prickeln oder nicht?«

Ahhhhhhh!

Den kurzen Moment, den Hecker für den Weg zur Bar und zurück braucht, nutze ich, um per Blickkontakt mit Katja zu kommunizieren. Sie zeigt mit beiden Daumen nach oben – ich stecke mir übertrieben deutlich den Finger in den Hals. So verschieden können die Geschmäcker sein. Dann sehe ich zu Hecker rüber, der gerade unsere Bestellung aufgibt … und bin einen kurzen Moment überrascht, dass er in diesem Augenblick tatsächlich ganz attraktiv aussieht. Jedenfalls von hinten. Anstelle der sonst üblichen Anzughose trägt er Jeans, in denen er doch einen ziemlichen … na ja, *Knackarsch* hat. Sein enger Wollpullover betont seine breiten Schultern. Insgesamt schon eine recht große und imposante Erscheinung. Wie gesagt, seine Rückseite. Als er sich wieder zu mir umdreht und mit seinem typischen Grinsen zu mir an den Tisch kommt – da ist er augenblicklich wieder ein überheblicher Lackaffe. Tja, manche Leute möchte man halt am liebsten nur von hinten sehen.

»Also«, beginnt Hecker, als er wieder vor mir sitzt und mir mein Wasser hinstellt. »Wie ist es Ihnen denn seit letzter Woche ergangen?«

»Wollen Sie Small Talk halten oder lieber auf den Punkt kommen?«

»Hey«, Hecker hebt in einer abwehrenden Geste die Hände, »ein wenig Höflichkeit, wie sie im westlichen Kulturkreis üblich ist, wird doch wohl noch erlaubt sein.«

»Gut«, sage ich widerwillig, »es ist mir gut ergangen. Und Ihnen?«

»Bestens!«, kommt es zurück. War ja klar, dass er mich toppen muss. »Und damit komme ich tatsächlich gleich zur Sache, nämlich dem Grund, warum es mir bestens geht.«

»Entschuldigung? Könnte ich wohl mal kurz Ihren Salzstreuer ausleihen?« Katja ist unbemerkt an unseren Tisch gekommen und strahlt Hecker an. Ich werfe ihr einen vernichtenden Blick zu. Was soll denn das?

»Aber gern doch«, sagt Hecker galant und reicht ihr den Streuer.

»Ich bringe ihn auch sofort zurück.«

»Das ist nicht nötig«, knurre ich schnell, ehe mein Gegenüber etwas anderes sagen kann.

»Vielen Dank«, sagt Katja, mich komplett ignorierend. »Das ist wirklich sehr nett von Ihnen.«

»Keine Ursache, wirklich nicht.« Hecker zwinkert ihr jetzt auch noch zu. Ich beiße gleich in die Tischplatte vor mir.

»Dann wäre die Sache mit dem Salz ja geklärt«, belle ich Simon und Katja an. Meine Freundin kichert etwas albern, verzieht sich dann aber brav.

»So«, sage ich, sobald sie weg ist. »Sie wollten mir gerade erzählen, warum Sie so bestens gelaunt sind.«

»Richtig.« Hecker kramt in seiner Aktentasche, die er auf den Stuhl neben sich gestellt hat, zieht ein Stück Papier heraus und reicht es mir mit großer Geste. »Lesen Sie das!«, fordert er mich auf.

Es handelt sich um einen Zeitungsartikel. »Bei Anruf: Schluss!«, lese ich die Titelzeile des Artikels laut vor. Dann werfe ich Simon Hecker einen fragenden Blick zu. »Was soll ich damit?«

»Das erkläre ich Ihnen, wenn Sie die Geschichte gelesen haben.« Also überfliege ich kurz, was auf dem Zeitungsausschnitt steht – und verstehe nur Bahnhof. Da ist von einer Berliner Agentur die Rede, die mit einer meiner Meinung nach völlig absurden Idee aufwartet – sie organisiert Trennungen. Kein Witz! Ich kann kaum glauben, was ich da lese: Die Firma macht im Auftrag von Leuten, die sich nicht trauen, ihre Beziehung zu beenden, mit dem jeweiligen Partner Schluss. Das kann per Telefon, per Brief oder auch persönlich sein, alles eine Kostenfrage. Klingt nach einem Spaßbeitrag in *Titanic* – aber im wirklich Leben gibt's doch so was gar nicht! Hoffe ich jedenfalls. Oder ist die Welt mittlerweile schon so zynisch geworden?

»Das ist ja echt unglaublich«, bringe ich hervor, nachdem ich den Artikel gelesen habe.

»Ja, ist es«, gibt Simon Hecker mir recht. »Unglaublich *genial!*«

»Genial finden Sie das?« Er nickt. »Ich finde das eher unglaublich *menschenverachtend.*«

»Ach, jetzt kommen Sie mir doch nicht mit Ihrem Gutmenschentum! So eine Agentur liegt absolut am Puls der Zeit. Effizienz ist das Zauberwort, da gilt es, seine Angelegenheiten geschickt zu delegieren.«

»Angelegenheiten?«, schnaufe ich empört. »Delegieren? Das Ende einer Beziehung ist doch kein Nachsendeauftrag bei der Post!«

»Ach, ich wusste, dass Sie so emotional auf das Thema reagieren.« Hecker lächelt mich freudig an und nickt sich selbst zu. »Und deshalb habe ich Sie ja auch angerufen.«

»Wobei ich immer noch nicht verstehe, was Sie mir mit diesem Artikel zeigen wollen.«

»Das ist doch wohl klar!« Jetzt wirkt Simon Hecker geradezu euphorisch. »Die Trennungsagentur ist in Berlin – und so etwas braucht Hamburg auch!«

Für den Bruchteil einer Sekunde starre ich ihn an – mir schwant Böses. »Sie wollen doch wohl nicht ...«

»Oh, doch«, werde ich von ihm unterbrochen. »Das ist das überzeugendste Geschäftsmodell, das mir seit Jahren untergekommen ist.« Er lehnt sich zu mir vor und fährt dann wichtig fort: »Und glauben Sie mir, mir sind schon so einige Geschäftsmodelle untergekommen. Aber das hier«, er klopft mit der flachen Hand auf den Artikel, der vor uns auf dem Tisch liegt, »ist wirklich eine Sensation. Daher werde ich in Hamburg nach dem gleichen Modell eine Agentur eröffnen. Eine Agentur, die Menschen dabei hilft, ihre Beziehungen zu beenden.« Er strahlt mich an, als hätte er mir soeben verraten, wo der Heilige Gral zu finden ist.

»Sie sind ja verrückt«, entfährt es mir.

»Das wird über die meisten Genies behauptet.« Jetzt wird sein Ton wieder eindringlicher. »Glauben Sie mir, Frau Lindenthal: In der heutigen Zeit, in der die Menschen sowieso überlastet sind und Work-Life-Balance das Gebot der Stunde ist, da wird mein bahnbrechendes Konzept einschlagen wie eine Bombe!«

»Das Berliner Konzept«, korrigiere ich ihn in seinem Größenwahn.

»Ja, von mir aus auch das.«

»Und was habe ich mit dieser bahnbrechenden Idee zu tun?«

»Aber das müsste Ihnen doch klar sein!«, ruft er aus.

»Leider nein. Da müssen Sie schon etwas deutlicher werden.«

Simon Hecker schüttelt unmerklich den Kopf, so, als würde er sich gerade über meine Begriffsstutzigkeit wundern. »Der Anstoß für meine Idee kam im Grunde genommen von Ihnen«, erklärt er dann.

»Von mir?« Kann mich nicht erinnern, Simon Hecker gegenüber die Idee geäußert zu haben, eine Trennungsagentur zu gründen. Wie käme ich auch dazu?

»Ja. Erinnern Sie sich noch daran, was Sie mir beim Arbeitsamt um die Ohren gehauen haben?«

»Dass Sie ein arroganter Egoist sind?«

»Ja, das auch. Aber Sie haben noch mehr gesagt.«

»Tut mir leid. Ich habe mir Mühe gegeben, dieses unschöne Gespräch schnellstmöglich zu vergessen.«

»Sie haben mir gesagt, ich könne nur eines: Leute abservieren.« Er lehnt sich auf seinem Stuhl zurück und schlägt die Beine übereinander. »Tja, und als ich dann den Artikel über diese Agentur gelesen habe – da erschien mir das fast wie ein Fingerzeig des Schicksals.«

Sieh mal an, die dramatische Platte hat er auch drauf, der Herr Hecker.

»Da ist mir mit einem Schlag klar geworden: Genau das ist es! Ich kann gut Leute abservieren – da bin ich doch nahezu prädestiniert dafür, eine Schlussmach-Agentur zu gründen.«

»Ich gebe zu, dass das logisch klingt«, räume ich ein. »Es erklärt aber noch immer nicht, welche Rolle ich nun bei der ganzen Sache spielen soll.«

»Für meine Geschäftsidee brauche ich natürlich jemanden, der gut im Trösten ist. Jemand, der ein gewisses Einfühlungsvermögen besitzt, wenn es um sensiblere Fälle geht. Tja, und da kommen Sie ins Spiel.«

Wumms. Mir fällt die Kinnlade runter.

»Sie wollen«, krächze ich vor lauter Schreck, nehme einen Schluck Wasser, damit ich meine Stimme wiederfinde, und spreche dann weiter, »dass ich zusammen mit Ihnen eine Firma gründe, die Beziehungen beendet?«

»Exakt! Genau das habe ich vor. Na, was sagen Sie?«

»Ehhh.«

»Und das heißt?«

»Dass ich sprachlos bin.«

»Ich wusste, dass mein Vorschlag Sie umhauen würde!« Dann dreht Simon Hecker sich Richtung Bar, winkt noch einmal dem Kellner und brüllt: *Signore, due prosecci per favore! Subito, subito!*

8. Kapitel

Eine Trennungsagentur?« Katja sieht mich ungläubig an, als ich mich eine halbe Stunde später zu ihr an den Tisch setze und ihr die ganze Geschichte erzähle. Hecker hat sich mit der Bitte, dass ich es mir noch einmal überlegen soll, verabschiedet und sucht draußen gerade seinen Jaguar. Aber ich muss über diesen Unsinn erst gar nicht nachdenken. Meine Antwort lautet: *Nein.* Auf gar keinen Fall!

»Genau«, bestätige ich ihr und bin froh über ihre Reaktion. Sie scheint genau so entsetzt zu sein wie ich vor dreißig Minuten, als Hecker mir diesen Schwachsinn vorgeschlagen hat.

»Das ist ja eine absolut geniale Idee!«

Oh. Katja ist also nicht so entsetzt wie ich. Im Gegenteil, jetzt schlägt ihr Gesichtsausdruck in komplette Begeisterung um. Bin ich denn nur noch von Irren umgeben?

»Das ist nicht dein Ernst?«, frage ich vorsichtshalber noch einmal nach. Vielleicht habe ich ja was an den Ohren und sie hat in Wahrheit von einer »banalen Idee« oder so gesprochen.

»Doch, sicher!« Katja nickt energisch. »Wirklich einzigartig finde ich das.«

»Ist es aber nicht, in Berlin gibt es schon so eine Bude. Von denen hat Hecker auch die Idee.«

»Egal«, urteilt Katja, »wenn's so was in Hamburg noch nicht gibt, finde ich die Geschichte jedenfalls toll.«

»Mal ehrlich«, frage ich, »du glaubst doch wohl nicht im Ernst, dass so etwas funktionieren kann?«

»In Berlin scheint's ja auch zu klappen. Warum dann nicht hier? Ich persönlich«, Katja nimmt einen Schluck von ihrer Weißweinschorle, »hätte mit Sicherheit schon öfter auf so

87

eine Agentur zurückgegriffen, wenn sie mir die lästige Aufgabe des Abservierens abgenommen hätte. Das Rumgeheule, die Diskussionen, das sinnlose Warum-denn-Rumgefrage – könnte man sich alles sparen, hätte man nichts mehr mit am Hut. Also, ich fände das sehr praktisch und nervenschonend.«

»Aber zum Glück gibt's ja nicht so viele gewissenlose Menschen wie dich«, werfe ich ein.

»Vielen Dank! Schön, dass du dich als meine beste Freundin bezeichnest.«

»Das bin ich auch. Aber als Kerl würde ich nicht so gern in deine Fänge geraten.« Jetzt müssen wir beide lachen.

»Eben drum«, fährt Katja fort. »Ich selbst bin halt nicht die Sensibelste, wenn es darum geht, eine Beziehung zu beenden. Da bin ich fast sicher, dass es den Herren der Schöpfung besser ergangen wäre, wenn du das an meiner Stelle übernommen hättest.«

»Hm.« Ich muss zugeben, dass da möglicherweise was Wahres dran ist. Wenn ich da zum Beispiel mal an Gregor denke … Mit dem war Katja drei Monate liiert, bis er ihr schließlich so dermaßen auf die Nerven gegangen ist, dass sie ihm nach ihrer letzten gemeinsamen Nacht ein Post-it mit den Worten *Vergiss es* an den Badezimmerspiegel klebte, bevor sie für immer aus seinem Leben verschwand. Doch, das hätte ich insgesamt wohl etwas gefühlvoller hingekriegt. »Trotzdem«, rede ich weiter, »selbst, wenn die Idee auf den zweiten Blick nicht mehr komplett schwachsinnig klingt – dann gibt es dabei immer noch das Problem Simon Hecker.«

»Ach, der!« Katja macht eine wegwerfende Handbewegung. »Wenn du mich fragst, ist das nur ein aufgeplustertes Großmaul, das lange nicht so selbstbewusst ist, wie es tut.«

»So, so«, ich kann mir ein Grinsen nicht verkneifen. »Das hast du mit deiner unglaublichen Menschenkenntnis bereits mit einem einzigen *Kann ich mir mal Ihren Salzstreuer ausleihen?* erkannt?«

»Das sieht man doch schon daran, dass er ausgerechnet bei dir zu Kreuze kriecht«, wendet Katja ein.

»Na hör' mal – was heißt denn hier *ausgerechnet bei dir?* Frechheit!«, funkele ich Katja an. »Und außerdem: Zu Kreuze kriechen würde ich das nicht gerade nennen. Den hättest du mal hören sollen: Ja, Frau Lindenthal, ich stelle mir das so vor: Ich gründe die Firma und bin damit auch gleichzeitig Geschäftsführer. Und Sie wären dann meine bezaubernde Assistentin.«

»Immerhin hat er bereits erkannt, dass er die Idee allein wohl nicht umsetzen kann. Sonst hätte er dich ja nicht angerufen«, gibt Katja zu bedenken.

»Das sehe ich anders, Hecker sucht nur eine Untergebene, vor der er sich aufspielen und über die er bestimmen kann«, widerspreche ich ihr erneut.

»Ist doch umso besser!«

»Besser?« Ich starre sie irritiert an. »Simon Hecker will den großen Zampano geben und ich bin seine Erfüllungsgehilfin – das findest du *besser?*«

»Ja, klar.« Sie nimmt noch einen Schluck Weinschorle. »Wenn Hecker die Firma gründet, trägt er auch das unternehmerische Risiko. Als seine Angestellte kriegst du ein Gehalt gezahlt, geht die Firma den Bach runter, bist du fein raus.«

»Hm. So habe ich das noch gar nicht gesehen«, gebe ich zu.

»Trotzdem wärst du dabei auf gewisse Art und Weise selbstständig, denn wenn ihr die Agentur zusammen aufbaut, kannst du ein Wörtchen mitreden, wie ihr das alles organisiert.«

»Aber genau daran habe ich meine Zweifel.«

»Dann musst du das einfach bei den weiteren Verhandlungen zur Bedingung machen. Er will ja schließlich was von dir!« Katja nickt mir fröhlich zu, als wäre das hier alles gar kein Problem. »Mensch, Julia«, fügt sie eindringlich hinzu, »ich finde, das ist eine super Chance. Und außerdem: Was für eine andere Alternative hast du denn im Moment?«

»Keine«, muss ich zugeben. Das Bewerbertraining kann man jedenfalls nicht ernsthaft als solche bezeichnen.

»Na, sag ich doch!«, meint Katja. »Was hast du also zu verlieren? Außerdem kennst du meine Devise: *No risk, no fun!*«

In meinem Kopf fängt es gehörig an zu rattern. Soll ich das wirklich versuchen? Das Risiko eingehen? Ein Risiko, das – wie Katja mir ja eben erörtert hat – so wahnsinnig groß gar nicht ist? Ich muss kein Geld investieren in die Idee, also kann mir eigentlich nichts Schlimmes passieren. Okay, vielleicht wird Simon Hecker mir ganz schrecklich auf die Nerven gehen. Aber im Zweifel kann ich immer noch kündigen, dann wäre ich auch nicht schlechter dran als jetzt.

»Du siehst aus, als würdest du gerade über die Millionenfrage bei Günther Jauch grübeln«, unterbricht Katja meine Gedanken.

»So in der Art fühlt es sich auch an.«

»Hallo, mein Schatz! Ich hab mich schon gefragt, wo du steckst.« Paul sitzt im Wohnzimmer vorm Fernseher, als ich um neun Uhr nach Hause komme.

»War mit Katja noch was trinken«, erkläre ich, lasse mich zu ihm auf die Couch plumpsen, drücke ihm einen Kuss auf den Mund und streife meine Schuhe ab.

»Das rieche ich«, stellt Paul schmunzelnd fest.

»So schlimm kann's gar nicht sein, waren nur zwei Gläser«, empöre ich mich gespielt. Nach meinem Mineralwasser bin ich doch irgendwann auf Weißwein umgestiegen.

»Ja, ja«, lacht er auf, »während dein armer zukünftiger Mann bei Tee und Knäckebrot zu Hause auf dich wartet.« Er deutet mit seinem Kinn Richtung Couchtisch, auf dem tatsächlich eine Tasse Tee dampft und ein Teller mit Krümeln steht.

»Warum hast du dir denn nichts Richtiges gemacht?«, will ich wissen.

»Weil ich dachte«, er legt einen Arm um meine Schulter, »dass wir zwei Hübschen heute vielleicht mal zum Italiener gehen könnten.«

»Tut mir leid«, ich spüre ein schlechtes Gewissen in mir aufsteigen, »das wusste ich nicht. Und jetzt hab ich schon mit Katja gegessen.«

»Aha! Also bin ich nicht nur dein verlassener Zukünftiger, sondern auch noch dein hungernder.« Er drückt mir einen dicken Schmatzer auf. »Aber macht nichts, dann bestelle ich mir schnell noch eine Pizza und wir machen ein Fernseh-Lümmelprogramm. Das gefällt mir ja sowieso am besten, schön gemütlich mit meiner Liebsten auf dem Sofa.« Paul steht auf, holt sich das Telefon von der Station und ruft beim Pizza-Taxi an. Zwei Minuten später sitzt er wieder neben mir.

»Wonach ist dir denn?«, will er wissen und greift nach der Fernbedienung. »Krimi, Liebesfilm oder eine Serie?« Seit Paul vor einem halben Jahr einen Festplattenrekorder mit DVD-Brenner und einen Premiere-Decoder angeschafft hat, ist das sein liebstes Spielzeug. Stundenlang kann er sich damit beschäftigen, alle möglichen Filme und Sendungen aufzuzeichnen, anschließend die Werbeunterbrechungen herauszuschneiden und mir Vorträge darüber zu halten, dass diese revolutionäre Technik nicht nur die vollständige Autonomie von den Sendezeiten bedeutet – nein, damit sind wir auch endlich von sämtlichen lästigen Werbetrailern befreit. Denn die schneidet Paul ja raus. Insgesamt finde ich das schon auch ziemlich praktisch, wenngleich ich nicht unbedingt das Wort »revolutionär« benutzen würde. Nur neulich, als wir abends

91

Besuch von unseren Nachbarn Pia und Jan hatten, wurde es etwas unangenehm. Da setzte Paul mal wieder zu einem Vortrag über die unglaublichen Möglichkeiten, die ein Festplattenrekorder bietet, an – und vergaß in seiner Euphorie leider komplett, was Jan beruflich macht. Der ist nämlich Media-Planer und bucht für seine Kunden Werbezeiten im Fernsehen. Tja, wenige Minuten später hatten die beiden sich in der Wolle und Jan prognostizierte finstere Zeiten für die Wirtschaft, weil irgendwann niemand mehr Werbung schaltet, wenn keiner sie guckt. Pia und ich zogen es vor, uns in der Zwischenzeit in die Küche zu verziehen, eine Flasche Prosecco zu leeren und die Streithähne machen zu lassen. Aber das ist ein anderes Thema.

»Eigentlich möchte ich gar nicht fernsehen«, beantworte ich Pauls Frage. »Ich würde nämlich gern einmal in Ruhe mit dir reden.«

»Oh.« Paul schaltet die Kiste aus und legt die Fernbedienung weg. »Das klingt ja sehr ernst.«

»Nein, nein«, beruhige ich ihn. »Ist es nicht, will nur eine Kleinigkeit mit dir besprechen.«

»Was zum Thema Hochzeit?« Er gibt sich Mühe, nicht genervt zu wirken, aber in seiner Stimme schwingt ein unausgesprochenes *Bitte, nicht schon wieder!* mit. Das ärgert mich zwar kurz, weil es bei der Hochzeit ja schließlich nicht nur um mich, sondern um uns geht – aber ich sage nichts, weil ich in der Tat ja etwas ganz anderes auf dem Herzen habe.

»Nein, es geht um meinen Job.«

»Haben sie endlich was Passendes für dich gefunden?«, fragt Paul aufgeregt.

»Nö.«

»Um was geht es dann?«

Ich knuffe Paul in die Seite. »Wenn du mich nicht ständig unterbrechen würdest, könnte ich es dir auch erzählen.«

»Okay.« Paul grinst mich an. »Ich halte ab sofort meine Klappe.«

Zehn Minuten später droht Paul vor lauter Lachen vom Sofa zu fallen. »Eine Trennungsagentur? So einen riesigen Schwachsinn habe ich ja noch nie gehört! Dieser Simon Hecker scheint tatsächlich nicht mehr alle Tassen im Schrank zu haben!« Paul wiehert wie ein Pferd und legt sich beide Hände auf den Bauch. »Aua!«, bringt er prustend hervor, »das tut schon fast weh!«

Ich versuche, die richtigen Worte zu finden. Natürlich war mir klar, dass Paul die Idee skeptisch beäugen würde, aber dass er derart ausflippt, hätte ich nicht gedacht. Und es erschwert mir mein Vorhaben deutlich, Paul – nachdem ich ihm Heckers Vorschlag in Bezug auf meine Wenigkeit erläutert habe – zu erklären, dass ich den Gedanken mittlerweile gar nicht mehr so abwegig finde. »Zuerst fand ich das auch«, versuche ich es trotzdem, »aber dann habe ich mit Katja darüber geredet … und die fand das eigentlich ganz gut.«

»Katja!«, keucht Paul los. »Also, die ist ja auch komplett verrückt! Die soll mal schön ihre Lockenwickler eindrehen, vom Geschäft versteht die ja nun mal rein gar nichts.«

»Dafür läuft ihr Laden ziemlich gut«, verteidige ich meine beste Freundin sofort. Ich kann es nicht leiden, wenn Paul so abfällig über sie spricht.

»Ja, ein Friseursalon, das ist ja auch was anderes als eine ganze Firma!«, werde ich von Paul belehrt. »Aber glaub mir: Als Rechtspfleger sehe ich jeden Tag mehr als genug Menschen vor Gericht, die mit irgendeiner vermeintlichen Superidee baden gegangen sind und Insolvenz anmelden müssen. Nee, nee«, er schüttelt den Kopf, »da lass mal lieber die Finger davon.«

»Es wäre aber für mich ohne unternehmerisches Risiko«,

lasse ich nicht locker. Ich merke, wie ich langsam bockig werde. Paul tut ja fast so, als wäre ich ein dummer Teenager, dem Papi nun erklären muss, wie die Welt funktioniert!

»Trotzdem«, erwidert Paul. »Die Idee ist und bleibt schwachsinnig. Und selbst, wenn sie es nicht wäre …« Er unterbricht sich.

»Was dann?«

»Julia«, er nimmt meine Hand in seine und drückt sie, »das ist doch einfach nichts für dich. Mit diesem Hecker eine Agentur aufbauen, ein Unternehmen gründen … Auch, wenn du dich von ihm anstellen lässt und er das finanzielle Risiko trägt, hättest du da dann doch eine Menge Eigenverantwortung.«

»Ja und?« Ich starre ihn entsetzt an, zu meiner Bockigkeit gesellt sich von jetzt auf gleich eine große Portion Empörung.

»Ach, mein süßer Schatz.« Paul nimmt mich in den Arm. »Ich kenne dich schon so viele Jahre, und aus so einem Holz bist du einfach nicht geschnitzt. Glaub mir, Liebling, such dir lieber wieder einen Job als Buchhalterin. In einem soliden Unternehmen, in dem nichts mehr aufgebaut werden muss.« Er gibt mir ein Küsschen. »Und da wird sich mit Sicherheit schon bald etwas finden, wir brauchen einfach nur noch etwas Geduld.«

Ich würde gern etwas erwidern. Aber ich bin … sprachlos! Vor lauter Wut bringe ich nicht einen einzigen Ton heraus. Hat mein Verlobter mich gerade als das kleine, unsichere Buchhaltungs-Mäuschen abgestempelt, das sich lieber schnell wieder einen sicheren Unterschlupf suchen sollte, weil es in der bösen Welt da draußen auf eigenen Füßen nicht bestehen würde? Ja, ich schätze, das hat er! Und meine Wut steigert sich augenblicklich in *Riesenwut!* Paul scheint davon allerdings nichts zu merken, er hangelt seelenruhig wieder nach der Fernbedienung. »So, und jetzt habe ich Lust, mir mit meiner Süßen einen Film anzusehen und dabei mit ihr zu kuscheln.«

Und ich habe Lust, meinem Süßen die Fernbedienung über den Kopf zu hauen und ihn anschließend mitsamt seinem Festplattenrekorder aus dem Fenster zu werfen!

Zwei Stunden später ist der größte Teil meiner Wut verraucht. Nur ein bisschen grummelt es noch im Magen, wenn ich zu Paul rübersehe, der selig schlummernd auf dem Sofa liegt. Ich selbst räume noch den Tisch ab, stelle Pauls Tasse und seinen Teller in den Geschirrspüler und bereite die Kaffeemaschine für morgen früh vor. War ich vorhin noch fuchsteufelswild, tauchen jetzt leider wieder meine guten alten Selbstzweifel auf.

Wahrscheinlich hat Paul recht. Tatsächlich habe ich mich bisher noch nie durch besonders große Risikofreude ausgezeichnet, bis heute Mittag hätte ich selbst die Idee, bei der Gründung eines eigenen Unternehmens aktiv mitzuwirken, für komplett unvorstellbar gehalten. Aber irgendwie haben Simon Hecker und Katja mir da einen Floh ins Ohr gesetzt. Und je länger ich darüber nachdenke, desto reizvoller finde ich das ganze. Aufregend. Mal was anderes. Außerdem: Woher will ich denn wissen, dass ich nicht das Zeug zur Selbstständigkeit habe, wenn ich es noch nie ausprobiert habe? Noch dazu würde Simon Hecker das volle Risiko tragen – ist doch wie gemacht zum Üben! Ich muss also nicht allein in schwindelerregender Höhe über ein Drahtseil balancieren, sondern nur über eine zwar wackelige, aber einigermaßen abgesicherte Hängebrücke marschieren.

Nun wandere ich nachdenklich durch die Wohnung, schaue noch einmal nach dem schlafenden Paul, dann gehe ich rüber ins Bad, um mich abzuschminken und mir die Zähne zu putzen.

»Was meinste?«, frage ich mein Spiegelbild. »Stimmt es, was Paul meint? Ist es der blödeste Gedanke, denn du je hattest? Oder solltest du es wagen?« Ich hätte schon große Lust, es Paul zu zeigen. Ihm zu beweisen, dass ich durchaus das Zeug dazu habe, dass er mich eben doch nicht so gut kennt, wie er glaubt. Noch einmal betrachte ich mich selbst im Spiegel. Julia Lindenthal, achtundzwanzig Jahre alt, braune Augen, dunkelblonde Haare und auf der Nase ein paar Sommersprossen – hat so eine Frau das Zeug zur professionellen Schlussmacherin? Mein ratloser Gesichtsausdruck weicht einem Grinsen. Einem selbstbewussten Grinsen. Und dann strecke ich mir selbst die Zunge raus.

Schnell laufe ich in den Flur, schnappe mir meine Handtasche und finde – ein Zeichen? – auf Anhieb mein Handy. Dann tippe ich los.

Hallo, Herr Hecker. Habe noch einmal über Ihren Vorschlag nachgedacht. Ich bin dabei! Gruß, Julia Lindenthal

Keine drei Minuten später erhalte ich die Antwort. Und zwar eine, die mich überrascht. Nix von wegen *Ich wusste, dass Sie mir nicht widerstehen können* oder *Na, also, habe ich Sie doch zur Vernunft gebracht.* Nein, das steht da nicht. Sondern einfach nur:

Liebe Frau Lindenthal, das freut mich wirklich sehr! Lassen Sie uns morgen telefonieren. Liebe Grüße, Simon Hecker

9. Kapitel

Ich versuche, ein Pokerface aufzusetzen, gelassen zu bleiben und mir nicht anmerken zu lassen, dass es in mir gerade tobt. Leider nicht, weil ich so euphorisch über Heckers Gehaltsangebot bin. Im Gegenteil, ich bin entsetzt – was fällt dem eigentlich ein?

»Also, ehrlich, Herr Hecker«, bringe ich so ruhig wie möglich hervor. »1200 Euro brutto – das sind doch wahrscheinlich keine 900 Euro netto. Das ist jetzt nicht Ihr Ernst!«

Hecker zuckt mit den Schultern. »Wieso denn nicht? Ich bin Jungunternehmer und muss sparen. Kostenbewusstsein ist die wichtigste Tugend des Kaufmanns. Sie kennen doch das alte Sprichwort: *Wer den Heller nicht ehrt, ist den Taler nicht wert.*«

»Ach ja? Ich kenne vor allem ein anderes altes Sprichwort: *Klagen ist das Lied des Kaufmanns.* Kommen Sie, Hecker, ich habe bisher 2500 Euro verdient – und das dreizehn Mal im Jahr. Da bekomme ich ja jetzt mehr Arbeitslosengeld, und das, ohne auch nur einen Handschlag dafür zu tun.«

»Sehen Sie, Frau Lindenthal«, werde ich prompt belehrt, »genau da krankt doch unser System! Lieber bleiben Sie zu Hause und kassieren Stütze, als bei einem unglaublich vielversprechenden Start-up anzuheuern. Heutzutage gibt es offensichtlich keinen Idealismus mehr.« Er lehnt sich über den Tisch weiter zu mir herüber. »Ihr Gehalt und das Ihrer Kollegen war übrigens einer der Gründe, die zentralen Verwaltungsabteilungen bei der Fidelia Hamburg aufzulösen – unverantwortlich hohe Personalkosten. Auf Dauer der Tod eines jeden Unternehmens.«

Apropos Tod: Ich verspüre gerade den Wunsch nach einer

Gewalttat! Tötungsdelikt zum Nachteil des Simon Hecker. Noch ein Wort und ich ziehe ihm mit meinen schönen neuen – und sehr hochhackigen – Wildlederstiefeln einen ebenfalls schönen neuen Scheitel.

»Was schnauben Sie denn so?«, will er plötzlich wissen.

Habe ich tatsächlich geschnaubt?

»Ich frage mich einfach, ob ich mir wirklich Ihre Unverschämtheiten antun soll«, gebe ich böse zurück. »Wahrscheinlich ist das doch keine gute Idee gewesen.« Und wie er nun so vor mir sitzt, wieder mit dem breiten Grinsen im Gesicht, die schwarzen Haare ordentlich zurückgegelt, da frage ich mich wirklich, was mich geritten hat, auf seinen Vorschlag einzugehen. Mit so einem Typen *kann* ich einfach nicht zusammenarbeiten, dass *muss* doch danebengehen!

»Na, na, na, Frau Lindenthal!«, kommt er mir im tadelnden Kindergärtner-Ton und grinst. »Jetzt seien Sie doch nicht gleich beleidigt, weil wir hier in harte Gehaltsverhandlungen einsteigen. Das darf man nicht persönlich nehmen. Und schon gar nicht wörtlich. Was meinen Sie, was ich mir in solchen Situationen schon alles anhören musste? Ehrlich, Sie müssen tougher werden.«

»Tougher?«

»Passen Sie auf – ich erkläre Ihnen jetzt mal, wie so etwas funktioniert«, erläutert er selbstgefällig.

»Na«, ich lehne mich auf meinem Stuhl zurück und schlage die Beine übereinander, »da bin ich aber mal sehr gespannt!«

»Also«, beginnt er, »kleines Drehbuch: Ich, der böse Chef, habe Ihnen, der ambitionierten Jungmanagerin, gerade ein freches Angebot gemacht. Sie lehnen das natürlich ab. Zu Recht. Jetzt komme ich mit der traurigen Geschichte von den leeren Kassen. So – und jetzt sind Sie wieder dran. Sie erklären mir, warum Sie mehr verdienen. Im wahrsten Sinne des Wortes. Also – raus mit der Sprache: Warum verdienen Sie mehr?«

Mit einem Schlag komme ich mir vor wie ein kleines dummes Schulmädchen, das beim Rauchen erwischt worden ist. Nervös versuche ich, mich noch weiter nach hinten zu lehnen, was aber sowohl vom Stuhl als auch von meiner Wirbelsäule verhindert wird. Mein Fluchtweg ist abgeschnitten. *Also los, Julia,* sporne ich mich innerlich an, *gib dir einen Ruck und lass dich hier nicht so vorführen.*

»Äh«, fange ich stammelnd an, »ich verdiene mehr, weil ich mehr ... brauche?«

Hecker verdreht die Augen. Okay, keine überzeugende Antwort.

»Weil ich mehr wert bin?«

»Ah, schon besser. Aber warum sind Sie mehr wert?«

»Ich kann etwas, was Sie alleine nicht hinkriegen«, komme ich langsam in Fahrt und spüre, wie in mir eine seltsame Selbstsicherheit aufsteigt. Auf einmal fällt es mir ganz leicht, mich wieder entspannt nach vorne zu beugen und die Hände konzentriert gefaltet vor mich auf den Tisch zu legen. »Das haben Sie selbst gesagt«, fahre ich fort. »Ich kann die nötige Nähe zu Leuten schaffen. Sympathisch sein. Trösten.« Na also, geht doch! Und mir fällt immer mehr ein. »Ich erkenne schnell, was Leute bedrückt. Ich kann gut zuhören. Menschen vertrauen mir – das können Sie doch bestimmt nicht von sich behaupten. Ich ...«

»Gut, gut«, werde ich von Hecker unterbrochen, obwohl ich noch lange nicht fertig war. »Ich sehe, Sie haben mich verstanden. Und Sie haben recht. Das sollte mir etwas wert sein.« Er lacht mich fröhlich an – und jetzt muss auch ich lächeln. Das hier macht auf einmal richtig Spaß! »Aber eine Tatsache«, seine Miene wird wieder ernster, »lässt sich durch Ihre Qualifikationen nicht wegargumentieren – als junges Unternehmen können wir wirklich nicht so rasend gut zahlen. Deswegen mache ich Ihnen ein Angebot: Ich gebe Ihnen ein Festgehalt, das sich ungefähr an Ihrem Arbeitslosengeld orientiert, vielleicht sogar etwas darüber liegt. Und außerdem bekommen Sie eine Gewinnbeteiligung – unser Erfolg soll sich für Sie ja auch lohnen. Na, was meinen Sie?«

Ich fühle mich, als würden bei der sicheren Hängebrücke, über die ich eigentlich gehen wollte, ein paar Bretter gelockert. »Hm, ich weiß nicht«, bringe ich zögerlich hervor. »Vielleicht machen wir gar keinen Gewinn.«

»Keine Sorge«, will Hecker meine Bedenken vom Tisch wischen, »was ich anfasse, wird auf alle Fälle zu Geld.«

»Sind Sie eigentlich immer so großspurig?«, kann ich mir nicht verkneifen.

»Nur, wenn ich im Recht bin!«

Ich seufze.

»Also«, er streckt mir die Hand entgegen, »Deal?«

Ich denke an das Hochseil und die Hängebrücke, an meine ewige Unsicherheit, an Katjas bedingungsloses Vertrauen in mich … und ja, ich denke auch daran, was Paul gesagt hat. Vielleicht ist es genau das, was nur eine Entscheidung zulässt: Ich schlage ein. »Abgemacht.«

Hecker strahlt mich an und schnippt mit lässiger Geste in Richtung Barkeeper. Allerdings sitzen wir schon wieder im *Intermezzo* – und offensichtlich hat Simon Hecker aus den letzten Besuchen rein gar nichts gelernt. Wann wird er endlich begreifen, dass hier am Tresen bestellt wird? Peinlich berührt blicke ich zu Boden, im Fremdschämen bin ich eine wahre Meisterin. Drei Sekunden später passiert allerdings das Unglaubliche: Der Barkeeper kommt zu uns herüber und begrüßt Hecker geradezu euphorisch: »Simon, ciao! Was möchtet ihr noch trinken?« Ich bin fassungslos – wie hat Hecker das nur geschafft? Niemand, wirklich *niemand* bestellt im *Intermezzo* am Tisch! Es sei denn, muss man wohl seit heute ergänzen, man heißt Simon Hecker und ist die dicke Hose in Person.

Hecker scheint meine Gedanken lesen zu können, denn die Art, wie er jetzt triumphierend sein Gesicht verzieht, sagt ganz eindeutig *Ich habe es Ihnen ja gleich gesagt.* Dann wendet er sich an den Barkeeper. »Corrado, wir haben etwas zu feiern. Signorina Lindenthal steigt in meine neue Firma ein. Also *due prosecci.*«

»*Subito*, Simon, *subito.* Und *Congratulazione!*«

Wenige Minuten später haben wir die Gläser vor uns stehen. Hecker hebt sein Glas. »Frau Lindenthal«, sagt er mit einigem Pathos, »jetzt, da wir uns handelseinig sind, möchte ich Ihnen sagen, dass wir meiner festen Überzeugung nach am Beginn einer überaus erfolgreichen Zusammenarbeit stehen. Ich freue mich, dass ich Sie für mein Konzept gewinnen konnte. Also – willkommen an Bord!« *Kling!* Wir prosten uns zu.

»Danke, Herr Hecker. Ich hoffe, Sie behalten recht.«

»Nennen Sie mich doch bitte Simon. Alles andere wirkt so förmlich. Oder soll ich auch bei Frau Lindenthal bleiben?«

Seinem Grinsen nach zu urteilen eine eher rhetorische Frage. Aber mir ist's wurscht, solange er nicht zu *Julchen* übergeht. »Okay«, sage ich daher, »auf uns, Simon!«

»Auf uns, Julia!« Wir stoßen noch einmal an und trinken. Dann schaut Simon mit wichtiger Miene auf seine Uhr. »So, jetzt müssen wir auch ein bisschen auf die Tube drücken, denn ich habe mir erlaubt, schon gleich den ersten Business-Termin für uns zu fixen. Und der ist in fünf Minuten in Winterhude.«

Ich sehe ihn erstaunt an. »Sie haben schon einen Business-Termin *gefixt?* Und was hätten Sie gemacht, wenn ich einfach ›nein‹ gesagt hätte?«

»Sie kennen mein Motto offensichtlich noch nicht«, gibt er lächelnd zurück.

»Lassen Sie mich raten: *Frechheit siegt?*«

Er guckt mich durchdringend an und schüttelt dabei langsam den Kopf: »*Never take no for an answer.*«

Offensichtlich hat Simon Hecker seinen Führerschein in einer kaum besiedelten Gegend gemacht – vielleicht Sibirien? Jedenfalls sind wir unter Missachtung jeglicher Vorschriften der Straßenverkehrsordnung nach ungefähr viereinhalb Minuten in Winterhude. Das ist wirklich nur zu schaffen, wenn man Einbahnstraßen schon mal Einbahnstraßen sein lässt. Wobei die Sierichstraße, in die wir jetzt gerade entgegen der Fahrtrichtung reinsausen, keine dieser ganz kleinen Kuschel-Einbahnstraßen ist. Es handelt sich vielmehr um eine der Hauptverkehrsadern entlang der Alster – zweispurig, jede Menge Autos, alle fahren so zwischen 60 und 70 Stundenkilometer. Meine Finger krallen sich unwillkürlich seitlich in das feine Nappaleder meines Sitzes.

»Äh, Sie wissen, warum die uns alle anhupen, oder?«, will ich wissen.

»Die sollen sich nicht so anstellen«, stellt Simon lapidar fest. »In zweihundert Metern sind wir schon da. Ich fahre doch jetzt nicht den ganzen Bogen um die Bellevue! Das dauert bei dem Verkehr ja ewig.« Ein Wagen hält direkt auf uns zu, blendet auf, hupt – ich schicke ein Stoßgebet zum Himmel – und weicht dann aus. Mir wird schlecht. »Gott, deutsche Autofahrer sind solche Oberlehrer!« Simon schnaubt und steigt dann abrupt in die Eisen. »Ah, unser Parkplatz!« Ein Schlenker – und wir stehen in einer Parklücke, in die wir lediglich hineinpassen, weil der Jaguar nun halb auf dem Bürgersteig steht. Während ich noch versuche, meine Pulsfrequenz von *Panik* auf *leicht erhöht* herunterzubekommen, springt Simon bereits aus dem Wagen, hechtet zur Beifahrerseite und reißt meine Tür auf: »*Et voilà!* Willkommen im schönsten Teil von Winterhude, in unserem wahrscheinlich neuen Domizil.«

Ich steige aus und betrachte das imposante weiße Gründerzeithaus. Schon beeindruckend. Eine Jugendstilfassade, offensichtlich unlängst renoviert. Zwei bekränzte junge Damen aus Marmor thronen über dem Hauseingang und gucken streng, unter dem Giebel des viergeschossigen Gebäudes prangt eine Jahreszahl: 1906. Vornehm geht die Welt zugrunde.

»Schönes Haus, oder? Und warten Sie erst mal, bis wir drinnen sind. Der Vermieter hat mir ein wahres Schmuckstück versprochen.« Hecker klingelt, ein dezenter Summer ertönt und die Tür öffnet sich zum Hausflur. Ach was, Hausflur: zu einer Halle! Von der Deckenmitte hängt ein Kristalllüster, die Wände links und rechts schmückt je ein riesiger Spiegel, von Rad schlagenden Pfauen aus Stuck eingefasst. Der Boden ist natürlich aus hellem Marmor, mit einem eingelassenen Blumenrelief aus weißem und dunklem Stein geschmückt. Direkt vor uns wartet ein Fahrstuhl auf uns, wie man ihn aus alten Edgar-Wallace-Filmen kennt – ein schmiedeeiserner Käfig, bestehend aus stilisierten Efeublättern. Simon öffnet die Lifttür, wir steigen ein und fahren nach ganz oben. Dort wartet schon ein älterer Herr auf uns.

»Herr Hecker, Frau Lindenthal?«, begrüßt er uns freundlich. »Wiesel mein Name. Schön, dass Sie es einrichten konnten. Ich bin überzeugt, diese Perle wird Ihnen gefallen.« Er führt uns auf eine aufwendig verzierte Tür aus dunklem Mahagoni zu.

Ein Schritt und ich stehe in der schönsten Altbauwohnung, die ich je gesehen habe. Schon der Flur ist beeindruckend. Die Decken sind gefühlt doppelt so hoch wie in Pauls und meiner Wohnung, geschmückt mit elegantem Stuck in Form von Blumengirlanden. Andächtig staunend lasse ich mich in den ersten Raum führen, der lichtdurchflutet und unglaublich groß ist, bestimmt dreißig Quadratmeter. Ich bewundere das alte, perfekt erhaltene Fischgrätparkett und sehe, dass es durch eine Schiebetür in einen zweiten, ebenso großen Raum geht. Einen Balkon gibt es auch, ich öffne die Tür und gehe hinaus.

»Simon, kommen Sie mal – von hier kann man sogar die Alster sehen!« Für einen Moment bin ich völlig aus dem Häuschen, was natürlich auch daran liegt, dass man von unserem Balkon zu Hause lediglich auf eine vielbefahrene Kreuzung und die örtliche Pit-Stop-Filiale blickt.

»Ja, das ist wirklich wunderschön.« Auch Simon, der sonst immer den Coolen mimt, scheint beeindruckt. Von hier oben schaut man direkt über die Baumwipfel auf die Außenalster. Wäre nicht November, könnte man bestimmt viele kleine Segelboote sehen, ein Anblick, der jeden echten Hamburger zu Tränen rührt. Auch Herr Wiesel steckt nun seinen Kopf heraus.

»Sollen wir mal einen Rundgang machen?«

Nachdem wir alle vier Räume, die Küche und das Bad besichtigt haben, ist mir eines klar: Die Wohnung ist reichlich überdimensioniert für eine Zwei-Mann-Agentur ohne aktuellen Kundenstamm, deren Gründer mir noch vor einer halben Stunde einen Vortrag über die Bedeutung von Kostenstrukturen gehalten hat. Während Wiesel über die jüngst erfolgten exklusiven Verschönerungsmaßnahmen referiert – »seitdem an allen Wänden Feinputz statt Rauhfaser ist, sprechen die Räume doch eine ganz andere Sprache« – flüstere ich Hecker ins Ohr: »Die Bude ist echt toll. Aber ist sie nicht ein bisschen zu groß?« Er hebt vielsagend die Hände und grinst.

Wir sind am Ende unserer kleinen Besichtigungstour angelangt. Herr Wiesel drückt Simon etwas in die Hand, was wie ein ausführliches Exposé der Wohnung aussieht. »Also, Herr Hecker«, sagt er, als wir wieder draußen im Hausflur stehen und auf den Lift warten, »ich würde mich sehr freuen, wenn

Sie von sich hören lassen.« Dann wendet er sich formvollendet an mich. »Meine Verehrung, Frau Lindenthal!«

Als wir wieder im Auto sitzen, platzt es aus mir heraus: »Dieses Riesenteil wollen Sie doch wohl nicht als Büro anmieten, oder? Ich meine, fünf Zimmer, schätzungsweise 140 Quadratmeter … Ich gehe mal stark davon aus, dass Sie mich mit diesem Termin lediglich beeindrucken wollten. Okay, ist Ihnen gelungen. Zur Ihrer Info – ich wohne in einer fünfundsechzig Quadratmeter großen Drei-Zimmer-Genossenschaftswohnung in Barmbek. Dort sind übrigens auch die Büromieten sehr günstig. Wo Sie sich doch so große Sorgen um unsere Kostenstruktur machen!«

Simon mustert mich kurz von der Seite, lächelt ein wenig herablassend und konzentriert sich dann wieder auf den Verkehr.

»Nichts gegen ein ehrliches Arbeiterviertel«, meint er, während er geschickt einen Lkw überholt und sich dann bei einem weiteren Spurwechsel zwischen zwei anderen Autors durchschlängelt, »aber das ist wohl kaum das richtige Umfeld für eine Firma wie die unsere. Wir zielen auf eine exklusive Klientel, da wäre Barmbek mit Sicherheit nicht die richtige Adresse.«

Wie schafft er es nur immer wieder, mich innerhalb von fünf Sekunden auf die Palme zu bringen? Böse funkle ich ihn an.

»Also, erstens brennen in Barmbek auch nicht gerade die Mülltonnen, und zweitens, *exklusive Klientel*: Täusche ich mich, oder haben wir tatsächlich noch gar keinen Kunden, geschweige denn einen exklusiven? Ich dachte, wir stellen erst mal einen Schreibtisch mit zwei Telefonen in ein freies Eckchen Ihrer oder meiner Wohnung.«

»Sehen Sie, Julia, und schon denken wir in die gleiche Richtung«, teilt er mir mit, während er eine Ampel bei, sagen wir mal, Dunkelgelb überfährt. »Auch ich will erst mal einen Schreibtisch in ein freies Eckchen stellen. Aber es kommt doch sehr darauf an, in welches.« Schon wieder so ein komischer Seitenblick, gleich verpasse ich ihm echt eine. »In Ihrer Wohnung ist kein Platz mehr, wie Sie mir eben bestätigt haben – und ich verfüge derzeit über gar keinen festen Wohnsitz. Für das Fidelia-Projekt war ich in einem Boarding-Haus untergebracht, aber da kann ich auf Dauer nicht bleiben.«

»Aha«, sage ich – und habe augenblicklich eine unheilvolle Vermutung, die sogleich bestätigt wird.

»Mir kam dadurch die Idee«, fährt Simon fort, »das Angenehme mit dem Nützlichen zu verbinden und ein Objekt anzumieten, in dem ich arbeiten *und* wohnen kann.«

Tatsächlich: Die Agentur ist noch gar nicht richtig gegründet und soll dem Herrn schon ein angenehmes Wohnambiente verschaffen! »An sich ein schöner Gedanke«, erwidere ich und versuche, meiner Stimme einen möglichst autoritären Klang zu verleihen, »aber wenn ich als am zukünftigen Gewinn beteiligte Mitarbeiterin dazu auch mal was sagen darf: Das ist eine Nummer zu groß für uns – selbst, wenn Sie einen Teil privat nutzen.«

»Julia«, er lacht auf, »es freut mich, dass Sie sich so schnell von der verhuschten Büropflanze zu einer selbstbewussten, aktiv an Entscheidungsprozessen teilnehmenden Mitarbeiterin gemausert haben. Aber glauben Sie mir: In unserem Business sind ansprechende Büroräume das A und O. Wir können kaum erwarten, dass man uns so etwas Privates wie das eigene Liebesleben anvertraut, wenn wir in einer Besenkammer residieren.«

»Zwischen Besenkammer und Ballsaal gibt es bestimmt noch ein paar brauchbare Alternativen«, halte ich tapfer dagegen und muss dabei automatisch an Pauls Bahnhofskaschemmen-Schloss-Vergleich denken.

»Ja, ja«, Simon wedelt mit der Hand durch die Luft, »aber schön finden Sie's doch auch, oder?«

»Klar«, muss ich zugeben, »schön ist es natürlich.«

»Gut, dann wäre das ja entschieden«, verkündet Hecker in einem Ton, der jeden Widerspruch ausschließt. »Wo soll ich Sie eigentlich hinfahren?« Er zwinkert mir zu. »Oder wollen Sie mit ins Boarding-Haus kommen?«

»*Wie bitte?*«

»War nur ein kleiner Spaß. Also, wo wollen Sie hin?«

»Zuerst einmal möchte ich die Sache mit den Büroräumen noch abschließend mit Ihnen klären.« Wenn der glaubt, er kann mich hier einfach so überfahren, hat er sich geschnitten. Simon seufzt etwas genervt auf.

»Hören Sie, Julia. Ich werde den Großteil der Miete privat übernehmen, so dass die Firmenkosten im Rahmen bleiben. Für die Agentur brauchen wir nur die zwei großen Räume, die mit einer Schiebetür verbunden sind. Dann hätten wir beide unser eigenes Büro, können aber bei Bedarf die Tür öffnen, wenn wir zum Beispiel etwas besprechen wollen. Der Flur ist groß genug, um dort sogar noch eine Empfangssekretärin unterzubringen. Die Wohnung ist einfach ideal!«

»Ach?«, meine ich mehr erstaunt als bissig, »Sie sehen uns schon eine Empfangsdame einstellen?«

Jetzt grinst er wieder. »*Think big*, Julia, *think big!*«

»Ja«, zicke ich ihn an, »ein Großmaul wie Sie muss das wohl so sehen.«

»Großmaul?« Er wirft mir einen schnellen Blick zu und sieht tatsächlich einigermaßen empört aus. »Das war jetzt aber nicht sonderlich charmant.«

Ich sehe ihn böse an. »Verhuschte Büropflanze auch nicht wirklich«, schieße ich zurück. Daraufhin lacht er wieder – und ich muss ebenfalls grinsen.

»Also abgemacht?«, will Simon wissen. »Wir nehmen die Wohnung?«

»Okay, ist ja Ihre Firma«, sage ich. »Wenn Sie sich überheben, soll das ja nicht mein Problem sein.«

»Keine Sorge«, gibt er selbstbewusst zurück. »Ich weiß *immer*, was ich tue.« Sein Wort in Gottes Ohr. »Aber bevor ich jetzt weiter ziellos durch die Gegend fahre – wo wollen Sie denn nun hin?«

»Einfach zur nächsten U-Bahn-Station, bitte.«

»Ich kann Sie auch nach Hause bringen.«

»Das ist wirklich nicht nötig«, erwidere ich. »Mit diesem Auto halten Sie sich besser von den Barmbeker Slums fern, sonst passiert am Ende noch was.« Wieder müssen wir beide lachen.

Simon setzt mich am nächsten U-Bahnhof ab. *Brrr,* kalt ist es wieder geworden. Gott sei Dank habe ich die schönen Wildlederhandschuhe, die Paul mir geschenkt hat, mitgenommen. Ich wühle in meiner Tasche, um sie mir anzuziehen – kann sie aber nicht finden. Gut, meine Handtasche ist ein echtes Massengrab, aber nach zwei Minuten intensiver Suche ist klar, dass ich die Handschuhe irgendwo liegen gelassen habe. Mist, die waren sehr schön – und bestimmt auch ziemlich teuer. Wo habe ich sie bloß verloren? Ich überlege. In der Wohnung von Herrn Wiesel nicht, denn ich hatte sie da schon nicht mehr an. In Simons Auto? Nein, da habe ich meine nackten Finger panisch in den Sitz gekrallt. Bleibt nur das *Intermezzo*, denn auf dem Weg dorthin hatte ich sie noch an. Ich seufze. Jetzt noch mal den ganzen Weg zurück, wie ätzend!

Als ich im *Intermezzo* ankomme, ist es für dortige Verhältnisse geradezu leer. Der Barkeeper hat mich schon gesichtet und winkt mir zu: »Ah, Signorina, Sie haben Ihre Handschuhe vergessen, nicht wahr?«

»Genau! Schön, dass Sie sie gefunden haben.«

»Natürlich, wäre schade drum gewesen.« Er lächelt mich an. »Aber habe ich gleich auf die Seite gelegt.«

»Das ist nett von Ihnen.«

»Ehrensache für die Freundin von Simon.«

»Äh, ich bin nicht seine Freundin!«, sage ich. Kann mir zwar wurscht sein, was der denkt, aber ich will es trotzdem gleich mal richtigstellen.

»Ah, *bene*, machte nix. Aber wären Sie hubsches Paar, Sie und Simon.«

»Wir sind aber kein Paar«, betone ich noch einmal, »sondern nur Partner.« Das ist jetzt zwar etwas übertrieben, denn genau genommen bin ich Simons Angestellte – aber sei's drum, das andere klingt besser.

Der Barkeeper zieht fragend die Augenbrauen hoch. »Wie Partner? Verstehe ich nichte Unterschied.«

Okay, jetzt ist wohl nicht der richtige Zeitpunkt für eine kleine Lektion über Feinheiten der deutschen Sprache. Also mache ich nur eine wegwerfende Handbewegung.

»Ach, egal, nicht so wichtig.« Dann nehme ich meine Handschuhe, bedanke mich und will schon gehen – als mir noch eine Frage einfällt, die ich ihm gern stellen würde. »Sagen Sie mal«, will ich von ihm wissen, »was macht eigentlich den Unterschied zwischen einem Gast wie Simon und einem wie mir?«

Der Barkeeper schaut erstaunt. »Wie meinen Sie? Er ist Mann, Sie sind Frau!«

»Nein, nein, ich meine, warum sind Sie heute an unseren Tisch gekommen? Das machen Sie doch sonst nie. Ich muss immer an der Bar bestellen. Ich frage mich, was an Simon so besonders ist?«

Statt einer Antwort bekomme ich zunächst schallendes Gelächter. »Signorina, das ist ein Geheimnis zwischen zwei Männern.«

»Ach bitte!« Ich setze meinen besten *Ich-bin-ein-armes-Mädchen-in-den-Untiefen-des-großen-Waldes-und-muss-gerettet-werden-und-du-bist-so-ein-großer-starker-Mann*-Blick auf. »Bitte, was ist das Besondere an Simon Hecker?«

»Zwanzig Euro.«

Nun gucke ich blöd. »Wie bitte?«

»Das Besondere sinde zwanzig Euro. Er iste hier gesessen und auf Sie gewartet. Dann ist zu mir gekommen und hat gesagt: Mein Freund, ich will beeindrucken wunderschöne Frau. Also, ich gebe dir zwanzig Euro, wenn du kommst an unseren Tisch und mich wie Bekannten begrüßt und unsere Bestellung aufnimmst.« Er zwinkert mir zu. »Aber verraten Sie nicht – er wollte machen einen guten Eindruck bei Ihnen.«

»Das gibt's doch nicht!« Ich schüttele den Kopf. »Und da drückt er Ihnen einfach einen Zwanni in die Hand? Okay, ich bestelle weiter hier vorne. Mehr gibt mein Budget nicht her.« Ich drehe mich, um zu gehen, überlege es mir aber doch noch. »Ist aber eigentlich auch nicht nett, dass Sie ihn jetzt in die Pfanne hauen.«

Er zuckt mit den Schultern. »Ich find Sie netter als diese Wichtigtuer.«

Auf dem Weg zur U-Bahn muss ich immer noch kichern. Wichtigtuer. Ja, das trifft den Nagel auf den Kopf. Genau das ist Simon Hecker, ein Wichtigtuer. Aber eigentlich, muss ich mir selbst eingestehen, ist es auch ganz niedlich, dass er den Barmann besticht, um vor mir gut dazustehen. Tja, sein Pech, dass ich es herausgefunden habe! Ich überlege, ob ich ihn das nächste Mal damit aufziehen soll.

Nein, beschließe ich. Das bleibt mein kleines Geheimnis. Aber es ist gut, zu wissen, wie es tatsächlich hinter Simons selbstbewusster Fassade aussieht.

10. Kapitel

Eine Stunde später komme ich mit einer Flasche Crémant sowie diversen Leckereien aus einem Feinkostladen nach Hause. Schließlich muss mein neuer Job gefeiert werden! Ich finde Paul im Wohnzimmer vor, wo er auf einer wackeligen Leiter steht und gerade damit beschäftigt ist, ein kleines Regal an die Wand überm Sofa zu dübeln.

»Hallo, Schnuckel!«, begrüße ich ihn und halte ihm grinsend die Flasche Crémant entgegen.

»Moment«, bringt er zwischen zusammengepressten Zähnen hervor, während er mit der Bohrmaschine kämpft, »bin hier gleich fertig.«

Ich beobachte meinen Liebsten etwas skeptisch bei seiner handwerklichen Tätigkeit. »Was wird das denn?«, will ich wissen.

»Wirst du gleich sehen«, kommt es knapp zurück. Dann setzt er die Bohrmaschine ein weiteres Mal an, der Lärm erstickt jeden weiteren Gesprächsversuch im Keim. Ich gehe rüber in die Küche, um den Crémant in den Kühlschrank zu verfrachten und die Antipasti auf einem Teller nett zu arrangieren. Das Geräusch der Bohrmaschine sagte mir, dass Paul noch nicht fertig ist. Also nutze ich die Zeit, um mich unter die Dusche zu stellen und mir etwas besonders Hübsches anzuziehen, ein romantisches Blümchenkleid, das ich vor ein paar Wochen in einer kleinen Boutique entdeckte habe. Nachdem ich meine Haare geföhnt habe, höre ich immer noch die Bohrmaschine, also nehme ich mir noch Zeit für ein ausgiebiges Make-up.

Eine halbe Stunde später komme ich mit einem Tablett, auf dem zwei gut gefüllte Gläser und die Antipasti stehen, zurück ins Wohnzimmer – und stehe in kompletter Dunkelheit. Offenbar hat Paul die dicken Vorhänge vor den Fenstern zugezogen.

»Schnuckel?«, frage ich, während ich mich unsicher in den finsteren Raum vortaste. »Wo bist du denn?« In diesem Augenblick geht ein ohrenbetäubender Lärm los, rechts von mir reißt ein riesiger Löwe sein Maul auf. Vor Schreck lasse ich das Tablett krachend zu Boden gehen.

»Süße!« Das Licht geht an, Paul steht direkt vor mir und hält sich den Bauch vor lauter Lachen. »Das tut mir leid«, prustet er, »ich wollte dich nicht erschrecken.« Immer noch irritiert lasse ich meinen Blick zum Boden wandern, wo das Tablett mit zerbrochenen Gläsern und Tellern liegt, dann drehe ich den Kopf nach rechts, von wo aus mich noch immer der Löwe anbrüllt, allerdings nur noch mit einem stummen Schrei. Erst jetzt erkenne ich, dass vor unserem Bücherregal eine große Leinwand hängt. *Metro Goldwyn Mayer* steht in geschwungenen Lettern über dem Löwenkopf.

»W …«, setze ich an, »was, um Himmels willen, ist das?«

»Unser neues Heimkino!«, posaunt Paul voller Stolz heraus. »Geil, oder?«

»Heimkino?« Ich begreife immer noch nicht so recht, was hier los ist.

»Ja«, strahlt Paul, nimmt mich bei der Hand und schleift mich zur gegenüberliegenden Wand, an die er vorhin das Regal gedübelt hat. »Hier steht der Beamer«, erklärt er und zeigt auf einen kleinen, surrenden Apparat. »Der ist direkt mit dem DVD-Rekorder verbunden und …« Paul faselt irgendein unverständliches Zeug von »Ansilumen« und »Dolby Surround«. In meinem Kopf geht es drunter und drüber. Dann beendet Paul seinen Vortrag, indem er mich anstrahlt und feststellt: »Jetzt müssen wir nie wieder ins Kino, weil wir das alles hier zu Hause haben. Ist doch genial, Schatz, oder?«

112

Ich nicke erschüttet. »Ja … äh … toll.«

Er drückt mir einen Schmatzer auf. »Schön, dass du dich auch freust! Ich wollte ja eigentlich schon damit fertig sein, bis du nach Hause kommst, und dich überraschen. Aber, na ja«, er lacht, »hat ja auch so noch geklappt, die Sache mit der Überraschung.«

Wieder wandert mein Blick zu dem vergossenen Crémant. Ja, das hat wohl geklappt.

»Komm«, fordert Paul mich auf und schiebt mich Richtung Sofa. »Lass es uns gleich ausprobieren. Ich habe einen schönen Actionstreifen besorgt, damit du gleich mal siehst, wie viel Wums hinter der Anlage steckt.« Eine Sekunde später ist es wieder dunkel, Paul sitzt neben mir und startet den Film mit ordentlich *Wums*.

»Äh, Schnuckel«, brülle ich ihm ins Ohr, weil der Film gleich mit einer riesigen Explosionsszene startet. »Eigentlich wollte ich mit dir was feiern.«

»Was?«, schreit Paul zurück und starrt wie gebannt auf die Leinwand. »Jetzt hör' dir das an – das klingt doch wohl echt so, als säße man mittendrin!« Er greift nach der Fernbedienung und dreht den *Wums* noch etwas lauter. Ich schätze, in zehn Sekunden klingeln Jan und Pia hier Sturm und fragen uns, ob wir eigentlich noch alle Tassen im Schrank haben. Das heißt, vermutlich würden sie uns das gern fragen, aber ich kann mir kaum vorstellen, dass wir bei dem *Wums* überhaupt die Klingel hören. Wahrscheinlich muss Paul erst eine Gehörlosenklingel – also so ein Licht, das an- und ausgeht, wenn man draußen auf einen Schalter drückt – montieren, damit wir in Zukunft mitkriegen, wenn jemand bei uns auf der Matte steht.

Während Paul voller Euphorie und wie ein kleiner Junge die verschiedenen Einstellungsmöglichkeiten der Anlage austestet und immer wieder begeistert aufjuchzt, stelle ich fest, dass ich irgendwie traurig bin. Ich hatte mich so darauf gefreut, Paul mit meiner sensationellen Neuigkeit zu überraschen – und er hat nur sein neues Heimkino im Kopf. Sicher, er weiß noch gar nicht, dass ich Simon Hecker nun doch zugesagt habe. Da will ich jetzt auch nicht ungerecht werden. Aber allein beim Anblick der Flasche Crémant – wenn nicht gar bei *meinem* Anblick im Blümchenkleid mit hochgesteckten Haaren und Gala-Make-up – könnte er sich doch mal die Frage stellen, ob eigentlich irgendetwas Besonderes los ist. Kommt schließlich nicht alle Tage vor, dass ich mich einfach so derart aufrüsche.

Während Paul sich an einer weiteren ohrenbetäubenden Massenkarambolage ergötzt, fällt mir das Chaos auf dem Parkett ein. Von meinem Freund unbemerkt schlüpfe ich vom Sofa, räume die Tellerscherben und die versprengten Antipasti zusammen und hole aus der Küche Lappen, mit denen ich schnell über den Boden wische. Dabei macht sich noch eine Frage in meinen Hirnwindungen breit: Was hat dieses Technikspektakel, das Paul hier gerade abbrennt, eigentlich gekostet? Okay, er verdient gut und kann mit seinem Geld machen, was er will. Und am liebsten trägt er es halt zum Elektronikmarkt. Aber in Anbetracht der besonderen Umstände … na ja, irgendwie merke ich, dass ich mir gewünscht hätte, er hätte es dieses eine Mal mit mir abgesprochen.

»Was hast du eigentlich für den ganzen Krempel bezahlt?«, will ich einigermaßen undiplomatisch wissen, nachdem ich wieder neben Paul sitze und das Getöse endlich ein Ende hat. Meine Ohren klingeln und ich habe Schwierigkeiten, meine Augen wieder an das normale Licht im Wohnzimmer zu gewöhnen.

»Wieso?«, kommt es sofort etwas gereizt zurück.

»Och, hat mich nur mal interessiert.«

»Ich weiß schon, was du denkst«, geht Paul in die Offensive. »Aber alles in allem war es unheimlich günstig.«

»Aha.« Ich merke, wie meine Traurigkeit einem anderen Gefühl weicht. Irgendwie bin ich sauer. Darüber, dass er hier das Geld mit beiden Händen zum Fenster rauswirft, während ich versuche, wieder auf die Beine zu kommen, damit unsere Traumhochzeit wie geplant stattfinden kann.

»Wirklich, Süße, war nicht so teuer. Alles Ausstellungsstücke, haben sie mir hinterhergeworfen.«

»Dann ist ja gut.« Ich will auf dem Thema lieber nicht weiter rumreiten, nach Streit mit Paul ist mir gerade gar nicht. Denn eigentlich war mir ja danach, mit ihm meine neue berufliche Karriere zu feiern.

»Und was hast du heute den ganzen Tag gemacht?«, fragt Paul dann schließlich doch noch; ob aus echtem Interesse oder allein, damit er das Thema in eine andere Richtung lenken kann, vermag ich nicht zu sagen.

»Tja«, erwidere ich gedehnt, »lass mich nachdenken … Also, zuerst habe ich unsere Socken zusammengerollt.« Paul guckt mich groß an.

»Du hast unsere Socken zusammengerollt?«

Ich nicke. »Dann habe ich Altglas und -papier weggebracht, die quietschende Wohnungstür geölt und ein paar Klamotten fürs Rote Kreuz aussortiert.«

»Prima«, meint Paul, »finde ich gut, wenn du deine Zeit dazu nutzt, hier mal ordentlich klar Schiff zu machen.« Er legt einen Arm um mich und gibt mir einen Kuss. »Und wo warst du bis jetzt gerade?«

»Gerade?« Ich mache noch eine Kunstpause. »Ach so, das hätte ich fast vergessen! Ich habe mich noch mit Simon Hecker getroffen und mit ihm die Trennungsagentur gegründet. Morgen geht's los.«

Einen Augenblick lang sieht Paul mich irritiert an – dann fällt bei ihm der Groschen. »Du hast diesem Hecker zugesagt?«

»Jap«, erwidere ich knapp.

»Aber wir waren uns doch einig, dass das eine komplett schwachsinnige Idee ist!«, fährt er mich an.

Ich schüttele den Kopf. »Nein, das stimmt so nicht. *Du* warst dir einig, wenn ich dich daran erinnern darf. Ich war da etwas anderer Meinung.« Trotzig rücke ich ein Stück von ihm ab, verschränke die Arme vor der Brust und blitze Paul wütend an. Irgendwie nervt mich seine erste Reaktion gerade gehörig.

»Liebling«, meint er und versucht, mich wieder in den Arm zu nehmen, aber ich bleibe bockig auf meiner Seite. »Ich weiß ja, dass die ganze Situation für dich nicht einfach ist – aber denkst du wirklich, es wird besser, wenn du dich zusammen mit jemandem, der erwiesenermaßen ein Idiot ist, in so eine Kamikaze-Aktion stürzt?«

»Wieso ist das erwiesen?«, frage ich angriffslustig.

»Was meinst du jetzt?«

»Na, dass Simon Hecker ein Idiot ist?«

»Oh, entschuldige!« Paul hebt in gespielter Abwehr die Hände. »Ich erinnere mich da nur an deine Worte. Schließlich hast du selbst mir doch lang und breit auseinandergesetzt, was du von diesem Hecker menschlich hältst. Nämlich rein gar nichts.«

»Schon möglich«, gebe ich zu, »dass ich von Hecker charakterlich nicht immer die beste Meinung hatte. Aber das hat ja nichts mit seinem Geschäftssinn zu tun.«

Paul seufzt, dann legt er schließlich doch einen Arm um mich, was ich widerwillig geschehen lasse. »Und ausgerechnet meine Julia will mir jetzt erklären, dass es sie überhaupt nicht interessiert, ob sie mit jemandem zusammenarbeitet, der charakterlich nicht integer ist?«

Ich zucke mit den Schultern. »Es ist eine Chance.«

»Eine Chance auf die absolute Katastrophe.«

Jetzt schiebe ich ihn doch wieder von mir weg und springe erregt auf. »Paul«, sage ich lauter und genervter, als ich wollte. »Verstehst du das denn nicht? Ich will es wenigstens *versuchen*! Ich will nicht tatenlos rumsitzen und abwarten, ob ich wieder einen Job finde oder nicht. Ich will ... ich will einfach mal etwas Eigenes probieren!«

»Aber es ist nicht deine eigene Idee«, werde ich von Paul belehrt. »Es ist die Idee eines Idioten.«

»Mittlerweile finde ich die Idee eben nicht mehr so idiotisch.« Wütend funkele ich ihn an.

Paul steht auf, kommt auf mich zu und nimmt mich wieder in den Arm. »Julia, ich will dich ja verstehen«, schlägt er versöhnlichere Töne an und zieht mich an sich. »Aber das alles klingt eben so gar nicht nach dir, da ist es doch nicht verwunderlich, wenn ich mir Sorgen mache.«

»Statt dir Sorgen zu machen, solltest du mich lieber unterstützen«, maule ich.

Paul lacht und gibt mir ein Küsschen. Dann sieht er mich nachdenklich an. »Scheint dir ja wirklich wichtig zu sein.«

»Ist es auch«, gebe ich zu. »Ich meine, die Hochzeit und so ...«

Paul grinst mich an. »Mal ehrlich«, fragt er, legt eine Hand unter mein Kinn und hebt meinen Kopf, bis ich ihm direkt in die Augen sehe. »Geht es dir dabei wirklich nur darum, genug Geld für die Hochzeit zusammenzubekommen?«

»In erster Linie schon«, behaupte ich, wobei das tatsächlich ein bisschen geschwindelt ist. Aber nur ein bisschen.

»Und in zweiter?«

Ich überlege einen Moment. »In zweiter Linie finde ich es toll und aufregend, mal was ganz Neues auszuprobieren. Mal ein Risiko einzugehen, etwas zu wagen. Ich meine, wann habe ich das letzte Mal etwas riskiert?« In dem Moment, in dem ich das ausspreche, wird mir klar, dass ich mich spontan tatsächlich an nichts erinnern kann, bei dem ich auf Risiko gesetzt hätte.

Paul schlingt jetzt beide Arme ganz fest um mich und zieht mich an sich. »Ich habe keine Ahnung«, flüstert er mir ins Ohr. »Aber ich finde, es ist höchste Zeit, dass wir mal wieder etwas riskieren.« Mit diesen Worten nimmt er mich bei der Hand und zieht mich hinter sich her Richtung Schlafzimmer. Dort angelangt befördert er mich mit einem sanften Schubser aufs Bett und fängt dann grinsend an, sein Hemd aufzuknöpfen.

»Schnuckel«, setze ich etwas erstaunt an, weil ich gerade überhaupt nicht verstehe, wo diese plötzliche Leidenschaft herkommt. Das habe ich in den vergangenen Jahren nur selten, eigentlich gar nicht mehr erlebt. »Ich …«

»Halt die Klappe«, raunt Paul zärtlich, während er schon neben mir liegt und anfängt, mich zu küssen. Und ich muss zugeben, dass sich das in diesem Moment ziemlich gut anfühlt. Irgendwie ist Paul gerade so männlich. Ob das durch unseren Streit kommt? Oder will er einfach die Diskussion mit mir beenden? Ich beschließe, mir darüber keine Gedanken zu machen, sondern es einfach zu genießen, und erwidere seine Küsse. Zwar würde ich ihm gern noch genauer erzählen, wie mein Treffen mit Simon Hecker gelaufen ist – aber das ist wohl jetzt nicht der richtige Zeitpunkt. Paul scheint wichtigere Dinge im Kopf zu haben …

»Wow!« Katja kreischt regelrecht auf, als ich sie am nächsten Tag in ihrem Salon besuche und ihr erzähle, dass ich mich auf den Deal mit Simon Hecker einlassen werde. »Julia, das ist ja *großartig!*« Sie fällt mir begeistert um den Hals; ihre zwei Kundinnen – die eine mit Lockenwicklern, die andere liegt mit ihrem Kopf rücklings in einem Waschbecken und wartet darauf, dass Katja sie aus dieser unbequemen Haltung befreit – zucken merklich zusammen.

»Schon gut!«, wehre ich Katja lachend ab. »Ist ja kein Grund, auszuflippen.«

»Kein Grund auszuflippen?« Sie starrt mich aus weit aufgerissenen Augen an. »Meine beste Freundin, Julia-ich-bin-ein-Sicherheitsfanatiker-Lindenthal beschließt endlich mal, was aus ihrem langweiligen Leben zu machen – und du sagst mir, das wäre kein Grund auszuflippen?«

»Vielen Dank!«, erwidere ich etwas schmallippig.

»Wofür denn?«

»Für das langweilige Leben. So furchtbar öde, dass ich mir hätte einen Strick nehmen müssen, war es bisher schließlich auch nicht.« Mittlerweile tut es mir fast leid, dass ich Katja im Salon aufgesucht und ihr von den neuesten Entwicklungen erzählt habe. Ist mir etwas peinlich, dass ihre Kundinnen das jetzt mitbekommen. Vielleicht hätte ich einen etwas privateren Rahmen wählen sollen? Bei Katjas Temperament war doch eigentlich klar, dass sie sofort eine große Sache draus macht. Aber jetzt ist es leider zu spät.

»Komm schon«, beharrt Katja, »die einzige Aufregung der letzten Monate bestand doch wohl in der Planung deiner Superhochzeit. Und von der hast du ehrlich gesagt auch schon länger nicht mehr gesprochen.«

»Die plane ich aber nach wie vor weiter.«

»Sicher«, Katja macht eine wegwerfende Handbewegung, »Lady Dis Vermählung kannst du ja auch gern weiterhin planen – aber das hier ist doch einfach super spannend! Jedenfalls bin ich heilfroh, dass du nicht bei deiner Versicherung versauerst, sondern mutig neue Wege beschreitest.«

»Na ja«, ich mache eine hilflose Geste und merke, wie ich vor lauter Peinlichkeit langsam rot anlaufe, »so ganz freiwillig war diese Kehrtwende ja nicht.«

»Ist doch völlig egal, wie es dazu gekommen ist – manchmal muss das Schicksal einem nur den richtigen Schubs geben.«

»Ob's der *richtige* Schubs war, wird sich noch zeigen«, meine ich skeptisch. Katja mustert mich eingehend.

»Das klingt jetzt aber sehr nach Paul. Lass mich raten: Er hat die Neuigkeit nicht so begeistert aufgenommen.«

»Kann man so nicht sagen«, erwidere ich und denke an die vergangene Nacht. Die war genau genommen schon sehr begeistert. Na gut, unser Gespräch davor … Aber egal.

»Und wie kann man es sonst sagen?«, hakt Katja nach.

»Okay, er war nicht gerade aus dem Häuschen«, gebe ich zu. »Was aber auch kein Wunder ist. Immerhin habe ich mich wochenlang über Simon Hecker beschwert – und nun will ich auf einmal gemeinsame Sache mit ihm machen. Ist doch klar, dass Paul sich da erst einmal wundert. Aber letztendlich weiß ich, dass er voll und ganz hinter mir stehen wird, wenn ich die Sache jetzt wirklich in Angriff nehme.«

»Klaro. Der gute Paul.« Ein Grinsen breitet sich auf ihrem Gesicht aus.

»Wie meinst du das denn jetzt wieder?«

»Ach nichts.« Dann scheint ihr ein weiterer Gedanke zu kommen und ihr Grinsen wird noch breiter. »Sag mal, hat Paul Simon eigentlich schon einmal gesehen?«

»Nö«, erwidere ich. »Wann auch?«

»Hm«, Katja begibt sich rüber zu dem Waschbecken, nimmt ein kleines Fläschchen aus dem Regal und massiert den Inhalt in die Haare ihrer Kundin. »So, Frau Neimark, das wird gleich ein bisschen kalt am Kopf, aber ich möchte, dass sich die Schuppenschicht schließt, damit die Haare auch schön glänzen.« Dann zieht sie den Brausekopf aus dem Beckenrand und stellt das Wasser an. Sie dreht sich wieder zu mir um. »Auf die Begegnung bin ich ja mal sehr gespannt.«

»Wieso?«

»Och, nur so.« Katja zuckt mit den Schultern, »Würde mich einfach interessieren, wie die zwei sich verstehen.«

120

»Die werden schon gut miteinander klarkommen, Paul ist ja nicht so ein Alphatierchen«, beruhige ich Katja.

Vor ein paar Jahren habe ich mal einen Naturfilm gesehen, in dem gezeigt wurde, wie Steinbockmännchen in den Alpen sich angreifen und mit Hochgeschwindigkeit die Hörner gegeneinanderkrachen lassen. Damals ist mir vom dumpfen Ton des Zusammenpralls ganz anders geworden. Daran fühle ich mich nun gerade wieder erinnert, auch wenn weit und breit kein Steinbockmännchen zu sehen ist.

Oder vielleicht doch?

»Es ist ja vermutlich ein offenes Geheimnis, Herr Hecker, dass ich weder von Ihrer Idee noch von Ihnen sonderlich viel halte. Aber natürlich stehe ich voll und ganz hinter meiner Verlobten und unterstütze sie, wo ich nur kann.«

»Aber selbstverständlich, Herr … Herr, äh …«

»Meißner.«

»Genau, Herr Meißner. Wenn man nicht hinter seiner Verlobten steht, hinter wem dann?« Simon lacht auf. »Ich sage immer: Für die Liebe und fürs Vaterland muss man alles geben.«

»Ich sehe, wir verstehen uns.« Das hätte man nun auf verschiedene Arten sagen können. So, wie es aus Pauls Mund kommt, hat es ungefähr die Temperatur, mit der Gemüse schockgefrostet wird.

Ich sitze etwas unangenehm berührt auf einem aufgebauten Umzugskarton und beobachte, wie Paul und Simon Hecker sich seit gut einer halben Stunde gegenseitig beweisen, wer von ihnen hier den Längeren hat. Okay, die Hosen hat noch keiner runtergelassen – es ist mehr ein Wettkampf zwischen den Zeilen, der jedoch für alle Anwesenden deutlich spürbar ist. Etwas peinlich das Ganze, unter »Brainstorming« in lockerer Runde hatte ich mir irgendwie etwas anderes vorgestellt.

Dazu haben Simon Hecker und ich nämlich Paul, Katja, Pia, Jan, Beate und Gerd in unsere neuen, noch leer stehenden Büroräume gebeten, um gemeinsam mit ihnen darauf herumzudenken, wie genau wir die Agentur nun auf die Beine stellen können. Ich hielt das für eine gute Idee, Teamwork war meiner Ansicht nach schon immer am effektivsten – Simon Hecker sah das naturgemäß etwas anders, er faselte was von »warum sollten wir mit lauter Laien darüber reden, die haben doch alle keine Ahnung, wie man so ein Business aufzieht«. Aber ich habe nicht locker gelassen und mich in diesem Punkt dann letztendlich durchgesetzt. Also 1 : 0 für Julia Lindenthal.

Sehr produktiv sind wir bisher allerdings noch nicht gewesen, im Wesentlichen sind es Paul und Simon, die sich gegenseitig beharken. Gerade versucht Simon, seinen ziemlich detailliert ausgearbeiteten Business-Plan vorzustellen. Was allerdings nur dazu führt, dass Paul nach jedem einzelnen Satz von Simon rumnörgelt. Sehr unangenehm.

»Natürlich verstehe ich Sie«, kommt es nun von Simon. »Ich würde wahrscheinlich auch wissen wollen, womit und vor allem mit *wem* meine Verlobte in Zukunft den Großteil ihrer Zeit verbringen will.«

Täusche ich mich oder hat er das »will« nun gerade eine Nuance zu stark betont? Aus dem Augenwinkel sehe ich, wie Paul Anstalten macht, aufzustehen. »Äh, Leute«, unterbreche ich zaghaft den kleinen Hahnenkampf, greife mir die Weinflasche und fülle unseren Gästen die leeren Plastikbecher nach. Wir sitzen im Kreis, jeder auf einem der Umzugskartons, die Paul netterweise aus dem Gericht mitgebracht hat. »Wir sollten zuerst noch einmal mit euch auf die Neugründung unserer Agentur anstoßen.« Demonstrativ erhebe ich meinen Plastikbecher und lächele breit in die Runde. Nach kurzem Zögern tun Paul, Simon und die anderen es mir gleich. »Also«, erkläre ich, »auf gutes Gelingen!«

»Auf gutes Gelingen!«, kommt es im Chor zurück.

»Und jetzt«, fahre ich fort, nachdem wir angestoßen haben, »wären Simon Hecker und ich euch dankbar, wenn wir ein paar Ideen zusammentragen könnten, wie es nun weitergeht. Mit einem Büro allein ist es nicht getan, und …«

»Eigentlich steht schon so gut wie alles in meinem Business-Plan«, fällt Simon mir ins Wort und klopft auf den Papierstapel neben sich, »aber Julia war der Meinung, dass ein paar Anregungen von außen nicht schaden könnten.« Dabei bedenkt er mich mit einem Blick, der deutlich sagt, dass er nichts von Gruppendynamik hält.

»Wie wär's mit Möbeln?«, wirft Beate ein. »Irgendwo müsst ihr ja schließlich sitzen. Und eure Kunden auch.« Ich zucke bei ihren Worten zusammen. Beate wird doch nicht wirklich denken, dass wir auf die Idee noch nicht selbst gekommen sind? Das ist mir nun doch ein bisschen peinlich, Hecker wird sie dafür in der Luft zerreißen.

»Richtig, wir haben das schon in die Wege geleitet«, stellt Simon so ernsthaft fest, als habe Beate wirklich etwas Fundiertes gesagt. Ich werfe ihm einen dankbaren Blick zu, der ihm hoffentlich klar und deutlich sagt: *Na also, Sie können ja doch richtig nett sein.* »Ich habe mit der Fidelia gesprochen, wir können Teile der Büroeinrichtung übernehmen, die nach der Auflösung der Abteilung nicht mehr benötigt werden. Sehr praktisch, dann muss Julia sich nicht einmal an einen neuen Stuhl und einen fremden Computer gewöhnen.« Er lächelt zufrieden. Mir gibt es einen kleinen Stich. Zwar wusste ich das mit den Möbeln von der Fidelia – aber ich wünschte, Simon würde es nicht unbedingt Beate gegenüber erwähnen, denn sie hat noch immer keinen neuen Job.

»Das ist ja schön«, kommt es prompt verbissen von ihr zurück. Mehr sagt sie nicht, stattdessen gießt sie sich noch einen Schluck Wein ein.

»Wenn wir also mit solchen Selbstverständlichkeiten durch sind«, wirft Paul nun ungeduldig und in genau der Tonlage ein, die ich eigentlich meinem neuen Chef zugetraut hätte, »können wir uns vielleicht mal den wirklich wichtigen Fragen widmen.«

»Die da wären, Herr Meißner?«, fordert Simon ihn auf. Nein, bitte, nicht weiter frotzeln!

»Also, wenn ich Julia richtig verstanden habe, wollen Sie eine Agentur gründen, die im Auftrag von ihren Kunden deren Beziehung beendet.«

»Das haben Sie vollkommen richtig verstanden.«

»Ich frage mich, wie das funktionieren soll.«

»Der geübte Leser kann das natürlich jetzt schon dem Business-Plan entnehmen«, verkündet Simon eine Spur zu herablassend, »aber wem das im Moment zu kompliziert ist, der muss auf das einfach strukturierte Faltblatt warten, das wir später auch für die Kundenakquise nutzen werden. Julia und ich arbeiten bereits daran.«

Ich habe zwar keine Ahnung, wovon er redet, aber ich nicke einfach mal, muss ja schließlich hinter meinem Geschäftspartner stehen. So, wie Paul hinter seiner Verlobten.

Na gut, hinter Paul muss ich natürlich auch stehen. Privat allerdings, nicht beruflich. Oder?

Ach, Mist, ich wünschte, ich hätte nie zu dieser Runde gebeten! Wahrscheinlich hatte Simon doch recht: Brainstormen mit Leuten, die noch nie ein Unternehmen gegründet haben, bringt nichts. Aber für diese Erkenntnis ist es nun zu spät und ich will mir vor Simon auch keine Blöße geben. Also lächle ich tapfer weiter und setze eine Miene auf, als sei ich begeistert von unserer kleinen Arbeitsgruppe.

»Natürlich können wir diese ganzen Unterlagen erst aufwendig durcharbeiten«, wirft Jan nun ein; er hat den Seitenhieb mit dem geübten Leser also auch verstanden und will seinen besten Freund verteidigen, »aber Sie sollten doch sicher in der Lage sein, es einfach zu erklären?«

»Sehr gerne, denn es ist tatsächlich ganz einfach«, erklärt Simon freundlich. »Der Kunde erteilt uns den Auftrag, für ihn eine Beziehung zu beenden. Er unterschreibt eine Vollmacht, wir bekommen die Kopie seines Ausweises oder irgendeine Information über die Partnerschaft, die sonst keiner wissen kann …«

»Wieso das?«, fragt Pia nach.

»Um uns ›ausweisen‹ zu können«, sage ich, damit es nicht so wirkt, als wäre Simon hier der Einzige, der sich Gedanken gemacht hat. Wir sind so etwas wie Partner, jawohl! »Derjenige, den wir aufsuchen oder anrufen, muss ja wissen, dass es sich nicht um einen Scherz handelt. Also brauchen wir Beweise. Und dann teilen wir ihm oder ihr eben mit, dass unser Kunde wünscht, die Beziehung zu beenden.«

»Klingt schrecklich«, seufzt Beate und drückt Gerds Hand. »So etwas hätte es früher nicht gegeben.«

»Ja«, gibt er ihr recht, »die jungen Leute.« Dann wirft er ihr einen dermaßen zärtlichen Blick zu, dass ich für den Bruchteil einer Sekunde extrem gerührt bin. Werden Paul und ich uns in zwanzig Jahren auch noch so ansehen? Ich sehe zu ihm hinüber und versuche, ihn genauso zärtlich zu betrachten wie Gerd seine Frau … Verschenkt, Paul starrt gerade ziemlich grimmig vor sich hin. Na ja, versuche ich das mit dem zärtlichen Blick eben später, wenn wir allein sein.

»Soweit zum generellen Prozedere«, übernimmt Simon wieder die Gesprächsführung. »Aber Sie haben natürlich recht, Herr … äh … Meißner. Vielen Dank für Ihren Hinweis, wir werden die Informationen schon für die Pressekonferenz sehr populär und leicht verständlich aufbereiten. Aber wenden wir uns doch nun wirklich dem zu, was der Agentur noch fehlt.«

»Werbematerial!«, wirft Katja ein. »Flyer, eine eigene Home-page, ein Logo!« Sie wirkt so aufgeregt, als ginge es hier um ihren eigenen Laden. Vielleicht erinnert sie sich gerade an die Anfänge von *Hairdreams* zurück.

»Das läuft schon alles«, antwortet Simon. Ich werfe ihm einen verwunderten Blick zu. Davon weiß ich ja noch gar nichts. »Ich kenne da eine sehr gute PR-Agentur, die …«

»PR-Agentur!«, fällt Katja im schnaubend ins Wort. »Wozu wollt ihr das Geld aus dem Fenster werfen? Das kann ich doch machen.«

»Sie?« Simon mustert sie erstaunt.

»Natürlich«, gibt Katja selbstbewusst zurück.

»Julia erzählte, Sie seien Friseuse.« Bei dem Wort zucke ich zusammen, Katja hasst diese Bezeichnung.

»Das habe ich garantiert nicht gesagt«, wende ich schnell ein. Aber Katja lächelt nur.

»Lass mal, Süße, das weiß ich doch.« Sie blitzt Simon Hecker an. »Also – zum einen heißt das seit ungefähr fünfzig Jahren *Friseurin*. Und zum anderen habe ich ein Händchen fürs Krea-tive und biete gern an, dass ich ein Logo, einen Flyer und den Aufbau für eine Website entwerfe, die ein Programmierer dann nur noch umsetzen muss. Wie sieht's aus – interessiert?« Simon überlegt einen Moment.

»Klar wäre das super«, werfe ich ein.

»Ich weiß nicht.« Simon klingt, gelinde gesagt, skeptisch. »Haben Sie so etwas denn schon einmal gemacht?«

»Natürlich. Sonst würde ich es nicht anbieten.« Ich sehe, dass sich zwischen Katjas Augen eine steile Falte bildet. Kein gutes Zeichen. Wer ist bloß auf die blöde Idee mit dieser Runde gekommen? *Ich* kann das *unmöglich* gewesen sein …

»Hm, kann ich mal ein paar Arbeitsproben sehen?«, nimmt Simon Katja in die Zange.

»Also, Arbeitsproben habe ich nicht so direkt«, weicht sie

aus. »Aber ich habe wirklich ein Händchen für so etwas und ihr spart eine Menge Geld.«

»Vielen Dank, das ist natürlich ein tolles Angebot. Und ich bin mir auch sicher, dass Sie wirklich sehr kreativ sind. Schließlich ist *Friseurin*« – Hecker zieht dieses Wort betont in die Länge – »auch ein kreativer Beruf. Aber Sie dürfen mir nicht verübeln, dass ich an dieser Stelle auf einer professionellen Lösung bestehen muss. Kosten sind da nur ein zweitrangiger Punkt. Wenn wir Erfolg haben wollen, ist die richtige Werbung und PR unser wichtigstes Tool. Die PR-Agentur, die ich im Auge habe, kenne ich seit Jahren. Die werden uns auch einen sehr guten Preis machen. Die schulden mir gewissermaßen noch etwas.«

»Wieso?«, platzt es aus Beate heraus. »Haben Sie denen etwa auch geholfen, die Hälfte ihrer Mitarbeiter loszuwerden?«

Hecker ignoriert ihren Einwand. Ich werfe Katja einen verstohlenen Blick zu. Sie lässt sich zwar nichts anmerken, aber wahrscheinlich kocht sie innerlich. Oder vielleicht doch nicht? Immerhin meldet sie sich nun mit völlig ruhiger Stimme noch einmal zu Wort.

»Das sind Argumente, die ich nachvollziehen kann, Herr Hecker. Also nehmen Sie eine Profi-Agentur. Das Allerwichtigste fehlt aber noch.« Sie macht eine Pause. Simon, Paul, Pia, Jan, Beate, Gerd und ich betrachten sie gespannt. »Na«, klärt sie uns dann auf, »der Name! Wie soll die Agentur eigentlich heißen?«

»Darüber habe ich mir schon ein paar Gedanken gemacht«, erklärt Simon Hecker.

»Und was ist dabei rausgekommen?«, will Katja wissen, die mir mit dieser Frage nur knapp zuvorkommt.

Simon setzt einen wichtigen Blick auf, dann verkündet er nahezu theatralisch: »*Aus und vorbei.*«

Sieben Augenpaare starren ihn ungläubig an. Schließlich ist es Beate, die zuerst ihre Stimme wiederfindet.

»Äh«, räuspert sie sich, »Herr Hecker, denken Sie nicht, dass das etwas ... negativ klingt?«

»Wieso? Es bringt die Sache kurz und knapp auf den Punkt.«

»Ja, schon«, wendet nun Pia ein, »aber es klingt doch auch irgendwie ... gefühllos.«

»Genau, Schatz«, stimmt Jan ihr zu. »Heutzutage verkauft man am besten über Emotionen«, beginnt er, ganz Fachmann für strategische Werbung. »Warm, gefühlig – das ist es, was die Menschen wollen.«

»Mit Verlaub«, Simon Hecker lacht auf, »Julia und ich planen eine Agentur, die Beziehungen beenden wird. Das hat mit *warm und gefühlig* nichts zu tun.«

»Deshalb besteht die Kunst ja darin, es den Leuten trotzdem so zu verkaufen«, wird er von Jan belehrt, der nach einem bedeutungsvollen Blick in Pauls Richtung noch hinzufügt: »Denn sonst macht der ganze schöne Business-Plan keinen Sinn – das haben Sie als ausgesprochener Profi doch sicher bereits bedacht.«

Simon Hecker ist anzusehen, dass es ihm überhaupt nicht passt, hier nicht mehr der Einzige zu sein, der markige Reden schwingt. Paul hingegen wirkt recht zufrieden, er gießt sich noch einen Wein nach und lehnt sich dann entspannt gegen die Wand hinter ihm.

»Wie wär's mit *Adieu?*«, schlägt Beate vor.

»Klingt nach Beerdigungsinstitut«, kommt es von Katja.

»Vielleicht *Goodbye?*«, versucht sie es noch einmal. »Oder *Merci cherie?*«

»Das ist doch ein Schlager«, kommentiert Simon kopfschüttelnd. »Wobei, die Idee dahinter ist gar nicht mal schlecht ...«

»Dann könnt ihr die Agentur auch gleich *So long – and thanks for all the fish* nennen«, wirft Pia ein.

»Wie bitte?«, will ich wissen.

»So heißt ein Roman von Douglas Adams«, erklärt Pia etwas kleinlaut. »Ihr wisst schon, der hat auch *Per Anhalter durch die Galaxis* geschrieben.« Als Lektorin in einem Buchverlag kennt Pia sich in dieser Materie gut aus – allerdings habe ich so meine Zweifel, ob das außer ihr noch jemand versteht.

»Tut mir leid«, spricht Simon meine Gedanken laut aus, »aber wir wollen nicht nur Literaturstudenten ansprechen.«

»Und wenn man das verkürzt zu *Mach's gut!*«, schlägt Gerd jetzt aufgeregt vor. »Bringt es auch auf den Punkt, klingt aber trotzdem nett. Da sagt man doch mit, dass es dem Verlassenen trotzdem gutgehen soll.«

»Nee«, kommentiert Katja streng, »finde ich blöd.« Gerd guckt daraufhin betreten zu Boden.

»Finde ich gar nicht«, werfe ich schnell ein, weil Gerd mir leidtut. Da bringt er sich auch mal ein und wird von meiner lieben Freundin gleich so abgebügelt. Katja scheint zu merken, was ich denke, lächelt Gerd an und meint dann versöhnlich: »Stimmt, ist gar nicht so doof. Bisher eigentlich der beste Vorschlag.« Jetzt lächelt Gerd wieder und Beate greift stolz nach seiner Hand. Mir wird ganz warm ums Herz.

»Trotzdem«, meldet Paul sich nun zu Wort, »ihr braucht etwas, das *noch* emotionaler klingt. Etwas, das die Sache an sich zwar auf den Punkt bringt – aber gleichzeitig auch etwas Tröstliches hat.«

Ich traue meinen Ohren kaum, wie Paul sich hier plötzlich engagiert – und gleichzeitig freue ich mich. Ich weiß ja, dass er generell von der Idee immer noch nicht sonderlich angetan ist, aber trotzdem unterstützt er mich.

»Hm … lasst uns darüber noch mal nachdenken«, schlage

ich vor. Gute zwanzig Minuten sitzen wir so da, hin und wieder schlägt jemand eine Idee vor, um sie aber meist sofort wieder zu verwerfen. Ich gehe im Kopf alle Begriffe durch, die mir zum Thema *Trennung* und *Liebeskummer* einfallen. Aber alles, was damit zu tun hat, klingt wenig aufbauend.

Okay, vielleicht braucht es einen anderen Ansatz, überlege ich. *Was machen Menschen, die gerade verlassen worden sind, außer Schokolade essen und Wodka trinken.* Ich starre in die Luft.

Was wollen sie?

»Leute!«, rufe ich plötzlich.

»Ja?« Alle gucken mich an.

»Ich glaube, ich hab's!« Ich spüre, wie sich ein Grinsen auf meinem Gesicht ausbreitet. Dann nicke ich mir selbst zu. »Ja, das ist es. Das ist absolut perfekt!«

11. Kapitel

Meine Damen und Herren, ich freue mich, dass Sie der Einladung zu unserer Pressekonferenz so zahlreich gefolgt sind!« Simon steht im dunkelgrauen Nadelstreifenanzug vor einer Leinwand und hält mit großer Geste seine Begrüßungsrede. Wobei mir schleierhaft ist, woher er nur sein selbstbewusstes Auftreten nimmt. Ich selbst fühle mich nämlich wie ein Häufchen Elend: Von »zahlreich erschienen« kann nicht im Geringsten die Rede sein. Gerade mal drei Vertreter der Lokalpresse haben sich dazu hinreißen lassen, ihren Montagabend in den neuen Räumen unserer Agentur zu verbringen – eine Dame von der Abendpost, ein Herr vom Kurier und irgendein unbedeutender Praktikant von Radio Hanse. Peinlich, peinlich.

Und dabei haben wir in den letzten beiden Wochen Tag und Nacht gearbeitet, um die Agentur heute auch wie eine Agentur aussehen zu lassen: Wir haben Regale zusammengeschraubt, halbwegs repräsentative Drucke gerahmt und an die Wand gehängt, Fachliteratur im weitesten Sinne besorgt (okay, *Tausend ganz legale Steuertricks* sind nicht ganz unser Geschäftsfeld, aber Steuern sparen ist doch immer gut; außerdem harmoniert der Umschlag ganz hervorragend mit dem danebenstehenden *Love Academy*, *Knaurs Beziehungsnavigator* und *Erste Hilfe für Verliebte* … zugegeben: Auch das ist nicht ganz unser Thema), die Räume verkabelt und unsere Computer angeschlossen, eine Besprechungsecke gestaltet, und, und, und … und nun interessiert sich fast niemand für uns.

Aus lauter Verzweiflung habe ich heute Vormittag, als unser Faxgerät auch nach hartnäckigem Hypnotisieren keine weiteren Zusagen ausspucken wollte, Katja, Paul, Beate, Pia und Jan mobil gemacht: »Schnappt euch Block und Stift, hängt euch, wenn möglich, eine Kamera um und macht ein wichtiges Gesicht!«

»Muss das denn sein?«, maulte Katja. »Ich bin heute eigentlich mit Lars zum Kino verabredet …«

»Es *muss* sein«, habe ich jegliche Diskussion sofort im Keim erstickt. »Jedenfalls, wenn du weiteren Wert auf meine Freundschaft legst.«

Paul war entgegen allen Erwartungen sofort bereit, für uns den Journalisten zu mimen. Das heißt, entgegen allen Erwartungen stimmt eigentlich nicht, schließlich hat er mich ja noch nie hängen lassen. Aber in den vergangenen Wochen hat er weiterhin keinen Hehl daraus gemacht, dass er Simons und meine Idee nach wie vor für großen Schwachsinn hält: »Aber wenn's dich glücklich macht, mein Schatz, dann probier es halt aus. Du musst wohl erst am eigenen Leib erfahren, dass kein Mensch auf der Welt so eine Agentur braucht.« Na gut, nicht gerade die Art von Unterstützung, die ich mir von ihm gewünscht hätte – aber immerhin hält er jetzt, in diesem wichtigen Augenblick, zu mir, sitzt interessiert in der ersten von zwei Reihen und kritzelt eifrig in sein Notizbüchlein, obwohl Simon außer der Begrüßung noch gar nichts gesagt hat.

»Wir«, fährt Simon fort und deutet auf mich, »meine Assistentin Julia Lindenthal und ich«, bei diesen Worten stehe ich auf und geselle mich wie abgesprochen zu ihm nach vorne, »möchten Ihnen heute eine Geschäftsidee der ganz besonderen, ich möchte sagen, einzigartigen Art vorstellen.« Ein Blitz flackert auf, Paul hat ein Foto geschossen, grinst mich an und reckt dann auch noch anspornend den Daumen nach oben. Mit den Augen versuche ich ihm zu verstehen zu geben, es bitte nicht zu übertreiben.

Ich lasse meinen Blick über die neun Leute gleiten, die vor

mir sitzen. Sechs davon wirken interessiert, drei gelangweilt. Und ich wünschte, ich könnte behaupten, dass ich von den drei Gelangweilten irgendeinen persönlich kenne. Mist! Unsere Pressekonferenz ist gerade dabei, gründlich in die Hose zu gehen.

Ich habe ja von Anfang an dafür plädiert, nur eine kurze Pressemitteilung per Mail zu verschicken. Aber über diesen Vorschlag hat Simon nur kurz gelacht. »Glauben Sie mir, Julia: Ich weiß, wann eine Nachricht eine Nachricht ist.« Von bundesweiten Radiostationen hatte er gesprochen, von TV-Sendern, die wahrscheinlich schon vormittags Licht aufbauen wollen würden – und jetzt sitzen wir hier mit meinen Freunden und drei gähnenden Lokalreportern! Ich frage mich, warum Simon eigentlich keinen seiner Bekannten mobilisieren konnte, damit die ganze Angelegenheit nicht ganz so peinlich wirkt. Na, vermutlich hat er einfach keine Freunde, ist ja nie länger als sechs Wochen an einem Ort, Mister Superwichtig. Immerhin ist Evelyn erschienen, die Inhaberin unserer Super-Duper-Werbeagentur, und lächelt uns aufmunternd zu.

Im nächsten Moment werde ich von meinem neuen Agenturpartner aus meinen Gedanken gerissen, weil er mit donnernder Stimme unser Konzept erläutert: »Wie Sie ja schon der Einladung zu unserem kleinen Pressegespräch«, aha, seine Brötchen werden kleiner, »entnehmen konnten, haben Frau Lindenthal und ich es uns zur Aufgabe gemacht, aus unglücklichen Hamburger Paaren in Zukunft glückliche Hamburger Neu-Singles zu machen.« Er lacht etwas gönnerhaft auf, aus den Augenwinkeln meine ich, auf seiner Stirn Schweißperlen zu erkennen. Ist wohl doch nicht ganz so lässig, wie er immer gern tut. »Eine Aufgabe, der wir uns mit sofortiger Wirkung widmen möchte.«

»Also eine Trennungsagentur?«, hakte der Typ vom Kurier nach. Endlich eine Frage!

Simon nickt wichtig.

»Denken Sie nicht, dass dieses Geschäftsmodell hochgradig menschenverachtend ist?« Ich zucke zusammen, denn damit spricht der Reporter genau das aus, was ich ja auch im ersten Moment dachte, als Simon mir von seiner Idee erzählt hat.

»Eine interessante Frage«, erwidert Simon und lächelt ihn an. »Und sie ist vor allem deshalb so interessant, weil ausgerechnet ein Kollege vom Kurier – ein Fachorgan, das für seine menschenfreundliche Berichterstattung bekannt ist – sie stellt.« *BÄM!* Das saß, der Reporter ist kurzfristig so aus dem Konzept, dass ihm wohl nichts einfällt, was er erwidern könnte. Ich muss zugeben, in diesem Moment finde ich Simons riesige Klappe ganz angenehm und bin fast stolz auf ihn und seine Schlagfertigkeit.

»Aber Sie müssen doch zugeben«, eilt die andere Journalistin ihrem Kollegen nun zur Hilfe, »dass das Konzept alles andere als neu ist. Solche Agenturen gibt es bereits seit einigen Jahren. Und so weit ich weiß, sind sie nicht sonderlich erfolgreich.«

»Meine Liebe«, erwidert Simon und macht einen Schritt auf die Frau zu. »Da muss ich Sie leider korrigieren. Es mag sein, dass es bereits ein paar *reine* Trennungsagenturen gibt. Aber die haben nichts – und ich meine damit rein gar nichts – mit unserem Modell zu tun.«

»Und wie sieht Ihr Modell aus?«, fragt nun Katja dazwischen. Simon bedankt sich bei ihr mit einem breiten Zahnpastalächeln.

»Der Kollege vom Kurier hat natürlich recht, dass eine reine Trennungsagentur in Maßen … nun ja … Sie wissen schon.« Der Reporter mustert ihn interessiert, offenbar ist er genauso erstaunt wie ich, dass Simon ihm recht gibt. »Und darum funktioniert unser Konzept etwas anders: Wir trennen

Paare nicht nur voneinander, wir kümmern uns auch um das Danach.«

»Was bedeutet das?« Diese Frage kommt von Paul. Simon gibt mir einen Stoß in die Rippen, das ist mein Einsatz.

»Wichtig ist, äh«, beginne ich etwas stotternd, »dass, äh, wir …« *Konzentrier dich, Julia, das hier ist jetzt wichtig!* »Also, wir beenden nicht nur Beziehungen, wir sorgen auch dafür, dass der Getrennte nicht haltlos in ein tiefes Loch fällt. Wir gewährleisten daher eine Nachbetreuung.«

»Nachbetreuung?«, hakt die Frau von der Abendpost nach.

»So ist es«, übernimmt Simon wieder, worüber ich sehr froh bin. Das ist nichts für mich, hier vor lauter – na gut, drei – Journalisten eine Rede zu halten. »Julia Lindenthal wird sich psychologisch um die Verschmähten kümmern, sie trösten, sie aufbauen und ihnen aufzeigen, dass das Ende einer Beziehung nicht das Ende des Lebens bedeutet. Im Gegensatz zu einer normalen Trennungsagentur interessieren wir uns dafür, wie die Getrennten mit der neuen Situation zurechtkommen.«

»Ist Frau Lindenthal denn psychologisch geschult?«, will der Kurier-Typ wissen. Ehe ich noch etwas von Menschenkenntnis, Einfühlungsvermögen oder dergleichen sagen kann, nimmt Simon mir das schon ab.

»Selbstverständlich. Frau Lindenthal kann auf jahrelange Berufserfahrung zurückblicken.« Mit einem Schlag muss ich hektisch husten, greife mir die Wasserflasche, die neben mir auf dem Bürotisch steht und nehme einen großen Schluck. Direkt aus der Flasche, versteht sich. Japsend komme ich wieder zu Atem. Ich kann nicht glauben, was Simon da gerade gesagt hat. Was, wenn das auffliegt?

»Das klingt nun doch alles sehr interessant«, meint der Kerl vom Kurier. »Und was kostet diese einzigartige Dienstleistung? Ich meine, das muss sich für Sie doch auch rechnen.«

»Zweifelsohne«, erwidert Simon selbstsicher. Dann schreitet er zum Flipchart rechts in der Ecke und nimmt sich einen Edding. »Im Wesentlichen«, erläutert er, »bieten wir drei Arten der Trennung an: fernmündlich, schriftlich und persönlich.« Er schreibt die drei Begriffe untereinander.

»Fernmündlich?«, quäkt jetzt der Radio-Praktikant dazwischen. Klar, als Teenager hat er von so etwas wahrscheinlich noch nie gehört. In dem Alter ist angeblich das Schlussmachen per SMS sehr verbreitet. Augenblicklich frage ich mich, ob wir diesen Service nicht auch in unser Portfolio hätten aufnehmen sollen ... aber dann konzentriere ich mich wieder auf Simon, der die Kostenpakete der Agentur erläutert.

»Fernmündlich, also per Telefon, legen wir einen Basispreis von 29,95 Euro zugrunde. Sollen wir einen Brief schreiben, werden 59,95 Euro fällig. Für einen persönlichen Besuch berechnen wir 149,95 Euro. Das sind die Grundpreise – weitere Leistungen nach Absprache. Aber jedes Basispaket enthält die Trennung mit anschließender Erste-Hilfe-Betreuung durch Frau Lindenthal.«

»Und wie«, hakt die Abendpost-Tante nach, »sieht diese Betreuung auf dem Postwege aus? Schreibt Frau Lindenthal dann einen zweiten Brief?«

»Nein«, erwidert Simon, »in diesem Fall ist natürlich schon der Brief an sich so formuliert, dass der Verlassene mit der Situation gut umgehen kann. Und selbstverständlich erhält er mit dem Brief auch die Kontaktdaten unserer Agentur, so dass er sich im akuten Krisenfall sofort an uns wenden kann.«

»Da bin ich ja mal gespannt«, posaunt der Kurier-Mensch in den Saal, »ob jemand auf dem Weg zur nächsten Brücke, von der er sich nach einer so rüden Trennung per Brief sicher stürzen möchte, noch schnell bei ihnen durchklingelt ...«

»Nun ja«, wiegelt Simon ab, »Erfahrungen anderer Agenturen haben gezeigt, dass die postalische Trennung ohnehin nur selten verlangt wird. Wir haben vor, uns im Wesentlichen auf das persönliche Schlussmachen zu konzentrieren. Das ist doch irgendwie menschlicher.«

»Und teurer«, konstatiert Madame Abendpost.

»Also, nachdem wir Ihnen nun also die wesentlichen Eckdaten unserer Agentur erläutert haben«, geht Simon nicht weiter auf ihren Kommentar ein, »brennen Sie wahrscheinlich schon darauf, zu erfahren, welchen Namen unsere Firma tragen wird.« Er macht eine Kunstpause und blickt in neun – wie mir scheint größtenteils desinteressierte – Gesichter. »Wie gesagt: Wir sind mehr als eine reine Trennungsagentur. Und deshalb heißen wir …«

Er nimmt die Fernbedienung des Beamers, den wir heute Morgen aufgebaut haben, und schaltet ihn ein. Eine Sekunde später erscheint unser Logo auf der Leinwand. Ein riesiges Pflaster, auf dem in roten Lettern steht:

TROSTPFLASTER
Die EXperten

Ein Raunen geht durch die Menge; das hatte ich mit meinen Freunden vorher so abgesprochen. »Toller Name!«, wirft Katja ein.

»Vielen Dank«, sagt Simon mit einem Lächeln, das er sich bei einem Oscar-Gewinner abgeguckt haben muss. »*Trostpflaster* bringt zum Ausdruck, was wir uns vorgenommen haben: Wir wollen nicht nur Menschen dabei helfen, aus unglücklichen Beziehungen auszusteigen – wir wollen die Verlassenen im Anschluss auch trösten.« Simon holt ein Visitenkartenetui hervor, öffnet es und gibt jedem der Anwesenden eines unserer frisch gedruckten Kärtchen, die Evelyn entworfen hat, ein Papppflaster mit unserem Firmennamen und Slogan; auf der Rückseite stehen unsere Telefonnummern, E-Mail-Adresse und Homepage. Auch die Flyer sind fertig gedruckt, sie enthalten neben der Erläuterung unseres Serviceangebots auch noch einmal die Preisliste. Das Werbematerial sieht tatsächlich ziemlich gut aus, war vielleicht doch keine schlechte Idee, echte Profis damit zu betrauen. Auf die Rechnung von Evelyns Agentur bin ich allerdings gar nicht gespannt, Hecker hat bestimmt wieder in die Vollen gegriffen.

»Hier«, Simon drückt der Dame von der Abendpost eine Karte und einen Flyer in der Hand. »Wenn Sie mal Bedarf haben.« Er zwinkert ihr zu.

»Glaube ich nicht«, erwidert sie etwas frostig.

Er beugt sich etwas dichter zu ihr und erklärt im Flüsterton: »Unter meiner Handynummer erreichen Sie mich jederzeit direkt. Falls Sie noch weitere Fragen haben.« Tatsächlich errötet die Reporterin jetzt merklich, nimmt die Karte entgegen und nuschelt: »Danke.« Simon ist aber auch wirklich jedes Mittel Recht, denn ich glaube nicht, dass er die Abendpost-Tante ernsthaft interessant findet. Ich meine, Mitte fünfzig und im Plisseerock – nein, das kann ich mir nicht vorstellen.

»Haben Sie noch weitere Fragen?«, wendet Simon sich wieder mit lauter Stimme an alle. Schweigen, keiner sagt einen Ton. »Gut. Dann können wir jetzt zum gemütlichen Teil übergehen: Champagner!«

Einerseits ist es schade, dass die einzigen beiden richtigen Journalisten, die an unserer sogenannten Pressekonferenz erschienen sind, sofort nach Simons letzten Worten mit dem Hinweis auf den Redaktionsschluss die Flucht ergreifen. Ein Glas Champagner hätten sie ruhig noch mittrinken können. Andererseits ist es auch gut so, denn sonst hätten die beiden wohl gemerkt, dass es eigentlich nur billigen Prosecco Marke Aldi gibt. »Champagner ist doch nur so ein Platzhalter«, hatte Simon mir erklärt, als ich erstaunt festgestellt hatte, dass im

Kühlschrank kein Veuve oder Taittinger oder was auch immer kühlte. »Sie wissen ja, die Kostenstruktur!«

Immerhin bleibt der Radiopraktikant noch auf ein Gläschen, und der kennt den Unterschied zwischen Champagner und Fusel aus der Schraubverschlussflasche wahrscheinlich sowieso noch nicht. Nach dem dritten Glas wirkt er jedenfalls ganz fröhlich.

»Schon 'ne beknackte Idee, die ihr da habt«, nuschelt er Simon und mir irgendwann ins Ohr. »Bin ja mal gespannt, ob das was wird.«

»Da machen Sie sich mal keine Sorgen, Herr, Herr …«, beginnt Simon.

»Schnuckel«, antwortet er.

»Schnuckel?«, fragen Simon und ich wie aus einem Mund.

»Ja«, er grinst dümmlich, »is'n blöder Name, ich weiß. Kann ich aber nix für.«

»Äh«, setzt Simon wieder an, und es ist einer der wenigen Momente, in denen ich ihn beinahe sprachlos erlebe. Aber dann fängt er sich wieder. »Also, Herr *Schnuckel*, es gibt da überhaupt keinen Grund zur Sorge. Bisher ist noch alles, was ich angepackt habe, ein großer Erfolg geworden.«

»Schaumerma«, meint das Schnuckelchen und hält mir sein Glas zwecks weiterem Refill hin.

»Und?«, will ich wissen. »Wann bringen Sie etwas über *Trostpflaster* in Ihrem Sender?«

Er guckt mich groß an, dann zuckt er mit den Schultern. »Gar nicht.«

»Wie, gar nicht?«

»Bin erst seit einer Woche Hospitant bei Radio Hanse«, erklärt er hicksend, »da dürfen wir noch keine Beiträge machen. Mein Ressortleiter meinte nur, die Pressekonferenz hier wär 'ne gute Übung für mich, weil's ja nicht wichtig ist.«

»So?« Simon zieht die Augenbrauen hoch. »Meinte er das?«

»Jepp.«

»Dann würde ich sagen«, mit diesen Worten nimmt Simon ihm das neu gefüllte Glas aus der Hand, »dass wir Ihnen einen schönen Abend wünschen.« Für den Bruchteil einer Sekunde guckt Schnuckel irritiert. Bis Simon ein: »Mach 'n Abgang, Jungchen!«, hinterherzischt. Verschüchtert tut der Praktikant, wie ihm geheißen.

»Ist doch ganz gut gelaufen«, stellt Paul fest, als er zwei Minuten später zu uns stößt und einen Arm um mich legt. Er nickt Simon freundlich zu, der nickt zurück. Immerhin: Auch, wenn die zwei vermutlich nie die besten Freunde werden oder demnächst Brüderschaft miteinander trinken – sie scheinen sich nicht mehr bekriegen zu wollen.

»Na ja, ich bin schon etwas enttäuscht, dass nicht mehr Journalisten da waren«, meine ich. »Außerdem bin ich natürlich gespannt, ob die Leute vom Kurier und von der Abendpost was schreiben. Und wenn ja, was!«

»Da machen Sie sich mal keine Sorgen«, stellt Simon zum wiederholten Mal fest. »Ich habe ein wirklich gutes Gefühl. Ich denke, die Presse hat verstanden, was wir mit *Trostpflaster* wollen.«

»Bis auf den Typen von Radio Hanse«, wende ich ein.

»Ach, das war doch kein richtiger Journalist!«

In diesem Moment kommen auch Katja, Pia und Jan mit ihren Gläsern zu uns herüber und stoßen mit uns an. »Also, noch einmal herzlichen Glückwunsch«, sagt Katja. »Herzlichen Glückwunsch!«, schließt Pia an. »Wenn wir mal Probleme haben«, fügt Jan dann hinzu, »wissen wir ja, an wen wir uns ab sofort wenden können.« Er zwinkert mir zu.

»Ha, ha«, geht Pia dazwischen. »Wirklich, total witzig!«

»Aber wieso denn nicht?«, will Simon wissen. »Genau dazu sind wir doch da.«

»Glauben Sie mir«, erwidert Pia, »wenn ich diesen Idio-

140

ten irgendwann mal loswerden will, schaffe ich das schon selbst.«

»Was soll das heißen, Idiot?«, wird sie sofort von Jan geneckt. »Schatz, ich glaube, das müssen wir mal unter vier Augen besprechen.« Er zupft sie am Ärmel, die beiden verschwinden kichernd Richtung Küche.

»Dann wollen wir nur hoffen, dass das Konzept einschlägt und überzeugt«, sagt Paul.

»Wie gesagt, ich sehe das alles sehr optimistisch. Julia und ich schaffen das schon«, erwidert Simon und will einen Arm um meine Schulter legen. Ich zucke unmerklich zusammen, als er mich berührt, und auch Simon scheint erst in diesem Moment bewusst zu werden, wie unpassend das ist, und zieht seinen Arm schnell wieder zurück. An Pauls Gesichtsausdruck kann ich ablesen, dass er diese besitzergreifende Geste durchaus wahrgenommen hat – und dass sie ihm nicht sonderlich gefällt. »Jedenfalls bin ich sicher«, fährt Simon schnell fort, »dass wir schon bald erste Erfolge verbuchen können.«

»Dann stoßen wir darauf noch einmal an!« Katja erhebt ihr Glas und ich bin froh, dass damit dieser kurze, seltsame Moment zwischen Simon, Paul und mir vorbei ist.

»Was meinst du, Schatz?«, will ich von meinem Freund wissen, als ich später am Abend dicht an ihn gekuschelt im Bett liege. »Wird *Trostpflaster* wirklich ein Erfolg? Oder die größte Pleite, die man sich nur vorstellen kann.«

»Keine Ahnung«, erwidert Paul, dreht sich zu mir und nimmt mich fest in den Arm. »Aber was auch immer passiert: Ich bin bei dir und fang dich auf. Darauf kannst du dich verlassen!« Er gibt mir einen Kuss auf die Nase.

»Danke.« Ich vergrabe mein Gesicht an seiner Brust. »Aber ich hoffe, dass das nicht nötig sein wird.«

Drrrrring! Drrrrrring! Drrrrring!

Ich träume von einer Eieruhr. Oder von einer schrillen Schulglocke. Oder … Nein, ich träume gar nicht.

»Julia!«, werde ich von Paul angebrummelt und damit in die Wirklichkeit geholt. »Dein Handy klingelt!«

»Hm?«, murmele ich etwas schlaftrunken und versuche, die Augen aufzukriegen.

»Dein Handy!«, wiederholt Paul. »Klingelt schon zum dritten Mal. Ausgerechnet, wenn ich frei habe und mal ausschlafen kann!« Jetzt schaffe ich es, die Augen zu öffnen, und gucke auf den Wecker auf meinem Nachttisch. 6.23 Uhr. Wer versucht um diese Zeit, mich anzurufen?

Wieder erklingt das Bimmeln aus dem Flur, wo meine Handtasche mit meinem Handy liegt. »Jetzt hol das Mistding schon her«, blökt Paul mich an und dreht sich missmutig auf die andere Seite. »Sonst gibt der nie Ruhe!« Mühsam setze ich mich auf, steige aus dem Bett und schlurfe in den Flur. Ich greife nach meiner Tasche und fummele das Handy hervor, das in diesem Moment wieder losklingelt. Mein Blick fällt auf das Display: *Simon Hecker*. Was zum Teufel will der um diese Uhrzeit von mir?

»Simon«, begrüße ich ihn einigermaßen unfreundlich, »haben Sie einen Knall, hier so früh anzurufen?«

»Sie kommen jetzt sofort in die Sierichstraße. Zum Bäcker unter unserem Büro«, bellt er mir im Befehlston entgegen.

»Wie bitte? Sie spinnen ja wohl! Ich hab noch geschlafen.«

»Schlafen können Sie noch, wenn Sie tot sind!« Mit diesen Worten legt er auf. Ich stehe einigermaßen fassungslos im Flur und starre auf mein Handy. Was, bitteschön, war das jetzt?

»Ist was passiert?«, will Paul gähnend wissen, der nun ebenfalls in den Flur geschlurft kommt und sich im Schritt kratzt.

»Das war Simon«, erkläre ich. »Er will, dass ich sofort ins Büro komme.«

»Der hat sie doch wohl nicht mehr alle.« Wieder gähnt Paul, legt einen Arm um mich und zieht mich Richtung Schlafzimmer. »Um diese Uhrzeit fährt meine Süße nirgends hin. Meine Süße kommt jetzt mit mir zurück ins Bett.«

Als wir wieder nebeneinanderliegen und Paul sich an mich kuschelt, ist an Schlaf nicht zu denken. Die Gedanken rasen nur so durch meinen Kopf. Was war das für ein seltsamer Anruf? Warum will Simon, dass ich mitten in der Nacht in die Sierichstraße fahre? *Ach*, beruhige ich mich selbst, *wird schon nichts sein, das nicht noch zwei Stunden warten kann.* Ich rücke noch ein Stückchen näher an Paul heran, seufze tief und schließe die Augen.

Aber was, wenn es doch *wichtig ist?*, schießt es mir eine Sekunde später durch den Kopf. Warum hätte er sonst anrufen und mich aus dem Bett werfen sollen? Ruckartig setze ich mich auf.

»Was is'n jetzt los?«, mault Paul.

»Sorry«, sage ich und mache mich hektisch daran, aufzustehen. »Ich muss da hinfahren. Wer weiß, was da los ist!«

»Was soll schon los sein?«

»Keine Ahnung. Aber ich bin jetzt quasi selbstständig, da kann ich so einen Anruf nicht einfach ignorieren.«

»Wenn du meinst«, höre ich Paul noch sagen, während ich mir in Windeseile Jeans, Pulli, Socken und Schuhe anziehe und drei Sekunden später unsere Wohnung verlasse.

»Also, was ist los?«

Simon Hecker lehnt vollkommen gelassen an einem der Stehtische beim Bäcker und schlürft eine Tasse Kaffee, als ich fünfzehn Minuten später vollkommen aufgelöst durch die Tür gestolpert komme.

»Gute Morgen, Julia!«, begrüßt er mich lächelnd. »Möchten Sie auch einen Kaffee? Der schmeckt hier ganz ausgezeichnet. Zwar nicht so gut wie in einer richtigen Kaffee-Bar, aber für einen normalen Bäcker doch ganz annehmbar.«

»Simon«, fahre ich ihn etwas genervt an. »Sie haben mich doch wohl hoffentlich nicht mitten in der Nacht aus dem Bett geklingelt und hierherbestellt, um mit mir über *Kaffee* zu plaudern!«

Er grinst mich an. »Mitnichten.« Dann hält er mir die neueste Ausgabe des Kurier unter die Nase. »Lesen Sie hier!«

Das tue ich – und falle fast um.

Schluss mit lustig!
Von Gerald Pauli

Es gibt viele Möglichkeiten, seinen Mitmenschen das Geld aus der Nase zu ziehen. Man kann zum Beispiel Heizdecken verkaufen. Oder Zeitschriftenabos drücken. Eine weitere, wenn auch nicht gerade neue Methode haben Simon Hecker und Julia Lindenthal für sich entdeckt: das Geschäft mit der Verzweiflung.

Mit ihrer Agentur »Trostpflaster« wollen sie den Hamburger Beziehungsmarkt aufräumen, indem sie im Auftrag von liebesmüden Kunden deren Partnerschaften beenden. Ob per Telefon, Post oder persönlich – die zwei sind sich für nichts zu schade. Was so menschenverachtend und zynisch klingt, ist es auch. Das Basispaket gibt's bereits für 29,95 Euro. Gefühle haben eben (nicht mehr) ihren Preis!

»Wir sind keine normale Trennungsagentur«, betont Simon Hecker, nach Kurier-Recherchen ein arbeitsloser Unternehmensberater. Für diese Aufgabe tritt Julia Lindenthal auf den Plan, laut eigener Aussage mit langjähriger Berufserfahrung im psychotherapeutischen Bereich.

Nach unseren Recherchen war Frau Lindenthal bis vor kurzem allerdings lediglich als Buchhalterin bei der Fidelia-Versicherung tätig. Mit Psychologie hat das freilich wenig zu tun, aber wer will es da schon so genau nehmen.

Ermattet lasse ich die Zeitung sinken, ich kann nicht weiterlesen.

»Na?«, strahlt Simon mich unverständlicherweise an. »Was sagen Sie?

»Das ist«, krächze ich und schlucke einmal schwer, »das ist eine absolute Katastrophe! Wir sind *erledigt!* Geliefert, bevor wir überhaupt angefangen haben!«

»Ach was!« Simon lacht. »Das ist doch super!«

»Super? Wir werden hier aufs mieseste verrissen – und das finden Sie *super?*«

»Natürlich!« Er nimmt noch einen Schluck von seinem Kaffee. »Schlechte Presse ist doch noch besser als gute Presse. Das lesen die Leute wenigstens. Fragen Sie mal Dieter Bohlen, der wird mir recht geben.«

Ich bin sprachlos und weiß nicht, was ich dazu sagen soll. Am liebsten würde ich auf der Stelle im Erdboden versinken.

»Na, Julia, nun machen Sie mal nicht so ein Gesicht.« Er gibt mir einen aufmunternden Stupser in die Seite. »Ich sage Ihnen: Nach diesem Artikel wird unser Telefon nicht mehr stillstehen! Wetten, wir haben schon jede Menge Anfragen, wenn wir gleich ins Büro hochgehen?«

12. Kapitel

Kein Schwein ruft mich an, keine Sau interessiert sich für mich ...

Bilde ich es mir ein, oder pfeift Simon tatsächlich die Melodie des Max-Raabe-Klassikers? Falls es keine Einbildung ist, verfügt Hecker doch über mehr Selbstironie und Humor, als ich ihm bisher zugetraut hatte. Galgenhumor, gewissermaßen. Denn tatsächlich sind jetzt genau eine Woche seit unserer kleinen Pressekonferenz und sechs Tage seit dem verheerenden Artikel im Kurier vergangen – und richtig: Bisher hat keine Sau bei *Trostpflaster* angerufen. Jedenfalls keine, die uns beauftragen wollte, das Schwein an ihrer Seite loszuwerden, um mal im Bild zu bleiben.

Während wir an Tag eins und zwei noch hofften, Opfer einer Fehlschaltung der Telekom geworden zu sein, müssen wir nach erfolgreichen zweiunddreißig Testanrufen von Beate, Katja und Paul inzwischen leider davon ausgehen, dass einfach niemand anrufen *will*. Also sitzen wir in unserem schicken, neuen Büro und gucken in regelmäßigen Abständen auf die Alster, kochen uns einen Kaffee nach dem nächsten und widmen uns dem Studium der »Fachliteratur« in unseren Regalen. Immerhin: Seit Tag drei des Telefonboykotts hat Simon die Chefallüre abgelegt, immer mich Kaffee kochen zu lassen, und wechselt sich mit mir ab. Wahrscheinlich ist ihm uferlos langweilig, und der Gang in die Küche bietet da eine willkommene Abwechslung. Wo er jetzt gerade steckt, weiß ich allerdings nicht so genau, er verschwand vor zwei Stunden mit den Worten: »Ich muss mal nachdenken.« Wahrscheinlich darüber, welches Insolvenzgericht für uns zuständig ist.

Als ich gerade im Internet nach einem Online-Rechner suche, mit dem ich die Höhe meines neuen Arbeitslosengeldes ermitteln kann, kommt Simon wieder ins Büro.

»Und?«, will ich wissen und blicke von meinem PC auf. »Was hat der Spaziergang gebracht? Irgendwelche neuen Erkenntnisse?«

Simon lässt sich auf den Stuhl hinter seinem Schreibtisch sinken, verschränkt die Hände hinter dem Kopf und blickt gut gelaunt zu mir herüber. »O ja!«

»Lassen Sie hören!« Zwar glaube ich gerade nicht mehr an Wunder – aber wer weiß?

»Ich habe die Erkenntnis gewonnen, dass das neue französische Restaurant am Poelchaukamp einen ganz hervorragenden Koch hat. Und eine erlesene Weinkarte noch dazu.«

»Bitte, was?« Ich glaube, ich habe mich verhört. Doch Simon nickt.

»Ja, in der Tat«, bestätigt er, »ich hatte wunderbar zarte Kalbsbries und einen sehr guten Chablis. Das ganze abgerundet durch eine exzellente Rohmilchkäse-Auswahl zum Dessert.«

Einen Moment lang bin ich fassungslos und kann meinen Chef nur entsetzt anstarren, wie er da auf seinem Stuhl sitzt und mich zufrieden angrinst. Doch dann bricht das Donnerwetter aus mir heraus.

»Das verstehen Sie also unter Nachdenken?«, blöke ich ihn an. »Während ich hier hocke und mir den Kopf zergrübele, wie das alles weitergehen soll, geht der Herr los und verprasst sein Geld bei der Erkundung der Nouvelle Cuisine? Sind Sie noch ganz dicht?«

»Aber, aber«, erwidert Simon beschwichtigend, »von Verprassen kann hier keine Rede sein. Außerdem ist es ja wohl meine Privatsache, was ich mit meinem Geld veranstalte.«

»Ja«, gebe ich erbost zurück, »so lange Sie es außerhalb der

Bürozeiten tun, sehe ich das genauso. Aber nicht, während Ihre Kollegin zwei Stunden lang …«

»Ich weiß gar nicht, worüber Sie sich so aufregen«, fällt Simon mir ins Wort. »Vielleicht sollten Sie auch mal was Vernünftiges essen und ein gutes Glas Wein trinken, Ihr Blutzuckerspiegel scheint mir ziemlich abgesackt.«

»*Ha!*« Erregt springe ich erst auf und laufe zwischen meinem und seinem Schreibtisch hin und her. »Das würde ich in der Tat nur zu gern tun. Aber leider sind *meine* finanziellen Mittel sehr begrenzt. Und wenn es mit *Trostpflaster* so weitergeht, sind demnächst wohl nur noch Zwieback und Leitungswasser drin!«

»Jetzt malen Sie mal nicht den Teufel an die Wand. Jedes Start-up braucht eine Weile, um anzulaufen – das ist vollkommen normal.«

»Ach?«, gebe ich ironisch zurück. »Waren *Sie* es nicht, der uns nach diesem grauenhaften Verriss im Kurier heißlaufende Telefone prophezeite?«

Er zuckt mit den Schultern. »Das wird schon noch kommen.«

»Gar nichts wird kommen!« Mittlerweile brülle ich ihn richtig an. »Weil die Idee nämlich doch Schwachsinn ist! Weil es da draußen niemanden gibt, der auf uns gewartet hat, weil es wirklich komplett hirnrissig ist, zu glauben, dass Leute langjährige Beziehungen so einfach von Fremden beenden lassen.« Genervt lasse ich mich wieder auf meinem Stuhl nieder.

»Das sehe ich anders.«

»Schön für Sie! Aber nehmen Sie zum Beispiel mal ein Paar wie Paul und mich …«

»Ach?«, werde ich von ihm unterbrochen. »Sie wollen unsere erste Kundin werden? Das nenne ich Einsatz für das Umsatzziel!«

Ich starre Hecker an und überlege kurz, ob ich mit dem Locher nach ihm werfen soll. Aber wahrscheinlich würde er mich dann einfach nur wegen Beschädigung von Büroeigentum abmahnen. Es sei denn natürlich, ich würde treffen …

»Was Sie nicht verstehen«, sage ich und schaffe es irgendwie, meine Hand vom Wurfgeschoss zu lösen, »ist, dass eine *langjährige Beziehung* etwas anderes ist als so ein kleiner Flirt, wie Sie ihn wahrscheinlich nur kennen. Paul und ich, wir haben uns ja schließlich nicht gerade erst …« Ich suche nach einem guten Vergleich. »… betrunken auf dem Kiez kennengelernt.«

Hecker öffnet den Mund, wahrscheinlich will er mir eine neue Frechheit an den Kopf werfen, doch dann klappt er ihn wieder zu und schaut mich verdutzt an. Im nächsten Moment wirkt er regelrecht abwesend.

»Hallo?«, frage ich ihn herausfordernd. »Sind Sie noch da? Erde an Hecker …«

Als er mich immer noch gedankenverloren anstarrt, wird mir etwas unbehaglich. Vielleicht bin ich zu weit gegangen?

»Simon, hören Sie, ich bin …«

»Brillant!«, beendet Hecker den Satz zu meiner Verblüffung.

»Äh, ja, bin ich?« Jetzt verstehe ich gar nichts mehr. Brillant?

»Aber natürlich! Das ist genau das, was wir tun müssen: Die Zielgruppe mit der niedrigen Hemmschwelle gewinnen, um von dort ins Premium-Segment vorstoßen zu können!«

Ich verstehe nur Bahnhof, denke ich, und sage: »Ich verstehe nur Bahnhof.«

Hecker springt auf. »Es ist doch ganz einfach: Natürlich wird man seine *langjährige* Beziehung nicht sofort von einem No-Name-Anbieter beenden lassen. Also brauchen wir einen Namen. Und bis wir den haben, müssen wir uns fragen, wer bereit ist, sich von uns die Arbeit abnehmen zu lassen. Und das sind die, denen noch nicht so viel an ihrem Partner liegt. Die zum Beispiel, die nach einem fröhlichen Ausflug auf die Reeperbahn im falschen Bett aufgewacht sind und nun nicht wissen, wie sie aus der Nummer wieder rauskommen können. Und da setzen wir an!«

»Aha«, gebe ich von mir. »Und wie stellen Sie sich das vor? Ich meine, wo finden wir solche Leute, die einfach nur einen Ausrutscher loswerden wollen?«

Simon denkt einen Moment nach. »Wir müssen es noch mehr publik machen«, sagt er dann. »Vielleicht mit einer Art Sonderaktion, etwas, das die Medien interessiert …«

O nein, bitte nicht wieder die Mediennummer! Die letzte Würdigung meiner Person im Kurier hat mein ohnehin sehr schwaches Selbstbewusstsein noch nicht wirklich weggesteckt. Eine weitere Schmähung würde mich wahrscheinlich direkt in Richtung *neurotische Pressephobie mit ausgeprägtem Angstzustand* schubsen. Ich hole tief Luft und nehme mir vor, mit extrem fester, überzeugender Stimme zu sprechen: »Also, mir persönlich hat unsere erste Pressekampagne völlig gereicht. Und Ihre Einschätzung, dass auch schlechte Presse gute Presse ist, traf, mit Verlaub, ja nicht ganz zu. Vielleicht sollten wir wirklich einfach nur einsehen, dass Ihr Konzept nicht so funktioniert, wie wir uns das erhofft hatten.« Gespannt schaue ich Simon an. Wird er jetzt einen Tobsuchtsanfall bekommen und mir Landesverrat vorwerfen?

Nein: Er lacht und wischt meine Bedenken mit einer kurzen Handbewegung beiseite.

»Julia, gut dass Sie mich getroffen haben. Sie säßen heute noch bei der Fidelia und würden dröge Zahlenkolonnen addieren, wäre ich nicht in Ihr Leben getreten. Sie sind einfach viel zu ängstlich – von einem kleinen Misserfolg wollen Sie sich doch wohl nicht entmutigen lassen! Jede große Idee kämpft am Anfang mit Zweiflern und Neidern! Also, wenn ich Ihnen kurz meinen geniale Einfall erläutern darf?«

Ich spare mir den Einwurf, dass ich ohne ihn *tatsächlich* noch warm und trocken bei der Fidelia sitzen würde – stattdessen nicke ich ergeben und murmle: »Also?«

»Rufen Sie Schnuckel an!«

»Ich wüsste nicht, wie Paul uns da weiterhelfen könnte.«

»Doch nicht *Ihren* Schnuckel – *unseren* Schnuckel! Den Radioreporter von Hanse! Sagen Sie ihm, dass wir die Kracher-Idee haben, um ihn von seinem freudlosen Praktikantendasein zu erlösen und vors Mikrophon zu befördern.« Simons Augen leuchten jetzt regelrecht.

»Da bin ich aber mal gespannt.« *Trommelwirbel, Tusch …*

»Wir verlosen fünfmal Schlussmachen unter den Hörern von Radio Hanse! Live! Da laufen doch auch immer solche Aktionen, dass Leute eine Party machen und noch Gäste suchen, die sie dann übers Radio zu sich bestellen. Das spricht unter Garantie *genau* die Menschen an, die wir erreichen wollen. Na, was sagen Sie?«

»O mein Gott.«

»Super, nicht wahr?«

»Nein, gar nicht super! Das können wir doch nicht machen! Schlussmachen, live im Radio … Das ist ja …«, ich suche nach dem richtigen Wort, »ekelhaft!«

»Unsinn! Die Leute werden sich darum reißen – ist ja schließlich umsonst. Und wir sind mit einem Schlag in der ganzen Stadt bekannt. Ich finde es sensationell!« Er setzt sich halb auf meinen Schreibtisch, schiebt das Telefon in meine Richtung und blickt mich erwartungsvoll an.

Nee, mein Lieber, so nicht! Ich schiebe das Telefon wieder zurück. »Wenn ich mich recht entsinne, wollten wir uns doch als seriöse Agentur etablieren. Mit Ihrer Aktion erreichen wir das glatte Gegenteil.«

Das Telefon wandert wieder in meine Richtung. »Seriös wirken können wir immer noch, wenn wir erst einmal bekannt sind. Vorher nützt uns das gar nichts – da gehen wir höchstens seriös Pleite. Schockwerbung heißt das Zauberwort. Also, los geht's!«

»Dann rufen Sie doch Schnuckel an, wenn Sie Ihre Idee so toll finden. Ich kann das unmöglich überzeugend rüberbringen!«, fauche ich Hecker an. Soll der sich doch selbst lächerlich machen. Sogar Praktikant Schnuckel wird schließlich sofort merken, was für eine schwachsinnige Aktion Hecker da plant. Ich google die Nummer von Radio Hanse, schreibe sie Hecker auf einen Zettel und drücke sie ihm in die Hand. »Hier. Ich lausche natürlich gerne Ihren telefonischen Überzeugungskünsten. Da kann ich bestimmt noch etwas lernen.«

Simon seufzt und greift zum Hörer.

»Hallo? Hecker hier. Ich hätte gerne Herrn Schnuckel gesprochen. Danke.«

Es dauert ziemlich lange, bis er ihn an den Hörer bekommt. Wahrscheinlich ist Schnuckel wegen Unfähigkeit schon zum Bandkartonbeschriften ins Archiv verbannt worden.

»Schnuckel? Großartig, Hecker hier. Sie wissen schon, Agentur *Trostpflaster*. Passen Sie auf, wir stehen hier vor einer klassischen *Win-Win*-Situation – für Sie und für uns …«

Ich kann immer noch nicht glauben, dass ein Sender wie Radio Hanse seinen Hörern *tatsächlich* so eine schwachsinnige Aktion zumutet. Aber okay, die haben ja in der Tat diese Sendung *Partytime*, bei der Leute anrufen und sich wildfremde Gäste nach Hause einladen.

Ich stehe neben Schnuckel, der schon ganz aufgeregt an seinem Aufnahmegerät rumschraubt, und soll gleich unser erstes Opfer über die Trennung informieren und sodann trösten.

Und zwar so mitfühlend, dass es uns nachher die Einwilligung zur späteren Sendung des ganzen Rührstücks unterschreibt. Wie konnte ich nur in so eine Situation geraten? Simon ist natürlich wieder fein raus – der war sich mit dem Hanse-Chef ganz schnell einig, dass so eine delikate Angelegenheit in die Hände einer Frau gehört: »Kommt bei den Hörern bestimmt viel besser an, Julia.«

Ich gucke auf das Türschild. Zwischen den zwanzig Namen entdecke ich schließlich Ilona Krause und klingle. Zwei Sekunden später kommt aus der Gegensprechanlage ein kratziges »Ja bitte?«.

»Julia Lindenthal hier. Ich habe eine Botschaft von Herrn Enders. Würden Sie mich bitte kurz hereinlassen?« Es summt, die Tür öffnet sich und gibt den Blick in den Hausflur eines ziemlich muffigen Sechziger-Jahre-Mietshauses frei. Schnuckel stupst mich an: »Dritter Stock hat Herr Enders gesagt. Mann, bin ich aufgeregt!«

»Unsere Verabredung haben Sie aber noch präsent, oder?«, gebe ich den Vollprofi. »Ich rede, Sie schweigen. Soweit klar?« Fehlte gerade noch, dass mir dieser Teenager in mein erstes Gespräch reinfunkt.

»Ja, keine Sorge. Ich wüsste gar nicht, wie ich ein solches Gespräch führen sollte. Ihre Geschäftsidee ist schon ganz schön crazy. Vielleicht kriegen wir auch gleich richtig was auf die zwölf!« Er kichert.

»Das bezweifle ich. Herr Enders hat mir seine angehende Exfreundin als sehr ruhige, kultivierte Frau beschrieben.«

»Und wieso macht er dann nicht selbst Schluss? Kann doch dann so schwer nicht sein.«

»Er sagte, er kenne sie einfach noch nicht so gut, dass er wüsste, wie sie auf die Trennung reagieren wird.« Ich bedenke ihn mit einem Blick, der hoffentlich aussagt: *Letzte Frage, Jungchen!*

Schnuckel bricht in ein wieherndes Gelächter aus, das durch den gesamten Hausflur hallt.

»Na, dann vielleicht doch nicht ruhig und kultiviert!«

»Pst, seien Sie leise, die Krause hat doch bestimmt schon die Tür auf und hört uns. Wollen Sie die ganze Sache versauen, bevor es losgeht?«, zische ich ihm zu.

»Nein, Chefin. Ich schweige, Sie reden.«

Wir gehen die letzten Stufen zum dritten Stock hoch und biegen in den kleinen Vorflur, die Tür zur Wohnung ist bereits leicht geöffnet. Wunderbar, die erste Hürde ist schon einmal genommen – zumindest kommen wir in die Wohnung und müssen Frau Krause nicht im Treppenhaus unser kleines Sprüchlein aufsagen. Hatte mich schon gefragt, was ich mache, wenn sie uns daraufhin gleich gar nicht mehr reinlässt.

»Frau Krause?«, rufe ich, als wir vor ihrer durchaus geschmackvoll behängten Garderobe stehen.

»Momänt, isch komme jleisch.«

Aha, Frau Krause ist offensichtlich Rheinländerin. Und da biegt sie auch schon um die Ecke. Gut, nach der Beschreibung »kultiviert und feinsinnig« hatte ich sie mir nun irgendwie anders vorgestellt, denn optisch kommt Ilona sehr ... handfest rüber. Aber es sind ja bekanntlich die inneren Werte, welche Rolle spielt da schon ein hautenger, pinkfarbener Lurexpullover in Konfektionsgröße 58? Wobei ich möglicherweise auch einfach neidisch bin, denn Ilona Krauses Oberweite ist eindeutig Doppel-Doppel-D, während ich mich mit Körbchengröße 75 A rumschlagen muss. Und obwohl Frau Krause schon ein bisschen zerknittert aussieht, ist sie doch auf eine direkte Art und Weise recht attraktiv. Nur eben nicht feinsinnig, wie auch ihr soeben hingeschnoddertes »Na, wat jibbet?« unterstreicht.

»Gestatten, mein Name ist Julia Lindenthal von der Agentur *Trostpflaster*, das hier ist mein – äh – Kollege Schnuckel.

Ihr Freund, Herr Joachim Enders, hat mich gebeten, Ihnen eine Nachricht zu überbringen. Ist es in Ordnung, wenn wir zu Dokumentationszwecken ein Band mitlaufen lassen?« Das ist zwar totaler Unsinn, aber mir ist nichts eingefallen, womit ich die Existenz von Schnuckel und seinem Aufnahmegerät sonst rechtfertigen könnte. Hier gleich etwas von Radio Hanse zu erzählen, scheint mir jedenfalls keine gute Idee zu sein. Offensichtlich ist es Frau Krause aber wurscht, wer wir sind und was wir hier wollen, denn sie schaut ziemlich gelangweilt, als sie uns in ihrem kleinen Wohnzimmer einen Platz anbietet.

»So, dä Härr Enders. Na, wat jibbet dann so wischtijes zu überbringen? Ene Heiratsantrag? So für *Traumhochzeit* oder wat?« Sie lacht laut, mich schaudert es: O nein, sie rechnet mit einem Antrag, wie furchtbar! Mama, ich will hier raus! Schnuckel grinst wie ein Honigkuchenpferd, der Mann ist offensichtlich Sadist.

»Tja, äh … also, Folgendes, äh …« Mein Gestammel ist grauenhaft! So wird es nichts werden. Das denkt offenbar auch Schnuckel, der unwillkürlich den Kopf schüttelt und wahrscheinlich gerade überlegt, wie viel Zeit es ihn kosten wird, mein Gestotter aus der ganzen Geschichte herauszuschneiden. So! Jetzt aber! Ich konzentriere mich, beschwöre meine beste *Nimm-es-nicht-so-schwer*-Stimme und sage: »Frau Krause, es tut mir leid, aber ich muss Ihnen mitteilen, dass sich Herr Enders von Ihnen trennen will und auch keinen weiteren Kontakt mehr zu Ihnen wünscht.«

Puh, es ist raus. Zum Glück bin ich gut vorbereitet und habe Tempos griffbereit in meiner Handtasche, die werden wir bestimmt gleich brauchen. Noch allerdings reagiert Ilona Krause gar nicht. Kein Wunder, die Arme steht bestimmt unter Schock. Schnuckel knabbert schon ganz gespannt an seinen Fingernägeln.

»Frau Krause, haben Sie mich verstanden?«, frage ich zögerlich nach. »Ich weiß, wie Sie sich jetzt fühlen müssen, und ich
möchte, dass Sie eins wissen: Ich bin für Sie da!« Sie nickt …

… und bricht in schallendes Gelächter aus. Es schüttelt sie
geradezu, ihr gigantischer Busen wogt dabei so auf und ab,
dass ich schon um den Lurexpulli fürchte. Hoffentlich platzt
der nicht gleich auf! Frau Krauses Lachen macht sie richtig
sympathisch, und obwohl ich gerade noch sehr nervös bin,
merke ich, wie sich meine Mundwinkel nach oben ziehen.
Reiß dich zusammen, Julia, rufe ich mich selbst zur Ordnung,
schließlich bist du ein Profi. Zumindest sollte ich bald einer
werden.

Nach gefühlten fünf Minuten hat Frau Krause sich schließlich einigermaßen beruhigt. Sie wischt sich die Lachtränen aus
den Augenwinkeln und guckt mich an. »Dä Dräckssau will nix
mä von mir wisse und hett nit dä Arsch in dä Hose mir dat
selfs zo sache? Da schickt mir dat Arschloch so ne Mäusje wie
disch vorbei? Du leve Jott, wat für 'ne Idiot, bin isch froh, dat
isch den loss bin!«

»Äh, ja … Also, dann brauchen Sie unser Rat-und-Trost-
Paket wohl eher nicht?«, stammle ich.

»Nä, Mäusje. Dat brauch isch nit. Aber du bestellst dä Härr
mal ne schöne Jroß – ene Lover dä besr iss als wie är, den find
isch an jede Eck!«

Während ich noch überlege, wie wir hier ganz schnell den
geordneten Rückzug antreten können, mischt sich auf einmal
Schnuckel ein.

»Frau Krause, wir machen über diesen Service auch eine
Reportage auf Radio Hanse. Dürfen wir Ihre Aussagen da
senden?«

Ist der verrückt? Ist doch wohl völlig klar, dass wir so auf
keinen Fall ins Radio wollen! Und wahrscheinlich dreht ihm
Ilona mit ihren zarten Händen gleich den Hals um.

»Sischer, Schnuckelschen, sischer. Dat könnt ihr ruhisch senden, de janze Tach un jede Stund, wänn ihr dat wollt. Dat kann jeda wissen, wat dat für ne Versajer is. Du biss übrigens auch ne janz Leckere, isch hätt ja jetzt widder Verwendung.«

Schnuckel läuft rot an und murmelt etwas, das wie »leider schon in festen Händen« klingt.

»Schade, schade.« Sie grinste uns breit an und spricht dann direkt und in perfektem Hochdeutsch in Schnuckels Mikro: »Joachim Enders, wohnhaft in der Botramstraße 92 hier in Hamburg, ist ein absoluter Totalausfall im Bett. Wenn ich früher gewusst hätte, dass es so eine Agentur wie dieses …« Sie schaut mich auffordernd an. Ich starre sprachlos zurück.

»*Trostpflaster*«, soufliert Schnuckel.

»… wie dieses *Trostpflaster* gibt, ich hätte ihm die schon nach der ersten Nacht geschickt.«

Als wir wieder auf der Straße stehen, ist mir ganz elend. »Es klappt aber auch nichts. Erst dieser furchtbare Artikel im Kurier, dann diese Pleite …«

»Wieso Pleite? Das werden doch die geilsten O-Töne, die bei Hanse jemals über den Sender gegangen sind. Du wirst schon sehen, Julia«, dutzt ein vollkommen begeisterter Schnuckel mich unaufgefordert, »bald ist *Trostpflaster* bekannt wie ein bunter Hund, und die Leute werden euch die Bude einrennen!« Gönnerhaft legt er seine Hand auf meine Schulter. Energisch schiebe ich sie weg.

»Herr Schnuckel, Sie wollen doch nicht behaupten, dass man diese Begegnung der dritten Art senden wird. Das ist doch absurd. Die Frau war offensichtlich nicht ganz bei Sinnen! Wahrscheinlich die Trauer … oder so etwas in der Art.«

»Die? Die war klar wie Korn. Was für ein Weib! Das ist der absolute Kracher! Der Chef wird mich lieben. Das wird mein Durchbruch! Dein, öh, Ihr Chef hatte recht – das ist wirklich eine Win-Win-Situation.«

Ich starre ihn fassungslos an. Das kann nicht sein Ernst sein.

»Schnuckel, geben Sie mir die Aufnahme. Los!!«

»Ich denke gar nicht daran. Und Sie haben mir übrigens auch gar nichts zu sagen. Sie sind schließlich nur die Büromaus. Also, auf in den Sender!« Er öffnet mir die Beifahrertür seines klapprigen Opels.

»Was fällt Ihnen ein!«

Er zuckt mit den Schultern. »Na gut, dann laufen Sie eben.«

»Nur zu gern.«

Als ich nach einem ausgedehnten Frustmittagessen (Simon hatte recht: das neue französische Restaurant ist wirklich 1a) wieder beim Büro ankomme, hat das Unheil schon seinen Lauf genommen: Bei unserem Bäcker lauschen Kundschaft und Verkäuferinnen gerade mit Hingabe dem für gewöhnlich im Hintergrund dudelnden Radio: »*Ene Lover dä besr iss als wie är, den find isch an jede Eck! Joachim Enders, wohnhaft in der Botramstraße 92 hier in Hamburg, ist ein absoluter Totalausfall im Bett. Wenn ich früher gewusst hätte, dass es so eine Agentur wie dieses* Trostpflaster *gibt, ich hätte ihm die schon nach der ersten Nacht geschickt*«, höre ich Frau Kruse, gefolgt von Schnuckel: »*So Illona Krause, die erste Kundin der brandneuen Trennungsagentur* Trostpflaster, *die …*«

Den Rest kann ich nicht mehr verstehen, er geht unter in dem Gelächter der Zuhörer, die sich offensichtlich königlich amüsieren. Na bravo! Wir werden nun endgültig zum Gespött der Stadt. Ich kaufe mir noch einen Latte Macchiato to go, dann schleiche ich nach oben ins Büro. Es brennt kein Licht – Simon ist wegen der Verlosungsaktion anscheinend noch immer bei Radio Hanse und damit beschäftigt, sich gegenseitig mit Schnuckel die Schulter zu klopfen.

Das Telefon klingelt. »Agentur *Trostpflaster*, Lindenthal«, melde ich mich missmutig.

»Hallo Frau Lindenthal«, meldet sich eine weibliche Stimme, »Fischer mein Name. Ich habe gerade im Radio von dieser Trennungsaktion und Ihrer Agentur gehört. Sie sind quasi meine letzte Rettung!«

Als Simon zwei Stunden später endlich wieder im Büro auftaucht, qualmt mein linkes Ohr vom Dauertelefonieren. Sagenhafte zwanzig Fischers, Menzels, Kaufmanns und wie sie noch alle hießen haben angerufen, um einen Beratungstermin bei *Trostpflaster* zu machen. Und auch der Anrufbeantworter blinkt wie verrückt. *Irre!*

»Haben Sie es auch schon im Radio gehört, Julia? Ein großartiger Beitrag, Hanse wird ihn noch die ganze Woche senden. Sie klangen so richtig schön seriös und einfühlsam. Und dann diese durchgeknallte Alte! *Good job*, Julia.«

Ich bin richtig perplex. »Aber ich habe doch kaum was gesagt. Und ich hatte auch das Gefühl, total zu stottern.«

»Ach was, Sie klangen richtig schön betroffen. So authentisch. Sind wohl doch eine bessere Schauspielerin, als ich dachte. Und dann gleich wieder fleißig an die Arbeit – Respekt!«

»Danke für die Blumen!« Ich freue mich und unterschlage einfach mal die Tatsache, dass ich nur schon wieder am Schreibtisch sitze, weil ich mich mit Schnuckel gestritten habe und nicht im Sender auftauchen wollte, um dort das zu erleben, was ich für das Waterloo der Agentur gehalten habe. »Und ich muss zugeben, Simon, dass Sie doch recht hatten mit der Radiogeschichte: Es haben jetzt schon zwanzig Leute einen

Termin für morgen und übermorgen gemacht.« Simon macht einen kleinen Luftsprung, stürmt auf mich zu und reißt mich in seine Arme. »Klasse, Julia, das ist unser erster gemeinsamer Erfolg!«

13. Kapitel

Ich bin in Hochstimmung, als ich zu Hause ankomme. Zum ersten Mal seit Wochen – ach was, seit Monaten! – habe ich das Gefühl, dass eine rosige Zukunft vor mir liegt. Pfeifend hänge ich meinen Mantel an die Garderobe und gucke kurz in den Spiegel: Ja! So sieht eine angehende erfolgreiche Geschäftsfrau aus. Strahlend!

Schon erstaunlich, was für einen Unterschied ein einziger Tag macht. Aber anscheinend hat wirklich die ganze Stadt Radio Hanse gehört. Katja, Beate, Pia – alle meine Freundinnen haben sich schon gemeldet, alle haben mir versichert, dass mein Auftritt nicht peinlich war, sondern in die Kategorie »gelungener PR-Coup« fällt. Ich bin wirklich gespannt, wie die ersten »echten« Kundengespräche laufen werden. Wer weiß, vielleicht können wir unser Riesenbüro doch schneller auslasten, als ich dachte?

Ich bin derart euphorisch, dass ich ganz schnell mit meinem Schatz sprechen und ihm alles erzählen muss. Sonst laufe ich über! Allerdings ist es verdächtig still in unserer Wohnung, Paul scheint gar nicht da zu sein. Komisch. Eigentlich ist er immer Punkt halb sechs zu Hause. Aber wenn ich so recht darüber nachdenke, hat er sich heute auch überhaupt nicht bei mir gemeldet. Ob er noch gar nichts mitbekommen hat? Kann eigentlich nicht sein, schließlich hört Paul im Büro immer Radio Hanse.

»Paul?« Keine Antwort. Ich schaue noch einmal ins Schlafzimmer, vielleicht macht er ein kleines Nickerchen und hört mich nicht? Fehlanzeige. Kein Paul, nirgends. Als ich wieder im Wohnzimmer stehe, sehe ich allerdings einen gelben Zettel auf unserem Couchtisch kleben.

Bin mit meinen Jungs einen Trinken, komme später. Kuss,
Paul

Och nee, das darf doch jetzt nicht wahr sein! *Ich* wollte mit
Paul etwas trinken gehen, anstoßen auf den tollen Start, auf
meinen ersten Fall! Und dann ist er einfach nicht da, obwohl
er sich das doch hätte denken können. Immerhin habe ich
ihm gestern noch erzählt, wie aufgeregt ich bin. Da hätte ich
mir schon gewünscht, dass er den Abend für mich reserviert,
um mich im Zweifel trösten zu können. Typisch Mann. Denen
muss man offenbar in aller Deutlichkeit sagen, was man erwartet, von allein kommen sie einfach nicht drauf.

Aber was soll's. Rufe ich ihn halt an und komme zu ihm,
sollen die Jungs doch ruhig mitfeiern. Im Grunde genommen
hat Paul nur zwei enge Freunde, die er als »die Jungs« bezeichnet, unsern Nachbar Jan und seinen Kollegen Andreas. Mit
denen gemeinsam kann das sogar noch ein richtig netter Abend
werden.

Ich greife nach dem Telefon und rufe Pauls Handy an. Zehn
Sekunden später höre ich es in der Küche klingeln. Mist! Er
hat es zu Hause liegen lassen. Wie soll ich ihn denn jetzt finden? Von einem Augenblick zum anderen schlägt meine eben
noch sehr gute Laune in furchtbar schlechte Stimmung um.
Ich will gerade nicht alleine hier hocken. Ich will raus! Noch
mal das Telefon.

»Hallo Katja, ich bin's. Sag mal, bist du mit deinen Kunden
vielleicht schon durch? Ich dachte, wir könnten spontan etwas
trinken gehen.« Wenn Paul mir schon nicht zuhört, dann
muss eben Katja dran glauben.

»Mensch, Süße, eigentlich fruchtbar gern«, kommt es zerknirscht zurück. »Aber heute ist mein Kalender wirklich rand-
voll. Vor halb elf komme ich bestimmt nicht aus dem Laden.
Wo ist denn Paul? Der muss doch jetzt mit stolzgeschwell-

ter Brust wegen seiner dynamischen Jungunternehmerin den Champagner schon längst kaltgestellt haben.«

»Hm, ja also … Paul ist nicht da.«

»Bitte? Freut der sich denn nicht mit dir?«

»Doch, doch«, beeile ich mich zu versichern. Ich mag es nicht, wenn Katja jede Gelegenheit nutzt, um auf Paul herumzuhacken. »Er hatte nur eine wichtige Verabredung, die er nicht mehr verschieben konnte.«

»Das ist natürlich doof. Wie wär's denn mit Pia? Oder Beate?«

»Nee, ich will das mit jemandem feiern, der mir *wirklich* nahesteht. Aber gut, bleibe ich halt zu Hause und teste den neuen Beamer. Ist ja auch schön. Irgendwann wird Paul schon kommen.«

»Armes kleines Hascherl! Wir holen das nach, versprochen!«

Als ich aufgelegt habe, überlege ich, ob ich mir alleine ein Glas Sekt gönne. Für alle Fälle liegt bei uns immer eine Flasche im Kühlfach. Aber irgendwie deprimiert mich der Gedanke, mit mir selbst anzustoßen. Dann doch lieber einen Film aus Pauls umfangreicher DVD-Sammlung und eine schöne kalte Flasche Bier, kombiniert mit einer Tüte Erdnussflips. Nicht ganz das, was ich mir erhofft hatte, aber auch keine schlechte Alternative. Ich gehe ins Schlafzimmer, um mich in meine *Heute-gehe-ich-nicht-mehr-aus*-Schlabberhose und mein Lieblings-Rumhäng-T-Shirt zu werfen. Bier auf den Couchtisch, Flipstüte daneben, fertig ist der gemütliche Abend. Fehlt nur noch meine Fernsehbrille, denn ich bin leicht kurzsichtig. Ah, da ist sie schon. *Let the games begin!*

Während ich vor dem Regal stehe und überlege, ob mich vielleicht die komplette erste Staffel *Grey's Anatomy* bei meinem Feierabendbier begleiten darf, klingelt es an der Tür. *Ha!* Das ist bestimmt Paul! Endlich kann ich ihm von meinem aufregenden Tag erzählen. Ich reiße mit Schwung die Tür auf, rufe »Hallo, Schatz!« und schlinge meine Arme um – Simon Hecker!

Ach du Scheiße. Was will der denn hier?

»Hoppla, Julia, was für eine tolle Begrüßung!«

Wie furchtbar! Mr. Glattgebügelt sieht mich in einer acht Jahre alten Jogginghose. Mit Brille! Und ich falle ihm auch noch versehentlich um den Hals! Wäre ich Japanerin, könnte ich jetzt aus Scham schon mal meinen Dolch zum Harakiri klarmachen.

»Äh, hallo, Simon.« Peinlich berührt winde ich mich aus der Umarmung heraus. »Ich, äh, ich hatte jemand anderes erwartet. Ich dachte, Sie wären mein Freund.«

»Na ja, ich *bin* Ihr Freund, oder nicht?«

»*So* doch nicht. Ich dachte, Sie wären Paul!«

Er grinst. »Schade, ich dachte, eine neue Ebene der Kommunikation sei zwischen uns erreicht. Die nonverbale.« Er grinst wirklich *anzüglich*. Idiot! »Sie warten also auf Paul. Das erklärt natürlich auch Ihr legeres Outfit. Schicke Brille übrigens.«

Ich könnte ihn erwürgen. Fand ich ihn vor zwei Stunden tatsächlich ganz nett? »Ich habe Feierabend. Da mag ich es bequem. Haben Sie ein Problem damit?«

»Im Gegenteil, Julia. Eine schöne Frau entstellt bekanntlich nichts.« Jetzt lächelt er ziemlich freundlich. »Aber ich bin nicht gekommen, um Small Talk zu halten. Ich wollte viel lieber mit Ihnen und Paul auf unseren ersten Erfolg anstoßen. Und da dachte ich mir, ein kleiner Überraschungsbesuch mit einer gut gekühlten Flasche Veuve Cliquot wäre genau die richtige Idee.«

Kann man einen Menschen eigentlich total bescheuert und gleichzeitig ganz süß finden? Ehrliche Antwort: Einen Menschen nicht, einen Mann manchmal schon. Und irgendwie rührt mich auch der Gedanke, dass Simon offenbar niemanden hat, mit dem er jetzt anstoßen könnte. Ich seufze, mache die Tür weit auf und eine einladende Handbewegung.

»Okay, dann kommen Sie rein. Paul ist nicht da, aber wenn Sie auch mit mir alleine vorliebnehmen?«

»Natürlich! Vorausgesetzt, Paul hat nichts dagegen, Sie später hier mit einer Flasche Schampus und Ihrem rattenscharfen Chef vorzufinden.« Er lacht.

»Ha, ha, keine Sorge. Mein Freund weiß, dass ich Sie bis vor kurzem noch für einen Riesenidioten gehalten habe.«

»Nun, das gibt doch Hoffnung.«

Ich mustere ihn verblüfft. »Hoffnung? Wie meinen Sie das?«

»Sie haben gesagt, dass Sie mich *bis vor kurzem* noch für einen Riesenidioten gehalten haben«, erklärt Simon. »Das heißt doch, dass Sie nun Ihre Meinung geändert haben und mich vielleicht nur noch für einen kleinen Idioten halten. Das wertet der Optimist in mir als erfreuliches Zeichen!«

»Äh«, sage ich, weil mir auf die Schnelle keine passende Antwort einfällt. »Wie dem auch sei«, meine ich dann, »Paul weiß jedenfalls, dass er mir hundertprozentig vertrauen kann.«

»Dann bin ich ja beruhigt.«

Bilde ich mir das ein, oder klingt Simon jetzt fast ein bisschen beleidigt? Egal. Nachdem der erste Schreck überwunden ist, bin ich eigentlich froh, dass er da ist. Ein Fernsehabend ist keine wirkliche Alternative, wenn man lieber ein bisschen mit anderen Menschen feiern würde. Selbst, wenn »andere Menschen« nur aus Simon Hecker besteht. Eine Sache muss ich nur definitiv noch ändern.

»Entschuldigen Sie mich kurz? Sektgläser stehen im Wohnzimmer im Schrank, ich bin gleich wieder da.«

Drei Minuten später sitze ich mit einer neuen Jeans und einem Kaschmir-Pullover, der laut Katja »supersexy« ist, auf der Couch neben Simon. Der ist diesmal schlau genug, sich eines Kommentars zu enthalten, sondern schenkt mir nur mit einem gekonnten Schwung ein Glas ein. Dann füllt er auch sein Glas, hebt es und prostet mir zu.

»Auf *Trostpflaster*. Und auf unsere gute Zusammenarbeit!«

»Ja, auf *Trostpflaster*!« Ich nehme einen Schluck. Lecker! Wieso trinke ich nur so selten Champagner? So ein guter Tropfen ist eindeutig eine Bereicherung meiner persönlichen Getränkekarte. Aber gut, den könnte ich mir natürlich auch nicht jeden Tag leisten.

Simon schaut mich über den Rand seines Glases fast nachdenklich an. »Julia, ich bin wirklich froh, dass Sie bei mir angefangen haben. Als ich Sie heute im Radio gehört habe, war ich regelrecht begeistert. Sie und ich – wir sind ein richtig gutes Team.«

»Danke für das Kompliment. Aber wenn ich ehrlich bin … ich hätte bis heute Nachmittag nicht geglaubt, dass uns überhaupt jemand anruft. Da lagen Sie mit Ihrem Optimismus viel besser. Vielleicht sollte ich mir ein kleines Stückchen davon abschneiden.« Ich lächle ihn an.

»Oh, erst deuten Sie an, dass Sie mich nicht mehr für einen Vollidioten halten, und nun höre ich da auch noch so etwas wie Anerkennung? Ich hatte bisher immer das Gefühl, Sie halten von mir nicht das Geringste.«

Ich schaue ihn erstaunt an. »Aber wenn Sie das dachten, warum haben Sie mich dann überhaupt gefragt, ob ich für Sie arbeiten will?«

»Weil *ich* eine ganze Menge von *Ihnen* halte!« Wieder lacht er, diesmal sogar richtig freundlich. »Dass Sie es draufhaben, war mir klar. Und wenn man den Erfolg will, muss es einem schon einmal egal sein, was andere über einen denken.«

»So sehen Sie das also? Es ist Ihnen wirklich egal, was Ihre Mitmenschen über Sie denken, wenn nur was dabei rausspringt?«

»Jepp. So sehe ich das. Schockiert?«

Ich überlege und schüttle dann den Kopf. »Nein. Ich verstehe nur gerade, warum ich nie über das Rechnungswesen der Fidelia hinausgekommen bin. Mir fehlt da das entscheidende Stück … ach, ich weiß gar nicht, wie ich das nennen soll. Das entscheidende *Stück* eben.«

Nun ist es an ihm, einen Moment nachzudenken. »Nein, keine Sorge. Ich glaube nicht, dass Ihnen etwas fehlt. Sie sind nur noch nie richtig herausgefordert worden.«

»Das wäre möglich«, gebe ich zu. Die Buchhaltung der Fidelia war nicht wirklich eine echte Herausforderung.

»Gab es denn schon einmal etwas«, will Simon wissen, »das Ihnen so wichtig war, dass Sie alles andere dafür stehen gelassen hätten? Oder alle anderen?«

Ich nicke sofort.

»Na«, Simon beugt sich ein Stückchen zu mir vor, so, als würde er darauf warten, dass ich ihm gleich ein Geheimnis anvertraue, »da bin ich aber gespannt, was das sein könnte. Also, raus damit!«

»Meine Traumhochzeit«, erkläre ich mit einem breiten Lächeln.

»Ihre … *Traumhochzeit?*« Hecker zieht überrascht die Augenbrauen hoch.

»Ja, das finden Sie jetzt komisch, nicht wahr?«, frage ich, aber weil ich dabei lächle, klingt es nicht herausfordernd. »Aber so ist es. Paul und ich wollen im nächsten Jahr heiraten, und diese Hochzeit bedeutet mir alles. Für Sie wahrscheinlich nicht ganz nachvollziehbar, wie einem so etwas so wichtig sein kann.«

»Nein, nein«, widerspricht Simon mir schnell, »das finde

ich überhaupt nicht komisch. Wieso halten Sie mich bloß für so unromantisch?«

»Sind Sie es nicht?«

»Nein, im Gegenteil«, gibt er nahezu heftig zurück. »Ich kann Ihnen mindestens fünf Frauen nennen, die für mich aussagen können. Ach, was sage ich, zehn!«

Ich verdrehe die Augen. »Sehen Sie. Genau das meine ich. Sie sind eben *nicht* romantisch.«

»Wieso das?«

»Weil Sie mir, wenn Sie es wären, nicht fünf oder zehn Frauen nennen würden. Sondern nur eine. Eben *die* eine.«

Simon Hecker zuckt mit den Achseln und grinst mich dann an. »Und wenn schon«, stellt er lapidar fest. »Vielleicht bin ich es auch wirklich nicht. Aber meinen Punkt haben Sie doch verstanden.«

»Welchen Punkt?« Jetzt weiß ich wirklich nicht, wovon mein neuer Geschäftspartner redet.

»Um über sich hinauszuwachsen, braucht jeder Mensch einen Herzenswunsch. Etwas, was er sich unbedingt erfüllen will. Und wenn das bei Ihnen eine Traumhochzeit ist, bitte sehr. Bleibt nur noch die Frage: Welche Herausforderung haben Sie für die Erfüllung dieses Herzenswunsches bereits angenommen?«

Ich hole tief Luft, das ist einfach: »Den Job bei Ihnen«, platze ich ohne zu überlegen heraus. »Wenn ich nicht das Gefühl hätte, ganz dringend weiterarbeiten zu müssen, um meine Märchenhochzeit zu bekommen, hätte ich mich sicher nicht darauf eingelassen.«

»Nicht gerade schmeichelhaft. Aber Sie haben mittlerweile sicherlich festgestellt, dass es gar nicht so schlecht ist mit mir, oder?«

Da mir darauf keine schlagfertige Antwort einfällt, beschließe ich, seine Frage zu ignorieren. Stattdessen kehre ich zum Thema

Hochzeit zurück. »Wissen Sie, Paul und ich sind schon so lange zusammen. Sieben Jahre. Und mit der Hochzeit will ich eben ein romantisches Zeichen setzen: *Seht her, wir lieben uns immer noch wie am ersten Tag.*«

»Und wem wollen Sie das sagen?«

»Wie, wem? Die Frage verstehe ich nicht.«

»Na, für wen dieses Zeichen sein soll? Für die Familie? Für Ihre Freunde? Oder eher doch für sich selbst?«

Erstaunt schaue ich ihn an. »Wie meinen Sie das? *Für mich selbst?*«

»Genau so, wie ich es gesagt habe«, erklärt er. »Wem wollen Sie zeigen, dass Paul und Sie sich noch so lieben wie am ersten Tag? Warum wollen Sie das überhaupt jemandem zeigen? Ihre Liebe hängt doch hoffentlich nicht davon ab, was andere denken.«

»Natürlich nicht!«, werfe ich ein und merke, wie in mir auf einmal ein ungutes Gefühl aufsteigt. Irgendwie gefällt mir nicht, welche Richtung dieses Gespräch gerade nimmt. Was geht es Simon Hecker überhaupt an, warum mir diese Hochzeit so wichtig ist?

»Tja«, spricht er unbeirrt weiter, »wenn es nicht um die Außenstehenden geht, bleibt ja wohl nur noch die Möglichkeit, dass Sie sich tatsächlich selbst überzeugen wollen.«

Jetzt schlägt's ja wohl dreizehn, was fällt dem ein?

»Warum sagen Sie so etwas?«, fahre ich Simon an. »Sie kennen mich doch gar nicht! Wie können Sie da einfach behaupten, ich müsse mich wohl selbst davon überzeugen, dass ich Paul liebe?« Meine Stimme ist ziemlich laut und scharf geworden. Simon zuckt zusammen.

»Das habe ich nicht gesagt!«

»Oh, doch!« Mittlerweile brülle ich fast. »*Genau* das haben Sie gerade gesagt – und das wissen Sie auch!«

Einen Moment lang starren wir uns wortlos an, dann senkt

Simon auf einmal etwas verlegen den Blick. »Sie haben recht«, meint er und spielt gedankenverloren mit seinem mittlerweile leeren Glas. Dann sieht er mich wieder an, ein versöhnlicher, fast entschuldigender Ausdruck ist auf sein Gesicht getreten. »Ich kenne Sie nicht gut, und es geht mich auch nichts an. Es tut mir leid.«

»Sie hätten sich vorher überlegen sollen, was Sie sagen«, erwidere ich und merke, dass ich immer noch ziemlich wütend bin.

»He, Julia«, er lächelt schief. »Es war wirklich nicht so gemeint. Wirklich! Vertragen wir uns wieder?«

Ich nicke zögerlich, denn ich habe den Eindruck, dass er es ernst meint. »Okay. Aber vielleicht wechseln wir lieber das Thema. Reden wir doch mal über Sie und die fünf bis zehn Frauen.«

Jetzt grinst er wieder breit, so schnell wird aus dem reuigen Simon wieder der großspurige Hecker. Was für ein sonniges Gemüt!

»Wusste ich doch, dass Sie das interessiert! Aber die traurige Wahrheit ist: Die Richtige war bisher noch nicht dabei. Insofern – *free as a bird.* Ich kann tun und lassen, was ich will. Was die Wahrheit dann doch nicht ganz so traurig sein lässt.«

»Tja, das dachte ich mir schon. Ich meine, nur ein Single würde abends mit einer Flasche Schampus unter dem Arm unangekündigt bei seiner einzigen Mitarbeiterin auftauchen. Bisschen einsam, oder?«

»Hey – Sie sind kein Single und sitzen hier trotzdem allein im Jogginganzug bei Bier und Erdnussflips, also quasi im Glashaus.«

Autsch, der Punkt geht an ihn.

»Das ist reiner Zufall. Paul hatte eine lang geplante Verabredung«, verteidige ich mich. »Ich habe noch genug andere

Freunde, mit denen ich den Abend hätte verbringen können. Ich hatte nur keine Lust dazu.«

»Dann bin ich froh, dass Sie mich trotzdem reingelassen haben.« Er füllt unsere Gläser ein weiteres Mal und prostet mir zu. »Aber Sie haben recht: Ich habe in Hamburg wirklich nicht viele Freunde. Bringt der Job so mit sich. Drei Monate hier, sechs Monate dort. Ist schwierig, da Freundschaften zu pflegen. Aber nun werde ich ja sesshaft.« Er strahlt mich an und nimmt eine Handvoll Flips aus der Tüte. »Sie sind wahrscheinlich gebürtige Hamburgerin?«

»Da haben Sie recht. Ich bin in meinem Leben erst einmal umgezogen – von meinen Eltern in die gemeinsame Wohnung mit Paul. Langweilig, oder?«

Simon zuckt mit den Schultern. »Warum? Wenn es bisher nicht notwendig war? So toll sind Umzüge nun auch wieder nicht.«

Ich trinke den Champagner in meinem Glas mit einem Zug aus, Simon schenkt gleich nach. Langsam wird mir warm.

»Aber manchmal frage ich mich«, denke ich laut nach, »ob ich nicht auch mal etwas ganz Verrücktes hätte machen sollen. Etwas ganz … anderes!«

Simon lacht.

»Was, bitte, ist daran komisch?«

»Als ich Ihnen bei unserer ersten Begegnung in diesem Meeting vorgeschlagen habe, dass ein Umzug nach München doch vielleicht eine reizvolle Alternative wäre, hatten Sie dieses Gefühl aber noch nicht. Sie haben mich damals angeguckt, als wollten Sie mich am liebsten umbringen. Ich hatte ein bisschen Angst vor Ihnen.«

Jetzt muss ich auch lachen. »Ja«, pruste ich, »machen Sie sich ruhig über mich lustig. Übrigens, wieso reden wir schon wieder über mich? Eigentlich wollte ich doch mal etwas über Sie erfahren.«

»Wieso? Sie kennen doch jetzt die Eckdaten. Ich bin einunddreißig, Single, noch nicht beziehungsweise noch nicht wieder lange in Hamburg. Dass ich umwerfend aussehe und unglaublich charmant bin, haben Sie sicherlich schon bemerkt. Was wollen Sie also noch wissen?«

Inzwischen weiß ich, wie ich seine Angebereien zu nehmen habe, und klopfe ihm betont anerkennend auf die Schulter. »Sie haben recht. Eigentlich weiß ich alles, was ich wissen muss. Dann geht uns jetzt wohl der Gesprächsstoff aus.«

»Es sei denn, Sie erzählen mir noch ein bisschen von Ihrer Traumhochzeit.«

»Das werde ich ganz sicher nicht tun. Für den Betreiber einer Trennungsagentur ist das nämlich ein gänzlich uninteressantes Thema.«

»Würde ich so nicht sagen«, widerspricht er. Trotzdem gehe ich nicht weiter darauf ein, sondern lenke unser Gespräch lieber wieder zurück aufs Geschäftliche.

»Ich bin schon sehr gespannt auf den morgigen Tag. Wir haben Termine im Stundentakt, insgesamt acht Stück. Wie wollen wir das eigentlich machen – wechseln wir uns ab?«

»Wir sollten die ersten Kundengespräche zu zweit führen und auch die Trennungen gemeinsam vornehmen. So lernen wir uns auch als Team besser kennen. Wenn wir dann eine gewisse Routine entwickelt haben, können wir alleine losziehen. Oder was meinen Sie?«

»Ja, warum nicht? Vielleicht sollten wir vorher noch eine Checkliste ausarbeiten, an der wir uns dann entlanghangeln können.«

»Ach, Julia, versuchen Sie nicht, alles so durchzuorganisieren, als würden Sie immer noch Rechnungen prüfen«, tadelt er mich spielerisch. »*Learning by doing.* Wir lassen die Leute erst einmal reden, dann sehen wir weiter. Wichtig ist, dass sie uns zuverlässig einen Ort benennen können, wo wir den angehenden Expartner alleine erwischen. Dass wir immer das Glück haben, gleich in die Wohnung zu kommen, wage ich zu bezweifeln.«

»Und wir müssen uns darauf einstellen, dass nicht alle so, sagen wir mal, *gefasst* reagieren werden wie Frau Krause. Das wird nicht bei jedem so sein. Beim nächsten Mal werde ich unseren Auftraggeber deutlich intensiver über die zu erwartende Reaktion ausfragen.«

Hecker nickt. »Wir sollten vor dem ersten Trennungsgespräch auch ein paar Notfallszenarien entwickeln.«

»Hm, richtig. Nicht jeder wird es so gut aufnehmen. Mich würde es komplett umhauen«, gebe ich zu. »Ich meine, ich stelle mir gerade vor, Sie würden bei mir auftauchen und mir erklären, dass Paul sich von mir trennen will. Das wäre ganz furchtbar! Wahrscheinlich würde ich gleich zusammenbrechen.«

»Okay, Sie schlagen also vor, dass wir ein mobiles Feldbett mit uns führen? Für einen möglichen Schwächeanfall?«

Ich muss lächeln. »Nein, ich denke, es reicht, wenn ich die labilen Opfer übernehme. Sie kümmern sich einfach um die Robusten, dann wird das schon.«

»Ja, das wird schon. Ich bin wirklich froh, dass wir dieses Projekt gemeinsam durchziehen, Julia.« Einen Moment lang schweigen wir. Dann grinst er breit. »Immerhin verdanken uns jetzt schon sehr viele Hamburgerinnen, dass wir sie vor diesem Herrn Enders und seinen schlechten Liebhaberqualitäten bewahrt haben.«

»Finden Sie nicht trotzdem«, setze ich an, »dass das, was wir mit *Trostpflaster* vorhaben, irgendwie auch ein wenig seltsam ist?«

Ein überraschter Ausdruck tritt auf sein Gesicht. »Seltsam? Wie meinen Sie das?«

»Na ja, wir erbringen eine Dienstleistung für etwas, das doch wohl jeder Mensch selbst hinbekommen müsste.«

»Eigentlich müssten die Menschen auch fähig sein, ihre Steuererklärung selbst zu machen«, entgegnet Simon. »Aber viele können es eben nicht.«

»Sie wollen doch wohl die Liebe nicht mit einer Steuererklärung vergleichen?«

»Warum nicht?« Simon zuckt mit den Schultern. »Am Ende geht es immer nur um Soll und Haben.«

»Soll und Haben?«

»Ja, sicher: Die Menschen wägen ab, was ihnen eine Beziehung bringt und was es sie kostet. Und wenn es sie am Ende mehr kostet, als dass sie einen Gewinn davon haben – dann ist eben Schluss. An dieser Stelle kommen wir ins Spiel.«

»Klingt ja extrem romantisch.«

Mein Geschäftspartner lacht auf. »Romantik ist ausschließlich dazu da, um zu verschleiern, dass es auch in Beziehungen nur darum geht, was jeder davon hat.«

»Und was ist mit der Liebe?«

»Ja, die Liebe …« Simon denkt einen Moment nach, dann seufzt er. »Die ist natürlich die unberechenbare Komponente bei der ganzen Sache.«

Während ich noch darüber nachdenke, will ich in die Flipstüte greifen – und habe damit offensichtlich die gleiche Idee wie Simon. Jedenfalls halten wir uns plötzlich an der Hand. Ich zucke, aber er hält meine Hand kurz fest und drückt sie.

»Störe ich?«

Ich fahre herum. In der Tür steht Paul …

… und schaut uns ziemlich wütend an.

»O, hallo Schnuckel! Simon ist spontan vorbeigekommen, um ein bisschen mit uns zu feiern. Du warst ja leider nicht da.« Ich stehe auf und will ihm ein Küsschen geben, aber er weicht mir aus und geht auf Simon zu.

»Hallo, Herr Hecker.« Etwas zu kantig reicht Paul ihm die Hand. »Was gibt's denn zu feiern?«

»Haben Sie heute kein Radio gehört? Unser erster Fall – die haben ihn rauf und runter gespielt«, erzählt Simon gut gelaunt.

»Ach, stimmt. Julia hatte gestern davon erzählt. Sie war ganz aufgeregt. Ich habe ihr gesagt, dass es schon klappen wird. Hatte ich also recht, Schatz. Vielleicht hilft's euch ja.«

»Schön, dass du so euphorisch bist.« Ich funkle Paul böse an, was der leider komplett ignoriert. »Tatsächlich haben heute schon zwanzig Leute angerufen und einen Termin bei uns gemacht.«

»Echt, zwanzig Leute? Also, ich fasse es nicht, dass es anscheinend doch großen Bedarf für so eine schwachsinnige Idee gibt.«

»*Paul!*«

Im Gegensatz zu mir bleibt Simon ganz ruhig. »Wissen Sie, eine *lukrative* Idee ist immer auch eine gute Idee. So sehe ich das.«

»So sehen Sie das?« Einen Moment starren die beiden Männer sich an, und ich höre in Gedanken schon wieder das Aufeinanderprallen von Steinbockhörnern. »Na gut, dann stoße ich natürlich gerne mit euch an.« Er holt sich ein Glas aus dem Schrank und ich beeile mich, ihm einzuschenken. »Julia, Simon, auf eure Agentur!«

Wir tauschen noch fünf Minuten Belanglosigkeiten miteinander aus, dann schaut Simon auf seine Uhr, murmelt eine Floskel von noch etwas erledigen müssen und verabschiedet sich höflich. Als er gegangen ist, knöpfe ich mir Paul vor.

»Warum bist du so unhöflich?«

»Na hör mal, ich komme nach Hause, auf meinem Sofa sitzt dein aalglatter, überheblicher Chef, hat den Champagner entkorkt und versucht, mit dir Händchen zu halten. Brauche ich noch mehr Gründe?«

»Simon hat nicht meine Hand gehalten und er ist nicht aalglatt und überheblich.«

»Hast du selbst über ihn gesagt.«

»Da habe ich mich getäuscht. Er ist nur … dynamisch.«

Paul rollt genervt mit den Augen. »Und deswegen darf er hier so mir nichts, dir nichts vorbeischneien?«

»Er wollte uns überraschen. Uns *beide*. Es war nett gemeint. Es war ein großer Tag für *Trostpflaster*, und Simon kennt sonst kaum Leute in Hamburg.«

»Mir kommen die Tränen. Dann soll sich der Typ einen Hund kaufen, wenn er sich einsam fühlt. Und nicht meine Verlobte anbaggern.«

»Er hat mich nicht *angebaggert*, Paul. Wir haben zufälligerweise gleichzeitig in die Flipstüte gegriffen, das ist doch wohl keine Staatsaffäre! Was ist bloß los mit dir?«

»Tut mir leid, ich weiß nicht.« Auf einmal sieht mein Freund so zerknirscht aus, dass mir sofort warm ums Herz wird. »Der Typ macht mich nervös. Ich stehe eben nicht auf solche Angeber. Warum hast du ihn überhaupt reingelassen?«

»Das kann ich dir genau erklären: Ich war total enttäuscht, dass du nicht zu Hause auf mich gewartet hast. Du wusstest doch, dass wir heute diese Radiogeschichte machen, und du wusstest, dass ich deswegen sehr aufgeregt war. Du hast nicht einmal angerufen heute! Dann stand Simon vor der Tür, und ich habe mich gefreut, dass überhaupt jemand mit mir feiert. Es ist eben schöner, sich zu zweit zu freuen. Und außerdem lasse ich nie jemanden vor unserer Haustür stehen, der dort mit einer kalten Flasche Schampus ausharrt.«

Paul legt seinen Arm um mich und zieht mich zu sich hinüber. »Es tut mir leid, Schatz. Mir war nicht klar, wie wichtig dir die Geschichte heute war. Sonst wäre ich hier auch mit Champagner aufgeschlagen.«

Ich knurre noch ein bisschen.

»Ehrlich. Oder mit Blumen. Ich hole es nach, versprochen.«

Ich schiebe Paul ein Stück von mir weg. »Und du versprichst, dass du meinen Job in Zukunft etwas ernster nimmst?«

Paul hebt mit feierlicher Miene die rechte Hand hoch. »Ich schwöre es.«

»Na gut, dann verzeihe ich dir.«

Ich gebe ihm einen Kuss. Dann lege ich eine Hand unter sein Kinn und schaue ihm in die Augen. »Sag mal, bist du echt eifersüchtig auf Simon?«

»Nein! Na ja ... nicht wirklich. Aber das sah eben schon komisch aus.«

»Verstehe.« Ich hebe meine rechte Hand. »Okay, ich schwöre, dass Simon hier mit der goldenen Schaufel auftauchen könnte – er wäre nicht mein Typ. *Du* bist mein Typ.«

»Gut.« Er küsst mich. »Ich dachte auch nur ...«

»Was? Wieder die Flipstüte?«

»Nein. Es war nur ... dieser Pullover!«

Ich ziehe die Augenbrauen hoch. »Der Pullover?«

»Genau.«

Hm?

»Dieser Pullover ist doch normalerweise dein Zeichen an mich, dass du rattenscharfen, hemmungslosen Sex willst. Mit *mir!*«

Offenbar steht mir jetzt der Mund auf. Paul drückt ihn mir sanft mit einem Zeigefinger zu. »Hast du das noch nie bemerkt?«

Ich schüttle den Kopf.

»Dann ist es wohl dein Unterbewusstsein, das dieses

Signal aussendet. Und *das* tut es bitte in Zukunft nur an mich.«

Unterbewusstsein? Pullover?

Ach, Quatsch!

14. Kapitel

Als ich im Radio von Ihnen gehört habe, wusste ich sofort, dass Sie die Lösung meines Problems sind.«

Vor uns sitzt Tina Menzel, eine untersetzte, nett aussehende Frau Mitte vierzig mit kinnlangen, schwarzen Haaren. Unser erster richtiger Fall. Während ich darüber sinniere, warum diese eigentlich selbstbewusst wirkende Frau sich offensichtlich nicht traut, ihrem Freund den Laufpass zu geben, bemüht sich Simon, extrem verständnisvoll und seriös zu wirken. Er macht das mit einem Gesichtsausdruck, den ich zuletzt bei einem Bekannten gesehen habe, der in seiner Freizeit eine Selbsterfahrungsgruppe für angstfreies Trommeln im Stadtpark leitet. Faszinierend. Der Gesichtsausdruck, nicht das Trommeln.

»Wissen Sie, ich habe in den letzten Jahren schon dreimal mit Felix Schluss gemacht, oder, nein: Ich habe es schon dreimal *versucht*. Aber es klappt einfach nicht. Immer, wenn ich es versuche, macht er eine Riesenszene. Er weint, er fällt vor mir auf die Knie, er schwört mir, dass er mich mehr liebt, als ich mir vorstellen kann, er fleht mich an, nicht zu gehen … Es ist ganz furchtbar – und noch einmal schaffe ich das einfach nicht.« Tina fängt an zu weinen, Simon reicht ihr ein Taschentuch und streicht ihr ganz leicht über die Schulter.

»Tina«, Simons Stimme ist jetzt ein sanftes Raunen, »ich darf Sie Tina nennen, oder?« Er entpuppt sich langsam, aber sicher als Frauenflüsterer; ich frage mich, was dann noch mein Job sein soll – ich dachte, *ich* wäre die Fachfrau fürs Trösten.

Unsere Klientin schnäuzt geräuschvoll in ihr Taschentuch und nickt.

»Sehen Sie, Tina, es ist immer schwer, einem Menschen, der einem einmal so viel bedeutet hat und vielleicht sogar immer noch bedeutet, eine schlechte Nachricht zu überbringen. Sie haben getan, was Sie konnten, und jetzt suchen Sie nach einer verantwortungsvollen Art und Weise, wirksam zu einem Ende zu kommen.«

Au weia, nun übertreibt er aber ein bisschen. Das kann sie ihm unmöglich abnehmen.

»O, danke, Herr Hecker, ich bin so froh, dass Sie mich verstehen.«

Okay, sie kann.

»Nennen Sie mich bitte Simon. Also, Tina, wo werden wir die Gelegenheit haben, mit Felix in Ruhe und alleine zu sprechen?«

»Am besten kommen Sie morgen um elf zu unserer gemeinsamen Wohnung. Ich werde heute Abend bei einer Freundin übernachten. Er denkt, ich sei beruflich unterwegs. Er hat Schichtdienst, und wenn er mittags zur Arbeit geht, hole ich meine restlichen Sachen. So ist es am besten. Ich möchte ihn nicht mehr sehen, sonst stehe ich das nicht durch.« Wieder ein Schnäuzen.

»Glauben Sie mir, Tina, bald wird es Ihnen bessergehen.« Simon ist das Verständnis in Person.

»Sollen wir Felix einen Grund für die Trennung nennen?«, mische ich mich in das intime Zwiegespräch der beiden ein. Schließlich muss es doch mal inhaltlich vorangehen.

»Tja, also, ich weiß nicht … Meinen Sie denn, dass das sinnvoll wäre?«

»Ich persönlich könnte besser damit umgehen, wenn ich wüsste, warum mein Partner mit mir Schluss macht. Ist natürlich Geschmackssache. Was haben Sie ihm denn die letzten drei Male erzählt? Wahrscheinlich ist es doch immer noch der gleiche Grund.«

Tina guckt angestrengt. Nanu, so schwer war meine Frage doch nicht.

»Also, der Grund«, beginnt sie zögernd, »war schon jedes Mal ein anderer.« Sie lacht bitter.

Das erstaunt mich nun doch. Simon offenbar auch, denn für einen kurzen Moment fällt er wieder in den guten alten Hecker-Tonfall: »Echt? Es gab gleich drei verschiedene Gründe, um mit dem Typen Schluss zu machen? Das ist ja 'n Ding. Dann sind Sie aber deutlich geduldiger als der deutsche Durchschnitt.«

Sanfter war doch besser, Tina guckt ganz verschreckt. Ich werfe Simon einen missbilligenden Blick zu. »Bitte, Frau Menzel, sprechen Sie weiter.«

»Na ja, der erste Grund war Isabel, und dann, beim zweiten Mal, habe ich ihn mit dieser blöden Kuh Tanja erwischt. Das dritte Mal – ich glaube, sie hieß Heike.« Sie sieht mir direkt in die Augen. »Ich weiß schon, was Sie jetzt denken. Dreimal betrogen? Die muss doch verrückt sein. Und wissen Sie was? Sie haben recht. Das bin ich wahrscheinlich.« Ihr Blick verliert den trotzigen Ausdruck, und zu meinem Schreck sehe ich, dass ihre Augen feucht werden. »Aber jetzt ist es endgültig aus, denn Mara ist immerhin meine Schwester.«

Man könnte in diesem Moment ein sehr schönes Foto von Hecker und mir machen, Titel: *Zwei Leute gucken unglaublich blöd*. Immerhin findet Simon seine Fassung schon nach schätzungsweise zehn Sekunden wieder. Er ist eben ein Profi.

»Sie wollen sagen, Felix hat Sie viermal betrogen, davon einmal mit Ihrer Schwester?«

»Nein, ich will sagen, viermal habe ich es jetzt mitgekriegt. Auf eine absolute Zahl lege ich mich lieber nicht fest.« Tina ringt sich wieder ein Lächeln ab. »Immerhin habe ich nur eine Schwester … und meine Mutter dürfte ihm zu alt sein.«

Endlich finde auch ich meine Sprache wieder: »Und dann

hatte er auch noch die Nerven, Sie jedes Mal wieder anzuflehen, nicht zu gehen?«

Tina zuckt mit den Schultern.

»Und er schafft es, Ihnen das Gefühl zu geben, dass Sie ihn trotzdem zurücknehmen müssen, obwohl Sie ganz genau wissen, dass das falsch ist?«

Unsere Klientin schaut nur noch zu Boden.

»Das ist wirklich unglaublich«, rutscht es mir heraus, »so ein Schwein!«

»Bitte, Frau Lindenthal, nicht so emotional.« Simon gibt wieder den Staatsmann.

»Ach lassen Sie, Simon. Sie hat recht. Ich weiß auch nicht, warum ich mich jedes Mal wieder bequatschen lasse. Aber damit ist jetzt Schluss, und Sie machen das für mich.«

Feierlich reicht Simon Tina seine Hand. »Ja. Darauf gebe ich Ihnen mein Wort.«

Als Tina gegangen ist, sitzen Simon und ich noch eine Weile im Besprechungsraum. »Können Sie sich das vorstellen?«, will ich von ihm wissen.

Er schüttelt den Kopf. »Nein, das würde ich mir nicht antun. Ausgeschlossen. Und Sie?«

»Ich denke nicht. Obwohl das von außen natürlich leichter gesagt als getan ist. Die beiden sind schon ein paar Jahre zusammen, aber viermal? Und mit der eigenen Schwester? Nein. Wirklich nicht.«

Simon mustert seine Fingerkuppen. Woran denkt er wohl gerade?

»Darf ich Sie etwas Persönliches fragen?«, will ich wissen.

Er grinst. »Versuchen Sie's. Wenn es mir zu intim wird, werde ich schweigen wie ein Grab.«

»Sind Sie schon einmal betrogen worden?«

»Nein. Sicher nicht.«

»*Sicher* nicht? Das klingt selbstbewusst.«

»War gar nicht so gemeint. Ich bin nur bisher nicht so der Beziehungstyp gewesen. Und in den ersten vier Monaten der Verliebtheit wird man wohl eher selten betrogen. Ein echter Vorteil.«

»Oh.« Etwas Intelligenteres fällt mir dazu leider nicht ein.

»Gegenfrage: Sind Sie schon einmal betrogen worden?«

Ich lasse mir einen kurzen Augenblick Zeit, bevor ich antworte. »Ja, einmal. Es tat sehr weh. Aber das ist lange her.«

Jetzt ist es Simon, der ein bisschen betreten guckt. Eine Weile sagen wir beide nichts, dann räuspert er sich. »Also, wer kommt als Nächstes?«

»Ein gewisser Udo Langhans, der müsste in zehn Minuten da sein. Danach kommen Simone Bartels, Stefanie Enkens, Klaus Herborn …«

»Haben Sie in Ihrem grandiosen Terminplan eigentlich auch an eine Mittagspause gedacht?«, fragt Simon mich mit durchaus entsetztem Blick.

»Jetzt wird nicht gegessen, Chef«, sage ich und kremple mir spielerisch die Ärmel hoch, »jetzt wird gearbeitet.«

Sieben Stunden später ist mein Tatendrang deutlich geschrumpft. Dieser Job ist anstrengender, als ich dachte! Zum Glück mussten wir nicht mit allen Klienten so lange sprechen wie mit Tina Menzel. Zwei sind dann doch nicht gekommen und bei einem handelte es sich um den Reporter eines Lokalsenders, der sich für den Günter Walraff seiner Generation hielt und bei uns undercover ermitteln wollte. Zwischendurch konnte ich doch noch in die Bäckerei flitzen und uns eine kleine Stärkung holen. Aber so langsam merke ich wirklich, wie mich die Energie verlässt.

Dafür ist Simon Hecker gerade wieder ganz groß in Fahrt. Das mag daran liegen, dass unsere letzte Klientin des Tages,

Petra Fischer, im Gegensatz zu den anderen Damen heute wirklich richtig hübsch ist. Bildhübsch, um genau zu sein. Wäre mein Chef eine Turteltaube, er würde vermutlich laut gurren – aber das kann ich durchaus nachvollziehen, während Petra Fischers große, braune Rehaugen etwas ängstlich auf uns gerichtet sind und ihre rotbraunen Haare ihr schimmernd über die Schultern fallen. Nur ihr Gesichtsausdruck passt so gar nicht zu diesem engelsgleichen Wesen, das ich auf Mitte zwanzig schätze: Sie wirkt, als trage sie die Last der Welt auf ihren zarten Schultern.

»Frau Fischer«, kommt Simon mir mal wieder zuvor, ehe ich etwas sage kann, »erzählen Sie uns doch bitte, was Ihr Problem ist.«

Sie räuspert sich und fängt dann mit leiser Stimme an: »Mein Freund«, sie unterbricht sich. »Mein Freund«, setzt sie dann wieder an, »hat mir vor zwei Wochen einen Heiratsantrag gemacht.«

»Und jetzt wissen Sie nicht, wie Sie ihn ablehnen sollen?«, mutmaße ich.

»Nein«, sagt sie, »also, äh, doch.« Wieder schweigt sie und wirkt zunehmend verzweifelt.

»Frau Fischer, erzählen Sie doch einfach mal in aller Ruhe«, schlage ich vor und schiebe ihr vorsichtshalber schon einmal die Kleenex-Box auf unserem Besprechungstisch hin, weil sie aussieht, als würde sie gleich in Tränen ausbrechen. »Wir haben jede Menge Zeit. Und wir können Ihnen am besten helfen, wenn Sie sich uns wirklich anvertrauen.«

Dankbar nimmt die junge Frau ein Kleenex, putzt sich die Nase und fängt dann erneut an. »Also, Marian und ich, wir sind jetzt seit fünf Jahren zusammen. Wir haben uns in der Uni kennengelernt, im ersten Semester Politik. Ich wollte eigentlich gar nicht so schnell studieren, ich wollte lieber erst einmal reisen nach der Schule, wissen Sie …« Aus den

Augenwinkeln meine ich, auf Simons Gesicht einen leicht genervten Ausdruck wahrzunehmen. Ja, sicher, das hier wird scheinbar wirklich etwas dauern – aber wir sind schließlich dafür da, um unseren Klienten bei einer heiklen Angelegenheit zu helfen. Da kann man nicht erwarten, dass sie sofort alle Fakten auf den Tisch legen. Mit einem Mal fühle ich mich wieder voll und ganz in meinem Element, hier ist offenbar wirkliches Fingerspitzengefühl gefragt – und das ist schließlich mein Job.

»Das verstehe ich sehr gut«, erkläre ich ihr. »Wir beginnen oft mit etwas, weil wir glauben, dass es die richtige Entscheidung ist, auch wenn es nicht unserem Traum entspricht. Und dann haben Sie im Studium Ihren Freund kennengelernt und wussten plötzlich, dass es genau richtig war, nicht auf Weltreise zu gehen, weil Sie ihn sonst nicht getroffen hätten.« Ich bin wirklich stolz auf mich. Das hört sich doch alles wirklich sehr fundiert an. Andererseits habe ich mir früher im Büro so viele Trennungsgeschichten angehört, dass ich wirklich sehr gut weiß, wer wann was hören möchte.

»Genau so war es!«, sagt Petra Fischer und schaut mich so dankbar an, als habe ich soeben das größte Geheimnis der Welt entschlüsselt. »Wissen Sie, wir haben sofort perfekt zusammengepasst. Die gleichen Interessen, dieselben Vorlieben, ein ähnlicher Geschmack.«

»Aber das klingt doch prima«, wendet Simon ein. Ich werfe ihm einen mahnenden Blick zu. Schließlich wird Petra Fischer ja ihre Gründe haben, weshalb sie nun vor uns sitzt. Sofort hält Simon die Klappe. Bitte, geht doch.

»Na ja«, fährt Frau Fischer fort, »für alle waren wir immer das perfekte Paar, für unsere Familie, unsere Freunde. Außerdem sind fünf Jahre ja auch eine lange Zeit. Finden Sie nicht?«

Ich nicke. »Ja, das ist eine lange Zeit. Ich selbst bin schon über sieben Jahre mit meinem Freund zusammen.«

Petra Fischer guckt mich groß an. »Wirklich?«

Wieder nicke ich, diesmal nicht ganz ohne Stolz.

»Und sind Sie noch glücklich?«

»Äh«, bringe ich etwas überrascht hervor, weil ich mit dieser Frage nun überhaupt nicht gerechnet habe. Eigentlich wollte ich mich nur mit der Kundin solidarisieren. »Sicher bin ich das«, füge ich dann schnell hinzu. Petra Fischer seufzt.

»Dann haben Sie es gut.«

»Sie sind also nicht mehr glücklich?«, schlussfolgere ich.

»Doch«, kommt es zu meiner nächsten Überraschung. »Das heißt«, fügt sie dann hinzu, »glücklich ist wohl nicht das richtige Wort. Eher zufrieden. Oder sagen wir, es ist … okay.«

»Entschuldigen Sie, wenn ich mich wieder einmische«, kommt es nun von Simon. »Ich verstehe nur leider immer noch nicht so ganz, worauf Sie hinauswollen. Sie haben seit fünf Jahren eine Beziehung, die okay ist. Jetzt hat Ihr Freund Ihnen einen Antrag gemacht. Soweit richtig?« Petra Fischer nickt. »Aber wie können wir Ihnen nun helfen? Ich meine, sind Sie sicher, dass Sie zu *Trostpflaster* wollten?«

In diesem Augenblick brechen alle Dämme. Petra Fischer fängt an, hemmungslos zu heulen, reißt mehrere Taschentücher aus der Kleenex-Box und kann sich gar nicht mehr beruhigen. Irritiert werfen Simon und ich uns einen Blick zu; für den Bruchteil einer Sekunde wissen wir beide nicht, was wir tun sollen.

»Das ist es ja gerade«, schluchzt Petra Fischer schließlich auf. »Ich weiß einfach nicht, was ich tun soll!«

Hier scheint ein schwerer Fall von Verwirrung vorzuliegen.

»Also, ich dachte auch immer, dass alles bestens ist. Dass Marian und ich irgendwann heiraten und Kinder bekommen würden. Eben so, wie man sich das immer vorstellt. Aber seit er mir diesen Antrag gemacht hat … seitdem ist mir klar, dass das alles nicht richtig ist.«

»Und warum?«, hake ich nach.

»Ich bin fünfundzwanzig!«, bricht es aus ihr heraus. »Da kann ich doch nicht damit zufrieden sein, einen Mann zu heiraten, mit dem alles nur in Ordnung ist!«, bricht es aus Petra Fischer heraus.

»Äh, kann man nicht?«

»Jedenfalls will ich es nicht. Was ist mit der Verliebtheit? Mit der Leidenschaft? Mit den Schmetterlingen im Bauch? Marian und ich sind wie beste Freunde, aber auf einmal ist mir klar geworden, dass das Kribbeln schon lange fehlt.«

»Na ja«, wende ich ein, »nach so vielen Jahren ist das wohl ein bisschen viel verlangt.«

»Ich *will* das aber!«, kommt es nun nahezu trotzig zurück. »Und ich glaube ganz fest daran, dass es so etwas wirklich gibt.«

»Nun …«, fange ich an, werde aber von Simon unterbrochen.

»Natürlich gibt es das«, sagt er, und ich wundere mich, woher sein plötzliches Expertenwissen zum Thema »Langzeitbeziehungen« kommt.

»Das denke ich eben auch«, erwidert Frau Fischer und wirkt mit einem Mal wesentlich gefasster. »Und so gern ich Marian auch habe und ihn als Freund schätze – seit er mir den Antrag gemacht hat und mir zum ersten Mal bewusst wurde, was es eigentlich bedeuten würde, wenn ich ihn heirate … Seitdem ist mir klar, dass mich diese Beziehung nicht mehr ausfüllt.«

»Dann haben Sie den Antrag also abgelehnt?«, frage ich. Sie seufzt.

»Nein. Ich habe ihn *angenommen.*«

Langsam verstehe ich, wo das Problem ist. »Weil Ihnen das

in diesem Moment noch vollkommen selbstverständlich erschien«, sage ich mit sanfter Stimme.

Sie sieht mich dankbar als. »Weil es die logische Konsequenz war. Schließlich sagen doch immer alle, dass wir das perfekte Paar sind.«

»Wir sollen Marian also sagen, dass Sie ihn nicht heiraten wollen?«, vergewissere ich mich.

Petra Fischer nickt.

»Ich bin sicher, er wird Verständnis dafür haben«, stelle ich in tröstendem Tonfall fest, »man muss ja heutzutage nicht mehr unbedingt heiraten, man kann ja auch so zusammen sein.« Obwohl ich für mich selbst gleichzeitig feststellen muss, dass mich nichts auf der Welt von meiner Traumhochzeit mit Paul abhalten wird. Eine Heirat ist schließlich die Krönung der Liebe, ein öffentliches Bekenntnis zueinander, das Versprechen, dass man immer zusammenbleiben will. Das ist schon etwas anderes, als einfach nur miteinander zu leben. Aber gut, diese Gedanken sind hier wohl gerade fehl am Platze. »Wir werden Ihnen helfen, den Druck, unter dem Sie gerade stehen, von Ihren Schultern zu nehmen. Und dann können Sie und Ihr Freund gemeinsam nach einem Weg suchen, das alte Feuer zwischen Ihnen wieder neu zu entfachen.« *Julia*, denke ich, *du bist ein Genie!*

»Das ist eigentlich nicht, was ich von Ihnen erwarte«, kommt es nun von unserer Klientin. »Sie müssen ihm auch schonend beibringen, dass ich ihn verlassen werde. Denn nachdem mir klar geworden ist, dass uns nur noch Freundschaft und keine Liebe mehr verbindet, habe ich einen anderen Mann kennengelernt und mich Hals über Kopf in ihn verknallt.«

Zum zweiten Mal an diesem Tag könnten Simon und ich als Paar mit dem dümmsten Blick des Jahres vor der Kamera posieren.

»Sie haben schon einen Neuen?«, fragt er.

»Er ist der Richtige, ich weiß es einfach.« Petra Fischer strahlt über das ganze Gesicht. »So leid es mir für Marian tut.«

»Aha«, sage ich. Und denke: *Uff.* Das klingt in der Tat nach einem schwierigen Fall.

»Meinen Sie, Sie bekommen das hin?«, fragt Petra Fischer, die offenbar meinen entsetzten Gesichtsausdruck bemerkt hat. »Ohne ihm weh zu tun?«

»Aber sicher doch!«, kommt Simon mir zuvor. »Für genau solche heiklen Fälle sind wir doch schließlich da!« Er klopft mir kurz mit einer Hand auf den Rücken. »Nicht wahr, Frau Lindenthal?«

»Genau«, krächze ich. Und muss in Wahrheit etwas völlig anderes denken: Der arme Mann! Wir werden ihm nicht nur erklären müssen, dass die Frau, die er liebt, ihn nicht heiraten will – nein, sie gedenkt auch noch, mit einem anderen Kerl durchzubrennen. Na prima, für den Anfang mal was ganz Einfaches!

»Ich bin wirklich erleichtert«, sagt Petra Fischer. »Es wird für ihn natürlich ein Schock sein, aber genau darum habe ich Ihre Agentur angerufen – wegen der psychologischen Nachbetreuung. Wissen Sie, mein neuer Freund und ich, wir brechen hier für ein Jahr alle Zelte ab. Ich werde endlich die Reise machen, von der ich immer geträumt habe. Aber ich möchte auch, dass Marian einen Ansprechpartner hat, den er anrufen oder treffen kann, wenn er das braucht. Es ist mir egal, was das kostet, aber Sie müssen mir versprechen, dass Sie sich um Marian kümmern.«

»Sicher, Frau Fischer, das ist schließlich unser Beratungsschwerpunkt – die Nachbetreuung beider Partner. Unsere Frau Lindenthal hat ein Händchen für solche schwierigen Situationen, Marian ist wirklich bestens bei ihr aufgehoben. Wenn Sie nicht nur die Standardbetreuung wünschen, sondern unser spezielles Trost-Deluxe-Paket, bekommt er eine Notfallnummer, dort kann er jederzeit anrufen. Und wenn ich jederzeit sage, dann meine ich das auch – zwei Uhr morgens, Sonntagmittag, ganz egal.«

Notfallnummer? Jederzeit? Ich glaube, ich habe mich verhört! Der hat wohl ein Rad ab! Ich versuche, Simon unter dem Besprechungstisch zu treten.

»Ach, Herr Hecker, mir fällt wirklich ein Stein vom Herzen!« Um Frau Fischers Augen machen sich lauter Lachfältchen breit. »Was müssen Sie jetzt noch von mir wissen?«

»Zuallererst, ob Sie noch einen Kaffee mögen. Ich stelle nämlich fest, dass dieses Kännchen schon leer ist«, sagt Hecker mit vorwurfsvollem Blick in meine Richtung. Ich tue so, als hätte ich den Wink nicht verstanden und bleibe sitzen. Das wäre ja noch schöner: Ich koche hier brav den Kaffee und ansonsten dürfen mich unsere Kunden Tag und Nacht anrufen? Aber daraus wird nichts! Ich nehme mir vor, gleich mal ein paar grundlegende Dinge klarzustellen. Bevor Simon allerdings noch etwas zum Thema Kaffee sagen kann, hat Petra Fischer schon dankend abgelehnt. Wahrscheinlich kann sie im Gegensatz zu Simon Gedanken lesen.

Die beiden besprechen noch die Details und verabreden, dass Simon und ich ihren Freund am besten vor seinem Feierabend abpassen. Dann kann er direkt nach Hause gehen und in Ruhe über alles nachdenken. Vorher wird Petra Fischer die wichtigsten Dinge aus der gemeinsamen Wohnung abholen. Ich verkneife mir die Frage, ob sie denn mehr als ein paar Klamotten und ihre Zahnbürste braucht, wenn sie doch aus der alten Beziehung sofort zu einer Weltreise durchstartet.

»Ja, ja, die Liebe«, stellt Simon fest, als wir wieder alleine sind. »Ist ja rührend, wie viele Gedanken die sich um ihren Freund macht.«

»Also, nach so langer Zeit finde ich das völlig normal und nicht rührend«, widerspreche ich ihm. »Wäre ja noch schöner, wenn die das nicht mitnehmen würde.«

Simon macht eine wegwerfende Handbewegung. »Ja, schon klar«, meint er. »Ich finde trotzdem toll, dass sie sicherstellen will, dass er jederzeit jemanden hat, mit dem er reden kann. Ich sehe schon, unser Konzept wird genau aufgehen!« Er reibt sich die Hände. Wahrscheinlich denkt er an die fette Rechnung, die er Petra Fischer präsentieren wird. Bei mir schleicht sich ein mulmiges Gefühl ein. Aber nur für den Bruchteil einer Sekunde, dann kommt mir eine geniale Idee.

»Apropos *jederzeit*«, reiße ich Simon aus seinen süßen Träumen, »wenn Sie wollen, dass ich quasi permanente Rufbereitschaft habe, müssen wir wohl doch noch mal über mein Gehalt reden.«

Simon guckt mich völlig entgeistert an. »Wie bitte? Hier geht gerade erst Kunde Nr. 2 durch die Tür und Sie wollen noch mal über Ihr Gehalt reden?«

»So ist es. Wenn Sie wirklich von mir verlangen, dass ich für Menschen wie Petra Fischers Ex ständig über Handy erreichbar bin, dann möchte ich bei solchen Kunden gleich am Umsatz beteiligt sein, unabhängig davon, ob wir Gewinn machen oder nicht. Und zwar mit vierzig Prozent.«

»Sind Sie *verrückt*?« Simon schnappt hörbar nach Luft. »Vierzig Prozent vom Umsatz? Da bin ich schneller pleite als Sie auch nur einen Euro davon ausgeben können.«

»Ihr Pech«, erwidere ich ungerührt, »dann dürfen Sie einen so personalintensiven Service eben nicht anbieten.«

»Aber, aber …«

»Kein *aber*. Zu unseren Bürozeiten kümmere ich mich gerne um die Fischers und Menzels dieser Welt. Soll das auch nach Feierabend und am Wochenende so sein, wird es eben teurer.«

»Julia, Sie wissen doch genau, dass Liebeskummer die meisten Menschen besonders quält, wenn ihnen bewusst wird, wie allein sie momentan sind. Und das ist nun einmal meistens nach Ladenschluss der Fall!«

»Richtig, aber Sie wollen mir wohl nicht erzählen, dass Sie das – wie haben Sie das so schön genannt, das Trost-Deluxe-Paket – nicht extra in Rechnung stellen werden. Ich habe genau gesehen, wie Sie die arme Fischer angeschaut haben: Sie hatten Dollarzeichen in den Augen. Also, vierzig Prozent!«

»Zehn!«

»Dreißig!«

»Zwanzig!«

»Einverstanden.«

»Sie ruinieren mich.«

»Dafür koche ich Ihnen jetzt auch einen schönen Kaffee.«

»Das ist nett von Ihnen«, lehnt Simon mein Angebot ab, »aber ich muss jetzt los, weil ich gleich noch einen Termin habe.«

»Einen Termin?«, frage ich nach. Immerhin gehen mich Heckers Termine ab sofort auch etwas an, wir haben ja jetzt eine gemeinsame Agentur!

»Was Privates«, erklärt er.

»Ach so. Ich mache dann auch gleich Schluss, ich bin mit Katja und Beate verabredet.« Als ich mich ein wenig strecke, kann ich ein Gähnen nicht unterdrücken. »Das war ganz schon anstrengend heute.«

»Da haben Sie recht«, meint Simon. »Und lassen Sie uns morgen erst um elf Uhr anfangen, den ersten Termin haben wir um halb zwölf im Kalender. Es wird schließlich auch ein anstrengender Tag werden.«

»In Ordnung«, freue ich mich. *Dann kann ich schön mit den Mädels ausgehen und ausschlafen*, setze ich in Gedanken hinzu. Hach, es hat doch schon was für sich, wenn man plötzlich nicht mehr jeden Tag um 7.00 Uhr morgens bei einer Versicherung auftauchen muss!

»Hallo Mädels! Ich hatte einen phantastischen Tag!« Gut gelaunt ziehe ich mir einen Barhocker neben Beate und Katja, die sich mit mir im *Sanctus* verabredet haben. Früher war mir dieses Weinbistro im schicken Eppendorf immer zu schnöselig, aber jetzt, wo ich eine erfolgreiche, hart verhandelnde Geschäftsfrau bin, passe ich hier ausgesprochen gut rein. Außerdem ist Katjas Laden gleich um die Ecke, und Beate hat es auch nicht weit bis zur nächsten U-Bahn-Station.

»Uah, du hast ja geradezu eklig gute Laune«, mosert Katja.

»Habe ich auch. Ist das verboten?« Ich werfe einen kurzen Blick in die Weinkarte und beschließe, dass das wieder ein guter Abend für ein Glas Champagner wäre.

»Du hast recht. Schön, dass du gut gelaunt bist! Aber ich habe heute den ganzen Tag das Gesäusel von frisch verliebten Kundinnen ertragen müssen. Der reinste Horror, vor allem, wenn man gerade solo ist. Was soll's. Berufsrisiko.«

»Wieso? Was ist denn mit …«, ich brauche einen Moment, um mich an den Namen von Katjas aktueller Flamme zu erinnern, »Lars?«

»Wer?« Natürlich weiß Katja genau, von wem ich spreche.

»Na, der Wahnsinnstyp!«, erinnere ich sie neckend. »Du erinnerst dich?«

»Ach, der! Das war eine Pfeife, hab ich abgeschossen.«

Aha, im Westen nichts Neues also. »Wenn du immer so schnell Schluss machst, darfst du dich nicht beschweren«, stelle ich einigermaßen ungerührt fest.

»Du mich auch«, kommt es prompt lachend zurück.

»Und, wie sieht's bei dir aus?«, wende ich mich dann an Beate, die bis jetzt noch keinen einzigen Ton gesagt hat. Sie guckt betreten an mir vorbei.

»Nicht so toll«, sagt sie. »Bisher noch kein einziges Bewerbungsgespräch, und Gerd ist auch so unglücklich. Ich dachte zwar, es sei gut, heute Abend mal rauszukommen, aber ich hoffe, ich verderbe euch nicht die Stimmung.«

»Quatsch, wir werden dich schon aufheitern. Champagner?«

Beate schaut mich groß an. »Ist das dein Ernst?«

»Natürlich. Außerdem hatte ich heute einen heftigen Tag und muss mich dringend etwas verwöhnen.« Ich bestelle drei Gläser für uns; dann erzähle ich Katja und Beate von unseren ersten Kunden und meinem sensationellen Verhandlungserfolg. »Ihr hättet Simons Gesicht sehen sollen. Es war toll – und ganz offensichtlich, dass ich ihn total überrascht habe.«

»Wow, du bist ja richtig euphorisch«, wundert sich Katja. »Wie ist es denn ansonsten mit Simon? Ist er so ein Windbeutel, wie du gedacht hast?«

»Also, er ist vielleicht kein Kandidat für das philosophische Quartett, aber ansonsten ist es erstaunlich nett mit ihm. Gestern Abend stand er sogar mit einer Flasche Schampus vor der Tür, um mit Paul und mir die gelungene Radio-Hanse-Aktion zu feiern.«

»Echt? Das ist ja wirklich nett. Wobei ich Schwierigkeiten habe, mir Simon und Paul einträchtig nebeneinander auf eurem Sofa vorzustellen.« Katja grinst.

»Wieso? Mögen die beiden sich nicht?«, will Beate wissen.

»Na, ich bitte dich, Beate, du hast die zwei doch bei unserem Brainstorming erlebt. Und überhaupt: Ein Macher wie Simon und dann Paul-ich-bin-Beamter-mit-Leib-und-Seele-Meißner? Das passt nun wirklich nicht.«

Dieser Kommentar passt nun wieder mir nicht. »Für jemanden, der ein tierisches Gewese wegen des Unterschiedes zwischen *Friseuse* und *Friseurin* macht, gehst du ziemlich pauschal mit anderen Berufsgruppen um, findest du nicht?«, zicke ich sie an.

Katja holt theatralisch Luft. »Ja doch, Miss Political Correctness. Wird nicht wieder vorkommen. Was ich nur sagen wollte: Ich finde, die beiden sind ziemlich unterschiedlich und es fällt mir schwer, sie mir ganz einträchtig bei einem Glas Schampus vorzustellen.«

»Musst du auch gar nicht. Paul war doch nicht da.«

»Stimmt, ich erinnere mich. Der war ja verschollen. Wahrscheinlich musste er noch ein paar neue Paragraphen und Verordnungen auswendig lernen.«

»Hörst du jetzt sofort auf, du Giftpilz!«

Beate guckt erstaunt zwischen uns beiden hin und her.

»Hey, hört auf, euch zu streiten. Ich bin momentan sehr harmoniebedürftig!«

»Tschuldigung. Hast ja recht.« Ich stoße noch einmal mit Katja an. »Friede? Ich wollte doch mit euch feiern.«

»Frieden«, sagt meine beste Freundin. »Allerdings hätte ich trotzdem gerne Details von gestern Abend. Dieser Hecker ist einfach bei dir hereingeschneit? Lass mich raten: Du hattest diese grässliche Schlabberhose an …«

»Du kennst mich einfach zu gut.« Ich grinse sie breit an. »Ich habe mich natürlich schnell umgezogen. Aber dann wurde es wirklich ein schöner Abend. Wir haben ein bisschen gequatscht, fast privat. Er hat erzählt, dass er in Hamburg noch nicht so viele Freunde hat, solche Sachen eben.«

»Weiß Paul, dass Simon da war?«, fragt Katja neugierig.

»Er hat ihn sogar gesehen. Dann war der Abend allerdings ziemlich schnell zu Ende.«

»O, warum?«

»Wegen meines Pullovers.«

»Bitte?«, kommt es von Katja und Beate wie im Chor.

»Paul war eifersüchtig wegen des Pullovers, den ich anhatte.

Und dann hat er die ganze Zeit rumgestänkert und Simon ist gegangen.«

»Das ist ja mal interessant. Ich hätte jetzt eher vermutet, Paul wäre eifersüchtig wegen des Pullovers, den du *nicht* anhattest«, kichert Katja.

»Ha, ha, unglaublich komisch. Ich war vollständig bekleidet, keine Sorge. Aber offenbar sendet mein neuer Kaschmirpullover mit dem V-Ausschnitt erotische Signale aus. War mir bisher nicht bewusst, scheint aber so zu sein.«

»Der supersexy Pullover? Den wir zusammen gekauft haben?« Katja knufft mich in die Seite. »Paul hat recht. Der sendet Signale aus. Unartiges Mädchen!« Nun muss auch Beate kichern.

»Habt nur euren Spaß. Aber nun ist wirklich Zeit für einen Themenwechsel – morgen haben Simon und ich unsere ersten beiden Trennungstermine. Hoffentlich geht das gut!«

»Wie genau soll das denn ablaufen?«, will Beate interessiert wissen.

»Also, die ersten Termine machen wir noch zusammen«, erkläre ich, »damit wir beide so schnell wie möglich viele Erfahrungen sammeln. Und wenn wir dann routinierter sind, machen wir uns getrennt voneinander auf den Weg. Je nachdem, um was für einen Fall es sich handelt. Wenn es um Fingerspitzengefühl geht, übernehme ich – wenn einmal Schlussmachen auf brutale Art gewünscht wir, ist das was für Simon.«

»Ja«, stellt Beate lachend fest, »ich kann mir gut vorstellen, dass ihm das liegt. Aber wäre es nicht generell besser, wenn ihr das immer zu zweit machen würdet? Auch wegen der Sicherheit, falls mal einer ausflippt.«

»Darüber haben wir lange diskutiert«, räume ich ein. »Aber zum einen fragen wir die Kunden immer im Vorfeld, ob bei ihrem Ex mit einer Überreaktion zu rechnen ist – falls da auch nur die geringste Gefahr besteht, gehen wir zu zweit. Aber am effizientesten sind wir natürlich, wenn wir getrennt voneinander arbeiten. Außerdem sollte einer von uns immer im Büro sein und das Telefon annehmen. Jedenfalls so lange, bis wir uns eine Sekretärin leisten können. Das wird vermutlich noch etwas dauern und so lange müssen wir es eben selbst tun. Na ja, jedenfalls bin ich ganz schön aufgeregt, hoffentlich geht morgen alles gut.«

»Das schaffst du schon«, macht mir Katja Mut. »Oder soll ich auch noch mitkommen?«

»Ich weiß nicht«, meine ich und knuffe sie in die Seite. »Die Kunden haben alle *sanft und einfühlsam* gebucht. Deine Spezialität ist doch eher *quick and dirty*«, ziehe ich sie auf.

»Ich hätte da eine Idee«, mischt sich Beate zaghaft ein.

»Nämlich?«

»Also, ich … also ich habe momentan überhaupt nichts zu tun und das macht mich ehrlich gesagt total fertig.« Sie macht eine Pause.

»Und?«, frage ich nach.

»Ich dachte gerade nur, weil ihr im Moment noch kein Geld für eine Sekretärin habt … Also, was hältst du davon, wenn ich euer Telefon bewache, während ihr nicht da seid? Das kann ich bestimmt gut und ich mache es auch … ehrenamtlich. Hauptsache, ich muss nicht mehr zu Hause rumsitzen.«

»Keine schlechte Idee!«, pflichtet Katja ihr schnell bei.

Ich zögere etwas. Immerhin ist Simon der Boss – zumindest offiziell. Andererseits, was soll er schon dagegen haben? Wenn Beate sogar anbietet, uns ohne Bezahlung zu helfen, warum nicht? Außerdem ist es wirklich gut, wenn jemand ans Telefon gehen kann und potenzielle Kunden in unserer Anfangsphase nicht ständig den Anrufbeantworter dranhaben, weil wir auf Termin sind. »Komm doch morgen zu uns, ab elf sind wir da. Dann können wir alles mit Simon besprechen. Ich finde die Idee auf jeden Fall sehr gut.«

Beate strahlt. »O ja, das wäre toll! Es wäre echt phantastisch, wenn ich wieder was zu tun hätte.« Jetzt ist es Beate, die eine weitere Runde ordert. Aus Kostengründen entscheidet sie sich für Sekt und nicht für Champagner. Aber der schmeckt mit Freundinnen eigentlich genauso gut.

15. Kapitel

Julia, rufen Sie mich sofort zurück. *Sofort!*«
Die Nachricht auf meiner Mailbox ist eindeutig. Und Simon
klingt ziemlich sauer. Ein unangenehmes Gefühl macht sich in
meiner Magengegend breit. Was hat er wohl? Ich gucke auf
mein Handydisplay. *Anruf in Abwesenheit, 9:32 Uhr.* Habe ich
wohl beim Föhnen überhört. Ich schnappe mir das Telefon
und rufe ihn zurück.

»Hallo Simon, hier ist Julia. Was gibt's?«, versuche ich es
übertrieben fröhlich.

»Was es gibt? Das kann ich Ihnen sagen!« Simon ist so aufgebracht, dass er mir förmlich durch das Telefon entgegen-
springt. »Ich wurde heute Morgen von unserer neuen *Mitarbeiterin* überrascht, die Sie anscheinend gestern eingestellt
haben. Ohne Rücksprache mit mir!«

Uups, verdammt. Ich habe vergessen, ihn anzurufen. Das
heißt, ich habe ihn angerufen, aber nicht erreicht. Auf die
Mailbox wollte ich Simon diese Neuigkeit nicht sprechen –
und später habe ich es dann komplett verschwitzt. Außerdem bin ich ja davon ausgegangen, dass Beate um elf ins Büro
kommt. Und jetzt ist es nicht einmal neun. Ich versuche, mich
rauszuwinden.

»Ja, tut mir leid. Ich dachte, es wäre eine tolle Idee, weil
Beate doch umsonst für uns arbeiten will. Natürlich wollte ich
es Ihnen rechtzeitig sagen, aber dann war Ihr Handy aus.«

Simon schnaubt. Jetzt stellt er sich aber wirklich an, die Idee
ist doch wirklich gut.

»Kommen Sie«, sage ich, »so schlimm ist das doch auch wieder nicht. Ich meine ...«

»Ist es nicht?«, werde ich von ihm unterbrochen. »Dann

würde ich gerne wissen, wie Sie es fänden, wenn man Sie mit quasi runtergelassener Hose in delikater Situation überrascht hätte.« *Was?* Mit runtergelassener Hose? »Wie meinen Sie das?«

»Genau so, wie ich es sagte. Ich durfte Ihrer Freundin Beate heute in aller Frühe meinen nackten Hintern präsentieren.«

O Gott, wie konnte das passieren? Hat sie ihn etwa auf dem Klo erwischt? Bei der Vorstellung muss ich beinahe kichern, kann es aber gerade so eben noch unterdrücken. Schätze, sonst würde Hecker total ausflippen.

»Hallo?«, herrscht er mich an. »Sind Sie noch dran?«

»Äh, ja, natürlich!«

»Also, wie fänden Sie das?«

»Ich, das, also … da bin ich sprachlos.«

»Ja, das war ich auch.«

»Beate hatte doch gar keinen Schlüssel, wie ist sie denn überhaupt reingekommen?«

»Herr Wiesel hat sie reingelassen. Beate hatte Blumen und einen Fresskorb mit, als Überraschung. Die ist ihr in der Tat gelungen.«

»Und Sie waren gerade, äh … indisponiert?«

»Haben Sie mich nicht verstanden? Nein, ich war *nicht* indisponiert! Ich wollte gerade eine vielversprechende neue Bekanntschaft von meinen Qualitäten als Liebhaber überzeugen.«

»In unserem *Büro?*«

»Es ist auch *meine Wohnung!* Wir waren in der Küche, als Beate dort nach einer Vase suchte!«

Wie furchtbar. Die arme Beate. Der arme Simon. Was für ein Schlamassel. Boden, tu dich auf, verschling mich.

»Oh, das tut mir so leid, wirklich. Wie geht es Beate?«

»Fragen Sie lieber, wie es *mir* geht. Antwort: *schlecht!* Und wie geht es meiner Bekannten? Antwort: keine Ahnung, ist sofort abgehauen. Und Ihre Freundin lässt ausrichten, sie würde unten beim Bäcker auf Sie warten. Also bewegen Sie umgehend Ihren Arsch hierher!«

Klick.

Fassungslos starre ich mein Handy an. Wie kann ich das wieder geradebiegen?

Als ich bei unserem Bäcker durchs Schaufenster gucke, sehe ich Beate schon an einem der Bistrotische stehen, vor sich einen Pott Kaffee. Ich gehe rein und stelle mich neben sie. »Hallo. Simon hat mich gerade angerufen.«

»Morgen, Julia«, begrüßt sie mich zerknirscht. »Es tut mir total leid! Aber ich hatte für meinen Einstand ein bisschen eingekauft – und dann war ich so aufgeregt, dass ich es nicht erwarten konnte, und dachte, ich schaue mir zumindest schon mal das Haus an. Dann hätte ich die Einkäufe im Treppenhaus abstellen können. Simon schien nicht da zu sein, zumindest hat er auf mein Klingeln nicht geöffnet. Tja, und dann traf ich auf diesen netten älteren Herrn, und der fragte mich, ob es etwas zu feiern gibt. Da habe ich ihm von meinem ersten Arbeitstag erzählt, und er hat mich reingelassen, damit ich alles vorbereiten kann. Damit es fertig ist, wenn ihr kommt.« Sie seufzt. »Was habe ich da bloß angerichtet?« Beate guckt traurig und rührt in ihrem Kaffee herum. Ich nehme ihre Hand.

»Es ist nicht deine Schuld. Ich hätte Simon sagen müssen, dass du kommst. Ich habe es nur einmal versucht und dann nicht mehr daran gedacht. Wenn er gewusst hätte, dass du so früh kommst, hätte er sich bestimmt eine andere Spielwiese als den Küchentisch ausgesucht.« Täusche ich mich oder grinst Beate jetzt. Tatsächlich, sie kichert sogar!

»Tschuldigung, aber irgendwie war es natürlich auch lustig. Und ich muss sagen, dein Chef ist gut gebaut. Niedlicher Hintern.«

»*Beate!*«

»Ich weiß, unpassend.«

Dann siegt meine Neugier. »Und die Frau?«

»Die war ganz schnell weg. Ziemlich jung, schwarze Locken. Hübsch, natürlich. Hat sich ihre Sachen geschnappt und ist sofort an mir vorbei. Na ja, ist verständlich, oder?«

»Keine angenehme Situation. Aber ich werde jetzt in die Höhle des Löwen gehen und die Sache bereinigen«, sage ich.

»Meinst du, ich darf euch trotzdem helfen?« Beate schaut mich zweifelnd an.

»Ich denke schon. Erstens ist er sauer auf mich. Und zweitens: Wenn es etwas umsonst gibt, ist Simon bestimmt nicht nachtragend.«

»Hoffentlich hast du recht. Ich hatte mich schon so gefreut, endlich wieder etwas zu tun zu haben!«

»Ich kriege das schon wieder hin.« Noch ein zweifelnder Blick. »*Versprochen.*«

Auf dem Weg nach oben bin ich mir zwar nicht mehr ganz so sicher, ob das nicht eine gehörige Portion Zweckoptimismus war. Aber eine andere Wahl habe ich sowieso nicht.

Simon sitzt an seinem Schreibtisch und ist scheinbar beschäftigt. Ich räuspere mich. »Guten Morgen.«

Er starrt mich böse an.

»Also, Sie sind total sauer auf mich«, setze ich an, bevor sein gesammelter Zorn auf mich niederprasseln kann, »und das auch zu Recht. Es tut mir sehr leid, dass ich Sie in so eine peinliche Situation gebracht habe, aber ich habe es wirklich gut gemeint.«

Er guckt mich weiter böse an, dann zieht er die linke Augenbraue hoch. »Das Gegenteil von gut ist gut gemeint«, kommt es knapp und einigermaßen kalt.

»Tja«, ich versuche es mit einem schiefen Grinsen, »da kann ich Ihnen ausnahmsweise mal nicht widersprechen. Trotzdem: Beate trifft keine Schuld, sie dachte, ich hätte es Ihnen gesagt. Also: Asche auf mein Haupt.« Ich finde, ich habe mich damit ziemlich aufwendig entschuldigt. Viel mehr fällt mir jetzt nicht mehr ein. Simon wird doch wohl nicht so nachtragend sein?

»Sie ist quasi mitten in der Nacht hier aufgekreuzt.«

Er ist so nachtragend.

»Meine Bekannte ist zutiefst schockiert«, fährt er mit strengem Blick fort. »Ich kann noch nicht abschätzen, welchen Schaden unsere so vielversprechende *Beziehung* genommen hat.«

Er betont *Beziehung* nachdrücklich. Haben Beate und ich versehentlich sein zukünftiges Lebensglück im Keim erstickt? Gleichzeitig merke ich, wie sich neben meinem Schuldgefühl noch etwas anderes in mir breitmacht: Ein Gefühl, das ich nicht genau einordnen kann. Bin ich … pikiert? Der Gedanke, dass Simon es für nötig hält, seinen Aufriss … pardon, seine Beziehung morgens in unserer Büroküche zu vögeln, fasst mich auf jeden Fall irgendwie ein klein wenig an. Schließlich hätte ich auch mal früher auftauchen können, dann wäre ich diejenige gewesen, die seinen Hintern in voller Aktion erlebt.

»Es war kurz vor halb zehn«, wende ich daher ein.

»Wollen Sie damit sagen, ich sei selbst schuld?«

»Nein, ich will damit lediglich sagen, dass es kurz vor halb zehn war. Nicht mitten in der Nacht. Ebenso gut hätte ich Sie überraschen können.«

»Was soll denn die Diskussion? Muss ich mich für mein Privatleben rechtfertigen?«

»Nur, wenn es in unseren Büroräumen stattfindet.«

»Wir waren in der Küche. Im Übrigen hatte ich Sie gestern ausdrücklich gebeten, erst um elf Uhr zu kommen.«

»Aber ich arbeite hier und muss auch das Recht haben, einfach mal früher aufzutauchen, wenn ich zum Beispiel etwas vorbereiten oder wegarbeiten will.«

Simon schweigt bockig.

»Es ist eben nicht in erster Linie *Ihre* Wohnung, sondern *unser* Büro!«, füge ich deshalb noch hinzu.

»Okay«, sagt er nach einer Weile gedehnt. »Ich will darüber auch gar nicht mehr mit Ihnen diskutieren. Vergessen wir die ganze Sache einfach.«

»Von mir aus gern.«

»Gut. Dann sind wir uns ja einig. Und nun gehen Sie schon nach unten und holen Beate hoch.«

»Es ist also okay, wenn sie bei uns ehrenamtlich als Sekretärin anfängt?«, frage ich sicherheitshalber noch einmal nach.

Simon grinst breit. »Sie können sich doch denken, dass die Kombination der Worte ›arbeiten‹ und ›ehrenamtlich‹ Musik in meinen Ohren ist.«

»Natürlich kann ich das. Daher dachte ich ja auch eigentlich, Sie würden sich über Beates Angebot freuen.«

»Es war eigentlich wirklich eine nette Idee von ihr«, gibt Simon zu. »Ich freue mich, wenn sie uns ab sofort unterstützt. Und nun lassen Sie uns diesen kleinen Vorfall einfach vergessen.«

Ich nicke. »Eine Frage habe ich aber noch.«

»Ja?«

»Wie heißt denn Ihre Bekannte und wo wohnt sie? Beate kann ihr als erste Amtshandlung einen Strauß besorgen und vorbeischicken lassen.«

Simon mustert mich irritiert.

»Na, das wäre doch nett, darüber würde sie sich bestimmt freuen«, füge ich hinzu, um ihn zu ermutigen. »Frauen mögen so etwas, also geben Sie mir einfach ihren Namen und ihre Adresse. Beate und ich würden es uns beide nie verzeihen, wenn wir die ganze Sache verbockt hätten und Ihre so vielversprechende *Beziehung*«, ich betone das Wort genauso wie er kurz zuvor, »durch unsere Schuld in die Brüche geht.«

Er zögert noch immer, offenbar ist er sich nicht sicher, ob das eine gute Idee ist. »Äh«, meint er dann schließlich doch. »Sie heißt Manuela. Nee, Melanie. Adresse, tja, also, ich glaube, es ist auch nicht so wichtig. Das mit den Blumen, meine ich. Melina mag keine Blumen.«

Kurz vor elf biegen Simon und ich in die Corveystraße ein. Hier also treibt Tina Menzels Freund im wahrsten Sinne des Wortes sein Unwesen. Eine gepflegte Gegend direkt hinter dem Universitätskrankenhaus. Sehr praktisch, denn Tinas Freund ist Krankenpfleger, da hat er es nicht weit zur Arbeit. Wir bleiben vor einem schmucken Mehrfamilienhaus stehen.

Ich gucke noch einmal in meine Handtasche. Alles dabei: Vollmacht, Foto von Felix, Kopie von Tinas Personalausweis. Irgendwie müssen wir dem Kerl schließlich beweisen, dass es sich nicht um einen schlechten Scherz handelt und wir wirklich von Tina kommen.

Simon klingelt und der Summer geht, ohne dass es eine Nachfrage gibt. Felix scheint ein vertrauensseeliger Mensch zu sein. Sein Pech. Wir traben in den ersten Stock. Kaum angekommen, öffnet Felix schwungvoll und mit einem breiten Lächeln die Tür – und geht erstaunt einen Schritt zurück, als er uns sieht.

»Oh, hallo. Ich hatte jemand anderes erwartet. Wer sind Sie denn?« Vor uns steht ein Mann Mitte vierzig, der eigentlich ganz normal aussieht: Nicht groß, nicht klein, weder sexy noch unattraktiv. *So sieht doch kein Mann aus, dem eine Frau nach der anderen verfällt*, denke ich. Felix hat einen schönen Mund, zugegeben, aber sein Haar hat eindeutig schon vollere Zeiten erlebt. Unter seinem Poloshirt zeichnet sich ein kleiner Wohlstandsbauch ab. *So einer kann doch froh sein, wenn er jemanden wie Tina Menzel hat.* Oder bin ich da auf dem Holzweg? Mir schwant, dass ich meine so klar definierten Ansichten über Paare, über Anziehungskraft und auch darüber, wer wen aus welchem Grund betrügt und betrügen kann, kräftig überdenken muss.

»Guten Morgen! Gestatten, Simon Hecker, Agentur *Trostpflaster.* Das ist meine Assistentin, Frau Lindenthal. Wir kommen im Auftrag von Frau Tina Menzel.«

»Im Auftrag von Tina?«, echot Felix.

»Genau«, bestätige ich ihm. »Können wir vielleicht kurz reinkommen?«

Felix sieht sich unsicher im Treppenhaus um. »Also, das passt mir gerade nicht so gut.«

»Erwarten Sie noch jemanden?«

»Kann man so sagen. Können Sie später wiederkommen?« Er wirkt richtig nervös. Simon hebt wieder die berüchtigte Braue. Sieht toll aus, ich nehme mir vor, das mal vor dem Spiegel zu üben. Während ich noch darüber nachdenke, ob man in meinem Alter wohl noch lernen kann, die Augenbrauen einzeln und unabhängig voneinander zu bewegen, geht unten die Eingangstür. Einen Moment später steht eine hübsche blonde junge Frau neben uns.

»Hallo Felix!« Sie mustert uns. »Oh, Besuch von der GEZ?« Ich muss kichern, Simon schnaubt empört.

»Äh, ich glaube, die Herrschaften wollten gerade gehen. Sie sind von der, äh, der Hausverwaltung. Ja genau. Wegen der neuen Balkone. Also, wie ich Ihnen schon sagte, ich habe jetzt keine Zeit. Rufen Sie doch einfach meinen Vermieter an und klären das mit ihm. Einen schönen Tag noch.« Mit diesen Worten zieht er die Blondine in seine Wohnung und drückt die Tür zu. Wir stehen etwas belämmert im Flur.

»Hm, ob das wohl die Schwester war?«, mutmaße ich. »Oder schon deren Nachfolgerin?«

»Kann sein. Aber was machen wir jetzt?«, fragt Simon. »Der will ganz offensichtlich nicht mit uns sprechen.«

»Meinen Sie, der ahnt etwas?«

Simon zuckt mit den Schultern. »Kann natürlich sein. Wenn er Radio Hanse hört … Das Unschöne ist, dass Tina Menzel hier in einer guten Stunde aufkreuzen wird, weil sie denkt, dass er zu seiner Schicht geht. Und weil er denkt, dass sie auf einer Geschäftsreise ist, findet diese Schicht wohl eher in der Horizontalen statt. Ich würde unserer Kundin gerne ein In-flagranti-Erlebnis ersparen.«

»Das glaube ich, damit kennen Sie sich ja aus.« Ich grinse ihn anzüglich an.

Simon wirft mir einen vernichtenden Blick zu.

»Tschuldigung«, murmele ich. »Also – was machen wir?«

Simon drückt auf die Türklingel. Es tut sich nichts. Er klingelt noch mal. Und noch mal. Schließlich öffnet sich die Tür einen Spalt, Felix lugt heraus.

»Ihr Penner, zieht ab. Ihr stört.«

»Beim Stelldichein mit Mara?«, fragt Simon kalt.

»Mara? Quatsch, wie kommen Sie drauf?«

»Die Blonde?«, sekundiere ich.

»Heißt Katharina und ist meine Physiotherapeutin. Wir trainieren.«

»Sicher, Mann, sicher. Und ich bin der Nikolaus und das da«, Simon zeigt auf mich, »ist Knecht Ruprecht. Also, ich nehme jetzt mal die Abkürzung: In knapp einer Stunde wird Ihre Freundin Tina Menzel hier auftauchen. Sie will ihre Sachen holen, weil sie Sie verlassen wird. Warum, muss ich Ihnen wohl nicht erklären. Sie hat uns beauftragt, Ihnen das schonend beizubringen, damit es nicht wieder so ein Theater gibt wie die letzten Male. Mein Vorschlag – Sie schnappen sich Katharina und trainieren im Hotel weiter. Dann werden Sie sich nie mehr bei Frau Menzel melden.«

»Sag mal, du Witzbold, was willst du eigentlich?«, knarzt Felix wütend los.

»Das kann ich Ihnen sagen.« Simons Stimme ist nun ganz ruhig, aber dabei so kalt und schneidend, dass sich mir unwillkürlich die Nackenhaare aufstellen. »Ich will gar nichts von Ihnen, aber Frau Menzel hat uns beauftragt, Sie aus ihrem Leben zu entfernen. Und eins können Sie mir glauben: Es gibt für Sie keinen Weg zurück. Also haben Sie jetzt zwei Möglichkeiten: Sie verziehen sich und lassen meine Auftraggeberin in Ruhe, oder Sie bleiben und ich mache Ihnen das Leben zur Hölle. Ich werde schlicht und ergreifend so lange vor dieser Tür stehen, bis ich die Gelegenheit habe, jeder Katharina, Mara oder wie sonst Ihre Betthäschen heißen, einen tiefen Einblick in Ihr geselliges Privatleben zu geben. Ich werde das auch an Ihrem Arbeitsplatz bekannt machen. Und wer weiß, vielleicht haben Sie auch Freunde, die noch nicht über Ihren schlechten Charakter aufgeklärt sind? Um es Ihnen mit ganz einfachen Worten zu sagen: Frau Menzel hat etwas Besseres verdient als Sie. Lassen Sie sie ab sofort in Ruhe und in Frieden weiterleben – sonst mache ich Sie fertig. Haben wir uns da verstanden, *Meister?*«

»Ja, aber ...«

»Ob wir uns *verstanden* haben, will ich wissen?«

Felix nickt zögernd. »Ich werde sie in Ruhe lassen ... versprochen.«

»Besser wär's.« Nach dieser markigen Ansage macht Simon auf dem Absatz kehrt und geht die Treppe hinunter.

Ich haste hinterher. Ich bin ... ja was eigentlich? Natürlich erschrocken, weil ich selbst mich von meinem Chef ordentlich eingeschüchtert gefühlt habe. Aber ich bin auch berührt davon, wie leidenschaftlich er sich für unsere Klientin einsetzt. So als würde sie ihm schon seit Jahren viel bedeuten und nicht, als habe er sie gestern erst kennengelernt. »Hey, klare

Worte«, sage ich. »Nicht schlecht. Zwar nicht einfühlsam …
aber nicht schlecht.« Das *Ich bin stolz auf Sie*, das mir schon
auf den Lippen liegt, behalte ich dann doch besser für mich.

Simon grinst selbstzufrieden. »Ja, ziemlich gut sogar, oder?«
Da ist sie wieder, die für ihn so typische Arroganz. Aber inzwischen kann ich damit umgehen.

»Sie haben recht, Sie sind ein toller Typ. Ein *ganz* toller«,
sage ich so ironisch wie möglich. »Erster Fall abgeschlossen.
Glückwunsch.«

»Danke. Ich hatte irgendwie das Gefühl, dass wir hier mit
der einfühlsamen Masche nicht weitergekommen wären. Männer sind eben doch Schweine.«

»Hey, und das aus Ihrem Mund!« Ich muss schmunzeln.

»Ich bin natürlich die Ausnahme von der Regel.«

»Aber sicher sind Sie das.« Ich tätschele ihm die Schulter.
»Sie sind kein Schwein – Sie sind ein ganz eiskalter Hund:
Ob wir uns verstanden haben, will ich wissen!« Wir müssen
beide loslachen.

»Nee, mal im Ernst«, sagt Simon dann, »ich hoffe sehr, dass
sich dieser Idiot nie wieder bei der armen Tina meldet und dass
er wirklich schon weg ist, wenn sie kommt.« Er schaut auf die
Uhr. »Kurz vor zwölf, wollen wir etwas essen gehen?«

»Ich könnte mir vorstellen, dass Beate heute zur Feier des
Tages etwas für uns alle gekocht hat. Sie hat vorhin so etwas
erwähnt. Tun wir ihr doch den Gefallen und fahren gleich wieder ins Büro.«

Simon guckt ein bisschen enttäuscht. Bilde ich mir das ein
oder wollte er lieber mit mir alleine essen?

»Ich hoffe schwer, dass die Zusammenarbeit mit Beate nicht
den gleichen Effekt hat, als wenn meine Mutter von jetzt an
mit an Bord wäre. Sie verstehen schon – pünktlich zum Mittagessen zu Hause sein …«

»… und kein Sex mehr in der Küche. Ja, ich verstehe, was

Sie meinen. Aber glauben Sie mir, Ihre Sorgen sind unberechtigt. Normalerweise ist Beate keine Glucke, sie ist nur gerade etwas anlehnungsbedürftig.« Ich knuffe ihn in die Seite. »He, Boss, lachen Sie mal.«

»Ha, ha. Wie lange genau werden Sie mich noch an meinen … Frühsport erinnern?«

»Nur noch ein klitzekleines Weilchen, versprochen.«

»Definieren Sie klitzekleines Weilchen.«

»Ach, höchstens zwei, drei Wochen.«

Simon seufzt und schüttelt den Kopf. »Na, wenn Beate meine Mutter ist, sind Sie wahrscheinlich meine böse Schwester.«

Beate hat unsere Abwesenheit offensichtlich nicht nur dazu genutzt, etwas Leckeres zu kochen – bereits im Treppenhaus duftet es verführerisch –, sondern war auch noch in Sachen Büroverschönerung überaus aktiv.

»Was ist denn hier los?«, will Simon irritiert wissen, sobald wir die Tür geöffnet haben. »Haben wir uns etwa in der Etage vertan?« Auch ich bin mehr als verdutzt, als ich unseren Flur betrete: In dem bislang eher kargen Vorraum stehen auf einmal zwei gemütliche Korbsessel, dazwischen ein kleiner Tisch, darauf eine Wasserflasche, eine Teekanne und verschiedene Becher. Eine große Topfpflanze dient als farbiger Hingucker, auf einem Hocker daneben liegen mehrere Zeitschriften. Aber das ist noch nicht das Auffälligste: An der Wand hängen mehrere kleine gerahmte Bilder – und zwar diese kleinen niedlichen *Liebe-ist*-Comics mit dem dicken nackten Pärchen. Sprachlos betrachten Simon und ich die Wand. Natürlich ist es Hecker, der zuerst etwas sagt.

»Ich glaube, ich spinne.« Und im nächsten Moment brüllt er: »*Frau Hansen!*«

Beate steckt den Kopf aus der Tür zu unserer Linken, an die

sie einen Zettel mit der gedruckten Aufschrift *Trostpflaster/ Anmeldung* gepinnt hat.

»Da seid ihr ja wieder!«, strahlt sie uns an. »Ich dachte, es dauert …«

»Können Sie mir *bitte* mal erklären, was das hier soll?«, wird sie von Simon angefahren. Augenblicklich erstirbt ihr Lächeln, stattdessen tritt ein unsicherer Ausdruck auf ihr Gesicht.

»Ich dachte, ich gestalte den Vorraum etwas netter, damit unsere Klienten hier warten können«, erklärt sie. »Gerd hat ein paar alte Möbel, die wir noch im Keller hatten, vorbeigebracht und die Pflanze …«

»Und was soll das hier?«, blökt Simon und deutet auf die gerahmten Bilder.

»Das?« Ich kann hören, wie Beates Stimme zittert und würde ihr gern zur Hilfe eilen. Aber ich bin leider auch immer noch so perplex, dass ich keinen Ton herausbringe.

»Ja«, erwidert Simon, »genau *das!*«

»Na, ich …«, Beate schluckt vor Aufregung, »… das habe ich im Internet gefunden und ausgedruckt. Ein paar alte Wechselrahmen hatte ich auch noch und … und … und die Bilder sind doch ganz aufmunternd. Dachte ich …«

»*Aufmunternd?*« Noch immer ist Simons Gesicht wutverzerrt, aber erstaunlicherweise kann ich damit besser umgehen als mit der Eiseskälte, mit der er vorhin Felix abgebügelt hat.

»Simon«, finde ich nun endlich meine Stimme wieder, »warum regen Sie sich denn so auf? Ist doch eine nette Idee, die Beate da hatte.«

Beate gibt einen erleichterten Seufzer von sich und sieht nicht mehr ganz so nach verängstigtem Kaninchen aus.

»Nette Idee?«, fährt Simon mich an. Dann stürzt er auf die Wand zu und reißt einen der Rahmen herunter. »Liebe ist«, liest er vor, »gemeinsam die Klippen des Lebens zu umschiffen!« Er droht, Beate mit seinem Blick zu erdolchen. »Was soll das, bitteschön?«

»Klingt doch aufmunternd«, krächzt Beate. »Ich hab diese Bilder immer gern gemocht, die sind von dieser Zeichnerin, Kim Ca– hhh.«

»Es interessiert mich *nicht*, wer diesen Kitsch aufgepinselt hat«, wird sie von Simon brüsk unterbrochen. »Das Zeug wird sofort abgehängt!« Seine Miene lässt keinen Widerspruch zu.

»Aber es ist doch wirklich ganz aufheiternd«, gibt Beate sich plötzlich kämpferisch.

»Aufheiternd? Beate, Sie haben wohl nicht begriffen, was wir hier machen«, wird sie von Simon weiter attackiert. »Wir sind eine *Trennungsagentur!* Wir *beenden* Beziehungen! Da wollen die Leute sicher nicht etwas lesen wie …«, er greift sich das nächste Bild, »Liebe ist, wenn auch an grauen Tagen alles himmelblau erscheint.«

Gegen meinen Willen muss ich kichern. Natürlich hat Simon recht, dass diese Poesiealbum-Sprüche hier alles andere als angebracht sind – obwohl Beate es natürlich nur lieb gemeint hat. Und die Idee mit den Korbstühlen und der Pflanze ist ja auch wirklich gut.

Eine Sekunde später ist es allerdings an mir, den Atem anzuhalten. Denn ich entdecke links an der Wand einen weiteren Rahmen. Darin: Der Artikel aus dem Kurier.

»Äh … wieso hast du den denn auch hier aufgehängt?«, frage ich und deute auf den Zeitungsbericht.

»Das soll unsere Ego-Wand werden«, erklärt Beate. »Damit die Leute sehen, dass wir von der Presse wahrgenommen werden.« Gerade will ich widersprechen und darauf hinweisen, dass der Verriss aus dem Kurier unserem Image vermutlich alles andere als nützt – doch zu meinem großen Erstaunen stößt Simon plötzlich ins gleiche Horn wie Beate.

»*Das* ist im Gegensatz zu diesen Kinderzeichnungen tatsächlich eine gute Idee«, stellt er fest. »Aber diese *Liebe-ist*-Bilder verschwinden. Und zwar sofort.«

»Moment«, gehe ich dazwischen, »das kann ja wohl nicht Ihr Ernst sein! Den Artikel fand ich schon schlimm genug, den will ich hier nicht auch noch unseren Klienten präsentieren!«

»Julia«, kommt es nun gönnerhaft, »ich habe Ihnen doch bereits erklärt, dass schlechte Presse besser ist als keine. Und außerdem demonstrieren wir so, dass wir auch mit Kritik gelassen umgehen.«

»Aha«, stelle ich einigermaßen verwirrt fest. »Und deshalb finden Sie es gut, wenn hier meine öffentliche Hinrichtung aufgehängt wird?«

»Jetzt haben Sie sich mal nicht so«, meint er. »Außerdem bin ich zuversichtlich, dass schon bald die ein oder andere positive Erwähnung in der Presse hinzukommen wird.«

»Dann finden Sie die Ego-Wand also gut?«, will Beate wissen.

»Ja, Frau Hansen«, bestätigt er.

»Beate«, wird er von ihr lächelnd verbessert.

»Gut, Beate. Weiter so.« Meine frühere Kollegin strahlt ihn an. Und ich stehe da wie ein begossener Pudel.

»Dann hänge ich die Bilder mal ab, ja?«

Simon nickt ihr zu und marschiert in unser Büro. Ich folge ihm einigermaßen sprachlos. Aber ich nehme mir fest vor, dass hier das letzte Wort noch nicht gesprochen ist. Beziehungsweise, ich werde einfach Tatsachen schaffen: Ich werde den Artikel abhängen und wegwerfen, wenn keiner da ist. Von wegen Ego-Wand, *Selbstdemontage-Wand* würde ich das eher nennen.

Als Simon und ich um kurz nach sechs zu unserem Termin bei Marian Beck aufbrechen, hat Beate alle Bilder im Flur abgehängt. Alle, bis auf eines. Das hängt nun an der Innenseite der Eingangstür, darüber hat Beate ein Schild mit der Aufschrift *Trostpflaster-Spruch des Tages* geklebt. Und in dem Rahmen darunter steht:

Liebe besteht nicht darin,
dass man einander anschaut,
sondern dass man gemeinsam
in dieselbe Richtung blickt.
Antoine de Saint-Exupéry

»Na, das passt doch schon etwas besser«, lobe ich Beate und freue mich gleichzeitig, dass sie sich doch nicht ganz von Hecker hat einschüchtern lassen. Simon lacht auf.

»Ich würde eher meinen, wenn man sich nie anschaut und immer in dieselbe Richtung blickt – dann lebt man nur noch nebeneinander her.«

»Womit wir wohl beim Fall Fischer/Beck wären«, erwidere ich.

»Genau«, sagt Simon. »Also ist es tatsächlich ein passender Spruch des Tages!«

Beate gibt ein glucksendes Geräusch von sich, das Lob freut sie offensichtlich.

»Also, auf geht's.« Simon hält mir galant die Tür auf.

16. Kapitel

Der Termin liegt mir tatsächlich ein bisschen auf der Seele. Immerhin war Petra Fischer mehr als besorgt wegen ihres Freundes Marian, und Simon hat mich als die psychologische Top-Kraft verkauft. Unwillkürlich muss ich wieder an den bösartigen Artikel im Kurier denken, der nun auch noch bei uns im Büro an der Wand prangt: *Mit Psychologie hat das freilich wenig zu tun, aber wer will es da schon so genau nehmen.* Genau genommen bin ich wirklich nur Buchhalterin. Klar, ich kann gut trösten. Aber bisher habe ich das doch nur bei Freunden und Bekannten getan – wer sagt mir denn, dass es auch bei Wildfremden klappt? Ich merke, wie ich immer nervöser werde.

»Sie sind so still. Alles in Ordnung?« Simon mustert mich von der Seite, während er seine Bonzenschleuder in gewohnt lässiger Art durch den Hamburger Berufsverkehr steuert.

»Doch, doch. Alles bestens.«

»Sie sind nervös, richtig?«

»Ein bisschen schon. Ich glaube, dass wird jetzt komplizierter als die Trennung von Tina und Felix.«

»Kann schon sein. Vielleicht aber auch nicht. Auf alle Fälle haben Sie keinen Grund, nervös zu sein, denn Sie sind gut. Saugut sogar.« Er lächelt.

»Hoffentlich haben Sie recht. Ich musste gerade wieder an den Artikel im Kurier denken. Und dass ich in Wirklichkeit nur Buchhalterin bin.«

»Hey, *positive thinking*, Lindenthal! Sie *waren* Buchhalterin. Jetzt *sind* Sie der *Emotional Consultant* in einer Spitzenklasse-Agentur, der die Kunden nur so die Bude einrennen. Nicht vergessen! Außerdem sehen Sie heute großartig aus.«

»Oh, danke!« Ich merke, wie ich bei diesem unverhofften Kompliment glatt rot werde. Was ist denn auf einmal mit Simon los, sonst ist er doch nicht so nett?

»Ich kann auch nett sein, wenn ich will«, sagt er, als hätte er meine Gedanken gelesen.

»Schade, dass Sie nicht so oft wollen«, gebe ich zurück.

»Sie wissen doch: Wie es in den Wald hineinruft …« Er grinst mich an.

»Ach?«, ziehe ich ihn auf. »Und ich rufe da nicht nett hinein?«

»Dazu sage ich jetzt einfach mal nichts.« Er zwinkert mir zu.

»Okay, lassen wir das. Ich wollte noch mal was zu Beates Ego-Wand sagen.«

»Nämlich?«

»Mir ist es, ehrlich gesagt, sehr unangenehm, wenn dieser negative Zeitungsbericht da hängt. Können wir darauf nicht verzichten?«

»Natürlich können wird das.«

Im ersten Moment bin ich platt, dass Simon sofort auf meine Bitte reagiert. Das hätte ich jetzt nicht vermutet.

»Nur«, fügt er dann hinzu, »wollen wir das auch?«

»Also, *ich* schon«, betone ich.

»Tja«, Simon grinst, »Beate und ich finden's gut. Da sind Sie wohl leider überstimmt.«

Okay, denke ich grummelig, *dann eben doch in einem unbeobachteten Moment abhängen.* Simon hat ja gut reden, er wird schließlich nicht als Hobby-Psychologe bloßgestellt.

»So«, unterbricht Simon meine Gedanken, »da wären wir.« Er parkt den Wagen und wirft mir einen auffordernden Blick zu. »Dann mal auf in den Kampf!«

Marian Beck ist ein gutaussehender Mann, der allerdings etwas Melancholisches an sich hat. Große braune Rehaugen blicken hinter einer Nickelbrille hervor, als er vor uns steht. Kein Wunder, dass seine Noch-Freundin die Nachsorge gebucht hat: Der Mann sieht so aus, als könne eine Fliege ihn umpusten. Wir passen ihn ab, als er sein Büro verlässt. Nachdem ich ihm kurz erklärt habe, dass wir mit einer Nachricht von Petra Fischer kommen, lässt er sich von uns in das nächste Café lotsen.

»Also, eine Nachricht von Petra.« Er schaut uns aufmerksam an. »Da bin ich aber mal sehr gespannt. Schießen Sie los!«

Ich räuspere mich. »Herr Beck, ich muss Ihnen leider mitteilen, dass Frau Fischer den Heiratsantrag, den sie bereits angenommen hat, zurücknehmen und sich von Ihnen trennen möchte. Weil ihr dieser Entschluss sehr schwergefallen ist, hat sie uns gebeten, sie bei dieser Trennung zu unterstützen und auch Ihnen Hilfe anzubieten.«

Marian Beck wird mit einem Schlag so kalkweiß wie die Wand hinter ihm. »Bitte, was? Sie sollen mir sagen, dass sich Petra von mir trennen will? Und dann sollen Sie mich unterstützen?«

Ich nicke und schaue ihn so einfühlsam wie möglich an. »Richtig.«

Er schweigt einen Moment. »Tut mir leid, aber das hier muss ja wohl ein schlechter Witz sein. Wir sind seit fünf Jahren zusammen, vor zwei Wochen hat sie meinen Antrag angenommen und jetzt soll ich glauben, dass sie mir zwei völlig Fremde vorbeischickt, um sich von mir zu trennen?« Er schüttelt den Kopf.

Ich warte einen Moment. »Wissen Sie, Herr Beck«, fange ich dann mit sanfter Stimme an, »ich habe Frau Fischer natürlich gestern erst kennengelernt. Aber sie wirkte auf mich wie ein Mensch, der seine Verantwortung sehr ernst nimmt. Und ich glaube, sie hat die Sorge, dass Sie nach einer Trennung einfach mehr emotionale Unterstützung brauchen, als sie Ihnen geben kann.« Die anstehende Weltreise mit der neuen Liebe ihres Lebens, erwähne ich natürlich nicht. »Deswegen hat sie sich an die Agentur *Trostpflaster* gewandt – weil wir Ihnen, falls Sie mögen, gerne in der nächsten Zeit für Gespräche zur Verfügung stehen.«

»Für Gespräche zur Verfügung stehen?«, wiederholt er wie ein Papagei. Ich nicke. Erst in diesem Moment scheint bei ihm überhaupt angekommen zu sein, was ich ihm gerade mitgeteilt habe – denn er bricht erst in hysterisches Gelächter aus, nur um im nächsten Moment loszuheulen. »Die Frau, die ich liebe, mit der ich alt werden wollte, für die ich mein Leben geben würde«, bricht es zwischen den Tränenwellen aus ihm heraus, »teilt mir mal eben über eine Agentur mit, dass sie mich verlassen will – und Sie bieten mir Gespräche an?«

»Herr Beck, ich verstehe Sie«, versuche ich, beruhigend auf ihn einzureden, denn mit einem Mal wirkt er so, als würde er jeden Moment kollabieren. »Ich weiß, dass das ein Schock für Sie ist, aber …«

»Ein Schock?«, werde ich von ihm unterbrochen. »Mein Leben liegt in Trümmern, von einem Moment auf den anderen!«

»Das kommt Ihnen jetzt natürlich so vor, aber …«

»*Ach?*«

Die Schärfe in seinem Ton lässt mich zurückschrecken.

»Das kommt *mir* nur so vor? Wie würde es Ihnen denn vorkommen, wenn der Mensch, den Sie lieben und von dem Sie denken, dass er Sie auch liebt, Sie eiskalt abserviert? Wenn er alle Pläne, Wünsche und Träume, die Sie hatten, mit Füßen tritt, wenn …«

»Herr Beck!« Nun muss ich doch etwas energischer werden. »Es steht mir natürlich nicht zu, zu beurteilen, wie Ihre Beziehung zu Frau Fischer war – aber denken Sie nicht, Ihre

Freundin muss irgendwelche Gründe haben, wenn sie sich zu diesem schweren Schritt entschließt?« Damit kann ich seine Wut offenbar für einen Moment abfangen, er legt nachdenklich die Stirn in Falten und überlegt.

»Ja, sicher«, sagt er nach einer Weile. »Ich habe in den vergangenen zwei Jahren manchmal schon gemerkt, dass es zwischen Petra und mir nicht mehr wie am Anfang war. Aber das kann man doch auch nicht erwarten, oder? Da schleicht sich eben der Alltag ein.«

»Natürlich«, gebe ich ihm recht. »Die Frage ist nur: Wie viel Alltag ist für zwei Menschen, die sich lieben, noch tragbar und wie viel nicht?« Simon wirft mir einen anerkennenden Seitenblick zu.

»Ja, aber genau darum habe ich ihr doch diesen wahnsinnig romantischen Antrag gemacht. Ich bin mit ihr nach Venedig geflogen und habe mit einem Verlobungsring vor ihr gekniet. Auf dem Markusplatz!«

»Das klingt wirklich sehr romantisch, Herr Beck«, erwidere ich lächelnd. »Aber es ist eben nur ein Augenblick. Ein wunderschöner, von dem vermutlich jede Frau träumt.« Ein Lächeln huscht über sein Gesicht, vermutlich erinnert er sich gerade an Venedig. »Aber«, lasse ich sein Lächeln wieder ersterben, »wenn von diesem besonderen Gefühl in diesem besonderen Augenblick später überhaupt nichts mehr da ist, wenn es um das tägliche Leben geht, dann ...«

»Das ist doch aber total unrealistisch!«, fährt Beck mich nun an, der versöhnliche Moment ist damit vorbei. »Wer schafft das denn schon neben Studium, Haushalt und sonstigen Verpflichtungen? Da geht es doch darum, dass man ein gutes Team ist. Oder?«

»Herr Beck, ich verstehe Sie. Aber nicht jeder Mensch ist glücklich damit, Teil eines perfekten Teams zu sein.«

»Ich liebe sie doch!«

»Das glaube ich Ihnen gern«, meine ich. »Aber es geht eben auch darum, ob Petra Fischer Sie noch liebt. Und ich fürchte, momentan ist es nicht so.«

Er starrt mich entsetzt an. »Hat sie das gesagt?«

Ich nicke. »So leid es mir tut. Sie wird Sie noch schrecklich lieb haben, sonst hätte sie sich mit Sicherheit nicht so viele Gedanken um Sie gemacht und uns beauftragt. Aber sie scheint nicht der Meinung zu sein, dass sie Sie noch genug liebt, um ein gemeinsames Leben mit Ihnen zu verbringen.«

Nun fängt er wieder an zu weinen, aber wer will ihm das verdenken. Simon reißt eine Serviette aus dem Spender und reicht sie ihm.

»Und das ist wirklich kein blöder Witz?«, will Marian Beck schluchzend wissen.

»So traurig es ist, nein«, sage ich und lege ihm nun beruhigend die Hand auf den Unterarm. »Wir wurden wirklich von Petra Fischer geschickt.«

Bestimmt zehn Minuten lang sitzen wird einfach nur so da und sehen Marian Beck dabei zu, der sich die Seele aus dem Leib weint. Ich kann gar nicht hinsehen, mir zerreißt es förmlich das Herz. Wie schrecklich, wie furchtbar, wenn eine große Liebe zu Ende geht! Gott, wenn ich daran denke, dass mir das mit Paul passieren würde ... Aber diese Vorstellung ist glücklicherweise mehr als absurd, Paul würde mich nie und nimmer verlassen. Er liebt mich, er wird immer zu mir halten. Und erst recht würde er niemals eine Agentur beauftragen, um sich von mir zu trennen.

»Okay«, stoppt Marian Beck in diesem Moment glücklicherweise mein Kopfkarussel und schnäuzt sich noch einmal geräuschvoll. »Es geht schon wieder.« Er gibt sich Mühe, zu lächeln. »Und wie geht es jetzt weiter? Sitzt sie bei uns zu Hause und wartet darauf, dass ich nach Hause komme?«

Mir schnürt sich der Hals zu. Zum Glück übernimmt Simon diesen Teil des Gesprächs.

»Nein, Herr Beck, sie wartet nicht zu Hause auf Sie«, sagt er in einer bestimmten, aber auch freundlichen Tonlage. »Das würde die Trennung für Sie beide nur noch schlimmer machen. Tatsächlich werden Sie Frau Fischer für einige Zeit nicht sehen, und sie bittet Sie darum, nicht zu versuchen, mit ihr in Kontakt zu treten.«

»Aber das kann sie mir doch nicht antun!«, platzt es aus ihm heraus, und ich angle schon einmal vorsorglich nach der nächsten Serviette.

»Glauben Sie mir bitte, sie kann es und sie hat es getan«, sagt Simon. »Wenn Sie mir diesen persönlichen Kommentar gestatten wollen: So wird es auch für Sie einfacher. Die nächsten Tage werden hart, auch die nächsten Wochen. Aber die langjährige Erfahrung von *Trostpflaster* hat gezeigt« – *Die was*, frage ich mich, unterbreche ihn aber natürlich nicht –, »dass es für ein scheidendes Paar besser ist, sich nicht mehr gegenseitig anzusehen, sondern jeder für sich in eine neue Richtung zu schauen.« Erstaunlich, wie schnell er Beates *Spruch des Tages* für seine Zwecke genutzt hat.

»Aber ... aber ich muss doch mit ihr sprechen! Ich muss doch versuchen, sie zu verstehen ...«

»Herr Beck, so leid es mir tut: Frau Fischer wird Ihnen nie eine Erklärung anbieten können, mit der Sie zufrieden sein werden«, sage ich. »Jedes Gespräch, das Sie mit ihr führen, wird Sie nur noch mehr verletzen oder Hoffnungen auf etwas wecken, das nicht passieren wird. Glauben Sie mir bitte, es ist besser so für Sie. Und Sie können uns wirklich jederzeit anrufen.« Ich reiche ihm meine Visitenkarte.

»Danke.« Er nimmt sie mit schon wieder feucht glänzenden Augen entgegen. »Darauf werde ich möglicherweise hin und wieder zurückkommen müssen.«

»Dafür sind wir ja da.« Wir wechseln noch ein paar nette Worte, dann verabschieden Simon und ich uns von ihm.

Mit einem flauen Gefühl in der Magengegend setze ich mich auf den Beifahrersitz von Simons Wagen. »Puh«, stelle ich fest, als er losgefahren ist, »das war schon ganz schön hart.«

»Immerhin ist er nicht gewalttätig geworden.« Simon zuckt mit den Achseln.

»Das wäre mir beinahe lieber gewesen«, werfe ich ein. »Schrecklich, wenn jemand so weint.«

»Ich finde das für einen Mann eher peinlich. Wie ein Mädchen!«

Ist das derselbe Simon, der gerade noch so einfühlsam mit dem Häufchen Elend gesprochen hat?

»War mir irgendwie klar, dass von Ihnen jetzt so ein Macho-Spruch kommt!«, sage ich bitter.

»Wieso Macho-Spruch?«

»Weil der Mann ganz offensichtlich verzweifelt ist.«

»Tja, hätte er eben früher merken sollen, dass seine Freundin mit ihm nicht mehr glücklich ist.«

»Hört, hört! Es spricht der Beziehungsexperte Simon Hecker!«

»Machen Sie sich nur lustig«, kommt es gelassen zurück. »Aber ich sage Ihnen was: In der Liebe ist es auch nicht anders als in einem Unternehmen. Wenn da etwas auf die schiefe Bahn gerät, tut man entweder rechtzeitig etwas dagegen – oder die ganze Kiste geht den Bach runter. So sehe ich das.«

»Vielleicht«, greife ich seinen Gedanken auf, »hätten die beiden schon längst mal ein klärendes Gespräch über ihre Beziehung führen sollen. Dann wäre es möglicherweise anders gekommen.«

»Ja, *rechtzeitiges* Reden hilft«, stimmt Simon mir zu. »Aber andererseits – wenn man so lange zusammen ist, worüber redet man dann noch?«

Ich sehe ihn erstaunt an. »Ist das eine Frage an mich?«

»An wen denn sonst? Falls Sie es noch nicht gemerkt haben: Außer uns beiden ist niemand in diesem Auto. Natürlich frage ich Sie – Sie sind mit Paul doch auch schon eine Ewigkeit zusammen. Also, haben Sie sich noch viel zu sagen?«

»Natürlich!« Ich bin augenblicklich empört.

»Ach, und was?«

»Ganz viele verschiedene Dinge.«

»Dann nennen Sie doch mal ein Beispiel.«

»Ist das hier ein Verhör?«

»Nein, ich bin nur neugierig. Und absoluter Amateur. Wie ich bereits erzählte, bin ich beziehungsmäßig bisher eher Kurzstrecke geflogen. Außerdem bin ich wohl kein Meister der innerbeziehungstechnischen Kommunikation, ich kenne die Dinge mehr aus der Theorie als der Praxis. Also, auch, wenn ich in der Position des Außenstehenden natürlich immer exzellent analysieren kann, siehe Fischer und Beck. Aber bei mir selbst …«, er unterbricht sich, ich horche auf.

»Bei Ihnen selbst?«, hake ich nach.

»Ach, nicht so wichtig«, will er sich rauswinden.

»Jetzt erzählen Sie schon!«

»Das ist jetzt wirklich nicht so spannend.« Und genau die Art, wie er versucht, mich abzuwimmeln, überzeugt mich davon, dass es *ausgesprochen* spannend ist.

»Kommen Sie, ich erzähl's auch keinem. Versprochen!«

»Also«, er zögert, spricht dann aber doch weiter. »Meine letzte Freundin hat per Post-it an der Kühlschranktür mit mir Schluss gemacht. Hat behauptet, ich würde ihr ja doch nie zuhören. Na ja … vielleicht hatte sie recht. Also interessiert es mich eben, worüber sich zwei alte Hasen wie Sie und Paul unterhalten.«

223

»Echt? Per Post-it an der Kühlschranktür?« Auf den Kommentar mit den alten Hasen gehe ich erst gar nicht ein.

»Japp«, bestätigt er noch einmal, »kurz und schmerzhaft.«

»Sie sind aber sicher, dass Sie nicht vorher mit Katja zusammen waren?« Ich versuche, mir ein Kichern zu verkneifen, weil die Sache an sich ja nun wirklich nicht sonderlich lustig ist. »Schlussmachen per Post-it ist nämlich ihre Spezialität.«

»Wirklich?«, fragt Simon erstaunt. »Wie gemein! Mich hat das damals schon etwas getroffen.« Dann grinst er mich an. »Aber keine Sorge, es war nicht Ihre Freundin Katja.«

Mittlerweile sind wir vor dem Büro angekommen und Simon hält an. »Also, was ist?«, will er wissen und stellt den Motor ab. »Gehen wir noch ein schnelles Bier miteinander trinken und Sie geben mir einen Crash-Kurs über Gesprächsinhalte in Langzeitbeziehungen?«

»*Leider* muss ich jetzt nach Hause«, stelle ich gespielt bedauernd fest. »Mein Langzeitkommunikationspartner wartet auf mich und will sich ein bisschen mit mir unterhalten. Aber ein anderes Mal gerne, versprochen!« Ich steige aus dem Auto aus, winke Simon noch einmal zu und mache mich auf den Weg zur U-Bahn-Station.

Uff! Gerade noch mal davongekommen.

Kaum sitze ich in der U-Bahn, schwirren die Gedanken wild durch meinen Kopf. Denn wenn ich ganz, ganz ehrlich bin, ist mir gerade partout nichts Inniges eingefallen, worüber Paul und ich uns in letzter Zeit unterhalten hätten. Aber das muss ich nicht unbedingt Simon auf die Nase binden. Es reicht, wenn es mir selbst zu denken gibt.

Andererseits, beruhige ich mich selbst, *war in letzter Zeit ja auch viel zu viel los. Die Sache mit meiner Kündigung, die neue Firma ... da war für intimes Liebesgetuschel nun wirklich keine Zeit. Doch das wird sich bald ändern, wenn* Trostpflaster *so richtig läuft. Und immerhin werden wir ja nächs-*

tes Jahr heiraten! Falls ich auch mal wieder dazukomme, mich um die Hochzeit zu kümmern.

»Das wird schon alles«, sage ich laut zu mir selbst und fange mir von einer älteren Dame, die gegenübersitzt, einen irritierten Blick ein. Ich nicke ihr freundlich zu, sie nickt zurück. *Das wird schon alles,* sage ich mir noch einmal im Stillen.

Im nächsten Moment muss ich an Petra Fischer und Marian Beck denken. Tja, immerhin: Dass Paul und ich in der Alltagstrottfalle gelandet sind, kann man nun wirklich nicht behaupten. Dafür war in meinem Leben in letzter Zeit viel zu viel los.

Mein Handy klingelt, ich krame es aus meiner Tasche heraus und nehme das Gespräch – nun unter den missbilligenden Augen der älteren Dame – an.

»Lindenthal?«, melde ich mich. Es rauscht und knackt in der Leitung, der Empfang in der U-Bahn ist eher bescheiden. »*Rschschschmmmmmpf*« ist alles, was ich höre. »Hallo?«

»Ja, hier ist …«, der restliche Satz geht wieder in unverständlichem Rauschen unter.

»Hallo?«, rufe ich noch einmal. »Wer ist da bitte?«

»Fischer«, kann ich jetzt endlich eine Frauenstimme verstehen. Eine *heulende* Frauenstimme. »Hier ist Petra Fischer. Hätten Sie vielleicht Zeit, sich mit mir zu treffen? Es ist ein absoluter Notfall!«

17. Kapitel

Petra Fischer ist ein Häufchen Elend, als ich sie ein halbe Stunde später in ihrer neuen Wohnung aufsuche. Das heißt, *Wohnung* ist eigentlich übertrieben. Es handelt sich um ein komplett leerstehendes Zimmer mit kleiner Küchenzeile und Bad. Neben einer Matratze auf dem Boden stehen zwei Kartons, offenbar sind das die nötigsten Dinge, die sie aus der Wohnung ihres Freundes geholt hat.

»Tut mir leid, wie es hier aussieht«, entschuldigt Petra Fischer sich, als wir uns nebeneinander auf ihre Matratze setzen. »Aber in meinem Zustand«, sie lächelt mich mit ihrem verheulten Gesicht schief an, »wollte ich Sie lieber nicht in einer Kneipe treffen.«

»Kein Problem«, sage ich und nehme dankend den Wein an, den Sie mir in einem Pappbecher anbieten. »Aber ich hätte gedacht, Sie wären gleich zu ihrem neuen Partner gezogen.«

Petra Fischer schüttelt überrascht den Kopf.

»Nein, ich will ja nichts überstürzen. Ich dachte, ich bin lieber erst einmal allein, bis wir gemeinsam unsere Reise antreten, und die Wohnung hier konnte ich für zwei Monate sofort mieten.«

»Wahrscheinlich eine gute Idee«, gebe ich ihr recht. »Aber«, komme ich dann zum eigentlichen Thema meines Besuchs, »vielleicht erzählen Sie mir einfach mal, was los ist. Eigentlich hätte ich ja mit einem Anruf von Herrn Beck gerechnet und nicht damit, dass *Sie* mich sprechen wollen.«

»Tja«, sie seufzt, »das habe ich auch gedacht. Aber zu meinem großen Erstaunen ist auf einmal alles anders. Marian hat mich sofort auf dem Handy angerufen, nachdem Sie von ihm weggegangen sind. Er war total gefasst und freundlich, hat gemeint, dass er sich nichts mehr wünscht, als dass ich glücklich bin, und dass er mich gehen lässt, wenn ich das mit ihm nicht sein kann.«

»Wow«, meine ich, »das klingt nach ziemlicher Größe.« Und auch danach, als habe er sich Simons abgewandelten Spruch des Tages zu Herzen genommen.

Petra nickt. »Ja«, bringt sie leise hervor. »Genauso ist er eben: Ein toller Mann mit Größe.« Eine Träne kullert ihr über die Wange. »Wir haben dann noch eine Weile darüber gesprochen, wie das nun alles weitergehen soll und welche Möbel ich aus unserer Wohnung haben kann. Alles ganz nett und sachlich, Marian war so … na ja, gefasst eben.«

»Aber dann können Sie doch erleichtert sein«, antworte ich. »Ich meine, Sie haben sich so viele Sorgen um ihn gemacht und dass er die Trennung vielleicht nicht gut verkraften wird.«

»Ja«, antwortet sie. Mittlerweile weint sie wieder richtig. »Genau das habe ich mir gewünscht, dass Marian nicht allzu sehr am Boden zerstört ist. Die Sache ist nur die«, sie schluchzt, »jetzt bin *ich* es, die am Boden zerstört ist.«

»Oh.« Mehr fällt mir dazu im ersten Moment nicht ein, die Sache nimmt doch eine eher unerwartete Richtung.

»Wissen Sie«, fährt Petra Fischer fort. »Nachdem ich mit Marian gesprochen habe und die Trennung nun beschlossene Sache ist – da habe ich mich auf einmal ganz schrecklich gefühlt und konnte nicht mehr aufhören zu weinen.«

»Das ist doch normal«, versuche ich, sie zu beruhigen. »Immerhin waren Sie eine lange Zeit mit ihm zusammen, das steckt man nicht von heute auf morgen weg.«

»Sicher«, meint sie und nimmt einen großen Schluck Wein. »Trotzdem fühlt es sich mit einem Mal so an, als würde man mir das Herz bei lebendigem Leib herausreißen. Wissen Sie, ich bin in Patrick, so heißt mein neuer Freund, wirklich verliebt – aber auf einmal habe ich auch ganz große Angst, ob das, was ich tue, überhaupt richtig ist. Oder ob ich vielleicht einen riesigen Fehler mache.«

Ich halte ihr meinen Pappbecher hin, das hier verlangt irgendwie nach mehr Wein. Sie schenkt mir nach. »Tja«, spricht sie dann weiter, »und auf einmal wusste ich nicht, mit wem ich reden soll. Mit Marian geht es ja nicht und auch meine anderen Freunde würden wahrscheinlich nicht verstehen, was ich meine. Von meinen Eltern ganz zu schweigen, die wissen von der Trennung noch gar nichts.« Sie nimmt eines der Taschentücher, die neben der Matratze liegen, und schnäuzt sich geräuschvoll. »Patrick ist wohl auch der falsche Ansprechpartner.« Sie lacht etwas hilflos.

»Schon klar«, erwidere ich. »Und es ist gut, dass Sie mich angerufen haben. Dafür bin ich ja schließlich da.«

»Ich weiß schon, das Trost-Deluxe-Paket.« Sie lächelt mich dankbar an. »Tut mir trotzdem wirklich leid, Sie bei Ihrem Feierabend zu stören. Aber …«

»Nichts, aber«, unterbreche ich sie, obwohl ich schon das ein oder andere Mal unauffällig auf meine Uhr gelinst und mich gefragt habe, ob es allzu unhöflich wäre, mich kurz zu entschuldigen, damit ich Paul anrufen und ihm mein Verschwinden erklären kann. Aber das hier ist in der Tat ein Notfall, das werde ich ihm später schon erklären können. »Auch, wenn Sie mich ja eigentlich für Herrn Beck gebucht haben – wir bei *Trostpflaster* nehmen unseren Job sehr ernst und unterstützen unsere Klienten, wo wir nur können.«

»Das ist wirklich toll«, bedankt sich Petra. »Also, das, was Sie da machen.«

»Finden Sie?« Ich merke, wie sehr mich diese Aussage freut.

»Ja, wirklich!« Petra nickt. »Ich meine, klar, auf den ersten Blick wirkt es vielleicht etwas komisch, wenn eine Agentur sich um die Beziehungen von anderen Leuten kümmert. Aber genau genommen ist es doch so: In Liebesdingen, wenn Emotionen im Spiel sind, ist es vielleicht gar nicht so verkehrt, sich an einen Außenstehenden zu wenden. Einen, der nicht mittendrin steckt, einen, der die Sache klarer sieht.«

»Danke«, sage ich. »Sie ahnen gar nicht, wie gut es tut, so etwas mal zu hören.«

»Wieso das?«, will Petra wissen.

»Lassen Sie es mich so formulieren: Hin und wieder habe auch ich meine Zweifel, ob das, was ich tue, richtig ist.« Wir grinsen uns an und sind in diesem Moment so etwas wie zwei Verbündete.

»Da machen Sie sich mal keine Sorgen«, beruhigt Petra mich. »Mir haben Sie jedenfalls schon sehr geholfen. Allein, dass Sie jetzt da sind, ist unheimlich wichtig für mich.«

»Wie gesagt: Jederzeit und gern. Aber vielleicht wollen Sie einfach noch ein bisschen erzählen, damit ich weiß, wie ich Ihnen vielleicht helfen kann«, kehre ich zum ursprünglichen Thema zurück. Das unverhoffte Lob hat mich beflügelt und ich bin fest entschlossen, hier erst wieder aus der Tür zu gehen, wenn meine Klientin sich besser fühlt.

»Wie gesagt«, wieder seufzt sie, »auf einmal sind diese Gedanken da: Willst du das *wirklich* alles wegwerfen? All die Jahre, die ja nicht immer schlecht waren. Marian ist so ein netter, toller Mann – und wer weiß schon, was aus der Sache mit Patrick wird?«

»Garantien gibt es nie«, werfe ich ein.

»Ja, eben«, gibt Petra mir recht. »Aber soll man deshalb nie etwas wagen? Weil es keine Garantien gibt?«

»Hm …« Darüber muss ich auch erst mal nachdenken – und unwillkürlich fällt mir ein, was ich in den vergangenen Wochen gewagt habe. Okay, nicht ganz freiwillig, wie ich zugeben muss, aber ich habe es trotzdem getan. »Nein«, sage ich daher, »das wäre wohl nicht der richtige Weg.«

»Das denke ich eben auch«, meint Petra. »Einerseits jedenfalls. Andererseits ist da natürlich auch die Angst, die falsche Entscheidung zu treffen. Bei Marian weiß ich, dass er immer für mich da sein wird, dass er immer zu mir hält. Ist ein Kribbeln im Bauch es wert, all das aufzugeben?«

»Sie fragen nach dem Spatz in der Hand und der Taube auf dem Dach?«

»In gewisser Weise schon, ja.«

»Ich denke, die Frage müsste anders lauten«, überlege ich laut. »Wenn Sie sich vorstellen, dass es diesen Patrick nicht gäbe – wären Sie dann bei Marian geblieben? Oder hätten Sie ihn trotzdem verlassen?«

Petra legt die Stirn in Falten und denkt einen Moment nach. »Ehrlich gesagt«, stellt sie nach einer Weile fest, »kann ich das so genau gar nicht sagen.«

»Anders gefragt: Sie sagten doch, dass Ihnen bei Marians Antrag klar geworden ist, dass Sie nicht Ihr Leben mit ihm verbringen wollen. Und da kannten Sie Patrick doch noch gar nicht, oder?«

»Nein«, bestätigt Frau Fischer, »ich habe ihn erst drei Tage später kennengelernt.«

»Dann haben Sie doch Ihre Antwort: Ihr Trennungswunsch war unabhängig von Ihrer neuen Liebe.«

»Ja, schon«, gibt Petra mir recht. »Aber vielleicht hätte ich ohne Patrick länger gekämpft. Dann hätte ich möglicherweise versucht, an meiner Beziehung zu Marian zu arbeiten.«

»Mag sein«, sage ich. »Dann ist nur die Frage, an welchem Punkt man an einer Partnerschaft noch arbeiten kann – und ab wann es ein aussichtsloser Kampf ist.«

Wieder schweigt Petra einen Moment, bevor sie mir antwortet. »Das ist schwer zu beurteilen.«

»Ich frage noch einmal anders: Wenn Sie darüber nachdenken, warum der Gedanke an die endgültige Trennung von

Marian Sie so fertig macht, was ist dann der Grund? Ist es Trauer – oder ist es die Angst davor, was dann kommt?«

»Beides?«, kommt es zögerlich. Sie seufzt. »Sehen Sie, Frau Lindenthal, ich bin wirklich ein hoffungsloser Fall.«

»Da seien Sie mal nicht so streng mit sich selbst«, beruhige ich sie. »Ich finde das alles vollkommen normal.«

Sie lacht auf. »Nett, dass Sie das sagen! Ich persönlich denke manchmal schon, dass ich nicht mehr ganz zurechnungsfähig bin.«

»Den Eindruck machen Sie mir ganz und gar nicht.« Wir stoßen noch einmal mit unseren Pappbechern an, irgendwie hat sich unser Gespräch fast zu einem Plausch unter Freundinnen entwickelt.

»Beantworten Sie mir eine Frage«, fordert Petra mich auf, nachdem Sie unsere Becher ein weiteres Mal gefüllt hat.

»Gern, wenn ich kann.«

»Was ist Ihnen wichtiger: Zu lieben – oder geliebt zu werden?«

»Äh«, bringe ich etwas überrascht hervor. »Darüber habe ich, ehrlich gesagt, noch nie nachgedacht.«

»Nein? Aber das ist doch eine total wichtige Frage!« Sie guckt mich an, als könne sie überhaupt nicht verstehen, wie man sich über so etwas keine Gedanken machen kann.

»Okay«, sage ich und gebe mir Mühe, trotz der ersten Auswirkungen, die der Alkohol auf mein Gehirn hat, klar zu denken. »Geliebt werden, schätze ich«, stelle ich schließlich fest.

»Wirklich?«

Ich nicke.

»Das habe ich eigentlich auch immer gedacht«, sagt sie. »Einen Partner haben, der einen liebt. Der zu einem steht, einer, auf den man sich verlassen kann. Aber auf einmal bin ich mir da nicht mehr so sicher. Erst recht nicht, seit ich Patrick kenne.«

»Dann ist es Ihnen wichtiger, zu lieben?«

»Im Moment ja. Von Marian geliebt zu werden, das ist ein langer, ruhiger Fluss geworden. Mit Patrick ist es alles aufregender, es spornt mich an ...«

»Meinen Sie damit nicht eher *Verliebtheit* als *Liebe?*«

»Kann sein«, gibt sie zu. »Und natürlich weiß ich, dass Verliebtheit nicht für immer bleibt und dass Liebe etwas anderes ist. Aber es gibt doch auch Paare, denen man ansieht, dass sie selbst nach Jahren immer noch verliebt ineinander sind.«

»Ja, die gibt es.« Ich denke an Beate und Gerd, die auch nach jahrelanger Ehe immer noch miteinander herumturteln. Und an Paul und mich denke ich auch, immerhin steht uns bald unsere Traumhochzeit ins Haus. Wieso fällt mir in diesem Moment eigentlich sein neues Heimkino ein?

»Sehen Sie«, lenkt Petra mich zum Glück schnell ab. »Und das war bei Marian und mir schon ganz lange nicht mehr so. Aber genau das will ich eben.«

»Nur wissen Sie nicht, wie es mit Patrick in fünf Jahren ist. Anders? Oder genauso?«

Sie seufzt. »Da bringen Sie es auf den Punkt – das weiß ich eben nicht.«

»Dann müssen Sie es wohl herausfinden.« Ich zwinkere ihr verschwörerisch zu. »Und ich sag mal: Eine lange gemeinsame Reise ist sicher nicht der schlechteste Start!« Jetzt lächelt sie endlich auch ein wenig, scheinbar konnte ich sie ein kleines bisschen aufheitern.

»Zuerst einmal muss ich wohl herausfinden, ob ich in einem meiner Kartons noch eine Flasche Wein versteckt habe, damit wir dieses unverhoffte Frauengespräch würdig fortsetzen können.« Mit diesen Worten fängt sie an, in einer der Kisten herumzuwühlen. *Tut mir leid, Paul,* sende ich in Gedanken eine Nachricht an meinen Verlobten. Dienst ist Dienst und Schnaps ist Schnaps. Und Wein ist natürlich Wein. Vor allem, wenn er lecker ist.

Paul schläft schon, als ich um zwei Uhr morgens leise in unser Schlafzimmer schleiche. Dabei könnte ich mir die Mühe sparen, denn der Fernseher, der auf der Kommode rechts neben der Tür steht und noch immer läuft, ist alles andere als leise. Ich schnappe mir die Fernbedienung, die neben Pauls Kopfkissen liegt, und schalte die Kiste aus. Zwei Sekunden später bin ich ausgezogen und schlüpfe zu meinem Liebsten unter die Decke.

Während ich mich mit geschlossenen Augen an ihn kuschele, merke ich, dass an Schlaf vorerst wohl nicht zu denken ist. Zu sehr hängt mir das Gespräch mit Petra Fischer noch nach.

Lieben oder geliebt werden.

Darüber habe ich tatsächlich noch nie nachgedacht. Aber es ist natürlich eine berechtigte Frage. Irgendwie. Ich schiebe den Gedanken beiseite und rufe mir stattdessen lieber ins Gedächtnis, was Petra zu mir über *Trostpflaster* gesagt hat. Dass es für Menschen wie sie wichtig ist, dass es diese Agentur gibt, und dass wir einen guten Job machen. Zufrieden drehe ich mich auf die Seite und kuschele mich seufzend in mein Kissen. Nach all den Zweifeln und Rückschlägen ist so ein Satz natürlich Balsam für meine Seele. Soll der Kurier doch schreiben, was er will. Was ich tue, ist gut und richtig. Und wichtig.

»Guten Morgen, guten Morgen!« Ich bin bestens gelaunt, als ich am nächsten Morgen in die Küche komme, wo Paul bereits vor seiner Kaffeetasse sitzt.

»Morgen«, sagt er, steht auf und stellt die Tasse in die Spüle. Dann schnappt er sich seine Aktentasche, die neben seinem Stuhl steht, und geht hinaus. Einfach so. Ohne Kuss, ohne weiteres Wort.

»Äh, Schnuckel?«, frage ich etwas irritiert und folge ihm in den Flur, wo er bereits seine Jacke anzieht. »Ist was?«

Er guckt mich groß an. »Was soll denn sein?«

»Na ja, du wirkst irgendwie … komisch.«

»Komisch?« Nun tritt ein eigenartiger Ausdruck auf sein Gesicht. »Weshalb sollte ich denn *komisch* sein? Meine Freundin bleibt den ganzen Abend über verschwunden, ihr Handy ist ausgeschaltet und sie kommt erst mitten in der Nacht nach Hause. Ohne mir mal kurz Bescheid zu sagen, wo sie steckt. Deswegen muss ich doch wirklich nicht komisch sein!«

»Ach, Schatz«, sage ich, mache einen Schritt auf ihn zu und will ihn in den Arm nehmen. Aber Paul weicht vor mir zurück. »Schnuckel, das war gestern total blöd«, versuche ich zu erklären. »Ich war schon auf dem Weg nach Hause und musste plötzlich zu einem Agentur-Notfall, da konnte ich nicht …«

»Tut mir leid«, unterbricht Paul mich, »ich muss jetzt los. Zu *meiner* Arbeit.« Eine Sekunde später ist er aus der Tür. Und ich starre ihm etwas ratlos hinterher. Na super.

Bis zur Mittagspause bin ich noch einigermaßen angefasst von Pauls Reaktion. Aber dann nehme ich mir vor, am Abend ein ruhiges Gespräch mit ihm zu führen. Ja, ich hätte ihn anrufen müssen, und das tut mir auch leid. Aber andererseits ist das doch kein Grund, jetzt so beleidigt zu sein. Ich muss ihm einfach erklären, dass es gestern nicht anders ging. Die Dinge haben sich eben geändert, aber mit der Zeit wird sich das schon einspielen.

Als ich mit einem leckeren Salat vom Supermarkt um die Ecke zurück ins Büro komme, stolpere ich im Flur über meine beiden Mitstreiter: Simon und Beate stehen in trauter Zweisamkeit vor unserer Ego-Wand und betrachten zufrieden einen neuen Rahmen, der da hängt.

»Hallo!«, sage ich verwundert. »Hab ich was verpasst?«

»Allerdings«, erwidert Simon. »Unser erstes positives Kunden-Feedback. Ist gerade gekommen.« Neugierig stelle ich mich neben die beiden und sehe mir das, was sie hier aufgehängt haben, etwas genauer an. Eine ausgedruckte Mail von Petra Fischer, wie ich erfreut feststelle.

Liebes Trostpflaster-Team, liebe Julia Lindenthal,

ich möchte mich auf diesem Wege noch einmal ganz herzlich für Ihre professionelle Hilfe und Unterstützung bedanken! Vor allem der gestrige Notfallbesuch von Ihnen, Frau Lindenthal, hat mir sehr geholfen. Es war absolut richtig, mich an Sie zu wenden, und ich werde Sie mit Freuden weiterempfehlen. Ich wünsche Ihnen alles Gute für die Zukunft und weiterhin viel Erfolg! Machen Sie auf alle Fälle weiter so, Ihre Agentur ist ein Glücksfall für alle, die in Liebesdingen nicht weiterwissen!

Liebe Grüße, Petra Fischer

P.S.: Meine Tante arbeitet bei einer großen Frauenzeitschrift. Ich habe ihr von Ihrer Idee erzählt und sie würde gern einen Artikel über Sie schreiben. Sie heißt ebenfalls Fischer und wird sich in den nächsten Tagen bei Ihnen melden.

Andächtig und stolz wie Bolle stehen wir zu dritt vor unserer Ego-Wand und lesen wieder und wieder die Mail von Petra Fischer. Es tut einfach zu gut, so ein dickes Lob schwarz auf weiß vor Augen zu haben! Die muss ich mir unbedingt auch noch einmal ausdrucken und heute Abend Paul zeigen – dann wird er bestimmt verstehen, wie wichtig mir das ist.

»Super«, meine ich zufrieden, »das ist doch echt mal eine tolle Bestätigung.«

»Jawohl«, gibt Simon mir recht und legt auf einmal jeweils einen Arm um mich und Beate. »Und hier«, stellt er dann zufrieden fest und deutet mit seinem Kinn auf eine Stelle über dem Kurier-Artikel, »kommt dann der Bericht aus der bundesweiten Frauenzeitschrift hin.« Er lacht erfreut auf und drückt uns beide kurz an sich. »Kinder, ihr könnt sagen, was ihr wollt – wir sind auf dem absolut richtigen Weg!«

»Genau«, sage ich. »Das sind wir.«

»Auf alle Fälle«, stimmt nun auch Beate zu … »Und jetzt wieder an die Arbeit, in einer halben Stunde kommt schon euer nächster Termin.« Beate geht rüber zu ihrem Platz, Simon und ich zu unseren Tischen. Auf dem Weg drehe ich mich noch einmal um und sehe den neuen *Spruch des Tages*, den Beate an die Eingangstür gepinnt hat.

Wenn ein Mann einer Frau höflich die Wagentür aufreißt,
dann ist entweder der Wagen neu
oder die Frau.
Uschi Glas

Okay, Beate, daran arbeiten wir noch!

18. Kapitel

Liebe Julia, liebe Beate, liebe Freunde: *Trostpflaster* besteht erst seit acht Wochen – und trotzdem habe ich fast das Gefühl, dass wir bereits die Hälfte aller Hamburger erfolgreich in Singles verwandelt haben.« Katja kann sich ein anzügliches »Hört, hört« nicht verkneifen. Simon wirft ihr einen gespielt tadelnden Blick zu und fährt fort: »Auf unseren Schreibtischen stapeln sich die Aufträge, und auch, wenn ich ein überaus optimistischer Mensch bin, hätte ich mit so einem tollen Start nicht gerechnet. Seit dem euphorischen Artikel in der *Marianne*, den wir unserer Kundin Petra Fischer zu verdanken haben, ist *Trostpflaster* in aller Munde. Auch der Rest der Presse reißt sich inzwischen um uns, und ganz besonders wird es eine einzelne Kollegin wohl gefreut haben, dass der Kurier uns letzte Woche als eines der sympathischsten Jungunternehmen der Stadt bezeichnet hat.« Er macht eine Pause, grinst breit und spricht dann weiter: »Eigentlich müsste ich daher mit euch auf das erfolgreiche Schlussmachen anstoßen. Das mache ich jetzt aber nicht, denn schließlich ist das unsere Weihnachtsfeier, und Weihnachten ist bekanntlich das Fest der Liebe, nicht der Trennung.« Simon hebt sein Glas. »Also möchte ich mit euch auf die Liebe trinken!« Wir prosten ihm zu.

»Genau, auf die Liebe, Simon!«

»Prost!«

»Auf die Liebe!«

Simon, Katja, Beate, Gerd, Paul und ich stoßen miteinander an. Wir sitzen an einem langen Tisch im *Cafe Hirsch*, einem kleinen, aber feinen Restaurant nicht weit von unserem Büro. Hierhin hat Simon zur ersten *Trostpflaster*-Weihnachtsfeier eingeladen und die Einladung großzügig auf, wie er es nannte, *Family & Friends* ausgedehnt.

Ich nehme einen großen Schluck aus meinem Glas. Was für ein schöner Abend! Ich fühle mich beschwingt und glücklich. Kein Vergleich zu meiner letzten Fidelia-Weihnachtsfeier – die fand ab nachmittags um fünf in der Betriebskantine statt und war ungefähr so lustig wie eine Kaffeefahrt mit Heizdeckenverkauf in die Lüneburger Heide. Bei Regen. Es gab süßlich-klebrigen Glühwein, bröseligen Stollen und eigentlich hätte man schon damals ahnen können, dass es mit der Fidelia irgendwie talwärts ging. Erst hielt unser Personalchef eine völlig unzusammenhängende Rede, später war er angetrunken und anhänglich. Eine furchtbare Feier! Dagegen hat das hier eindeutig Charakter.

»Die Liebe«, fährt Simon fort, »ist auch deswegen so wichtig, weil es ohne sie natürlich keine glücklichen Paare gäbe. Und ohne einst glückliche Paare keine unglücklichen Paare … und somit keine *Trostpflaster*-Kunden. Die Statistik sagt, dass die meisten Scheidungen nach Weihnachten eingereicht werden – freuen wir uns also auf ein tolles Geschäft im Januar!« Er grinst und prostet uns noch einmal zu. Katja und Beate kichern, Gerd lächelt, nur Paul guckt etwas miesepetrig. Ich knuffe ihn in die Seite.

»He, lach mal!«, flüstere ich in sein Ohr.

»Ha, ha. Gut so?«

»Warum bist du so schlecht gelaunt?«

»Weil mir der Unternehmer des Jahres auf die Nerven geht. Und dann diese peinliche Rede – also echt …«

»Du hättest nicht mitkommen müssen«, sage ich eine Spur zu zickig. Dann besinne ich mich eines Besseren und sage deutlich freundlicher: »Simon hat das alles nur nett gemeint. Und immerhin ist das unsere erste Weihnachtsfeier, ich würde mich also freuen, wenn du dich ein bisschen zusammenrei-

ßen könntest, alter Muffelkopf.« Ich beiße ihn ins Ohrläppchen. Eigentlich hatte ich gedacht, dass Paul nach dem langen
Gespräch, das ich mit ihm vor ein paar Wochen geführt habe,
endlich mit meiner neuen Selbstständigkeit versöhnt ist. Und
das ist er ja auch irgendwie. Aber Simon ist für ihn immer
noch ein rotes Tuch. »Wir wollen doch hier einen netten Abend
haben«, raune ich hinterher.

»He, ihr beiden! Hier wird nicht geflüstert.« Beate guckt
gespielt streng. Simon hat es mitbekommen und dreht sich
nun zu Paul um.

»Der ein oder andere wird wahrscheinlich gerade denken:
*Was ödet mich der Hecker hier mit seiner Angebernummer
über die tollen Umsätze an?*«

Auweia, entweder kann Simon Gedanken lesen oder er hat
etwas gehört.

»Und recht hätte der ein oder andere damit, wenn es nicht
einen tollen Grund gäbe, warum ich hier mal wieder so auf
die Tonne haue.« Simon macht eine Kunstpause. »Aber es
gibt diesen Grund: Die gute Geschäftsentwicklung hat mich
dazu inspiriert, in den letzten Tagen einige Gespräche mit
meinen Freunden von der Arbeitsagentur zu führen. Und
nun freue ich mich, euch heute mitteilen zu können, dass
Trostpflaster ab Januar eine weitere festangestellte Kraft be-
grüßen wird: Beate Hansen! Pünktlich zur Weihnachtsfeier
kam heute der Bescheid über den bewilligten Gründungs-
zuschuss und die Eingliederungshilfe.« Simon strahlt Beate
an – die guckt ganz verdattert und scheint nicht sofort zu
verstehen. Simon geht um den Tisch herum auf sie zu und
reicht ihr die Hand. »Die Zeit Ihres ehrenamtlichen Engage-
ments ist vorbei, Beate. Jetzt können wir Sie mit Hilfe der
Arbeitsagentur auch angemessen bezahlen. Willkommen an
Bord!«

Beate stößt einen spitzen Schrei aus, springt auf und fällt

Simon um den Hals. »Danke, Herr Hecker! Das ist mein schönstes Weihnachtsgeschenk!«

Ich bin ganz gerührt und drücke Paul unter dem Tisch die Hand. Was für eine schöne Überraschung! Paul allerdings zieht seine Hand weg und beugt sich zu mir, um mir etwas ins Ohr zu flüstern.

»Also, wenn der jetzt alle einstellen will, die er bei der Fidelia rausgeschmissen hat, dann braucht ihr bald größere Büroräume, ha, ha!«

»Sehr witzig, Paul«, flüstere ich zurück. »Dass die Zahlen der Fidelia so schlecht waren, ist nicht Simons Schuld. Die haben die Unternehmensberatung doch nur eingeschaltet, um die schlechte Nachricht nicht selbst überbringen zu müssen. Dichtgemacht hätten sie Hamburg so oder so.«

»Oh, hoppla! Das klang vor nicht allzu langer Zeit aber noch völlig anders. Werden wir langsam zum Managerversteher? Der Typ hat dich eiskalt vor die Tür gesetzt, schon vergessen? Ich gehe jetzt übrigens auch mal vor die Tür, frische Luft schnappen.« Er springt auf und rennt raus. Mann, ist das peinlich! Alle anderen gucken schon irritiert.

»Paul muss mal kurz telefonieren«, sage ich mit einem entschuldigenden Schulterzucken. Dann gehe ich ihm hinterher, schließlich will ich auf alle Fälle verhindern, dass er einfach nach Hause düst.

Draußen angekommen, stelle ich Paul zur Rede. »Was ist eigentlich mit dir los?«, fauche ich ihn an. »Warum bist du mitgekommen, wenn du das alles so ätzend findest? Oder machst du mir absichtlich den Abend kaputt?«

»Ich bin mitgekommen, weil ich dich sonst so gut wie gar nicht mehr zu Gesicht bekomme.«

»Das ist doch Quatsch!«, widerspreche ich.

»Wann habe *ich* denn noch etwas von dir?«, will er wissen.
»Entweder du bist nicht da – oder geistig abwesend, weil mit

Sicherheit immer dann, wenn ich zum Beispiel mal gemütlich einen Film mit dir ansehen will, ein Frischverlassener anruft, der dringend deine Hilfe braucht. Oder du denkst über das Schicksal irgendeiner Frau nach, die ach-so-tränenreich von ihrem Kerl sitzengelassen wurde.«

Okay, unser klärendes Gespräch hat wohl doch keinen so nachhaltigen Eindruck hinterlassen.

»Außerdem«, braust Paul jetzt weiter auf, »hatte ich keine Lust, dass meine Süße einen Abend alleine mit diesem eitlen Gockel verbringt. Ich kenne solche Typen. Wenn ich nicht aufpasse, wird er sich an dich ranmachen, glaub es mir.«

Aha. Es geht also in erster Linie um Simon. Das kann doch wohl nicht wahr sein.

»Ich fasse es nicht«, bringe ich erstaunt hervor. »Du bist ja tatsächlich richtig eifersüchtig!«

»Und wenn schon!«, kommt es maulig zurück. »Ist das ein Wunder? Seit Wochen gibt es bei uns nur noch ein Thema: *Trostpflaster, Trostpflaster, Trostpflaster.* Und es fällt mir immer schwerer zu glauben, dass es dir wirklich nur um diese doofe Agentur geht. Gib's zu, du findest diesen Hecker und seine Macho-Art ganz gut.«

»Das ist doch Unsinn – ich bin einfach glücklich, dass ich endlich einen Job habe, der mir richtig Spaß macht! Und ganz ehrlich – ich stehe überhaupt nicht auf Hecker. Du könntest mich fünf Jahre lang unbeaufsichtigt mit ihm lassen – da würde nichts passieren, Ehrenwort.« Kaum habe ich das ausgesprochen, fällt mir plötzlich ein, was mein Freund mir hier gerade unterstellt hat. »Aber vielleicht geht es hier gar nicht um Hecker? Oder um mich? Geht es hier nicht vielleicht einzig und allein um einen Mann, der seiner Freundin so wenig traut, dass er meint, er müsse sie *kontrollieren?*«

Paul guckt mich nur mit großen Augen an – und geht dann wieder ins Restaurant. Ich folge ihm.

»He, was ist denn bei euch los?« Katja hat natürlich genau mitbekommen, dass etwas nicht stimmt. »Streitet ihr euch etwa?« Ich schüttle den Kopf. »Nein, nein, wir haben nur etwas diskutiert.«

Paul schweigt.

»Worüber denn?«, will Katja wissen.

»Nichts Wichtiges«, wiegle ich ab. »Komm, gibt mir noch einen Schluck Sekt.« Ich halte ihr mein Glas hin.

»Ja, gib mir auch noch etwas«, murmelt Paul und reicht Katja sein Glas rüber. Dann fasst er mit dem anderen Arm um meinen Rücken und drückt mich kurz an sich. »Tut mir leid«, flüstert er, »das war blöd von mir. Es ist nur – ich teile dich einfach ungern mit diesem Hecker. Der verbringt so viel Zeit mit dir. Aber natürlich vertraue ich dir, ist doch klar.«

Ich lächle Paul an. »Ja, und das tust du zu Recht, denn du bekommst immer noch den besten Teil von mir. Den appetitlichsten. Den leckersten.«

Jetzt ist es Paul, der in mein Ohrläppchen beißt. *Rrrrr!* Eigentlich ganz süß, wenn er so eifersüchtig ist.

Am nächsten Tag habe ich einen Kopf, der so dick ist wie ein Pottwal. Okay, der *day after* war nach der Fidelia-Weihnachtsfeier deutlich besser. Aber wenigstens hatten wir gestern Spaß. Nach dem leckeren Essen im *Cafe Hirsch* waren wir noch in der neueröffneten und sehr noblen Spielbank. Wenn ich mich richtig erinnern kann, habe ich dreihundert Euro beim Roulette gewonnen und dafür alle in die nächste Cocktailbar eingeladen. Was dann passiert ist, kriege ich nur noch schemenhaft auf den Schirm, mein Gedächtnis verlässt mich nach dem dritten Caipirinha. *Uuh*, ich darf gar nicht daran denken, mir wird sofort wieder schlecht …

Wenigstens bin ich nicht die Einzige, die leidet. Im Büro angelangt, stelle ich fest, dass Beate auch schon mal fitter aussah, und Simon hat angeblich die galoppierende Schwindsucht; er hat seine Privatgemächer daher heute Vormittag nur für zwei kurze Telefonate verlassen. Und gerade besucht uns Katja in ihrer Mittagspause; auch sie sieht so aus, als sei sie dem Tode näher als dem Leben. Wahrscheinlich hat sie schon alle Kunden im Salon mit ihrer amtlichen Fahne verscheucht.

»Hallo Süße!« Katja lässt sich auf einen der Korbstühle in meinem Büro fallen. »Geht's dir auch so schlecht wie mir?«

»Noch schlechter, würde ich schätzen. Ich habe schließlich nicht so viel Übung im Cocktailtrinken wie du. Ich hätte mit Paul nach Hause fahren sollen, als er los ist. Der letzte Caipi war eindeutig zu viel.« Ich gähne.

Katja mustert mich interessiert. »Ja, das hättest du vielleicht tun sollen.« Sie grinst.

»Wieso? War ich irgendwie peinlich?«

»Würde ich so nicht sagen.« Jetzt wird ihr Grinsen noch breiter. »Kannst du dich nicht mehr erinnern?«

»Ehrlich gesagt liegt das Ende unserer Feier ein bisschen im Dunkeln«, gestehe ich. »Ich glaube, Beate und ich haben uns ein Taxi geteilt, sicher bin ich mir aber nicht. Fragen will ich sie aber nicht, das ist mir doch ein bisschen unangenehm.«

»Keine Sorge«, meint Katja. » Das mit dem Taxi stimmt schon.« Noch immer grinst sie. Irgendwie … da stimmt doch was nicht!

»Katja«, will ich wissen, »warum guckst du mich so komisch an? Habe ich irgendwas gemacht?« Ich habe solche Kopfschmerzen und nun wirklich keine Lust auf Rätselraten.

»Ach, vergiss es einfach«, erwidert sie mit einer wegwerfenden Handbewegung. »Es war die lustigste Weihnachtfeier, zu der ich je eingeladen war. Du warst gut drauf, alles in Ordnung.«

Hm, irgendetwas hat sie, aber ich verzichte auf Nachforschungen. Dazu geht es mir zu schlecht.

Beate kommt herein. »Hallo, Katja! Wieder startklar?«

»Mhm, ich lasse heute gefährliche Eingriffe am Patienten. Ansonsten alles gut.«

»Schön. Julia, nebenan sitzt eine neue Kundin. Ist spontan vorbeigekommen und will dringend einen unserer Berater sprechen. Ich glaube, der Chef ist heute weder vorzeig- noch ansprechbar. Hast du kurz Zeit?«

Ich nicke. Leider klatscht dabei mein Hirn gegen die Schädeldecke. *Autsch!*

»Klar, ich komme gleich. Gib mir zwei Minuten und ein stilles Mineralwasser. Und hast du vielleicht so was Richtung Fischerman's Friend?«

»Tic Tac?«

»Wäre toll. Ich will eine neue Kundin schließlich nicht gleich in die Flucht schlagen. War sonst eigentlich noch irgendetwas?«

Beate schüttelt den Kopf. »Nee, man merkt eindeutig, dass nächste Woche Weihnachten ist. Da will sich offenbar niemand mehr vorher trennen und dann allein unterm Christbaum sitzen. Aber wenn Simons Theorie stimmt, dann geht's spätestens in zwei Wochen wieder rund. Hier«, sie reicht mir eine Mappe »sind noch drei Anfragen für einen Abschiedsbrief. Habe alles Wesentliche notiert.« Sie legt mir noch ihre Tic Tacs auf den Schreibtisch und geht wieder zum Empfang.

»Julia, darf ich mal zuhören?«, fragt Katja. »Ich bin so neugierig, wie du solche Gespräche führst.«

»Das ist vertraulich. Ich glaube nicht, dass unsere Kundin Publikum wünscht.«

»Bitte! Kannst du nicht einfach sagen, ich sei deine Assistentin?«

»Hm. Ich weiß nicht.«

»Bitte, bitte, bitte! Ich bin so neugierig. Und ich verspreche, ich sage niemandem ein Wort. Großes Indianerehrenwort!«

»Und ich dachte immer, du hörst dir im Salon schon genug solcher Geschichten an. Aber wenn du unbedingt willst, okay. Nur bitte nicht einmischen!«

»Versprochen. Danke!«

Nachdem ich gewissenhaft drei Tic Tacs gelutscht habe, hole ich die Kundin herein.

»Frau Amati?« Sie nickt und schüttelt meine ausgestreckte Hand. »Lindenthal mein Name.« Dann deute ich auf Katja, die mittlerweile bereits an unserem Besprechungstisch Platz genommen hat. »Meine Assistentin Frau Brauer. Wie können wir Ihnen helfen?«

Fiona Amati ist ungefähr so alt wie ich, aber doppelt so blond. Und entweder hat sie Bluthochdruck, oder sie ist sehr aufgeregt. Jedenfalls hat sie leuchtend rote Wangen, und ich glaube nicht, dass sie beim Rouge danebengegriffen hat.

»Ich möchte mich mit Ihrer Hilfe so schnell wie möglich von meinem Partner trennen.«

»Gut«, sage ich. »Um wen handelt es sich denn?«

»Hier«, sie schiebt ein Foto über den Besprechungstisch, »das ist mein Freund Rafael Kaiser.«

»Moment«, Katja beugt sich über den Besprechungstisch, »*der* Rafael Kaiser?« Ich versuche, sie unauffällig am Ärmel zu zupfen und so zum Schweigen zu bringen. Erfolglos.

»Genau der.«

»Wow, Sie sind Rafael Kaisers Freundin!«

»Ich *war* Kaisers Freundin. Das heißt, ich möchte es gern gewesen sein.«

»Äh, Frau Brauer«, wende ich mich fragend an Katja, »Sie kennen Herrn Kaiser?«

»Na klar! Du ... äh ... Sie etwa nicht?«

»Nein, den Namen höre ich heute zum ersten Mal. Und das Gesicht habe ich auch noch nie gesehen.«

»Mein zukünftiger Exfreund ist Radio-Moderator«, klärt

mich Fiona Amati auf. »Ein ziemlich bekannter, denn er ist Mister Morning-Show bei Alpha Radio. Sie wissen schon: *Achtziger, Neunziger und das Tollste von heute.*«

»Aha.« Ich spare mir die Information, dass ich morgens kein Radio höre. »Gut, Frau Amati. Wie Sie unserem Informationsmaterial vielleicht schon entnommen haben, gibt es mehrere Möglichkeiten, Ihren Lebensgefährten über die bevorstehende Trennung zu informieren. Da es so kurz vor Weihnachten ist, nehme ich einfach mal an, Sie interessieren sich für unser Angebot *Sanft und einfühlsam* mit entsprechender Nachbetreuung? Allerdings müssten Sie, um eine Betreuung auch während der Feiertage zu garantieren, auch noch unser Trost-Deluxe-Paket dazubuchen. Dazu kann ich Ihnen allerdings heute ein Angebot machen, das …«

»Nein, da liegen Sie falsch. Ich möchte nichts Sanftes und keinen Trost. Ich möchte, dass Sie dem Scheißkerl das Herz rausreißen.«

Katja und ich schnappen gleichzeitig nach Luft.

»Das meine ich natürlich im übertragenen Sinne«, fügt sie schnell hinzu, auch wenn ihr wütendes Gesicht eigentlich etwas ganz anderes erahnen lässt. »Wenn Sie also etwas im Repertoire haben, das in Richtung *kalt und grausam* geht, dann sind Sie meine Frau.«

Oha, da ist jemand richtig sauer. Ich räuspere mich. »Nun ja, *kalt und grausam* ist nicht unsere Art, aber *kurz und schmerzlos*, ohne Angabe von Gründen und Nachbetreuung, das geht doch vielleicht in die Richtung? Sie scheinen wirklich verletzt worden zu sein, aber meinen Sie nicht auch, dass jede Trennung so kurz vor Weihnachten schon schmerzhaft genug ist?«

Fiona schüttelt den Kopf. »Er hat mich nicht einfach verletzt. O nein! Er ist ein echter Dreckskerl, das können Sie mir glauben. Er hätte eine schlechte Behandlung mehr als verdient.«

Katja beugt sich wieder zu Amati vor. »Ich weiß, das mag neugierig klingen, aber aus rein professionellem Interesse muss ich fragen, was Herr Kaiser Ihnen denn angetan hat?«

»Darüber möchte ich nicht sprechen. Aber glauben Sie mir, ich bin noch nie in meinem Leben so schäbig behandelt worden!« Sie fängt an zu schluchzen. »Er ist ein mieses Schwein! Sie müssen mir helfen. Ich will ihn nie wieder sehen, und Sie müssen es ihm sagen, heute noch!«

Automatisch lege ich ihr eine beruhigende Hand auf den Arm und senke meine Stimme in den *Alles-wird-gut*-Kuschelbereich. »Gut, Frau Amati, wir kümmern uns darum. Ich brauche dann noch ein paar Angaben von Ihnen.«

Fiona Amati ist noch keine Sekunde aus dem Raum, da nimmt Katja das Foto vom Besprechungstisch und betrachtet es nachdenklich. »Wow, die war richtig auf Zinne. Komisch, dabei ist Kaiser doch so ein süßer Typ.«

»Kennst du ihn persönlich?«

»Nein.«

»Woher willst du das dann wissen?«

»Na ja, er sieht gut aus und hat eine unglaublich sexy Stimme. Ein echter Traumtyp.«

»Wohl eher ein Alptraumtyp, wenn man Frau Amati so hört«, werfe ich ein.

»Wir werden sehen.«

Habe ich mich da gerade verhört? »*Wir* werden sehen? O nein, du kommst auf keinen Fall mit. Ausgeschlossen.«

»Du kannst mich doch nicht erst anfüttern und dann verhungern lassen. Das ist auch mein Fall!«

»Wirklich, Katja, du siehst zu viele schlechte Anwaltsserien: Das ist nicht dein Fall. Das ist überhaupt kein *Fall*. Die Dame ist meine Klientin und ich erledige ihren Auftrag. *Ohne* dich.«

Katja setzt ein beleidigtes Gesicht auf. Sie kann super schmollen, was natürlich auch an ihren vollen Lippen liegt. So einen Schmollmund kriege ich im Leben nicht hin, jedenfalls nicht ohne Hilfe eines Facharztes für plastisch-ästhetische Chirurgie.

»Und ich dachte, wir wären Freundinnen!«, mault Katja.

»Natürlich sind wir das.«

»Eine Freundin würde mich nicht so hängen lassen.«

»Willst du jetzt wirklich mit mir über Freundschaft diskutieren?«, frage ich fassungslos.

»Auf keinen Fall«, sagt sie mit einem heimtückischen Grinsen. »Aber ich könnte es jetzt tun … stundenlang!«

Ich seufze. Mein Kater miaut, was das Zeug hält. Ein grauenhafter Tag!

»Okay, dann komm mit. Aber gut finde ich das nicht. Meine Widerstandskräfte sind nur zu geschwächt, um weiter Gegenwehr zu leisten.«

»*Danke!*« Katja hüpft kurz in die Luft und gibt mir ein Küsschen. Komisch, diese plötzliche Euphorie für meinen Job.

»Aber diesmal hältst du wirklich die Klappe. Keine Kommentare, keine Beschimpfungen, keine Fragen. Von alledem nichts. Ich will *kein* Wort hören.«

»Aye, aye, Sir.«

Promi-Radiomoderator zu sein lohnt sich offensichtlich – jedenfalls ist die Adresse, die uns Fiona Amati gegeben hat, eine echte Spitzenlage. Vielleicht fast ein bisschen gediegen für einen hippen Radiomenschen, der morgens hauptsächlich die Fünfzehn- bis Neunundzwanzigjährigen aus dem Bett bringen soll: Blankenese, Strandweg, Elbblick. Wahnsinn! Wenn hier ein richtig großer Pott Richtung Hafen steuert, könnte man fast meinen, dass er einem gleich über die Füße fährt. Das Häuschen selbst ist eines dieser kleinen Kapitänshäuser, wie sie oft für Hamburger Reiseführer fotografiert werden. Nicht besonders groß, aber sehr charmant. Wenn Amati den Typen schon nicht vermissen wird, um das Haus wird es ihr noch leidtun.

Ich gucke durch die großen Scheiben im Erdgeschoss. Kaiser scheint da zu sein, jedenfalls sehe ich schemenhaft jemanden durch die Wohnung laufen.

»Wie willst du es ihm denn sagen?«, möchte Katja wissen.

»Von der zu brüsken Nummer halte ich nichts. Das gibt nur Ärger.« Mit einem leichten Schaudern denke ich an einen Versuch, den ich vor einiger Zeit in dieser Richtung gestartet habe – wäre Simon nicht dazwischengegangen, hätte eine regelrechte Furie, die wir im Auftrag ihres Freundes abservieren sollten, mir die Augen ausgekratzt. »Ich werde es aber möglichst kurz machen, denn unsere Klientin scheint zu glauben, dass Kaiser es nicht sanft verdient und sowieso weiß, warum sie Schluss macht. An diese Vorgabe werde ich mich erst mal halten und dann sehen wir weiter.«

»Aber was, wenn sie unrecht hat? Oder wenn sie eine durchgeknallte Psychopatin und er total nett ist?«

»Tja, dann wird er sowieso froh sein, sie los zu werden.«

An der Haustür gibt es keine Klingel, nur einen altmodischen Klopfer. Beim dritten Hämmern öffnet sich die Tür. Ja, nach dem Foto eindeutig Rafael Kaiser.

»Guten Tag, Herr Kaiser, ich bin Julia Lindenthal. Das ist meine Assistentin Katja Brauer.«

»Ah, die Kolleginnen von der Gala. Kommen Sie rein.«

»Äh, bitte?«

»Sie kommen doch wegen der Homestory, oder?«

»Oh, nein, dass ist ein Missverständnis. Ich bin von der Agentur *Trostpflaster*.«

»Trostpflaster? Moment, das war doch diese geile Geschichte auf Radio Hanse vor ein paar Monaten? Glückwunsch, tolle

O-Töne. Da hatte uns Hanse echt was voraus. Und nun überlegen Sie, die Sache auf Alpha zu wiederholen? In meiner Morningshow? Gute Idee! Kommen Sie rein.« Er tritt zurück und lässt uns in den Flur. »Tja, entschuldigen Sie, dass ich so überrascht bin. Die Redaktion hat wahrscheinlich schon versucht, mich anzurufen – mit meinem Telefon ist irgendwas nicht in Ordnung. Aber setzen wir uns doch.« Er dirigiert uns in die Wohnküche, in der ein großer, rustikaler Esstisch steht. Mir ist das Ganze schon ziemlich unangenehm, aber Katja scheint die Situation zu genießen. Sie strahlt jedenfalls, was das Zeug hält. Aber sie muss Kaiser schließlich auch nicht erklären, dass uns keinesfalls die Redaktion schickt.

»Also, schießen Sie los. Was haben Sie vor?«

Ich räuspere mich. »Herr Kaiser, wir sind nicht von Ihrer Redaktion zu Ihnen geschickt worden.«

»Nein?« Er guckt erstaunt zwischen mir und Katja hin und her. »Aber woher haben Sie dann meine Adresse? Und was wollen Sie von mir?«

»Herr Kaiser, wir sind hier im Auftrag von Frau Fiona Amati. Hier ist ihre Vollmacht.« Ich schiebe den Zettel über den Tisch. »Frau Amati hat mich gebeten, die Beziehung zwischen Ihnen beiden zu beenden. Weil Frau Amati keinerlei Kontakt mehr zu Ihnen wünscht, ist sie nicht selbst gekommen, sondern hat mich geschickt.«

Rafael Kaiser starrt mich entsetzt an.

»Fiona hat … *was?*«

Okay, das ist nicht gut. Kaiser ist geschockt. Von »der weiß schon, warum« kann hier offensichtlich keine Rede sein. Mit einem hämischen Dröhnen melden sich genau in diesem Moment meine Kopfschmerzen zurück.

»Frau Amati möchte sich von Ihnen trennen, Herr Kaiser. Sie hat mich gebeten, Ihnen das zu sagen.«

Kaiser schweigt einen Moment, dann bricht es wie ein

Schwall aus ihm heraus. »Das … das glaube ich nicht. Das kann nicht sein! Fiona ist die Liebe meines Lebens. Sie müssen sich täuschen. Sie, Sie … das ist ein Scherz. Ein schlechter Scherz. Oder – versteckte Kamera? Ja, genau, das ist es: versteckte Kamera! Von welchem Sender sind Sie? Wo ist denn die Kamera? Fiona? Kannst du mich hören? Ich liebe dich! Ich …«

Bevor er noch weiterreden kann, lege ich meine Hand auf seine und schaue ihm direkt in die Augen. »Herr Kaiser, das ist kein Scherz. Es tut mir leid. Frau Amati trennt sich von Ihnen.«

Kaiser schlägt die Hände vors Gesicht und fängt an, hemmungslos zu schluchzen. Na bravo.

»Aber warum denn? Wir lieben uns doch! Warum tut sie mir das an?«

Katja hält es nicht mehr auf ihrem Stuhl, und unsere Abmachung hat sie anscheinend auch völlig verdrängt. Sie geht zu Kaiser und legt ihm ihren Arm um die Schulter.

»Herr Kaiser, es tut mir so leid. Frau Amati hat leider keinen Grund genannt. Aber wahrscheinlich ist es für sie zu schmerzhaft gewesen, als dass sie mit uns darüber hätte reden können. Wahrscheinlich hängt sie noch zu sehr an Ihnen.«

Bitte? Da habe ich mich wohl verhört. Gut, die Sache mit dem Scheißkerl würde ich Kaiser nun auch nicht unter die Nase reiben, aber wir müssen auch nicht das glatte Gegenteil behaupten.

»Äh, ja, wie Frau Brauer schon sagte, Gründe hat uns Frau Amati leider nicht genannt. Wenn Sie möchten, können wir ihr aber noch eine Botschaft überbringen.«

Kaiser schüttelt den Kopf. »Botschaft? Nein. Ich kann momentan nicht klar denken. Und sie hat keine Gründe genannt? Gut.«

Gut? Für mich persönlich wäre das zwar überhaupt nicht

gut, aber was soll's. Jeder Mensch ist anders. Und Kaiser scheint es ganz böse erwischt zu haben. Augenscheinlich steht er unter Schock. Bevor wir das aber noch weiter ergründen können und bevor der geschockte Rafael Kaiser wohlmöglich noch die Kettensäge rausholen kann, um seinem Schock Nachdruck zu verleihen, verabschieden wir uns. Kaiser bringt uns zur Tür, was dadurch erschwert wird, dass ihn ein Weinkrampf schüttelt. Mann, bin ich froh, als ich wieder im Auto sitze!

»Das war furchtbar«, stöhnt Katja.

»Berufsrisiko«, entgegne ich matt und suche im Handschuhfach nach einer dieser praktischen Kau-Aspirins. »Immerhin hat er nicht gefragt, ob wir ihn ein Stück in Richtung Köhlbrandbrücke mitnehmen können, weil er sich sofort runterstürzen will. Das hatte ich erst letzte Woche …«

»Komisch, dass die Amati ihn als mieses Schwein beschrieben hat. Ich fand ihn sehr sympathisch. Und es hat ihn echt getroffen.«

»Ja, seltsam. Aber glaub mir, so etwas kommt häufiger vor, als du denkst. Manchmal ist man entsetzt, wie wenig sich die Menschen kennen, die doch vorher eine gewisse Zeit zusammen waren und eigentlich wissen müssten, wie der andere in einer Extremsituation reagiert.« Ich seufze. »Andererseits – *das* ist dann doch wirklich mal ein Grund, aus dem man sich trennen sollte.«

Katja sieht mich nachdenklich an. »Langsam beginne ich zu begreifen, dass ich deinen Job nicht haben wollen würde. Wie schaffst du es bloß, damit umzugehen?«

»Ich musste mir schon ein etwas dickeres Fell zulegen«, sage ich und finde endlich die Schachtel mit den Aspirin. »Und in diesem Fall muss ich mich ja auch nicht um die Nachbetreuung kümmern.«

»Und das heißt?«

»Na ja, Job erledigt, nicht mehr dran denken.«

»Du hast dich ganz schön verändert, seit du diesen Job hast«, sagte Katja. »Die alte Julia hätte so etwas nicht so einfach weggesteckt.«

Wir schweigen, während wir die Elbchaussee stadteinwärts fahren.

»Sag mal«, will Katja irgendwann wissen, »und du kannst dich wirklich nicht mehr an das Ende der Weihnachtsfeier erinnern?«

»Nein. Warum denn? Du warst schon heute Mittag so komisch. Bin ich etwa mit dem Barhocker umgefallen?«

Katja grinst. »Ganz kalt.«

»Oder habe ich etwas Seltsames gemacht?«

»Schon ein bisschen wärmer.«

»Fremd geflirtet?«, frage ich vorsichtig.

»Heiß.«

»Au weia … sag, dass das nicht wahr ist.« Und sag vor allen Dingen bitte nicht, dass der Fremde nicht ganz so fremd war …

»Okay, *fremd* würde ich nicht sagen.«

»Oh nein, heißt das etwa …?« Ich drehe mich zu Katja, die nickt.

»Jepp. Du hast mit Simon geknutscht. Beim Zigarettenautomaten vor der Damentoilette. Ich habe es gesehen. Nur gut, dass Paul schon weg war.«

Mir wird auf einmal heiß und kalt.

Nie wieder Alkohol.

19. Kapitel

Die Woche vor Weihnachten ist so ruhig, dass ich tatsächlich noch dazukomme, in einer ausgedehnten Mittagspause mit Katja ein kleines Christmas-Shopping einzulegen. Meine beste Freundin ist wild entschlossen, alle Geschenke an einem Tag zu besorgen. Gut gelaunt läuft sie neben mir her und pfeift Weihnachtslieder. Mir ist allerdings nicht besonders weihnachtlich zumute. Im Gegenteil, ich wäre froh, wenn wir diesen Teil des Jahres einfach schnell überspringen könnten und endlich Januar wäre.

Obwohl ich mich immer noch an nichts erinnern kann, ist mir der Gedanke an die *Trostpflaster*-Weihnachtsfeier unglaublich peinlich. Simon hat zwar kein Wort gesagt, und deshalb habe ich noch ein Fünkchen Hoffnung, dass er auch einen Filmriss hat. Aber solange ich mir da nicht sicher sein kann, werde ich mich schlecht fühlen. Fragen kann ich ihn wohl kaum. Wie konnte mir das nur passieren?

Natürlich habe ich auch Paul gegenüber ein saumäßig schlechtes Gewissen. Da mache ich ihn erst an von wegen »warum bist du bloß so eifersüchtig, du kannst mich hier ruhig alleine lassen« – und dann so was!

»He, Julia, träumst du?« Katja zupft mich am Ärmel. Offenbar bin ich vor einem Schaufenster einfach stehen geblieben.

»Äh, ich überlege nur gerade, was ich Paul zu Weihnachten schenken soll.« Ich habe momentan keine Lust, das Thema zu diskutieren. Das Christkind möge mir diese Notlüge verzeihen. Katja lacht.

»Du hast noch kein Geschenk für Paul? Was ist denn mit dir los? Das besorgst du doch traditionell schon immer im November. Liebst du ihn etwa nicht mehr, deinen Traumprinzen?«

Urks, jetzt geht das wieder los! »Hör doch mal auf, immer auf Paul rumzuhacken. Das wird langsam *langweilig!* Nur weil ich noch kein Geschenk habe, heißt das noch nicht, dass du dir Hoffnung auf ein Ende unserer Beziehung machen kannst. Ich hatte eben noch keine Zeit. Mein neuer Job nimmt halt viel mehr Zeit in Anspruch als mein alter.«

Katja grinst. »Genau. Und deiner neuer Chef nimmt dich erst recht viel mehr in Anspruch als dein alter.«

»Du hast jetzt zwei Möglichkeiten: Entweder, du gehst mir nicht weiter auf den Keks, und wir haben noch einen schönen Shopping-Nachmittag – oder du machst so weiter, und ich nehme den nächsten Bus. Kannst du dir aussuchen.«

»Ist ja schon gut, reg' dich wieder ab. Also, was willst du Paul schenken. Ein Paar Socken?«

Ich ignoriere diese Unverschämtheit geflissentlich. »Vielleicht irgendwas Technisches. Er hat in den letzten Wochen unser Wohnzimmer in ein richtiges Kino umgebaut – so mit Beamer und Leinwand. Daran hat er tierisch Spaß. Also etwas in die Richtung? Wobei – richtig romantisch ist das nicht gerade.«

»Dann habe ich die richtige Idee für Paul: Schenk ihm doch die komplette Sammlung aller *Sissi*-Filme auf DVD. Dann hat er was für's Heimkino und es ist auch noch romantisch.«

»Warum habe ich nur das Gefühl, dass du mich nicht ernst nimmst?«

Katja zuckt mit den Schultern. »War nur ein Vorschlag.«

»*Sissi?* Also komm.«

»Na gut … Einen Werkzeugkoffer hat er bestimmt schon. Socken findest du auch doof. Eine Krawatte vielleicht? Nein, das wäre wohl eher etwas für Simon Hecker. Apropos: Schenkst du dem was?«

»Warum sollte ich Simon etwas schenken?«

»Er ist doch dein Chef. Außerdem wollte ich mal das langweilige Thema *Geschenk für Paul* verlassen.«

»Und da fällt dir als Erstes Simon ein?«

»Tu nicht so: Du findest ihn auch spannend. Ich habe es mit eigenen Augen gesehen.«

»Damit mal eins klar ist«, sage ich, »Simon ist zwar in meiner Achtung gestiegen. Aber so sehr dann doch wieder nicht. Ich war lediglich betrunken.« Ich funkle sie böse an.

»Schon gut, ich weiß – du nimmst den nächsten Bus. Ich halt meine Klappe.«

Wir stiefeln ein paar Schaufenster weiter.

»Mal was ganz anderes«, will Katja dann wissen, »hat sich Rafael Kaiser eigentlich bei euch gemeldet?«

Ich gucke sie erstaunt an. »Nein. Warum sollte er?«

»Vielleicht ist er traurig und braucht eure psychologische Nachbetreuung?«

»Die haben wir ihm doch auch gar nicht angeboten. Erinnerst du dich nicht mehr? Seine Alte wollte, dass wir ihn richtig in die Pfanne hauen. Mit Nachbetreuung hatte die nichts am Hut.«

»Stimmt. Aber hätte ja trotzdem sein können.«

»Nein, er hat sich nicht gemeldet. Und wenn, dann hätte ich ihm den Zahn auch gleich gezogen. Wir haben schließlich eine Verpflichtung unserer Klientin gegenüber. Sonst würden wir ganz schnell in einen Interessenskonflikt geraten.«

»Du spricht schon wie eine Anwältin. Gefällt mir aber. Nicht, dass du jetzt auch noch anfängst, Jura zu studieren.« Katja lächelt.

»Lass mal«, lache ich, »im Moment habe ich wirklich genug mit *Trostpflaster* zu tun. Ich habe noch so viele neue Ideen für die Agentur. Die letzten Wochen waren nur so stressig, dass ich nie dazugekommen bin, sie mal aufzuschreiben.«

»Und was stellst du dir vor?«, will Katja neugierig wissen.

»Ich möchte für *Trostpflaster* ein neues Konzept entwickeln. Und zwar richtig, mit Business-Plan und allem, was dazugehört – genau so, wie Simon es am Anfang gemacht hat. Sonst nimmt der meinen Vorschlag gar nicht ernst, fürchte ich.«

»Also, ich nehme dich ernst und spannend finde ich es auch. Warum verschieben wir nicht das Shoppen und trinken lieber einen Kaffee, dann kannst du mir in Ruhe erzählen, was du planst. Quasi von Geschäftsfrau zu Geschäftsfrau.«

»Gerne. Bevor wir uns noch wegen Socken für Paul in die Wolle kriegen …«

Zehn Minuten später stehen in einem netten Café zwei leckere Milchkaffees vor uns, und Katja schaut mich erwartungsvoll an. »Schieß los!«

»Ich finde, *Trostpflaster* sollte eine Agentur für Lebenshilfe werden.«

»Das klingt jetzt irgendwie sozialpädagogisch bis religiös. *Kommt zu mir, die ihr seid mühselig und beladen.*«

»So doch nicht! Ich meine, wir sollten unseren Klienten anbieten, ihnen bei allen Dingen zu helfen, die das Schlussmachen so mit sich bringt: eine neue Wohnung suchen beispielsweise, einen Umzug organisieren oder einen guten Therapeuten finden. Vielleicht braucht der ein oder andere auch einen neuen Job oder einen Scheidungsanwalt. *Trostpflaster* könnte eine Art Rundum-Sorglos-Paket anbieten. Ich sehe es schon vor mir: *Sie brauchen sich keine Sorgen machen – Sie haben doch uns.*« Ich habe mich richtig in Fahrt geredet und sehe Katja nun erwartungsvoll an. »Was meinst du?«

»Klingt gut«, lobt sie. »Als ob ihr demnächst noch ein paar Leute einstellen müsstet.«

»Das wäre natürlich optimal. Aber am besten finde ich eigentlich, dass wir nicht mehr auf das bloße Schlussmachen festgelegt wären. Wir könnten unseren Kunden richtig helfen.«

Katja nickt. »Keine schlechte Idee – wenn Ihr gute Taten mit guten Umsätzen verbinden könnt, wirst du wohl auch Simon davon überzeugen.«

»Stimmt. So schätze ich ihn auch ein. Er ist bestimmt nicht prinzipiell dagegen, anderen Menschen zu helfen – solange er dafür bezahlt wird.« Jetzt müssen wir beide lachen.

Als ich wieder zum Büro zurückkomme, sitzt eine junge Frau auf der obersten Treppenstufe vor unserer Tür.

»Oh, ist niemand da? Haben Sie einen Termin?«, frage ich.

»Äh, nein. Ich überlege nur …«, druckst sie herum, »… ob ich klingeln soll.«

»Wenn Sie mir verraten, was Sie hier wollen, kann ich Ihnen bei Ihrer Entscheidung vielleicht helfen. Wollen Sie sich von jemandem trennen und brauchen dabei Hilfe?«

Sie schüttelt den Kopf. »Nein, ich … also, ich habe neulich jemanden kennengelernt, der hier wohnt. Oder arbeitet. So genau weiß ich das nicht. Jedenfalls habe ich seine Telefonnummer nicht und dachte deshalb, ich schau einfach mal vorbei.«

Langsam fällt bei mir der Groschen. Ich schaue sie mir genauer an: ziemlich hübsch, schwarze Locken, höchstens Anfang zwanzig, Typ *Häschen*.

»Ah, dann müssen Sie Manuela sein!«

Die junge Frau wird puterrot. »Melanie, ja, die bin ich.«

»Richtig, Melanie. Verzeihung. Und Sie möchten Simon sprechen?«

»Ich weiß nicht.« Sie lächelt verlegen.

»Sie wissen es nicht?«

»Nein … doch! Ich meine … ich weiß nicht mehr, ob es so eine gute Idee war, hierherzukommen. Er erwartet mich gar nicht und vielleicht störe ich auch gerade.« Die Arme scheint völlig durch den Wind zu sein. Verständlich nach der

Geschichte ihres unfreiwilligen Abgangs und angesichts der Tatsache, dass sich Simon wohl nie wieder bei ihr gemeldet hat. Aber andererseits – was ist von einem Typen wie Hecker auch anderes zu erwarten? Ich habe zwar keine Beweise dafür, aber ich könnte mir vorstellen, dass er über eine stattliche Trophäensammlung verfügt.

Melanie guckt weiter unglücklich. Soll ich sie jetzt etwa trösten? Na gut – aber nur, weil bald Weihnachten ist! Ich gehe neben ihr in die Hocke. »Hören Sie, Melanie, warum kommen Sie nicht einfach kurz mit rein? Dann können wir nachschauen, ob Simon da ist und vielleicht Zeit für einen Kaffee hat. Und wenn nicht, dann können Sie immer noch nach Hause fahren und müssen nicht mehr darüber nachgrübeln, ob Sie ihn doch mal besuchen sollten.« *Edel sei die Julia, hilfreich und gut.*

Melanie guckt mich an wie Bambi. »Danke, das ist echt total nett von Ihnen.«

Kaum stehen wir im Büro, laufen wir natürlich als Erstes Beate über die Füße. Melanie erstarrt für einen kurzen Moment. Aber entweder erkennt Beate sie nicht wieder, oder sie ist eine Weltmeisterin der Diskretion. Jedenfalls grüßt sie Melanie nur kurz und höflich, als ob sie sie noch nie gesehen hätte.

Simon sitzt in seinem Zimmer und arbeitet. Ich stecke den Kopf durch die Tür.

»Haben Sie kurz Zeit? Sie haben Besuch.«

Simon blickt auf. »Habe ich einen Termin verbaselt? Scharren millionenschwere Kunden schon ungeduldig mit den Hufen?«

»Nein, es ist wohl eher privat. Melanie ist hier.«

Jetzt guckt Simon in etwa so interessiert wie eben Beate. »Wer?«

Auweia, er kann sich anscheinend nicht mehr erinnern.

Ich will zu einer Erklärung ausholen, aber da hat sich Melanie schon an mir vorbeigeschlängelt.

»Hallo Simon. Ich bin's.«

Simons Reaktion fällt mit einem kurzen »Oh« sehr sparsam aus. Vielleicht war das mit dem Kaffee doch keine so gute Idee von mir? Oder ist er einfach nur überwältigt von der Wiedersehensfreude? Wie auch immer – heroisch gewinne ich den Kampf gegen meine Neugier, schließe die Tür und lasse die beiden allein.

An meinem Schreibtisch gehe ich die Post durch, die mir Beate schon in eine Eingangsmappe einsortiert hat. Eine magere Ausbeute: Die Mitgliedszeitschrift der Handelskammer, ein kurzer Dankesbrief von einer älteren Frau, für die wir ihren jugendlichen Gespielen in die Wüste geschickt haben, ansonsten nur Rechnungen. Eigentlich könnten wir um die Feiertage herum tatsächlich Betriebsferien machen. Ich beschließe, an meinem Konzept für das neue *Trostpflaster* zu schreiben, um dem Arbeitstag wenigstens noch ein bisschen Sinn einzuhauchen. Nach zehn Minuten muss ich allerdings feststellen, dass meine Gedanken immer wieder zu Simon und Melanie abschweifen. Ob er sie abends in irgendeiner Bar aufgegabelt hat? Oder haben sich die beiden im Supermarkt kennengelernt? Und ist sie nicht ein bisschen jung für unseren Herrn Hecker? Komisch – obwohl wir immer wieder mit dem Thema Beziehung und Trennung zu tun haben, weiß ich kaum etwas über Simons Privatleben. Gut, er hat mir erzählt, dass er Single ist. Aber was macht er zum Beispiel nach Feierabend? Und war Melanie die erste und einzige Beute, die er in seine Wohnung und damit auch in unser Büro geschleppt hat? Wäre ein komischer Gedanke, wenn hier ständig irgendwelche Mädels auf dem Weg in Simons Bett an meinem Schreibtisch vorbeikämen.

Eigentlich könnte mir das total egal sein – ist es aber nicht.

Und diese Melanie ist auch noch unverschämt hübsch ... An diesem Punkt angekommen, muss ich mich selbstkritisch fragen, ob ich irgendwie eifersüchtig bin. Bevor ich mir diese Frage aber beantworten kann, steht plötzlich Simon vor meinem Schreibtisch.

»Ich mache für heute Schluss – ist sowieso nicht viel los und ich muss noch ein paar Dinge erledigen.«

»Schon klar.« Ich lächle ihn an. »Schönen Feierabend.«

»Täusche ich mich, oder war das süffisant?«

»Nein, warum? Hätte ich Grund, süffisant zu sein?«, frage ich mit honigsüßer Stimme.

»Natürlich nicht. Frau Berg war gerade in der Gegend, warum sollte sie nicht auf einen Kaffee vorbeischauen?«

»Ich bin vollkommen Ihrer Meinung und keinesfalls süffisant. Ich habe lediglich einen schönen Feierabend gewünscht.«

»Danke. Vielleicht machen Sie und Beate einfach auch Schluss für heute.«

Jetzt kann ich mir ein Grinsen einfach nicht mehr verkneifen. »Brauchen Sie Ihre Ruhe?«

»Julia, schämen Sie sich. Ich wollte nur nett sein.«

»Tut mir leid, aber das ist nun wirklich ein völlig neuer Zug an Ihnen. Damit konnte ich nicht rechnen.«

»Rechnen Sie, womit Sie wollen. Ich gehe jetzt. Einen schönen Tag noch.«

»Das wünsche ich Ihnen auch. Und natürlich einen schönen Abend. Soll ich Beate Bescheid sagen, dass sie morgen auf keinen Fall vor elf Uhr ins Büro kommt?«

Er rauscht aus meinem Zimmer. Wenig später höre ich ihn und Melanie durch den Flur gehen; er wirft Beate ein zackiges »Machen Sie Schluss für heute« zu, danach höre ich die Tür ins Schloss fallen. Etwas unsanft, wie ich registriere.

Keine fünf Sekunden später schaut Beate in mein Büro. »Schlechte Stimmung?«

»Kann man so nicht sagen. Ich glaube, Herr Hecker fühlte sich ertappt.«

»Habe ich also richtig gesehen: Das war doch die junge Dame aus der Küche, oder?« Ich nicke, Beate kichert. »Ja, ja, so ist das, wenn man Privatleben und Beruf nicht sauber trennen kann.«

»Wahrscheinlich verflucht er schon den Tag, an dem er die Idee hatte, Büro und Wohnung zusammenzulegen«, gebe ich Beate recht. »Aber da habe ich kein Mitleid. Er wollte es nicht anders. Reine Eitelkeit. Es musste ja unbedingt dieser tolle Altbau sein.«

»Verstehen kann ich ihn schon, es ist wirklich schön hier. Aber dafür halt nicht wirklich privat.« Beate schaute auf die Uhr. »Nachdem der Chef es ja ausdrücklich wünscht, werde ich jetzt auch schon gehen. Mir fehlen noch ein paar Geschenke. Gerd will zwar, dass ich ihm nichts schenke, weil wir die Groschen zusammenhalten müssen, aber das wäre mir an Weihnachten dann doch zu traurig. Irgendeine nette Kleinigkeit werde ich schon finden.«

Ich seufze.

»Ich brauche dringend noch etwas für Paul. Aber irgendwie fällt mir dieses Jahr überhaupt nichts ein. Und Paul behauptet, er habe schon alles, was ihn glücklich macht.«

Beate zwinkert mir zu. »Das ist doch ein schönes Kompliment! Und nächstes Jahr machst du ihn zum Ehemann, das ist nun wirklich ein tolles Geschenk.«

»Klar. Aber ich kann mich wohl kaum selbst verpacken und unter den Christbaum legen.«

»Ganz sicher nicht, wenn ihr bei deinen zukünftigen Schwiegereltern feiert!« Beate lacht. »Komm doch noch ein bisschen mit in die Stadt. Wäre ja gelacht, wenn wir für unsere beiden Männer nicht noch etwas finden.«

»Danke, aber ich war schon in der Mittagspause mit Katja

unterwegs. Mein Shopping-Bedarf ist für heute gedeckt. Ich will lieber nach Hause.«

Nachdem Beate gegangen ist, fahre ich meinen Computer herunter und schnappe mir meine Jacke. Ist ja wirklich auch mal ganz schön, früh Feierabend zu machen, das kam in letzter Zeit nicht so häufig vor. Als ich die Tür zum Treppenhaus öffne, fällt mir der neue Trostpflaster-Tagesspruch ins Auge, den Beate noch aufgehängt haben muss, bevor sie das Büro verlassen hat:

Wer aus Liebe närrisch wird,
der wäre es früher oder später auch ohne Liebe geworden.
Gotthold Ephraim Lessing

Ich grinse in mich hinein. Ob sie den für Simon und seinen Überraschungsbesuch angepinnt hat?

Zu Hause angekommen lasse ich mich erst einmal auf das Sofa plumpsen. Es ist halb vier, Paul kommt frühestens in anderthalb Stunden nach Hause. Eine gute Gelegenheit also, ein bisschen herumzulümmeln. Ich angle nach einem Magazin, das auf dem Couchtisch liegt. Herrlich: Auf dem Sofa liegen und lesen! Als ich noch bei der Fidelia war, habe ich es immer geschafft, jeden Abend in Ruhe unsere Tageszeitung von vorne bis hinten durchzulesen. Jetzt bin ich schon froh, wenn ich hin und wieder mal den *Stern* durchgeblättert bekomme.

Als ich es mir gerade richtig bequem gemacht habe, rappelt mein Handy. Irgendjemand hat mir eine SMS geschickt. Einen Moment lang bleibe ich noch liegen, dann siegt meine Neugier. Eine Nachricht von Simon:

Liebe J, liebe B, habe beschlossen, dass wir bis 4.1. Betriebsferien machen. Ist kaum was zu tun. Also erholt euch, frohes Fest + guten Rutsch, lg SH

Perplex lese ich die SMS ein zweites Mal. *Betriebsferien?* Was ist denn mit dem los? Gut, ich habe heute zwar schon das Gleiche gedacht – trotzdem ist das etwas völlig anderes. Klingt nach einem Widerspruch, ist es aber nicht. Ich hatte schließlich nur das Wohl von *Trostpflaster* im Sinn – wozu Arbeitszeit verschwenden, wenn einen die Kunden gar nicht vermissen und man in Ruhe Urlaubstage abbauen kann. Simon aber denkt mit Sicherheit wieder nur an sich. Ich könnte wetten, der braucht eine sturmfreie Bude, um sein Liebesleben auf die Reihe zu kriegen. Beziehungsweise sein Sexleben. *Unfassbar!*

Okay, es geht mich wirklich nichts an, wie der liebe Herr Hecker seine Freizeit verbringt. Aber dass Beate und ich jetzt zwangsweise Urlaub nehmen sollen, das geht dann doch ein bisschen zu weit! Was heißt, zu weit? So geht's überhaupt gar nicht! Aufgeregt wähle ich Simons Handynummer, um ihm richtig die Meinung zu sagen. Anscheinend hat er das geahnt, ich erwische nur die Mailbox. »Hallo Simon, hier ist Julia. Bitte rufen Sie mich sofort zurück.« Darüber reden wir ja wohl noch einmal, Herr *Chef*!

Als Nächstes rufe ich Beate an. Aber die ist wohl noch in der Stadt, jedenfalls geht auch sie nicht ans Telefon.

Mal ehrlich: Gibt es etwas Schlimmeres, als dringend telefonieren zu wollen und niemanden zu erreichen? Ich versuche es bei Katja. Meine Gebete werden erhört – sie geht nach dem dritten Klingeln ran. *Endlich!*

»Ich bin früher nach Hause gegangen«, informiere ich meine beste Freundin. »Und du, immer noch shoppen?«

»Nein, ich habe schon alles erledigt. Alle Geschenke unter Dach und Fach!«

»Glückwunsch! Aber dann könntest du doch eigentlich vorbeikommen und mir meinen vorgezogenen Feierabend versüßen«, schlage ich vor.

»Nee, geht nicht. Ich habe später noch etwas vor.«

»Aha. Ein weihnachtliches Date?«

»Vielleicht.« Katja tut geheimnisvoll. Soll sie. Ich frage nicht nach, denn ehrlicherweise interessiert mich das im Moment nicht sonderlich. Ausnahmeweise will ich jetzt erst einmal meine eigene Geschichte loswerden, deshalb erzähle ich Katja von Melanie und dem spontanen Weihnachtsurlaub bei *Trostpflaster*. »Was sagst du dazu?«, schließe ich meinen etwas aufgebrachten Bericht.

»Na, ist doch gut.« Katja klingt gelangweilt.

Das ist nicht die Reaktion, die ich mir erhofft hatte. »Was ist denn daran *gut?* Hast du mich nicht verstanden? Simon macht die Agentur ein paar Tage dicht – und das bestimmt nur, um mit dieser Melanie rumzuturteln! Das geht doch nicht, dass sein Privatleben jetzt beeinflusst, wann wir arbeiten und wann nicht.«

»Du spinnst, Julia. Du hast heute selbst gesagt, dass bei euch gerade tote Hose ist. Dann ist es doch besser, ihr nehmt alle euren Urlaub. Und das mit dieser Else geht dich gar nichts an. Lass Simon doch seinen Spaß. Oder bist du etwa eifersüchtig?«

»Quatsch! Ich will nur als Mitarbeiterin ernst genommen werden. Und das werde ich nicht, wenn ich solche Entscheidungen per SMS erfahre.«

»Du *bist* eifersüchtig«, stellt Katja trocken fest. Noch vor ein paar Stunden hättest du selbst vorgeschlagen, für ein paar Tage zu schließen. Aber kaum taucht dieses Mädchen auf, machst du deswegen einen Riesenaufstand. Was würde Paul wohl dazu sagen?«

Katja nervt! Warum habe ich sie bloß angerufen? War ja klar, dass sie gleich wieder auf Paul und mir herumreitet.

»Paul sieht das bestimmt genauso wie ich. Der fand es von Anfang an nicht richtig, dass Simon Büro und Wohnung zusammenlegen wollte. Und damit hatte er recht.«

»Reg dich ab. Wenn ich die Tage vor Weihnachten freinehmen könnte und trotzdem mein Geld bekäme, würde ich mich freuen.«

»Aber …«

»Entspann dich, Julia!« Katja klingt nun richtig streng. »Back ein paar Plätzchen, besorge endlich ein Geschenk für Paul und freu dich aufs Christkind.«

Ich seufze. »Na gut. Vielleicht hast du recht. Ich versuche es mal mit Backen.«

»Genau. Ist auch gut für den Weihnachtsfrieden.«

»Sehen wir uns vorher noch mal?«

»Ich glaube nicht. Ich muss bis zum Wochenende jeden Abend bis zehn Uhr arbeiten, sonst schaffe ich nicht alle Stammkunden bis Heiligabend. Anscheinend will dieses Jahr jeder gut frisiert unterm Christbaum sitzen.«

»Och komm … einen Glühwein nach der Arbeit, egal wie spät es wird?«

»Nein, geht wirklich nicht. Tut mir leid. Du, ich muss jetzt auch schon wieder los. Mach's gut!«

Als wir aufgelegt haben, gehe ich in die Küche und greife mir mein altes Backbuch. Aber obwohl ich versuche, mich darauf zu konzentrieren, schweifen meine Gedanken immer wieder von der Frage ab, welche Plätzchen ich backen könnte. Ob Katja mir irgendetwas verheimlicht? Oder besser: *irgendwen*. Denn dass sie keine einzige Stunde mehr für mich rausschlagen kann, finde ich schwer verdächtig.

20. Kapitel

Jürgen, der Baum ist definitiv schief.« Pauls Mutter Renate geht noch einmal mit kritischem Blick um die Nordmanntanne, die etwas verloren in der Mitte des Meißnerschen Wohnzimmers steht.

»Das finde ich überhaupt nicht. Es ist der schönste Baum, den wir seit Jahren haben«, verteidigt Jürgen seine Wahl. Seine Frau holt mit dramatischer Geste tief Luft.

»Natürlich ist das der schönste Baum seit Jahren. Die letzten fünf waren grauenhaft kümmerlich, weil du nämlich immer viel zu spät gesucht hast. Also, dieses Mal kann man wenigstens im biologischen Sinne von einem Baum sprechen. Aber schief ist er trotzdem.«

Jürgen rollt mit den Augen. »Renate, ich habe ihn auch noch gar nicht richtig hingestellt. Natürlich sieht er noch schief aus. Lass mich mal machen.«

»Da kannst du nichts *machen*. Er ist in sich schief, egal, wie du ihn drehst. Aber was rege ich mich auf: *Du* bist schließlich für den Baum zuständig – mach doch, was du willst.«

Ja, Weihnachten, das Fest der Liebe … Wobei man ehrlicherweise sagen muss, dass der Satz »*Liebling, der Baum ist schief*« einfach die traditionelle Eröffnung eines dann doch immer sehr harmonischen Festes bei Pauls Eltern ist. Insofern kann ich mir ein Grinsen jetzt kaum verkneifen. Ob Paul und ich später auch mal so werden? Hätte fast etwas Rührendes. Wir würden gewissermaßen eine alte Familientradition fortführen.

Meine Eltern fahren über die Feiertage immer in die Sonne. Meine Mutter behauptet, sie könne einen Festtagskoller nur bei 25 Grad und wolkenfreiem Himmel vermeiden. Und so sitzen sie seit einigen Jahren immer auf Madeira und ich unterm – schiefen – Baum bei Meißners.

Paul kommt ins Wohnzimmer, setzt sich neben mich und drückt mir eine ziemlich heiße Tasse in die Hand.

»Autsch! Was ist das?«, will ich wissen.

»Riech doch mal dran.«

»Hm, Glühwein? Mit ziemlich viel Schuss?«

»Jupp. Ich glaube, ich kann die diesjährigen Weihnachtsbaumfestspiele nur im Suff ertragen. Und da ich dir im nüchternen Zustand weder einen schiefen Baum noch einen betrunkenen Verlobten zumuten möchte, habe ich gleich zwei Tassen gemacht. Prost!«

Ich nehme einen Schluck und stehe fast sofort in Flammen. *Huargh!* Feuerwasser! »Ist da überhaupt Glühwein drin? Oder nur Schuss?«

»Der Tag kann noch lang werden. Ich dachte, sicher ist sicher.« Paul lacht und trinkt dann auch.

Ich stehe auf und gehe zu Pauls Eltern rüber, die sich immer noch über den Baum streiten.

»Sagt mal, sollen wir noch irgendetwas besorgen? Bis zwei Uhr haben die Geschäfte auf – also, falls noch etwas fehlt …«

»Ja, es fehlt ein gerader Baum«, stellt Pauls Mutter mit Grabesstimme fest. »Alles andere habe ich schon besorgt.«

Ich flüchte mich wieder neben Paul. »Meinst du, wir werden auch mal so?«, flüstere ich ihm ins Ohr. Er nickt.

»Hundertprozent.« Ich reiße gespielt entsetzt die Augen auf. Paul knufft mich in die Seite. »Na ja, vielleicht aber auch mit vertauschten Rolle: Du besorgst den Baum und ich mäkel rum.« Ich ziehe Paul ganz dicht zu mir heran und küsse ihn.

Vier Stunden später ist der Baum fertig geschmückt, die Gans brutzelt im Ofen und Pauls Eltern haben endlich Waffenstillstand geschlossen. Wir haben uns alle in Schale geworfen und gerade ist auch Oma Meißner eingetrudelt. Oma ist ein echtes Original: Mit ihren sechsundachtzig Jahren und ihren blaugrauen Ringellöckchen sieht sie auf den ersten Blick völlig harmlos und unbedarft aus. Aber davon darf man sich nicht täuschen lassen. Oma weiß immer genau, was läuft. Und ihre spitzen Kommentare sind ebenso bekannt wie gefürchtet.

»Na, min Deern? Wie geidt di dat?«, will sie von mir wissen und kneift mich in die Wange.

»Gut, Oma, vielen Dank!«

»Büschen dünn bist du geworden. Dat mut bis zum Sommer äwer noch anners wern, sonst büscht du als Braut 'n büschen klapprich, nech?«

»Keine Sorge«, mischt Paul sich ein, »Mama hat wieder für zehn Leute gekocht, bis zum zweiten Weihnachtsfeiertag hat jeder von uns mindestens fünf Kilo zugenommen.« Damit hat Paul leider recht, denn seine Mutter ist eine entschiedene Verfechterin der extremen Familienmast an Weihnachten. Oma schüttelt den Kopf.

»Och, dat büschen dat ick eet, dat kann ick ok drinkn. Giv mi mol'n lütten Champagner. Sonst wert dat nix mit de Festdogsstimmung.« Paul tut, wie ihm geheißen, und gibt seiner Großmutter ein Glas Champagner. Dann schenkt er auch allen anderen etwas ein.

Pauls Vater hebt feierlich sein Glas. »Meine Lieben! Ich freue mich, dass wir hier wieder vor einem schön geschmückten Christbaum stehen …«

»… der auch nicht allzu schief ist!«, ergänzt Paul und zwinkert mir zu.

»Schön, dass ihr alle da seid«, fährt Jürgen unbeeindruckt fort, »ich wünsche euch ein frohes Fest. *Salute!*« Wir stoßen reihum an und ich atme einmal tief durch. Weihnachten im Kreis der Familie – auch, wenn es streng genommen noch nicht meine ist – fühlt sich einfach gut an, trotz all der Kabbeleien und dem viel zu schweren Essen. Es ist warm, weich, liebevoll, und es gibt keinen Ort, an dem ich gerade lieber sein möchte. Verstohlen greife ich Pauls Hand und drücke sie.

»So, wenn ihr ausgetrunken habt, dann schlage ich vor, dass wir schon mal mit der Vorspeise beginnen.« Renate Meißner hat als begeisterte Köchin die letzten zwei Tage in der Küche verbracht. »Ich habe dieses Jahr etwas ganz Neues ausprobiert: eine Lachsterrine. Bin sehr gespannt, wie sie euch schmeckt.« Sie wirkt fast ein bisschen aufgeregt.

Jürgen legt den Arm um seine Frau und küsst sie auf die Haare. »Mausi, Liebe geht durch den Magen. Ich könnte dich niemals verlassen.« Sie guckt ganz verlegen, und das nach dreißig Ehejahren – wie süß! »Es sei denn natürlich, du sagst noch einmal etwas gegen meine Christbaumauswahl!« Dann prustet Jürgen los und Renate gibt ihm scheinbar empört einen Schlag vor die Brust.

»Untersteh dich! Im nächsten Jahr gibt's Bockwurst mit Kartoffelsalat.«

Gerade als wir ins Esszimmer gehen wollen, klingelt mein Handy. Wer kann das sein, um diese Uhrzeit am Heiligabend? Ein Mandant, der mit Weihnachtskrise zu Hause hockt und nun meine Hilfe braucht? Wir haben die Agentur zwar tatsächlich, wie Simon wollte, geschlossen und sind erst nach Neujahr wieder im Einsatz, aber die Notfallhotline muss natürlich trotzdem funktionieren. Also ran ans Handy, ist ja schließlich mein Job.

Weil ich das Telefon in den Tiefen meiner Handtasche nicht auf Anhieb finde, hat das Klingeln schon aufgehört, als ich das Handy endlich hervorgekramt habe. Ich werfe einen Blick aufs Display – Simons Nummer.

Simon? Was will der denn Heiligabend von mir?

»Wer ruft dich denn zu dieser unmöglichen Zeit an?«, will

Paul prompt wissen und versucht, auf mein Telefon zu schielen.

»Äh, das war wohl ein *Trostpflaster*-Klient«, sage ich und drehe das Handy um. »Du weißt ja, die Hotline für akuten Liebeskummer.«

»Das muss doch an Weihnachten echt nicht sein«, poltert Paul.

»Aber gerade jetzt geht es Leuten eben schlecht«, versuche ich, ihm zu erklären. Dabei habe ich ein etwas schlechtes Gewissen, denn ich weiß ja, dass es gar kein Kunde, sondern Simon war, der versucht hat, mich zu erreichen. Soll ich ihn jetzt zurückrufen? Ich entscheide mich dagegen; wenn es etwas wirklich Wichtiges ist, wird er sich schon noch einmal melden.

In diesem Moment beginnt es wieder, zu klingeln. Ein schneller Blick auf's Display: Es ist wieder Simons Nummer. Trotzdem melde ich mich ganz neutral, Paul muss ja nicht wissen, dass mir schon die ganze Zeit klar ist, wer mich da anrufen will.

»Lindenthal?«

»Hallo Frau Lindenthal.« Zu meiner Überraschung höre ich anstelle von Simon eine Frauenstimme, »Hier ist Evelyn Franke. Vielleicht erinnern Sie sich?«

»Äh …« Ich krame in meinem Gedächtnis nach dem Namen. »Tut mir leid, ich komm gerade nicht drauf.«

»Ich habe damals die Flyer und die Homepage für Ihre Agentur gestaltet«, erklärt sie.

Ach so, *die* Evelyn. Aber warum ruft sie mich an? Ein Akquisegespräch an Heiligabend? Oder haben wir ihre Rechnung noch nicht bezahlt? Und warum sehe ich dann Simons Nummer im Display? Fragen über Fragen. »Ich bin gerade etwas irritiert«, sage ich in den Hörer.

»Ja, kann ich mir vorstellen«, kommt es zurück. »Es tut mir

auch leid, Sie an Weihnachten zu stören, aber es ist ein absoluter Notfall.«

»Notfall?« Aha, also doch die Rechnung nicht bezahlt.

»Ja, also, es ist so: Simon Hecker liegt in sehr desolatem Zustand auf meiner Wohnzimmercouch.«

»Bitte?« Ich habe mich anscheinend verhört. Schnell gehe ich raus in den Flur, damit ich ungestört weitersprechen kann. »Ich glaube, ich verstehe Sie nicht richtig«, meine ich dann. »Sie sagen, Herrn Hecker geht es nicht gut?«

»So ist es.«

»Was hat er denn?« Desolater Zustand klingt enorm kryptisch. Hoffentlich ist es nichts Ernstes.

»Ich würde sagen, er ist total besoffen.«

»Simon Hecker liegt betrunken auf Ihrem Sofa?«

»Richtig.«

»Also, nicht dass wir uns falsch verstehen, und ich will auch nicht herzlos klingen, aber: Was habe *ich* damit zu tun?«

»Na ja, ich dachte, wo Sie doch seine Partnerin sind, könnten Sie vielleicht vorbeikommen und ihn abholen?«

»Ähm, das ist jetzt tatsächlich ein Missverständnis«, erkläre ich. »Ich bin seine *Geschäfts*partnerin, nicht seine Lebensgefährtin.« Ich höre, wie Evelyn Franke seufzt. Egal, das ist nun wirklich nicht mein Problem. Im Übrigen erwürgt mich Paul, wenn ich an Heiligabend losfahre und mit dem besoffenen Hecker wiederkomme. Eine Sache interessiert mich allerdings: »Sagen Sie: Wie ist er überhaupt auf Ihr Sofa gekommen? Wenn das das Ergebnis einer intimen kleinen Weihnachtsfeier ist, wäre es doch eigentlich Ihre christliche Pflicht, sich um Hecker zu kümmern ...«

Evelyn Franke lacht laut auf. »Nein, so ist es ganz und gar nicht. Simon stand vor einer Stunde vor meiner Tür. Oder besser: Er hielt sich am Türrahmen fest. Voll wie eine Strandhaubitze, mit einer Fahne von hier bis Nowosibirsk.«

»Oh! Was für eine unangenehme Überraschung – aber warum er nun gerade bei Ihnen aufkreuzt, verstehe ich immer noch nicht.«

»Sagen wir so: Wir kannten uns mal näher. Und wenn ich sein Gelalle richtig interpretiert habe, war er heute in sehr nostalgischer Stimmung.«

Ich muss grinsen: *Hecker hat den Weihnachtsblues!* Wer hätte gedacht, dass dieser Typ zu so einer Gefühlsregung fähig ist? *Dann gab's wohl keine heimeligen Festtage mit Melanie unterm Baum,* schlussfolgere ich, *wenn er jetzt besoffen bei seiner Ex rumliegt.* Was mich wieder zum eigentlichen Thema bringt, dass ich besagte Ex gerade an der Strippe habe.

»Ich bedaure natürlich«, erkläre ich Evelyn Franke, »dass Ihnen Herr Hecker gerade den Heiligabend verdirbt, aber ich bin nicht seine Amme. Also lassen Sie ihn doch einfach seinen Rausch ausschlafen und dann schmeißen Sie in morgen raus.«

»Das würde ich unter normalen Umständen auch sofort tun, aber in ungefähr einer Stunde wird mein Freund hier aufkreuzen, mich und mein Gepäck abholen, um dann gemeinsam Richtung Flughafen zu fahren, wo in wiederum drei Stunden unser Flugzeug Richtung Karibik startet. Ich habe auch schon überlegt, Simon einfach in ein Taxi zu setzen, aber in dem Zustand wird ihn kaum ein Fahrer mitnehmen, und ein eigenes Auto habe ich nicht. Ich kann ihn doch nicht einfach besoffen in den Hausflur legen.«

Mist, dann sieht die Sache natürlich anders aus. Ich räuspere mich.

»Okay, das ist ein Problem. Aber wenn Sie Simon näher kennen: Hat er denn gar keine anderen Freunde in Hamburg? Irgendwelche Verwandten?«

»Keine, von denen ich wüsste. Ich habe gerade mal die letzten gewählten Rufnummern auf seinem Handy durchforstet:

Da taucht Ihre Nummer am häufigsten auf. So bin ich dann auch auf die Idee gekommen ...« Sie lässt den letzten Satz in der Luft hängen.

Ich stöhne und überlege, wie ich das Paul schonend beibringen kann. Wahrscheinlich gar nicht – besser, ich beichte ihm direkt, dass sich der Ablaufplan für Heiligabend geringfügig ändert.

»Na gut, dann geben Sie mir mal Ihre Adresse.«

»Danke, Frau Lindenthal. Sie sind meine Rettung!«

Als ich aufgelegt habe, mache ich mich auf meinen persönlichen Gang nach Canossa. Ich finde Paul in der Küche, wo er gerade seiner Mutter hilft, die Lachsterrine aufzuschneiden und dekorativ auf Teller zu drapieren. Ich warte, bis Renate den Raum verlässt, dann sage ich vorsichtig: »Schatz, es gibt ein Problem.«

Paul dreht sich um und mustert mich. »Geht es um die Notfall-Hotline?«

»Gewissermaßen schon.« Ich gebe eine kurze Zusammenfassung meines Gesprächs mit Evelyn Franke. Noch bevor ich Paul erzählen kann, dass ich versprochen habe, Simon einzusammeln, unterbricht er mich.

»Bevor du weiterredest: Du willst mir doch wohl nicht sagen, dass du dich jetzt um den betrunkenen Hecker kümmern musst?«

»Na ja ... also, genau genommen habe ich versprochen, dass ich ihn abhole.«

»Wie bitte? Du bist wohl nicht ganz dicht! Das geht auf keinen Fall! Wir feiern hier ein Familienfest, meine Mutter steht seit Tagen in der Küche – unter keinen Umständen wirst du Hecker hierherbringen!« Paul ist mittlerweile hochrot angelaufen und fuchtelt so mit dem Lachsmesser herum, dass ich unwillkürlich einen Schritt zurückgehe.

»He, beruhige dich! Und vor allem hör auf, so mit dem Messer zu wedeln!« Paul guckt immer noch ziemlich feindselig, hält aber immerhin die Hand still. »Was sollte ich denn machen? Anscheinend hat Hecker niemanden in Hamburg, den er näher kennt.«

»Na und? Bist du die Heilsarmee? Und vor allem: Bin *ich* die Heilsarmee? Soll ihn die Franke doch beim nächsten Krankenhaus zum Ausnüchtern abliefern.«

»Paul, es ist Weihnachten!«

»Ich weiß. Aber du hast das anscheinend vergessen.«

»Kinder, worüber streitet ihr denn?«, will Pauls Mutter wissen. Sie hat in der Zwischenzeit das *gute* Geschirr aus dem Wohnzimmerschrank geholt und den Großteil unseres Gesprächs nicht mitbekommen.

»Ach, Julia will sich in einem Anfall von Gutmenschentum ausgerechnet jetzt um ihren Chef kümmern. Der ist nämlich unpässlich und hat anscheinend einen gesteigerten Betreuungsbedarf.«

»Ich will ihn nur kurz einsammeln und dann bei sich zu Hause abliefern«, sage ich entschuldigend zu Renate. »Mann, Paul, ich weiß selbst, dass es günstigere Zeitpunkte gibt, aber umgekehrt hoffe ich, dass mir auch irgendjemand hilft, wenn es mir mal nicht gutgeht«, verteidige ich mich.

»Wen meinst du denn jetzt mit *irgendjemand*? Anders als Hecker lebst du in einer funktionierenden Beziehung und bist doch wohl nicht darauf angewiesen, anderen Menschen den Heiligabend zu verderben!«

»Kinder! Nun macht doch nicht so ein Drama.« Renate streichelt ihrem Sohn beschwichtigend über die Haare. »Heiligabend ist nicht der schlechteste Zeitpunkt, um ein bisschen angewandte Nächstenliebe zu praktizieren. Und wenn Julia gleich losfährt, verpasst sie zwar den Lachs, aber zur Gans ist sie schon wieder zurück.« Paul brummelt noch etwas in seinen nicht vorhandenen Bart, das wie »*macht doch alle, was ihr wollt*« klingt, sagt ansonsten aber nichts mehr. Ich bin erleichtert, dass Renate so lässig reagiert, und werfe ihr einen dankbaren Blick zu. Sie blinzelt mir zu, was eindeutig ein unausgesprochener Stoßseufzer ist: *Männer!*

21. Kapitel

Endlich: Da vorne rechts muss Evelyn Franke wohnen. Aus dem Autoradio von meinem altem Opel Corsa dudelt zum schätzungsweise zwanzigtausendsten Mal seit Beginn der Adventszeit *Last Christmas* von Wham. Erstaunlich, dass Musikredakteuren zu Weihnachten so gar nichts Neues einfallen will. Andererseits würde schon ein einziger Weihnachtshit reichen und ich könnte von der Kohle, die ich damit verdiene, eine siebentägige Hochzeitsfeier auf einem Schloss in Südfrankreich locker bezahlen. Schade, dass ich komplett unmusikalisch bin. Während ich leise *»Last christmas, I gave you my heart, but the very next day, you gave it away«* singe, überlege ich, was genau Evelyn Franke mit »wir kannten uns mal näher« meint. Sollte Hecker unsere PR-Frau aus dem vermutlich reichhaltigen Fundus seiner abgelegten Affären rekrutiert haben? Dieser Typ ist wirklich unglaublich. Andererseits sind die beiden dann wohl nicht im Streit auseinander gegangen. Was in gewisser Weise doch schon wieder für ihn spricht.

Ich habe den Finger noch auf dem Klingelknopf, da reißt Evelyn Franke schon die Haustüre auf. »Gott sei Dank sind Sie da! Ich hatte schon Panik, dass Sie es sich anders überlegen und doch nicht kommen. Dann wäre ich echt geliefert. Simon ist mittlerweile eingeschlafen. Kommen Sie, wir wecken ihn.« Sie geht vor, ich tapere hinterher. Und tatsächlich, auf einem schicken roten Designer-Sofa liegt Simon Hecker und schnarcht. Evelyn zupft ihn am Ärmel; erst zögerlich, dann heftiger. Keine Reaktion. Jetzt rüttelt sie ihn an der Schulter.

»Simon, wach auf. Frau Lindenthal ist hier und nimmt dich mit.« Hecker gibt ein unverständliches Grunzen von sich.

»Simon, aufwachen! Ich muss los, und du auch!« Er dreht sich kurz zu uns um und guckt mich aus glasigen Augen an.

»Bin müde.« Er legt seinen Kopf wieder auf das Sofa.

»Das ist mir egal«, wird Evelyn energisch, »du musst deinen Rausch woanders ausschlafen. Du fährst mit Frau Lindenthal nach Hause.«

Simon scheint mich erst jetzt zu erkennen. »Julia, so eine Freude!«, lallt er und setzt sich auf, wobei er gefährlich nach links und rechts schwankt.

»Die Freude ist ganz meinerseits«, erwidere ich, wobei meine Ironie an Hecker in seinem momentanen Zustand völlig verschwendet ist. »Kommen Sie, mein Auto steht direkt vor der Tür, ich fahre Sie nach Hause.«

»Nach Hause?«, echot Hecker.

»Genau. Also, los geht's!«

Er steht auf, Evelyn Franke und ich stützen ihn links und rechts, damit er überhaupt die Tür findet. Auweia, das kann ja heiter werden. Ich bitte Evelyn, mir noch eine Tüte mitzugeben; wenn Simon mir in den Wagen kotzt, garantiere ich für nichts mehr.

Während der Fahrt zeigt sich schnell, dass die Idee mit der Tüte wirklich gut war: Bereits als ich um die erste Ecke biege, wird Simon schlecht. Großartig. Ich gehöre übrigens zu den Leuten, bei denen schon das Würgegeräusch anderer Menschen sofortige Übelkeit auslöst … Ich öffne mein Fenster, um ein bisschen mehr Frischluft zu schnuppern, und gebe Gas. Bloß schnell ins Büro und Simon abladen!

Leider kann von *schnell* überhaupt nicht die Rede sein, wenn man alle hundert Meter anhalten muss, weil dem Beifahrer schlecht wird und dessen Ex-Gespielin nur über kleine Drogerie- und nicht große Supermarkttüten verfügt. Wir brauchen fast eine dreiviertel Stunde, bis wir endlich in der Sierichstraße angekommen sind. Den Gänsebraten kann ich vergessen, aber Appetit habe ich nach dieser Fahrt bestimmt die nächsten drei Wochen nicht mehr.

Simon Hecker ist nur noch ein Häufchen Elend und ziemlich grün im Gesicht. Langsam tut er mir ein bisschen leid, und ich frage mich, warum er sich gerade an Heiligabend so zulaufen lässt. Die ganze Fahrt über hat er nichts gesagt – aber kein Wunder, welcher Mensch kann schließlich gleichzeitig reden und … na ja … lassen wir das.

Ich steige aus und gehe auf Simons Seite, um ihm aus dem Auto zu helfen. »So, wir sind da. Ich bringe Sie noch hoch, aber dann muss ich auch wieder los.«

»Mir isgarnich gut.« Simon schaut mich an und räuspert sich. »Julia, können Sie nicht noch dableiben?« Mit seinem Hundeblick, den ich noch gar nicht von ihm kenne, könnte Hecker ganze Gletscher zum Schmelzen bringen. Ich fühle mich mit einem Mal sehr herzlos.

»Ich verstehe ja, dass Sie in Ihrem Zustand nicht allein sein wollen, aber es ist Heiligabend, und Paul und seine gesamte Familie warten auf mich. Er war sowieso nicht besonders begeistert über meinen Rettungseinsatz, und ich will ihn nicht noch länger warten lassen. Sie haben sich für Ihre spontane … äh … Erkrankung einen sehr ungünstigen Tag ausgesucht.«

Simon schweigt und windet sich dann langsam aus dem Autositz. Ich gebe ihm die Hand, damit er sich hochziehen kann. Als er endlich steht, schwankt er noch ganz schön, dann macht er einen Schritt nach vorne – und fällt mir um den Hals. Die Fahne, die mich auf einmal umnebelt, ist im wahrsten Sinne des Wortes atemberaubend. Ich halte die Luft an.

»Julia, ich bin so einsam!«, lallt Simon und drückt mich ganz fest an seine Brust. Ich versuche, ihn wegzuschieben, stecke aber fest wie in einer Schraubzwinge. »Gehen Sie nich, bitte … wenn Sie da sind, fühle ich mich viel besser.« Er fängt an zu schluchzen.

»Simon, lassen Sie mich los. Ich verstehe ja, dass es Ihnen nicht gutgeht, aber Sie tun mir weh!«

»Oh.« Simon schwankt einen Schritt zurück. »Das wollte ichnich, tschuldigung.«

»Schon okay, aber jetzt lassen Sie uns reingehen.« Wie ein kleines Kind trottet Simon schließlich hinter mir her. In unserem Stockwerk angekommen, schiebe ich ihn sanft in die Wohnung.

»So, und jetzt schlage ich vor, dass Sie sich sofort hinlegen und ein bisschen schlafen. Wenn Sie möchten, komme ich morgen vorbei und schaue, wie es Ihnen geht.«

Hecker nickt stumm.

»Gut, dann bis morgen. Schlafen Sie schön!«

Ich habe die Tür schon fast wieder hinter mir zugezogen, da ruft mir Hecker etwas hinterher.

»Was gibt's denn noch?«, will ich wissen.

»Frohe Weihnachten, Julia. Sie sind ein Engel.«

Okay, gelallt, aber trotzdem nett.

Auf der Heimfahrt zu Pauls Eltern überlege ich, ob sich Simon tatsächlich einsam und unglücklich fühlt, oder ob das einfach eine gewisse Feiertagssentimentalität gepaart mit einem Blutalkoholwert von mindestens 2,8 Promille war. Mit dem Gefühl, dass Mitmenschen unglücklich sind, kann ich bekanntermaßen nicht besonders gut leben. Vielleicht hätte ich Simon einfach mit zu Meißners nehmen sollen? Aber Paul hätte mir für eine solche Aktion bestimmt den Hals umgedreht, und seine Eltern wären wahrscheinlich auch nicht begeistert gewesen, eine Schnapsleiche unter den Christbaum gelegt zu bekommen. Ich tröste mich mit dem Gedanken, dass ich Hecker immerhin sicher nach Hause gebracht und dafür auch Ärger mit Paul riskiert habe. Mehr kann man an Heiligabend wirklich nicht verlangen.

Als ich wieder bei den Meißners ankomme, würdigt mich Paul keines Blickes. Aha, immer noch beleidigt. Soll er halt. Renate begrüßt mich dafür umso netter.

»Mensch, du Arme, das hat doch ganz schön lange gedauert. Ich habe dir aber extra einen großen Teller mit Gans, Rotkohl und Bratapfel warmgestellt. Setz dich schon mal, ich bringe ihn dir gleich raus.« Für den Bruchteil einer Sekunde muss ich wieder an den kotzenden Simon denken.

»Danke, Renate, aber momentan habe ich gar nicht so richtig Appetit. Vielleicht später. Ein Glas Champagner würde ich allerdings gerne noch nehmen.«

»Paul, gibst du Julia bitte noch ein Glas? Und dann können wir auch endlich mit der Bescherung anfangen.«

»Oh, habt ihr etwa auf mich gewartet?«

»Natürlich«, antwortet Paul mit sauertöpfischer Miene. »Wir wissen schließlich, was sich an Weihnachten gehört.«

Diese Spitze ignoriere ich geflissentlich und setze mich stattdessen zu den anderen neben den Weihnachtsbaum, unter dem ein kleiner Berg hübsch verpackter Geschenke liegt. Ich habe meinen Schwiegereltern in spe einige besonders gelungene Schnappschüsse von Paul und mir gerahmt, denn Renate sammelt Familienbilder auf dem Kaminsims. Oma bekommt das komplette *Body Care Set* von *Crabtree & Evelyn* in Lavendel, ihrem Lieblingsduft. Für Paul habe ich eine sehr gute Flasche Rotwein und die DVD *Ein gutes Jahr*, in dem es auch um Wein geht, besorgt – eher ein Verlegenheitsgeschenk, weil mir bis zum Schluss nichts Besseres eingefallen ist. Aber besser als Socken ist es allemal.

Mittlerweile haben wir alle wieder ein Champagnerglas in der Hand, und Pauls Vater legt eine neue Weihnachts-CD ein. Die ersten Takte erklingen – *Last Christmas*. Ich muss lächeln, proste allen inklusive meines schmollenden Verlobten zu und mache mich auf die Suche nach meinen Geschenken. Schnell habe ich ein Päckchen gefunden, das besonders interessant aussieht: Das eingepackte Geschenk ist noch einmal in Klarsichtfolie eingeschlagen, die wiederum mit kleinen, roten Papierherzchen gefüllt wurde. Außerdem ist ein großer, roter Papierumschlag angeheftet. Neugierig ziehe ich eine Karte heraus.

Liebe Julia,

Weihnachten ist bekanntlich das Fest der Liebe. Gibt es also eine bessere Gelegenheit, dem Menschen, den man liebt, dies noch einmal deutlich zu zeigen?
Ich weiß, ich bin nicht immer der perfekte Romeo. Aber weil das für ein romantisches Mädchen wie dich besonders wichtig ist, habe ich in den vergangenen Wochen dieses kleine Büchlein geschrieben. Jeden Tag eine kleine Geschichte, warum ich dich liebe. Oder welchen Moment mit dir ich besonders schön fand.
Gut, es ist noch nicht besonders dick. Aber für den Anfang doch nicht schlecht, oder?
Ich freue mich schon sehr auf unser gemeinsames Leben als Ehepaar. Und bin mir sicher, dass ein ganz dickes Buch dabei herauskommt.

In Liebe
Dein Paul

Mir schießen Tränen in die Augen. Ich bin völlig gerührt – und fühle mich gleichzeitig ziemlich schlecht. Solche Mühe hat Paul sich gegeben, und ich komme mit einer mehr oder weniger lieblos ausgesuchten Flasche Wein und einer billigen DVD um die Ecke. Paul hat sich mittlerweile neben mich gesetzt.
»Gefällt es dir?«

Ich nicke. »Es ist wunderschön. Vielen Dank.« Ich gebe ihm einen Kuss, er nimmt mich in den Arm.

»Es tut mir leid, dass ich dich so angemosert habe. Aber ich war so enttäuscht. Den ganzen Tag freue ich mich schon darauf, dass du endlich mein Geschenk auspackst. Und dann fährst du noch mal los, um Hecker einzusammeln.«

»Nein, mir tut es leid. Ich wäre umgekehrt auch enttäuscht gewesen.« Wir schauen uns beide tief in die Augen. Dann fängt Paul an, zu lächeln.

»Vertragen?«

Ich nicke. »Ja, vertragen!«

Er nimmt mich in den Arm und drückt mich ganz fest. »Fröhliche Weihnachten, mein Schatz! Und jetzt will ich natürlich alles von der Schnapsdrossel Hecker hören.«

Ich seufze erleichtert und gebe Paul eine kurze Zusammenfassung meiner Rettungsaktion. Bei meiner Schilderung der akuten Fahrgastübelkeit muss er besonders laut lachen. »Was für ein schönes Bild: Dein supercooler Chef mit der Spucktüte in der Hand, herrlich!«

»Na ja, es ging ihm wirklich sehr schlecht.«

»Selbst schuld, ich gönne es ihm.«

Nachdenklich schaue ich Paul an. »Schatz, kannst du mir einen großen Gefallen tun? Weil Weihnachten ist?«

»Nun rück schon raus mit der Sprache, Süße.« Paul legt seine Hand unter mein Kinn und gibt mir einen Kuss auf die Nase.

»Könntest du nicht mal mit Simon ein Bier trinken gehen? Ich habe ständig das Gefühl, dass er für dich ein rotes Tuch ist und das finde ich schade. Ihr müsst ja nicht die besten Freunde werden, aber es würde mir schon helfen, wenn du ihn nicht mehr ganz so furchtbar fändest. Und ein Bier unter Männern hat schon so manches bewirkt.«

Paul stöhnt und verdreht die Augen. »Das kannst du ja wohl echt nicht von mir verlangen.«

283

»Ich verlange es ja auch gar nicht«, sage ich und gucke dabei so lieb wie möglich. »Aber ich würde es mir eben sehr wünschen.«

»Na gut.« Er seufzt. »Aber nur, weil Weihnachten ist.« Jetzt küsse ich ihn auf die Nase.

»Vielen Dank, Schnuckel. Das weiß ich echt zu schätzen. Nach den Feiertagen werde ich das gleich mal anleiern.«

»Wenn's denn sein muss …«

»Jepp, es muss!«

»Guten Morgen, Simon!«, rufe ich betont fröhlich in den Flur hinein, als ich am nächsten Tag ins Büro komme. »Geht es Ihnen wieder besser?« Eigentlich hatte ich mir gestern vorgenommen, heute nicht nach Simon Hecker zu schauen. Aber in einem Anfall von weihnachtlicher Großmut fand Paul, ich solle Hecker ruhig kurz besuchen. So von wegen Einsamkeit und Selbstmordrate an Feiertagen.

»Ich bin hier hinten«, antwortet Simon aus seinem Schlafzimmer. Als ich durch die Tür gucke, sehe ich, dass er einen Koffer packt. »Ich muss mal ein paar Tage hier raus«, erklärt er, als er meinen fragenden Blick sieht. »Immer nur Büro, Büro, Büro – da muss man ja rammdösig werden.«

»Hm, verstehe. Und, schlimme Kopfschmerzen?«

Hecker guckt … überrascht? Nein eher überheblich. »Nein, warum?«

»Na ja, Sie hatten gestern ganz schön die Lampen an. Ich habe Sie kaum nach Hause bekommen.«

»Jetzt übertreiben Sie aber, ich hatte höchstens einen kleinen Schwips. Ich glaube, Ihr Einsatz war ein bisschen überflüssig, aber danke trotzdem.«

Bitte? *Überflüssig?* Das ist in der Tat ziemlich frech.

»Also, hören Sie mal – ich musste Sie von Evelyn Frankes Sofa aufklauben. Sie hätten mir fast den Wagen vollgekotzt.

Und außerdem haben Sie mir einen vorgeheult von wegen Einsamkeit und dass ich bloß nicht wieder fahren soll. Wenn Sie das überflüssig nennen, möchte ich nicht wissen, in welchem Zustand Sie sind, wenn Sie Ihrer Meinung nach wirklich Hilfe brauchen.«

»Na, nun übertreiben Sie mal nicht«, lacht Simon gönnerhaft. »Ich habe mich ja bedankt. Und es ist tatsächlich schwer, an Heiligabend ein Taxi zu bekommen. Aber Einsamkeit – da haben Sie sich eindeutig verhört. Ich wollte Ihnen nur ganz höflich noch ein Getränk anbieten, nachdem Sie mich netterweise gefahren haben, mehr nicht.«

Da bleibt mir glatt die Spucke weg, so ein undankbarer Idiot!

»Ich meine, *einsam* – also echt, Julia. Ich bin höchstens mal *allein*, und dann, weil ich es so will. Aber einsam, wirklich nicht. Rührend, dass Sie sich sorgen.«

Auf meiner Stirn hat sich mittlerweile wahrscheinlich eine steile Zornesfalte gebildet. »Wissen Sie was? Ich habe mir gestern echt Sorgen um Sie gemacht. Es ging Ihnen *überhaupt nicht* gut und ich habe meinen Heiligabend für Sie *geopfert*. Habe sogar noch Paul beschwatzt, demnächst etwas mit Ihnen trinken zu gehen, damit er Sie endlich nicht mehr für den größten Arsch der Welt hält. Aber jetzt sehe ich, dass diese Idee ein Grundproblem hat: Sie *sind* ein Arsch! Fahren Sie doch, wohin Sie wollen. Mich sehen Sie frühestens im neuen Jahr wieder.« Ich mache auf dem Absatz kehrt und höre noch, wie mir Simon ein süffisantes »Guten Rutsch!« hinterherruft. Dann knalle ich die Wohnungstür hinter mir zu.

22. Kapitel

Als ich am 4. Januar wieder ins Büro komme, bin ich immer noch richtig schlecht auf Simon zu sprechen. Das Gefühl, dass meine Gutmütigkeit von ihm ausgenutzt wird, bringt mich richtig auf die Palme. Ich finde, es ist an der Zeit, dass ich mal auf den Tisch haue. Ich beschließe, in den nächsten Tagen endlich mein Business-Konzept für die Weiterentwicklung von *Trostpflaster* zu schreiben. Wenn wir zu einer Rundum-Lebensberatung-Agentur werden, wäre es schließlich sinnvoll, einen Raum an eine Familientherapeutin oder einen Makler oder an welchen Kooperationspartner auch immer zu vermieten. Und dann müsste Simon ausziehen, kann *Trostpflaster* nicht weiterhin als Wohnzimmer nutzen und Beate und mich deswegen auch mal spontan mit Betriebsferien konfrontieren.

Beate sitzt schon an ihrem Platz und sortiert den Stapel Post, der sich in den letzten zehn Tagen angehäuft hat. Sie ist offensichtlich gut gelaunt, denn sie pfeift fröhlich vor sich hin.

»Gut ins neue Jahr gekommen?«

»Ja«, antwortet sie. »Gerd und ich haben uns fest vorgenommen, dass 2009 *unser* Jahr wird. *Trostpflaster* wird boomen ohne Ende und Gerd wird einen sicheren und guten neuen Job finden. Ganz sicher. Das haben wir beim Universum bestellt.«

Ich gucke etwas irritiert. »Beim Universum bestellt?«

»Kennst du das nicht?«

»Was? Das Universum?« Ich weiß nicht, wovon Beate redet.

»Na – Bestellungen beim Universum?«

»Nee, nie gehört. Was meinst du damit?«

»Da gibt es so ein Buch, da steht alles genau drin: Du stellst dir genau vor, was in deinem Leben passieren oder sich ändern soll. Mit allem drum und dran. Und dann, wenn du die gewünschte Situation genau vor Augen hast, dann bestellst du es so beim Universum.«

»Ach, ich sage dann: *Liebes Universum, bitte wie bestellt liefern?*«

»Genau. Und dann musst du nur noch abwarten. Ich weiß, es klingt verrückt. Aber es soll funktionieren. Und deswegen habe ich es einfach mal gemacht.«

»Dann bin ich sehr gespannt, ob das Universum zur Not auch bereit ist, fehlerhafte Lieferungen sofort umzutauschen …«

Zumindest ein Punkt von Beates Bestellung scheint dem Universum sehr am Herzen zu liegen: *Trostpflaster soll boomen.* Ich habe mich noch gar nicht richtig hingesetzt, da beginnt das Telefon zu klingeln – und so geht es praktisch ohne Pause weiter. Ein trennungswilliger Hamburger nach dem nächsten ruft an, innerhalb einer Stunde habe ich gleich fünf neue Termine vereinbart – und anscheinend alles dicke Fische mit einem persönlichen Trennungsgespräch, Nachbetreuung und diversen Trost-Deluxe-Paketen. *Sehr gut!* Ich überlege, was ich beim Universum bestellen könnte. Einen Lottogewinn? Ein Brautkleid von Donatella Versace? Wahrscheinlicher ist es allerdings, dass Simon mit seiner Theorie von den Weihnachtsfeiertagen einfach recht hatte: Vor dem Fest will sich niemand trennen, danach alle. Fast alle. Ich will mich natürlich nicht trennen, denn 2009 wird nicht nur das Jahr meines endgültigen beruflichen Durchbruchs, sondern auch mein Hochzeitsjahr. Schade nur, dass sich die beiden Dinge so schlecht miteinander vertragen …

Simon schaut zur Tür herein. »Guten Morgen und ein schönes neues Jahr! Ich hoffe, Sie sind gut reingekommen und motiviert bis in die Haarspitzen?«

»Das kann ich beides mit *ja* beantworten. Ihnen natürlich auch ein frohes Neues«, entgegne ich so kühl wie möglich. »Übrigens glühen hier schon die Telefone. Wenn Sie jetzt auch am Platz sind, stellen Sie Ihren Apparat bitte wieder um oder auf Beate, ich komme kaum hinterher. Und wenn ich mich nicht irre, bin ich nicht Ihr Vorzimmer.« *Zack* – einer meiner Vorsätze fürs neue Jahr: Konflikten nicht aus dem Weg gehen, Simon richtig die Zähne zeigen!

»Klar, mache ich gleich. Aber falls unser Vermieter Herr Wiesel für mich anruft – wimmeln Sie ihn bitte ab? Das können Sie viel besser als Beate. Bitte, bitte?« Das klingt ja düster, was will Wiesel wohl von ihm? »Also – tun Sie mir den Gefallen? Auch, wenn Sie natürlich nicht mein Vorzimmer sind?«

»Na gut. Ausnahmsweise. Soll ich ihm sagen, dass Sie im Krankenhaus oder wahlweise in Dubai sind?«

Simon zieht eine Augenbraue hoch. »Nein, *in einem wichtigen Termin* reicht völlig. Danke.«

Offenbar hat Simon gut entwickelte telepathische Fähigkeiten, denn der Nächste, der anruft, ist tatsächlich Herr Wiesel. Beate hat sich die Mühe gemacht, alle Nummern unseres Adressbuches einzuprogrammieren, und deshalb wird bei eingehenden Anrufen mit gespeicherten Nummern nun auch immer der Name mit angezeigt. In heiklen Fällen wie diesem sehr praktisch.

»Hallo Herr Wiesel!«, begrüße ich unseren Vermieter betont freundlich. »Ein frohes neues Jahr, was kann ich denn für Sie tun?«

»Gleichfalls ein frohes Neues. Ich hätte gerne Herrn Hecker gesprochen.«

»Oh, das tut mir leid. Herr Hecker ist gerade in einer Besprechung. Kann ich Ihnen vielleicht weiterhelfen?«

»Tja, ich weiß nicht so recht, ob Sie die richtige Ansprechpartnerin in dieser Angelegenheit sind.«

»Keine Sorge, Herr Wiesel. Alles, was Sie mit Herrn Hecker besprechen möchten, können Sie auch mir sagen.«

»Gut. Also, es geht um die Mietzahlungen.«

»Gibt es da ein Problem?«

»Tja, ich hatte gehofft, dass Sie mir das sagen könnten. Denn offen gestanden sind Sie bereits einen Monat im Rückstand und im Januar ist auch noch nichts gekommen.«

»Oh.« Mehr fällt mir dazu spontan nicht ein.

»Verstehen Sie mich nicht falsch – Sie sind natürlich angenehme Mieter, ein sympathisches, aufstrebendes Unternehmen. Aber ich habe auch meine Verbindlichkeiten und bin auf regelmäßige Mietzahlungen angewiesen.«

»Selbstverständlich, dafür haben wir vollstes Verständnis!«, beeile ich mich, zu versichern.

»Ich bin also sehr an einer einvernehmlichen, aber schnellen Lösung interessiert, deshalb wollte ich mich mal mit Herrn Hecker zusammensetzen. Aber wenn Sie dazu auch bevollmächtigt wären?« Er lässt die Frage etwas in der Luft hängen. Lust habe ich zwar keine, zumal ich auch überhaupt nicht weiß, warum Simon die Miete nicht bezahlt hat. Aber dann beschließe ich, dass das eigentlich eine gute Gelegenheit ist, mal Verantwortungsbewusstsein zu demonstrieren. Außerdem ist es ja auch mal ganz interessant, zu erfahren, was hier eigentlich los ist.

»Kein Problem, Herr Wiesel. Wir können uns gerne treffen.«

»Ach, bestens. Dann klingele ich einfach bei Ihnen, wenn ich da bin.«

Ups, wie verhindere ich nun geschickt, dass sich Wiesel und Simon begegnen?

»Oh, das ist nicht so günstig. Wissen Sie, wir betreuen gerade ein sehr heikles und prominentes Mandatsverhältnis. Wir können heute keine weiteren Personen in unser Büro lassen – strikte Geheimhaltung. Besser, wir treffen uns unten in der Bäckerei.« Wiesel wirkt zwar etwas erstaunt, fragt aber nicht weiter nach. Wahrscheinlich grübelt er nun darüber, ob sich Verona Pooth via *Trostpflaster* von ihrem Franjo trennen will.

Zehn Minuten später sitzen Wiesel und ich uns bei einem dampfenden Kaffee gegenüber.

»Wissen Sie, Frau Lindenthal, tausendachthundert Euro Miete sind natürlich kein Pappenstiel, aber in dieser Lage und bei der Ausstattung des Büros schon angemessen. Und ich möchte verhindern, dass sich über die Monate ein größerer Rückstand bildet, den Sie dann erst recht nicht bezahlen können. Andererseits habe ich auch keine Lust, gleich wieder einen neuen Mieter zu suchen … und Ihnen ist an einem Umzug doch wahrscheinlich auch nicht gelegen.«

Umzug! Bei diesem Wort wird mir heiß und kalt. Warum hat Simon nur die Miete nicht bezahlt? Ich dachte, das Agenturkonto sei gut gefüllt. Sollte das Ende von *Trostpflaster* schon bevorstehen? Aber andererseits läuft der Laden echt gut, über mangelnde Nachfrage können wir uns überhaupt nicht beschweren. Und Simon hat doch gerade erst Beate eingestellt. Ich bin wirklich platt – damit habe ich überhaupt nicht gerechnet.

Wiesel schaut mich abwartend an. Trotz meiner gegenteiligen Gemütslage bemühe ich mich, Zuversicht auszustrahlen. »Ich bin mir sicher, dass sich dieses Problem schnell lösen wird. *Trostpflaster* geht es gut, wir haben nur immer wieder Probleme mit dem elektronischen Zahlungsverkehr – Sie wissen ja, wie das manchmal ist mit den Banken. Machen Sie sich keine Sorgen.«

»Danke, Frau Lindenthal. Ich hatte mir allerdings schon einen Vorschlag überlegt, falls die Miete doch noch etwas zu hoch für Ihr junges Unternehmen ist. Ich spiele nämlich schon seit längerer Zeit mit dem Gedanken, wieder einen Hausmeister einzustellen.« Er nimmt einen Schluck von seinem Kaffee. »Die Firma, mit der ich momentan einen Wartungsvertrag habe, ist nicht wirklich zuverlässig. Bisher bin ich vor der Lösung mit einem eigenen Hausmeister aber zurückgeschreckt. Da wäre nämlich ein Problem, dass ich mir selbst eingebrockt habe, als ich die frühere Hausmeisterwohnung im Nachbarhaus saniert und vermietet habe: Es gibt kein Büro für den Hausmeister mehr, geschweige denn einen Aufenthaltsraum.« Er grinst mich schief an. »Es ist schon verrückt – mir gehören hier drei Häuser nebeneinander und ich wüsste nicht, wo ich noch einen Hausmeister unterbringen soll! Und da dachte ich, wenn Sie vielleicht einen Teil Ihrer Bürofläche an mich zurückgeben, dann wäre Ihre Miete auf einen Schlag niedriger und ich hätte einen Raum für meinen Hausmeister.«

Komisch, ich habe doch noch gar keine Bestellung beim Universum abgegeben! Und trotzdem wird mir hier gerade die Lösung eines meiner Probleme geradezu auf dem Silbertablett offeriert. Ich hole tief Luft.

»Herr Wiesel, die Idee ist nicht schlecht. Wenn ich Herrn Hecker richtig verstanden habe, will er sich sowieso nach einem privaten Wohnsitz umschauen. Denn wenn man so viel arbeitet wie wir, ist ein bisschen Distanz zwischen Privatleben und Büro nicht schlecht. Dann hätten wir bestimmt noch ein Plätzchen frei für einen potenziellen Hausmeister.«

»Ach, das würde dann ja sehr gut passen. Würden Sie das wohl kurzfristig mit Herrn Hecker besprechen? Ich würde in den nächsten Tagen dann nach einem geeigneten Kandidaten für die Hausmeisterposition suchen und schnell handeln können.« Er seufzt. »Drücken Sie mir die Daumen. Wissen Sie, ich brauche jemanden, der nicht nur handwerklich geschickt ist, sondern auch zuverlässig, und solche Leute findet man ja nicht so leicht.«

Und schon wieder klingelt bei mir das Universum an. Es ruft *Job für Gerd, Job für Gerd!*

»Ich kenne zufällig jemanden, den ich Ihnen uneingeschränkt empfehlen könnte«, ködere ich Wiesel.

»Wirklich? Interessant!«

»Ja, Herr Hansen, der Mann von unserer Sekretärin, ist ein handwerkliches Genie, er ist ungeheuer geschickt, äußerst zuverlässig – und sowieso oft vor Ort, da seine Frau ja bei uns arbeitet. Was meinen Sie, möchten Sie Herrn Hansen mal persönlich kennenlernen?«

Mein Vermieter strahlt. »Frau Lindenthal, das ist doch mal eine richtig gute Idee! Und mit der Restmiete werden wir uns schon noch einigen, oder?«

Ich nicke. »Ganz bestimmt. Sobald Herr Hecker von seinem Termin kommt, werde ich mit ihm sprechen.« Gut, Simon wird überrascht sein, aber ich finde, ich habe uns erst einmal ganz elegant aus der Affäre gezogen. Eigentlich sollte er begeistert sein.

»Verstehe ich das jetzt richtig, Julia? Sie gehen einmal mit Wiesel zwanzig Minuten Kaffee trinken – und danach bin ich meine Wohnung los und neben Beate haben wir hier bald auch noch Gerd Hansen sitzen? *Sind Sie eigentlich komplett wahnsinnig geworden?*«

Gut, einige Menschen können ihre Begeisterung einfach nicht so zeigen. Wahrscheinlich dauert es einen Moment, bis Simon seine Freude richtig rauslassen kann.

»Sie wollten doch, dass ich mit Wiesel rede. Und das habe ich getan. Nebenbei bemerkt wäre ich für die Information, dass wir mit der Miete im Rückstand sind, sehr dankbar gewesen. So habe ich gesehen, dass ich das Beste für uns raushole. Stellen Sie sich mal vor, Wiesel hätte uns gekündigt.«

»Ich muss doch sehr bitten! Wir hatten kurzfristige Liquiditätsprobleme, die sind längst behoben. Ich wollte Sie nicht beunruhigen und kann die Miete nächste Woche wieder zahlen. Aber Sie – Sie wollen mir da etwas *aufzwingen*! Ich will überhaupt nicht ausziehen. Sie wollen, dass ich ausziehe.«

»Es ist auch zu Ihrem eigenen Besten! Fragen Sie Melanie, die wird begeistert sein.«

»Was hat denn Melanie damit zu tun? Es interessiert mich überhaupt nicht, ob die begeistert ist oder nicht. Im Übrigen klingen Sie gerade wie eine Mischung aus Mutter Beimer und meinem alten Feldwebel bei der Bundeswehr: *Es ist zu Ihrem eigenen Besten* – also, das wüsste ich aber!«

»Na gut. Dann ist es eben nicht zu Ihrem Besten, sondern zum Besten der Firma. Das reicht doch wohl. Ich weiß ja nicht, wie es kommt, dass wir die Miete nicht bezahlt haben, aber ein gutes Zeichen ist es nicht. Und wenn wir auf der Straße sitzen, ist das wohl das Ende von *Trostpflaster*. Und ja – Sie haben recht – ich bin kein großer Fan der Tatsache, dass Sie hier auch wohnen. Das habe ich von Anfang an gesagt und dazu stehe ich nach wie vor.«

»Pah!« Mehr fällt Simon dazu offenbar nicht ein. Ich mache daher ungerührt weiter.

»Außerdem habe ich mit Herrn Wiesel schon über eine Kostenpauschale verhandelt, wenn Gerd hier sein Hausmeisterdomizil beziehen sollte. Er ist bereit, sich auch an den generellen Bürokosten zu beteiligen, so dass sein neuer Hausmeister hier auch an den Kopierer darf und telefonisch zu erreichen ist. Wir sparen also nicht nur einen Teil der Miete, sondern bekommen auch noch Knete on top.« Das ist eindeutig die Sprache, die Simon versteht. Ich kann geradezu hinter seine Stirn gucken. Er rechnet.

»Wie viel?«

»Erst mal siebenhundert Euro pro Monat.«

Simon pfeift anerkennend. »Nicht schlecht. Das haben Sie gut verhandelt, habe ich Ihnen gar nicht zugetraut. Da würde es sich in der Tat lohnen, dass ich mich nach einer neuen Bleibe umsehe.«

»Heißt das, wir machen es so?«

»Das heißt, dass ich zumindest darüber nachdenke, Lindenthal.«

»Sehr gut.«

»Und Sie denken, Gerd hat eine Chance, den Hausmeisterjob zu bekommen? Offen gestanden würde ich es nur unter dieser Voraussetzung machen. Auf einen Honk in unserem schönen Büro habe ich nun wirklich keine Lust. Außerdem würde es mich natürlich für Beate freuen. Sie macht sich doch immer Sorgen wegen Gerd. Also – sagen Sie das Ihrem neuen Freund Wiesel: Wenn er Gerd einstellt, können wir ins Geschäft kommen. Sonst soll er sich seine Hausmeisterloge woanders besorgen – und wenn er sich dafür ein Baumhaus in den Garten stellen muss.«

»Ich werde es ihm ausrichten. Aber seit wann interessieren Sie sich so für die Sorgen anderer Menschen?«

»Das ist der Punkt, der mir auch zu denken gibt. An Ihrer Seite mutiere ich zunehmend zum Gutmenschen. Furchtbar. Als Nächstes werde ich noch Offizier bei der Heilsarmee.« Wir müssen beide lachen.

»Apropos Gutmensch – was ist eigentlich aus der Idee geworden, dass ich mit Paul ein Bier trinken gehen soll, um ihn von meiner persönlichen Integrität zu überzeugen?«, wechselt Simon das Thema.

»Wie ich Ihnen schon Weihnachten sagte, habe ich mich davon verabschiedet, weil Sie eben gar nicht integer sind«, stichle ich.

»Na, hören Sie mal – eben noch rette ich überaus edelmütig Gerd und jetzt soll ich ein zu schlechter Umgang für Paul sein? Julia, ich bin enttäuscht. Ich fand die Idee nämlich wirklich gut.«

»Natürlich ist sie gut – sie ist schließlich von mir.«

»Na also. Dann geben Sie mir doch einfach Pauls Mobilnummer und ich mach die Sache klar.« Er senkt verschwörerisch die Stimme. »Ich verspreche auch hoch und heilig, keines unserer dunklen Geheimnisse auszuplaudern.«

»Was denn nun wieder für Geheimnisse?«

Simon lehnt sich lässig im Sessel zurück, ein freches Grinsen breitet sich auf seinem Gesicht aus. »Nun«, meint er gedehnt, »ich denke da zum Beispiel an eine gewisse Weihnachtsfeier. Und an einen Zigarettenautomaten …«

Mit einem Schlag laufe ich puterrot an, was seltsam ist, weil mir gleichzeitig mein gesamtes Blut in den Magen sackt.

»Äh, das …«, stottere ich. »Sie erinnern sich daran? Ich dachte, Sie hätten auch einen kompletten Filmriss!«

Simon grinst noch immer. »O nein, meine Liebe. Ich erinnere mich noch ganz hervorragend daran.«

»Aber … äh … wieso haben Sie denn nichts mehr dazu gesagt?«

Er lacht. »Julia, Sie wissen doch: Der Gentleman genießt – und schweigt.«

»Äh …« Mir fehlen die Worte, mir ist das gerade so dermaßen unangenehm, dass ich am liebsten im Erdboden versinken würde. Simon kann sich an unsere Knutscherei erinnern! O weh, o weh, o weh!

»Also, geben Sie mir jetzt Pauls Handynummer?«, unterbricht Simon meine Gedanken. »Keine Sorge, ich werde Ihrem Freund nichts von unserem kleinen … Unfall berichten. Versprochen.« Ermattet schreibe ich ihm Pauls Nummer auf.

»Prima«, meint Simon, nimmt den Zettel, erhebt sich

schwungvoll und marschiert wieder rüber zu seinem Schreibtisch. »Übrigens«, sagt er noch, ohne sich dabei umzudrehen. »Sie können das richtig gut. Küssen, meine ich.«

Der Jungsabend von Simon und Paul ist nur ein mittlerer Erfolg. Nein, eigentlich eher ein Schlag ins Wasser. Ich ahne es schon, als Paul bereits um zehn wieder zu Hause ist. Nicht gerade ein Zeichen für einen rundum gelungenen Abend. Trotzdem gebe ich mich gut gelaunt.

»Na, wie war's mit Hecker?«

Paul guckt mich stumpf an und rollt mit den Augen. »Ich frage mich ernsthaft, wie du es mit so einem Chauvi jeden Tag im Büro aushältst. In jeder normalen Firma wäre so ein Typ alle zwei Tag zum Abmahnungsgespräch bei der Gleichstellungsbeauftragten.«

»Ach komm, so schlimm ist er doch gar nicht. Und Hunde, die bellen, beißen nicht«, versuche ich abzuwiegeln.

»Genau, und dieser Hund kommt schon deshalb nicht zum beißen, weil er die ganze Zeit seine Klappe so weit aufreißt. *Unglaublich!* Wie der es schafft, sich alle drei Sekunden selbst zu loben – das hat schon was.«

»Ich finde, du übertreibst.«

»Woher willst du das wissen? Du warst doch gar nicht dabei. Allein die öden Storys über seine Zeit als Unternehmensberaterfuzzi. *Ja, wissen Sie, Paul, wenn man jeden Montag und Freitag im Flieger sitzt, dann ödet einen selbst die Senator Lounge von Lufthansa irgendwann an.* Weißt du, wie er die Stewardessen nennt?« Offenbar eine rhetorische Frage, denn noch bevor ich etwas sagen kann, antwortet Paul selbst: »Saftschubsen. Nicht zu fassen, oder? *Saftschubsen.*«

Ich muss grinsen.

»Was, bitte, ist daran komisch?« Paul ist ernsthaft empört.

»Das ist doch unterste Macho-Schublade. Ich hoffe doch nicht, dass das das Niveau ist, das bei *Trostpflaster* vorherrscht.«

»Nein, natürlich nicht.«

»Und dann seine Weisheiten über Frauen: Nervtötend! *Paul, wir beide wissen doch, dass Frauen mit zu viel Liebe gar nicht umgehen können*«, äfft Paul Simons Stimme nach. »*Wenn sie denken, dass sie dich im Sack haben, treten sie dich doch mit Füßen. Und deswegen musst du den Spieß umdrehen: Du musst die Alte leiden lassen, dann rennt sie dir hinterher!* Also, sag bloß, du findest so einen Mist gut?«

»Du hast ja recht, Simon ist da etwas … schwierig«, beschwichtige ich.

»Der ist nicht schwierig, der ist *schmierig*.«

Ich seufze und sage nichts mehr dazu. Man kann wohl ohne Übertreibung sagen, dass dieser Verbrüderungsversuch gescheitert ist.

23. Kapitel

Simon hatte mit seiner Geschäftsprognose recht: Im Januar haben wir so viel zu tun, dass ich schon gar nicht mehr weiß, wem ich als Letztes die traurige Nachricht vom Ende seiner Beziehung überbracht habe. Der eiskalten Karrierefrau Kuhlmann, bei deren Anblick nicht nur ihr Freund, sondern auch ich fast Frostblasen bekam? Dem gemütlich wirkenden Herrn Sander, dem seine Frau nach vierzig gemeinsamen Jahren den Laufpass gab? Oder handelten wir gerade im Auftrag dieses alternativ denkenden Pärchens, das durch uns diversen Damen und Herren mitteilen ließ, dass man pünktlich zum Jahreswechsel das Thema Monogamie neu für sich entdeckt hat? Paul zieht mich schon damit auf, dass ich es vermutlich gar nicht mehr mitbekäme, wenn er mir den Auftrag geben würde, mit uns Schluss zu machen.

Es ist wirklich toll, zu sehen, wie die Agentur immer besser anläuft. An unserer Ego-Wand hängen mittlerweile gut und gern zwanzig Artikel aus regionalen und überregionalen Zeitschriften und Magazinen, die sich alle durchweg positiv über *Trostpflaster* äußern. Nicht zu vergessen die diversen Dankesbriefe von zufriedenen Klienten und zum Teil auch deren Expartnern.

Was mir auch extrem gute Laune macht, ist meine Januarabrechnung: Da habe ich nämlich zum ersten Mal eine Gewinnbeteiligung ausgezahlt bekommen – vierhundert Euro zusätzlich zu meinem Grundgehalt! Ich bin begeistert, hoffe aber insgeheim, dass sich *Trostpflaster* das auch wirklich leisten kann.

Die Sorgen macht sich Simon anscheinend nicht. Liegt vielleicht auch daran, dass wir seit vergangener Woche kräftig

Miete sparen, denn Simon ist doch schneller als erwartet ausgezogen und residiert jetzt in einer Ein-Zimmer-Wohnung in Eimsbüttel. Aus seiner Sicht bestimmt nicht gerade standesgemäß, aber billig. Die gute Laune hat ihm dieser soziale Abstieg natürlich nicht dauerhaft verderben können. Jedenfalls grinst er über beide Ohren, als ich meine Abrechnung aufmache und dann im Flur einen kleinen Freudentanz aufführe.

»Nicht schlecht für den Anfang. Gutes Gefühl, oder?«

»Ja, ja, *jaaa!* Es fühlt sich toll an!«

»Dann feiern Sie mal schön. Ich muss los, Leute trennen.«

»Okay, ich halte die Stellung. Und feiere ein bisschen!«

»Denken Sie daran: Den ersten Gewinn soll man bekanntlich mit Freunden ausgeben. Also warten Sie bitte, bis ich wieder da bin.«

»Den Spruch kenne ich – aber warum ich dann gerade auf Sie warten soll, verstehe ich nicht«, frotzle ich. Simon schüttelt nur lachend den Kopf, nimmt seinen Mantel von der Garderobe und geht los.

Beate und ich sehen ihm nach. »Mittlerweile ist es richtig nett mit ihm«, meint sie. »Ist doch kaum zu glauben – erinnerst du dich noch an seinen ersten Auftritt bei der Fidelia?«

»Und ob. Komisch, das ist gerade ein halbes Jahr her. Fühlt sich aber an wie eine Ewigkeit.« Bevor ich noch sentimental werden kann, dreht sich ein Schlüssel im Schloss und Gerd kommt herein.

»Störe ich beim Kaffeeklatsch?«, ruft er gut gelaunt. Er geht zu Beate rüber und gibt ihr einen Kuss.

»Überhaupt nicht. Wir stellen nur gerade fest, dass die letzten Monate in Lichtgeschwindigkeit vergangen sind, mein Schatz.«

Gerd nickt. »Das stimmt. Und Gott sein Dank, denn lustig war es nicht. Aber nun geht es wieder aufwärts. So, und ich muss jetzt mal einen Aushang wegen der Mülltonnen vorbereiten. Wie schaut's aus, kann mir eine der Damen helfen?«

»Sicher, Schatz«, sagt Beate. »Wenn du möchtest, tippe ich schnell etwas für dich ab.«

Ich gehe wieder in mein Büro. Es ist schön, die beiden so zufrieden zu sehen. Seit Gerd seinen Hausmeisterjob angetreten und seinen Aufenthaltsraum im hinteren Teil unseres Büros bezogen hat, ist Beate wie ausgewechselt. Eine nette Kollegin war sie schon immer, aber jetzt ist sie wieder so gut gelaunt und fröhlich, wie ich sie aus Fidelia-Tagen kenne.

Ich gucke auf die Uhr. Schon kurz nach fünf. Ich beschließe, für heute Schluss zu machen und Katja einen spontanen Salon-Besuch abzustatten. Einen Teil meiner vierhundert Euro werde ich gleich mal in frische Farbe für mein Straßenköterblond investieren. Einen Termin habe ich zwar nicht, aber sie wird mich schon irgendwo zwischenquetschen können. Und nachdem es vor allem Katja war, die mir zum Einstieg bei *Trostpflaster* geraten hat, will ich ihr auch als Erstes von meinem Erfolg erzählen. Als Unternehmerin weiß sie das bestimmt zu schätzen. Ich nehme noch eine Dose unserer guten Besprechungskekse mit – jetzt steht einem entspannten Friseurbesuch nichts mehr im Wege.

»Was willst du denn hier?« Katja guckt mich mit großen Augen an. Ich gebe zu, ich bin schon mal euphorischer begrüßt worden.

»Eine neue Tönung vielleicht? Ich habe heute das erste Mal meine Gewinnbeteiligung ausbezahlt bekommen und wollte das Geld a) in eine neue Frisur und b) in ein Kaltgetränk mit dir investieren.«

»Tut mir leid, das passt mir jetzt gar nicht«, sagt sie hektisch. »Da hättest du vorher anrufen müssen. Ich bin total dicht, weil ich heute früher zumache.«

Mann, ist die unfreundlich. Was hat Katja bloß?

»Bist du irgendwie genervt?«

»Überhaupt nicht. Ich habe nur keine Zeit, das ist alles.«

»Na gut, dann eben keine neue Frisur. Aber darf ich dir ein bisschen Gesellschaft leisten und dabei ein paar Schokokekse futtern?« Ich halte ihr die Dose unter die Nase.

Katja schüttelt den Kopf und zeigt auf eine Kundin, die noch mit Handtuch auf dem Kopf vor ihrem Spiegel sitzt. »Die Dame muss ich noch bedienen und dann auch gleich los. Für Kekse futtern reicht es heute nicht.«

»Was für einen Termin hast du denn? Muss ja was ganz Wichtiges sein, wenn du mich so dringend loswerden willst.«

»Ich will dich gar nicht loswerden. Aber ich muss noch zum Steuerberater, das Finanzamt sitzt mir im Nacken.«

»Aha. Dann viel Spaß. Ruf mich an, wann es dir besser passt. Vielleicht kriege ich dich ja mit offiziellem Termin zu fassen.« Ich schnappe meine Keksdose und bin gerade aus der Tür, als mir jemand entgegenkommt, den ich irgendwo schon einmal gesehen habe. Mitte dreißig, gut aussehend und auffallend blaue Augen ... Er verschwindet in Katjas Salon. Ich bleibe vor dem Schaufenster stehen und gucke dem neuen Besucher hinterher.

Das ist definitiv nicht Katjas Steuerberater.

Das ist Rafael Kaiser!

Kaum ist er im Salon, fällt ihm Katja um den Hals, und die beiden küssen sich leidenschaftlich. Eine regelrechte Knutscherei! Mittlerweile drücke ich mir die Nase am Fenster platt, was wahrscheinlich unglaublich beknackt aussieht. Aber das ist mir egal. Jetzt hat sich er einen Stuhl herangezogen und neben Katja gesetzt, die wieder begonnen hat, ihrer Kundin die Haare zu schneiden. Rafael und Katja unterhalten sich angeregt, worüber, kann ich natürlich nicht hören. Aber immerhin sehe ich, dass sie sich über den Spiegel immer wieder

Blicke zuwerfen. Kein Wunder, dass mich Katja ganz dringend aus dem Salon haben wollte!

Ich bin schon fast wieder bei meinem Auto, da überlege ich es mir doch anders. So eine fette Lüge darf nicht noch belohnt werden. Ich mache auf dem Absatz kehrt und gehe zurück zum Salon. Als die Glocke klingelt, dreht Katja sich Richtung Tür – und erstarrt.

»Oh, Julia. Hast du etwas vergessen?« Dazu versucht sie, möglichst harmlos zu gucken.

»Ja, ich habe vergessen, dich zu fragen, ob du mich eigentlich für besonders blöd hältst.«

Katja wird rot – ein extrem seltener Anblick. »Also, Julia, das ist doch alles ganz anders, ich, äh …«

»Herr Kaiser!«, begrüße ich Rafael betont fröhlich. »Ich wusste gar nicht, dass Sie auch Steuerberater sind! Toll – so eine Doppelqualifikation ist bestimmt ganz selten. Übrigens, wo wir gerade von Steuern reden – ich hab' da mal eine Frage zu meinen Werbungskosten …«

Rafael Kaiser guckt mich völlig irritiert an, aber bevor er noch etwas sagen kann, hat sich Katja offenbar wieder gefangen.

»Ja, okay, jetzt hast du mich erwischt. Zufrieden? Ich hätte es dir längst erzählt, aber ich wollte einfach in Ruhe mit dir reden, nicht hier zwischen Tür und Angel im Salon. Das ist alles.«

»Hören Sie, könnten Sie das mit dem Steuerberater eventuell etwas später klären?«, mischt sich in diesem Augenblick Katjas Kundin ein. »Meine Haare sind noch nass und mir wird langsam kalt.«

»Verzeihung, Frau Köhne, ich bin gleich wieder für Sie da.« An uns gerichtet zischt Katja: »Also gut, dann tut mir den Gefallen und wartet im Bistro nebenan. Ich bin in einer Viertelstunde bei euch.«

Rafael wirkt noch immer ganz verdattert, trabt aber brav mit mir in das Lokal neben Katjas Salon. Wir bestellen beide einen Milchkaffee und schweigen uns erst mal an. Nach zwei Minuten wird Rafael das anscheinend zu unbehaglich.

»Wir haben uns doch neulich schon einmal gesehen, oder?«, bricht er das Schweigen. »Sie sind Katjas beste Freundin, stimmt's?«

»Stimmt.«

»Sie spricht sehr viel über Sie.«

»Das kann ich umgekehrt leider nicht behaupten.«

Rafael Kaiser lächelt gequält und unternimmt einen neuen Versuch, gut Wetter zu machen. »Sie hatte aber die ganze Zeit vor, es Ihnen zu sagen. Mir war das auch wichtig. Katja wollte nur den richtigen Moment abwarten. Sie hatte ein bisschen Sorge, dass Sie die Tatsache, dass meine Exfreundin eine Ihrer Mandantinnen war, irgendwie … komisch finden könnten.«

»Was soll ich sagen – die Sorge ist berechtigt. Katja hat Ihnen bestimmt erzählt, dass ich sie damals gar nicht mitnehmen wollte. Wir bei *Trostpflaster* arbeiten sehr professionell, und es wäre fatal, wenn der Eindruck entsteht, dass wir unbeteiligte Dritte als Zuschauer zu unseren Trennungsgesprächen hinzuziehen. Das wäre das glatte Gegenteil von seriös. Umso irritierender ist es für mich natürlich, wenn Katja nach einem Termin, bei dem sie eigentlich nichts zu suchen hatte, auch noch Kontakt zum … äh … Trennungsklienten aufnimmt.« Jetzt, wo ich es Rafael Kaiser so erzähle, wird mir auch selbst noch klarer, wie unmöglich das eigentlich ist. Katja ist in puncto Männer einfach unberechenbar und egoistisch. Das nervt. Und zwar gewaltig!

»Aber nein, so war es doch gar nicht! Ich habe Katja ein paar Tage später zufällig in der Stadt getroffen und sie angesprochen. Ich meine, ich war frisch getrennt, Katja ist eine attraktive Frau – ich dachte mir: warum eigentlich nicht?

Also, es ist nicht Katjas Schuld. Bitte nehmen Sie ihr das nicht übel.«

Ich bin mir zwar nicht sicher, ob das hier nicht eine sehr geschönte Version der Wahrheit ist, aber es ist natürlich ganz niedlich, dass Rafael Katja so verteidigt. Ich seufze.

»Na gut, eigentlich kann es mir auch egal sein. Ändern kann ich es sowieso nicht. Und solange Sie es Ihrer Exfreundin nicht gerade auf die Nase binden …«

»Natürlich nicht. Zu der habe ich gar keinen Kontakt mehr, das will sie auch nicht.«

Stimmt, seine Ex war gar nicht gut auf Kaiser zu sprechen. Warum eigentlich? Einen Grund hat sie uns nicht genannt.

»Haben Sie eigentlich eine Ahnung, warum sich Frau Amati von Ihnen getrennt hat? Ich meine, Sie waren damals ziemlich verzweifelt.«

Er zuckt mit den Schultern. »Nein, keine Ahnung. War für mich auch ein Schock. Aber dann habe ich Gott sei Dank Katja getroffen. Sie hat mir über das Schlimmste hinweggeholfen. Aber natürlich wissen Sie als ihre beste Freundin, was für ein besonderer Mensch Katja ist.«

Hm. Mein Bauchgefühl sagt mir, dass Rafael Kaiser mehr über diese Trennung erzählen könnte, wenn er wollte. Bevor ich aber noch einmal nachhaken kann, kommt Katja ins Bistro geschneit.

»Na ihr beiden, unterhaltet ihr euch schon nett?«

»Klar, mein Schatz!« Kaiser strahlt sie an. »Und ich habe deiner Freundin auch schon erzählt, dass du an dem Beginn unserer Beziehung absolut unschuldig bist.«

Katja guckt etwas unsicher zu mir rüber. »Und, bist du böse?«

Ich schüttle den Kopf. »Nein, ihr seid erwachsene Menschen. Das geht mich also nichts an. Ich hätte es nur seltsam gefunden, wenn du dich nach unserem Termin noch mal von alleine bei Herrn Kaiser gemeldet hättest. Aber so ...«

»Ja, das war ein ganz schöner Zufall.«

»In der Tat.« Ich gucke Katja scharf an. Bilde ich mir das ein, oder schrumpft sie ein bisschen?

»Aber nun ist es raus und ich bin froh, dass ihr euch gut versteht. Vielleicht können wir mal etwas zu viert unternehmen, du, Paul, Rafael und ich?« Katja auf dem Pärchenabendtrip? Das ist etwas ganz Neues. Immerhin – es scheint ihr ernst zu sein.

»Ja, eine nette Idee, ich werde mal fragen, wann Paul Zeit hat.«

Rafael schaut auf seine Uhr. »So, Schatz, jetzt müssen wir aber tatsächlich los. Ich habe für uns beide nämlich eine Lomi-Lomi-Massage für Frischverliebte gebucht. Das ist hawaiianisch und lässt die Kräfte wieder völlig frei und harmonisch fließen.«

Als ich wieder im Auto sitze, schüttelt es mich noch ein bisschen. Was ist bloß mit Katja passiert? Eben noch macht sie mit Männern per Post-it Schluss, und jetzt steht sie auf einen Typen, der sie zu irgendeinem hawaiianischen Budenzauber schleppt? Auweia! Schätze, die hat es richtig erwischt.

»Stell dir vor, Katja ist schwer verliebt«, berichte ich Paul, der zu Hause vor dem Fernseher respektive Beamer sitzt.

»Mhm.«

»Und es ist quasi ein Klient von uns. Ich meine, nicht direkt ... Aber immerhin jemand, mit dem ich mal Schluss gemacht habe, als Katja dabei war. Die beiden haben zwar behauptet, sie hätten sich zufälligerweise später wieder getroffen, aber an solche Zufälle glaube ich nicht.«

»Mhm.«

»Hey, hörst du mir überhaupt zu?«

»Du stehst im Bild.«

»Bitte?«

»Ich wollte gerade die Beamer-Einstellung optimieren. Das geht aber nicht, wenn du direkt vor der Linse stehst.«

»Mensch, ich sagte: *Katja ist verliebt!* Das ist doch wohl wichtiger als irgendeine Beamer-Einstellung.«

»Klar, alles, was du erzählst, ist prinzipiell wichtiger als die Sachen, die mich interessieren. Und wenn es keine tollen *Trostpflaster*-Geschichten gibt, dann ist es eben eine Geschichte über deine spannende Freundin Katja.«

Was hat der denn? Ich gucke Paul völlig geplättet an. »Warum bist du denn so sauer auf mich? Ich dachte, du interessierst dich für das, was ich mache.«

»Das tue ich auch. Allerdings habe ich immer mehr den Eindruck, dass du dich umgekehrt überhaupt nicht mehr für meine Sachen interessierst. Heute Abend ist dafür ein schönes Beispiel.«

»Wieso?«

»Wir waren *verabredet*. Um sechs Uhr. Ich stand pünktlich vor eurer Bürotür, um dich abzuholen. Du erinnerst dich: Wir wollten ein bisschen einkaufen und danach ins Kino.«

Mist! Paul hat recht, mir wird auf einmal ganz heiß.

»Stattdessen stehe ich da wie der Depp, und der Einzige, der rauskommt, ist Simon. Ich muss mir also von diesem Schnösel mitleidig auf die Schulter klopfen lassen, während er sich wahrscheinlich innerlich schlapplacht. Vielen Dank.«

»Oh, Schatz – das tut mir so leid!« Und wie! Anscheinend bin ich in den letzten Monaten wirklich zu einer gedankenlosen Ziege mutiert.

Paul antwortet nicht, sondern schraubt weiter am Beamer rum. Okay, hätte ich vor seinem Büro gestanden wie bestellt und nicht abgeholt, dann wäre jetzt auch Feuer am Dach. Ich setze mich neben ihn und beginne, seinen Nacken zu kraulen.

Erst knurrt er noch ein wenig übellaunig, aber schließlich dreht er sich zu mir um und küsst mich.

»Weißt du, ich komme mir mittlerweile etwas vernachlässigt vor. Und dann wünsche ich mir die Julia von früher zurück, die ein bisschen mehr Zeit für ihren bedauernswerten Schatz hatte. Wir waren uns doch immer einig, dass die Arbeit nicht alles ist.«

Klar, aber früher war mein Job auch ziemlich langweilig und ich konnte es immer nicht abwarten, Feierabend zu machen. Das denke ich mir allerdings nur – denn ich will nicht noch Öl ins Feuer gießen und bin froh, dass Paul sich so schnell beruhigt hat. Morgen werde ich einfach rechtzeitig aus dem Büro kommen, eine gute Flasche Weißwein kaltstellen und schön für Paul kochen. Wenn ich denn drandenke.

24. Kapitel

Irgendetwas stimmt nicht mit Simon. Seit Tagen schon ist er ziemlich still, verschwindet sofort an seinen Schreibtisch, wenn er im Büro auftaucht, und schließt die Verbindungstür zu seinem Zimmer. Außerdem – und das macht mich nun wirklich misstrauisch – hat er mich seit mindestens einer Woche schon nicht mehr mit irgendeiner dreisten Unverschämtheit behelligt. Nicht mal ein bisschen geärgert, nichts! Erst gestern habe ich ihm einen komplizierten Fall geschildert, den ich ansatzweise (okay: komplett) selbst verbockt habe, und er hat diese Steilvorlage nicht für einen ätzenden Kommentar genutzt. Die Lage muss also ernst sein und ich frage mich, wann er endlich mit seinem Problem rausrückt.

Ich beschließe, die Sache selbst in die Hand zu nehmen, und marschiere gleich morgens mit zwei großen Tassen Kaffee zu seinem Schreibtisch. Mit Schwung stelle ich ihm den einen Becher direkt vor die Nase und setze mich mit dem anderen an den Besprechungstisch in die Ecke. Simon guckt mich mit großen Augen an. »Was ist los?«

»Simon, genau das will ich von *Ihnen* wissen«, gehe ich sofort in die Offensive. »Sie laufen hier seit Tagen wie Falschgeld rum, sind nicht mehr ansprechbar, würgen mir keine schlechten Witze mehr rein, sitzen wie festgetackert an Ihrem Schreibtisch ... Also: *Raus mit der Sprache!* Was ist los?« Ich schaue ihn erwartungsvoll an, aber Simon sagt erst mal gar nichts, sondern dreht den Kaffeebecher in seiner Hand hin und her.

»Hallo! Erde an Hecker! Sind Sie da draußen?«

Nach einer gefühlten Ewigkeit endlich eine Reaktion: »Sie haben recht. Es geht mir momentan nicht gut. Ich wollte auch schon mit Ihnen reden, aber ich wusste nicht so recht, wie. Allerdings möchte ich das alles auch nicht hier im Büro besprechen. Haben Sie heute Abend schon etwas vor?«

Die wahrheitsgemäße Antwort wäre »ja«, weil Paul und ich eigentlich mit Jan und Pia zum Spieleabend verabredet sind. Aber Simon hängt wie ein Schluck Wasser in der Kurve. So habe ich ihn noch nie gesehen, selbst damals in der Arbeitsagentur versprühte er noch seinen typischen Optimismus.

»Nein, heute passt es mir ganz gut.«

Manchmal muss man eben Prioritäten setzen. Außerdem habe ich mich in den letzten Tagen sehr aufopferungsvoll um Paul bemüht, um die Scharte von der vergessenen Kinoverabredung wieder auszuwetzen.

»Lassen Sie uns eine Kleinigkeit essen gehen. Dann können wir alles in Ruhe besprechen.«

Das klingt gar nicht gut, und Simon sieht wirklich unglücklich aus. Aber mehr will er im Moment offenbar nicht sagen, also lasse ich ihn in Ruhe.

Paul ist erwartungsgemäß alles andere als begeistert, als ich ihn anrufe und ihm sage, dass ich am Abend nun doch nicht kann. »Was meinst du mit *wichtiges Business-Meeting*? Du willst mir jetzt nicht sagen, dass du heute Abend mit Hecker essen gehst und unser schon zweimal – übrigens wegen dir – verschobener Spieleabend schon wieder ausfallen muss?«

»Dass er ausfallen muss, habe ich nicht gesagt. Ich habe nur gesagt, dass er ohne mich stattfinden muss.«

»Was das Gleiche wie ausfallen ist, wenn man sich zum Doppelkopf-Spielen verabredet hat. Dazu brauchen wir nun mal vier Spieler, und das weißt du ganz genau.«

»Herrgott, dann spielt eben Skat!«, fahre ich Paul an. Der ist prompt beleidigt und sagt erst mal gar nichts mehr. »Tut mir leid, Schatz«, versuche ich zu beschwichtigen, »aber es ist etwas wirklich Wichtiges dazwischengekommen und ich konnte nicht ablehnen. Versteh mich doch bitte.«

»Nein, ich verstehe dich nicht. Ich dachte, ich bin *etwas wirklich Wichtiges* für dich, aber da habe ich mich wohl getäuscht.« Paul klingt ziemlich verletzt. Mist, müssen denn die beiden wichtigsten Männer in meinem Leben ausgerechnet gleichzeitig Amok laufen?

Während ich das noch denke, erschrecke ich mich selbst. Ist mir Simon Hecker mittlerweile tatsächlich genauso wichtig wie Paul? Schnell wische ich diesen Gedanken beiseite und beruhige mich damit, dass es nur der Job ist, der mir so wichtig ist.

»Julia? Sagst du auch noch mal was?«

»Paul, es tut mir sehr leid und ich weiß, dass ich es momentan ein bisschen übertreibe. Aber ich kann heute Abend wirklich nicht. Wenn du willst, rufe ich Jan und Pia an und entschuldige mich, okay?« Paul grummelt irgendetwas vor sich hin. »Ist das so okay, dass ich die beiden anrufe?«, hake ich noch einmal nach.

»Na gut, aber das nächste Mal wüsste ich gerne früher Bescheid, wenn du wieder unsere Pläne über den Haufen wirfst.«

Uff. Noch mal gerade so die Kurve gekriegt.

Simon schlägt vor, ins *Cafe Hirsch* zu gehen. Ich zucke zwar innerlich zusammen, weil ich seit unserer Weihnachtsfeier nicht mehr dort war, aber tatsächlich kann man im *Hirsch* sehr nett sitzen und sich auch mit normaler Gesprächslautstärke unterhalten.

Wir nehmen einen kleinen Tisch in der Ecke; Simon bestellt eine Flasche Rotwein für uns, und ich werde das Gefühl nicht los, dass er sich Mut antrinken muss. Sein erstes Glas haut er sich auch tatsächlich ruck, zuck hinter die Binde. Ich bin etwas zurückhaltender, denn der letzte Abend, der hier begann und mit reichlich Alkohol ausgetragen wurde, endete für mich in Simons Armen. Meine Devise heute also: *sauber bleiben!* Und den Stier, respektive Simon, nun bei den Hörnern packen, denn sonst müssen wir gleich die zweite Flasche bestellen und ich weiß immer noch nicht, was eigentlich Sache ist.

»Also, Simon, schießen Sie los – was ist das Problem?« Er nimmt noch einen großen Schluck Rotwein, dann guckt er mich an.

»Es tut mir leid, aber ich werde *Trostpflaster* verlassen.«

Bitte? »Sie wollen … *was?*«

»Ich werde *Trostpflaster* verlassen. Ich habe ein sehr, sehr gutes Angebot von meinem alten Arbeitgeber Poseidon bekommen. Das kann ich einfach nicht ausschlagen. Außerdem ist das Agenturleben doch nicht das Richtige für mich, das merke ich immer deutlicher. Mir fehlt das *Big Business*, das Spiel der großen Jungs, verstehen Sie?«

Ich bin komplett sprachlos. Kann es wirklich wahr sein? Oder habe ich mich doch eher verhört? Vielleicht sollte ich auch schnell drei Glas Wein trinken, und wenn ich dann den gleichen Pegel wie Simon habe, erkenne ich, dass er in Wirklichkeit in einer Art geheimem Code mit mir kommuniziert und mir eigentlich nur versucht zu sagen, dass er mit Beate durchbrennen will. Wobei das in Bezug auf *Trostpflaster* auf das Gleiche rauskommen würde.

»Sie sagen ja gar nichts dazu«, kommt es jetzt fast vorwurfsvoll von Simon. Ich räuspere mich.

»Mal kurz vorweg gefragt: War das gerade Ihr Ernst? Oder haben Sie eine versteckte Kamera dabei und mein dummes Gesicht wird gerade live in irgendeine behämmerte Sendung auf Super RTL übertragen und ich gewinne im Anschluss ein BMW Cabriolet?«

Simon schüttelt den Kopf. »Nein, leider kein Cabrio. Und

auch keine versteckte Kamera. Es ist, wie ich es sagte: Ich werde wieder zu Poseidon Consulting gehen.«

Ich überlege, ob ich in Tränen ausbrechen muss, aber stattdessen spüre ich eine ungeheure Wut und Enttäuschung in mir aufsteigen. Mr. Superunternehmer, Simon-*ich-bin-ein-Start-up*-Hecker sitzt einfach so da und erzählt mir, die Selbstständigkeit wäre nicht das Richtige für ihn? Ich fasse es nicht!

»Sie unglaublicher Idiot!«, bricht es aus mir heraus. »Sie, Sie – Weichei!« Ich nehme mein noch ziemlich volles Weinglas, leere es in einem Zug und will aufstehen. Simon packt meinen Arm und zieht mich wieder auf meinen Stuhl.

»Bitte, gehen Sie nicht. Lassen Sie mich erklären …«

»*Erklären?*«, unterbreche ich ihn unwirsch. »Da gibt es nichts zu erklären. Außer, dass es Poseidon Consulting offenbar gelingt, mich zweimal innerhalb eines Jahres um meinen Job zu bringen. Oder, um bei der Wahrheit zu bleiben, dass es Simon Hecker gelingt. Ich fühle mich so verarscht von Ihnen! Ihr ganzes Gefasel vom freien Unternehmertum und den großen Chancen, die sich uns bieten – wozu? Dachten Sie, mit der blöden Lindenthal kann man es ja machen? Und ich dumme Kuh habe tatsächlich angefangen, an Sie zu glauben. An *uns* zu glauben. Ich dachte, wir wären ein Team. Ich dachte, wir hätten eine Zukunft. Und ich war stolz auf uns. Dabei haben Sie in Wirklichkeit die ganze Zeit gehofft, dass die Poseidons Sie wieder zurücknehmen, oder? Und wenn Beate und ich uns über jeden Auftrag gefreut haben, haben Sie schon sehnsüchtig auf einen Anruf aus der Chefetage gewartet. O Mann, was sind Sie *mies!*« Ich gieße mir noch ein Glas ein. Heute Abend besteht nun garantiert kein Risiko mehr, dass ich in Heckers Arme sinke.

Er sieht nun aus wie der sprichwörtliche geprügelte Hund. »Julia, so ist das doch gar nicht. Ich war auch Feuer und Flamme für unser Projekt.«

»Und deshalb gießen Sie jetzt einen Eimer Wasser rein?«

»Nein, ich – ich hatte meine Gründe.«

»Ja: *Big Business,* große Jungs. Ich habe Sie schon verstanden. Los, stehen Sie auf. Hauen Sie ab. Ich will Sie nicht mehr sehen.«

Simon zögert, will aufstehen, setzt sich aber wieder. »Okay. Sie wollen die Wahrheit?«

»Natürlich, spucken Sie's ruhig aus, Sie Verräter. Tun Sie sich keinen Zwang mehr an. Auf mich müssen Sie jetzt keine Rücksicht mehr nehmen.«

»Die Wahrheit ist: Ich bin total pleite. *Trostpflaster* läuft zwar gut, aber damit kann ich gerade die Gehälter und die laufenden Kosten decken, mehr ist nicht drin. Mit der Leasing-Rate für den Jaguar wird es schon knapp. Deswegen konnte ich auch Ende des Jahres die Miete an Wiesel nicht mehr überweisen – ich hatte einfach kein Geld mehr und einige Kunden hatten noch nicht gezahlt. Ich habe bisher fast vierzigtausend Euro in unsere Firmengründung gesteckt: die Kaution für das Büro, die Maklercourtage, unser Werbematerial, und, und, und … Mein Dispo ist jedenfalls am Anschlag. Ich hatte mir noch Geld von meinem Bruder geliehen, aber der braucht es jetzt selbst. Und die Bank gibt mir nur einen weiteren Kredit, wenn ich wieder fest angestellt bin. Darum habe ich zugesagt, als Poseidon anrief. Weil ich total blank bin.« Er sieht zerknirscht auf seine Hände.

Natürlich hat er mir mit diesem Geständnis den Wind aus den Segeln genommen. »Simon, das … das wusste ich nicht. Es tut mir leid, dass ich gerade so ausgeflippt bin. Aber Sie müssen mich verstehen: Dass das nun das Ende meiner neuen Karriere ist, trifft mich ziemlich hart.«

Simon hebt seinen Blick und schaut mich an. Genauer gesagt schaut er mir sehr fest in die Augen. Und sagt: »Aber das soll ja nicht das Ende für *Trostpflaster* bedeuten. Ich werde sowieso

313

nach einem Käufer für die Agentur suchen. Schließlich brauche ich das Geld. Wie wär's? Interessiert?«

»Ha, ha, sehr witzig. Wovon denn?« Ich schüttle den Kopf.

»Na ja, ich würde Ihnen natürlich einen Kredit zu extrem günstigen Konditionen gewähren.«

»Sagt der Mann, der pleite ist. Nein, vielen Dank. Außerdem ist das für mich doch eine Nummer zu groß.«

»Gut, ich kann Sie natürlich nicht zu Ihrem Glück zwingen. Aber Sie könnten es bestimmt auch allein.«

»Das mag sein. Aber es wäre nicht mehr dasselbe.«

Ich liege zu Hause im Bett und kann nicht einschlafen. Mein Kopf ist so voller Gedanken, dass er bestimmt gleich platzt. Paul schnorchelt neben mir vor sich hin. Ich beschließe, wieder aufzustehen und einen Becher warme Milch zu trinken. Vielleicht hilft mir das, ein bisschen runterzukommen.

Während ich vor dem Herd stehe und aufpasse, dass die Milch nicht überkocht, versuche ich mir vorzustellen, wie das wäre: *Trostpflaster* ohne Simon. Nur Beate und ich. Und ich als Geschäftsführerin.

Traue ich mir das zu? Offen gestanden war ich bisher immer der Meinung, dass Simon ein Großmaul ist und ich die eigentliche Arbeit mache. Wäre also die beste Gelegenheit, unter Beweis zu stellen, dass es tatsächlich so ist. Aber ist es tatsächlich so? Ich nehme den Topf vom Herd und gieße die Milch in den Becher. Hm, lecker. Zurück zur Frage: Ist Simon wirklich nur ein Großmaul? Also, zumindest war die Agentur seine Idee. Und er hat auch schon ganz schön viel in seine Idee investiert. Großmaul hin oder her – auf alle Fälle ist Simon viel mutiger als ich. Keine ganz unwesentliche Eigenschaft für einen Kaufmann. Ja, ich bin gründlicher und kann gut mit anderen Menschen. Aber reicht das, um die Firma zu führen? Wahrscheinlich müsste ich mir über kurz oder lang ein paar

Hecker-Eigenschaften zulegen. Ich wäre schon bereit, mehr
Verantwortung zu übernehmen – aber gleich alles alleine zu
wuppen, davor geht mir ganz schön die Muffe.

Ich nehme noch einen Schluck Milch.

Und wenn ich Simon das Geld leihe, das er braucht? Dann
könnte er weitermachen und alles bliebe so, wie es ist. Soll ich
also etwas tun, was ich noch vor einem halben Jahr für völlig
irre gehalten hätte? Soll ich Simon mein Geld leihen? Das Geld
für meine Traumhochzeit?

Ich habe ihm nicht erzählt, dass ich so viel gespart habe.
Aber es schoss mir sofort durch den Kopf. Und seitdem hat
es sich dort festgesetzt: Das Gefühl, dass ich es selbst in der
Hand habe, wie es mit *Trostpflaster* weitergeht. Denn Simon
hat natürlich recht – ich könnte die Agentur genauso gut kaufen wie jeder andere. Vielleicht ist sein Vorschlag also gar
nicht mal so schlecht. Mit einer wesentlichen Änderung: Ich
werde Simon mit dem Geld nicht rauskaufen.

Ich werde mich *einkaufen*.

Aufgeregt suche ich im Wohnzimmer nach meinem Note-
book, stöpsle es ein und beginne drauflloszutippen.

Vertrag

§ 1
Simon Hecker und Julia Lindenthal gründen
die gemeinsame Firma *Trostpflaster* und
werden gleichberechtigte Gesellschafter.

§ 2
Zu diesem Zweck bringt Simon Hecker die
schon bestehende Agentur *Trostpflaster* in
die neue Firma mit ein, Julia Lindenthal
zahlt an Simon Hecker 20000 (in Worten:

```
zwanzigtausend) Euro und erhält dafür
fünfzig Prozent der Gesellschaftsanteile.


§ 3
Simon Hecker und Julia Lindenthal
werden gleichberechtigte Geschäftsführer
der Firma.
```

Eine Stunde später bin ich fertig und kann den Vertragstext ausdrucken. Gut, juristisch vielleicht noch alles etwas wackelig – aber die Details kann ja ein Anwalt regeln. Eine Arbeitsgrundlage ist immerhin da. Zufrieden betrachte ich mein Werk und gratuliere mir selbst: *Julia Lindenthal, ich finde, du bist ganz schön mutig geworden. Und das passt verdammt gut zu dir!*

25. Kapitel

Schlagen Sie ein, Julia«, Simon steht auf und streckt mir feierlich seine Hand entgegen, »ab heute sind wir echte Partner.«

Ich ergreife seine Hand und schüttele sie. »Auf eine gute Partnerschaft!«

»Auf eine *perfekte* Partnerschaft.«

In diesem Moment fühle ich mich stolz wie Bolle. Hatte ich überhaupt schon einmal dieses ganz besondere Gefühl, das *Richtige* in meinem Leben gewagt zu haben? Zugegeben, ja. Bei Kleinigkeiten. Aber das waren doch nur Sachen für Anfänger! Erst jetzt verstehe ich, was es bedeutet, sich richtig freigeschwommen zu haben. Ein Risiko einzugehen, die Dinge selbst in die Hand zu nehmen. Und es fühlt sich einfach wahnsinnig gut an. Wie ein Adrenalinkick, ein regelrechter Rausch. Ab sofort bin ich mit Simon Hecker auf Augenhöhe, nix mehr mit »wenden Sie sich doch bitte an meine Assistentin« oder so.

Doch während ich noch in meiner Euphorie schwelge und Simon breit angrinse, macht sich plötzlich ein anderer Gedanke in mir breit: *Hoffentlich geht das gut! Hoffentlich geht das bitte, bitte gut!* Denn sonst sind meine schönen zwanzigtausend Euro futsch – und mit ihnen auch gleich meine Traumhochzeit. Was Paul wohl dazu sagen würde? Und war es richtig, ihn nicht vorher um Rat zu fragen?

Ach, was! Es ist *mein* Geld und *meine* Entscheidung. Und die Hochzeit war ihm sowieso nie so wichtig wie mir, er war es doch schließlich immer, der mit der Alternative Würstchen-und-Kartoffelsalat auch sehr gut leben konnte. Die bekommen wir für meine verbliebenen siebentausend Euro locker.

Außerdem: So weit wird es nicht kommen. Ich weiß, dass wir mit *Trostpflaster* erfolgreich sein werden, das spüre ich einfach.

»Was sagt eigentlich Ihr Freund zu Ihrer Entscheidung?«, fragt Simon in diesem Augenblick, als hätte er meine Gedanken gelesen.

»Äh, wie bitte?«

»Na, wie findet Paul den Entschluss, dass Sie sich jetzt am vollen Risiko der Firma beteiligen? Ich kann mich schließlich noch gut daran erinnern, dass er anfangs von meinem Konzept alles andere als begeistert war – hat er seine Meinung mittlerweile geändert?«

»Aber sicher doch«, behaupte ich dreist, »immerhin sieht er ja, wie erfolgreich der Laden läuft.«

»Also freut er sich?«, hakt Simon noch einmal nach. Und ich werde das Gefühl nicht los, dass er mich gerade mit Fangfragen beschießt.

»Natürlich freut er sich. So, wie es jeden freuen würde, wenn der Partner Erfolg hat.«

Simon lacht auf.

»Was ist daran so lustig?«, will ich wissen.

»Na ja, Julia, Sie kennen die Männer wohl schlecht.«

»Wie meinen Sie das denn jetzt?«

»Ich meine nur, dass Männer sich nicht unbedingt darüber freuen, wenn ihre Partnerin erfolgreich ist. Oder gar erfolgreicher als sie selbst.«

»Ach«, ich mache eine wegwerfende Handbewegung, »es ist doch eine vollkommen gestrige und unemanzipierte Vorstellung, dass Männer ein Problem damit haben, wenn ihre Partnerin beruflich durchstartet. Paul ist überhaupt nicht so, ganz im Gegenteil.«

»Dann sind Sie zu beneiden«, erwidert Simon. Und ich höre deutliche Skepsis in seiner Stimme.

»Sie mögen Paul nicht sonderlich, oder?«, konfrontiere ich ihn ganz direkt.

»Wie kommen Sie denn auf die Idee?«, erwidert Simon überrascht.

»Ach, nur so«, meine ich, »Sie machen da hin und wieder solche Kommentare.«

»Kommentare? Ich?« Er lacht auf. »Nichts läge mir ferner, als Ihr Privatleben zu kommentieren. Das geht mich schließlich rein gar nichts an.«

»Sie sagen es.«

»Es sei denn«, fügt er hinzu, »das Privatleben würde meine Mitarbeiterin beeinträchtigen, dann natürlich schon.«

»Partnerin«, korrigiere ich ihn. »Oder haben Sie das schon wieder vergessen?«

»Aber natürlich nicht! Und deshalb finde ich, dass wir die gute Neuigkeit nun auch Beate und Gerd verkünden sollten. Und natürlich müssen wir das heute Abend auch feiern; ich reserviere gleich mal einen Tisch. Also rufen Sie Paul an und sagen ihm, dass die Agentur ihn heute Abend zu einer kleinen Feier ins *Da Remo* einlädt.«

»Äh, Paul?«, bringe ich erschrocken hervor. »Was hat denn Paul damit zu tun?«

»Er ist immerhin Ihr Verlobter.«

»Ja, sicher. Aber das hat doch mit der Agentur nichts zu tun.«

»Nun ja, schließlich hat er einen Beitrag zu unseren Anfängen geleistet, das muss man ihm zugestehen. Außerdem dachte ich, wir bitten auch noch Katja und diese beiden anderen dazu, wie hießen die noch mal … Pia und Jan? Soll doch eine lustige Runde werden, und jeder Ihrer Freunde hat uns geholfen.«

»Sollten wir unser neues Kapital nicht lieber ein wenig zusammenhalten, als es gleich bei einer Feier auf den Kopf zu hauen?«

»Da machen Sie sich mal keine Sorgen«, sagt Simon gönnerhaft. »Ist steuerlich alles absetzbar. Also rufen Sie Paul schon an.« Er deutet auf das Telefon, das auf meinem Schreibtisch steht.

»Ich bin mir nicht sicher, ob er heute Abend Zeit hat.«

»Wenn Sie ihn fragen, wissen Sie es.«

»Ich meine, ich bin mir eigentlich ziemlich sicher, dass er heute keine Zeit hat«, korrigiere ich mich.

»Also wirklich, Julia!« Simon mustert mich wieder mit diesem durchdringenden Blick, der mir schon mehr als einmal weiche Knie beschert hat. »Sie halten mich schon für sehr dämlich, oder?«

»Wieso?«

»Paul weiß noch gar nichts von unserer Partnerschaft, habe ich recht?«

»Ähm, also … also, nicht so direkt«, gebe ich zu.

»Verstehe, nicht so direkt.«

»Ich wollte es erst in trockenen Tüchern haben, bevor ich mit ihm darüber rede«, erkläre ich.

»Weil er so verständnisvoll ist und kein Problem damit hat, wenn seine Freundin ihr eigenes Ding macht«, zieht Simon mich auf.

»Ja«, sage ich lahm, füge dann aber schnell hinzu: »Nein, meine ich natürlich. Also, natürlich hat er kein Problem damit. Aber ich wollte … ich will … die Sache ist die …«

»Julia, welche Entscheidung Sie in Ihrem Leben treffen, ist tatsächlich ganz allein Ihre Sache«, werde ich von Simon unterbrochen. Er klingt weder süffisant, noch arrogant, noch belehrend. Er hat diesen Klang in der Stimme, den er manchmal unseren Klienten gegenüber anschlägt; der Klang, der vermuten lässt, dass unter seiner glattpolierten Schale ein ganz anderer Kern verborgen ist. »Aber wenn ich Ihnen einen Beziehungstipp geben darf …«

»Einen Beziehungstipp? *Sie?*«, unterbreche ich ihn. »Mit Verlaub, sind *Sie* nicht derjenige, der Probleme damit hat, sich zu merken, ob er sich mit einer Melanie oder Manuela oder Maggie Thatcher trifft?« *Autsch*, das war ein Tiefschlag, ich weiß. Aber bevor ich mich davon abhalten kann, setze ich nach: »Und dessen letzte Beziehung damit endete, dass er morgens ein Post-it an seinem Kühlschrank fand?«

Simon sieht mich nachdenklich an und nickt. »Das haben Sie gut im Gedächtnis behalten. Und eben genau deshalb, weil ich der Idiot bin, der die Frau, die er liebt, verloren hat und seitdem keine Passende mehr findet, weil er immer nur seinen eigenen Stiefel durchgezogen hat, kann ich Ihnen raten: Sprechen Sie mit Paul und erzählen Sie ihm von Ihrer Entscheidung. Und das so bald wie möglich.«

»Das hatte ich schon vor«, sage ich leicht bockig, weil ich tatsächlich nicht die geringste Lust habe, mir ausgerechnet von Simon Hecker schlaue Beziehungstipps geben zu lassen. Und obwohl ich weiß, dass ich es nicht tun sollte, füge ich vor Ironie triefend hinzu: »Vielen Dank für Ihren so wertvollen Hinweis, den weiß ich wirklich *sehr* zu schätzen.«

»Gut«, erwidert er schulterzuckend. »Bis Sie es ihm gesagt haben, behalten wir unsere Partnerschaft vorerst für uns. Paul könnte es in den falschen Hals bekommen, wenn er es von irgendwem anders erfährt.« Mit diesen Worten setzt Simon sich wieder an seinen Schreibtisch und fängt an, seine E-Mails zu checken.

»Ist was?«, will Simon wissen, als ich nach fünf Minuten immer noch unschlüssig mitten im Raum stehe.

»Ja. Ich bin gerade etwas überrascht«, antworte ich. »Überrascht darüber, dass Sie sich Gedanken darüber machen, was irgendjemand anders denken könnte.«

Simon grinst mich an – und ist mit einem Schlag wieder ganz der Alte. »Ja«, gibt er zu, »solche Momente machen mir selber Angst. Aber mein Therapeut meint, sie sind nicht allzu besorgniserregend und verschwinden meist genauso schnell, wie sie gekommen sind.« Dann deutet er rüber zu meinem Schreibtisch. »Und jetzt an die Arbeit, werte Partnerin! Wir haben hier eine Firma zu führen!«

Lieber Paul, formuliere ich im Geiste, während ich die Treppen zu unserer Wohnung hochsteige. *Schnuckel,* setze ich noch einmal neu an. *Ich wollte schon seit einiger Zeit mit dir darüber reden, aber du warst immer so beschäftigt …* Nein, das stimmt natürlich nicht; ich weiß, *ich* war in den vergangenen Wochen immer so beschäftigt, und da ist es mir einfach durch die Lappen gegangen. *Die Sache ist die, dass Simon mir eine unglaubliche Chance geboten hat. Eine Chance, zu der ich einfach nicht nein sagen konnte, und da habe ich …*

Ich stecke den Schlüssel in unsere Wohnungstür und drehe ihn um. »Vergiss es, Julia«, sage ich zu mir selbst, »das klingt alles komplett unsinnig.« Ich lasse die Tür nach innen aufschwingen, betätige den Lichtschalter im Flur – und falle fast in Ohnmacht.

Dieee, dieee, dieee, dieee, dieee, dieee, dieee, daaaaa …

Ich leide unter Halluzinationen! Ganz eindeutig! Anders lässt es sich nicht erklären, dass mitten im fünf Quadratmeter großen Flur unserer Barmbeker Wohnung ein Streichquartett sitzt und die ersten Takte des Pachelbel-Kanons anspielt!

Vor lauter Schreck möchte ich am liebsten rückwärts wieder aus der Tür taumeln, damit diese offensichtliche Wahnvorstellung verschwindet – wäre da nicht Paul, der im Türrahmen zur Küche lehnt und mich aufmunternd anlächelt.

Ich kneife die Augen zusammen und öffne sie wieder. Nein, die Musiker sind immer noch da und fiedeln, was das Zeug hält. Was, zum Teufel, ist hier los? Bin ich jetzt doch ein Fall für die Klapse?

In einer Art Schreckstarre warte ich, bis die letzten Takte verklungen sind. Als die Musiker aufstehen, sich vor mir verbeugen und Paul dazu applaudiert, meldet sich mein Sprachzentrum zurück. »Was ist denn hier los?«, bringe ich atemlos hervor.

»Kammermusik ist hier los«, erklärt Paul immer noch lächelnd. Dann wendet er sich an die Musiker. »Das war wirklich große Klasse!«, lobt er und schüttelt jedem von ihnen die Hand. »Wir werden Sie dann anrufen und Ihnen den genauen Termin, Ort und Uhrzeit sagen.« Fünf Minuten später hat das Quartett seine Instrumente zusammengepackt und unsere Wohnung verlassen. Ich sehe vermutlich immer noch aus, als wäre mir Hui Buh, das Schlossgespenst begegnet, als Paul die Tür hinter den Musikern schließt und mich lachend in den Arm nimmt.

»Und, meine Süße, was sagst du?«

»Was«, stottere ich, »äh … wer war das?«

»Musikstudenten«, erwidert Paul lapidar.

»Musikstudenten?«, wiederhole ich begriffsstutzig. »Und was machen die in unserer Wohnung?«

»Vorspielen«, erklärt Paul, als wäre es das Normalste auf der Welt, dass sich ein Streichquartett bei uns zu Hause versammelt.

»Aha.« Mehr fällt mir dazu nicht ein.

»Jetzt lass uns erst einmal hinsetzen und ein gutes Glas Wein trinken, dabei erkläre ich dir alles.« Mit diesen Worten schiebt er mich vor sich her ins Wohnzimmer, wo bereits eine geöffnete Flasche Rotwein und eine Käseplatte auf uns warten.

»Ist irgendwas Besonderes los?«, will ich wissen, nachdem ich auf den ersten Schrecken ein ganzes Glas Wein in einem Schluck geleert habe.

»Nein, nichts *Besonderes*«, sagt Paul leicht vorwurfsvoll.

»Wenn man mal davon absieht, dass wir in einem halben Jahr heiraten wollen. Oder hast du das vergessen?«

»Natürlich nicht.«

»Siehst du, mein Liebling. Und weil ich den Eindruck hatte, dass du in letzter Zeit nicht mehr so recht zum Planen kommst, weil du so beschäftigt bist, dachte ich, ich helfe dir ein bisschen.«

»Indem du die Bremer Stadtmusikanten zu uns nach Hause einlädst?«

Paul lacht. »Ich habe diese Studenten heute Nachmittag in der Fußgängerzone entdeckt, als ich noch schnell bei Karstadt ein paar Sachen einkaufen wollte. Und ich war auf Anhieb so begeistert von ihnen, dass ich sie gefragt habe, ob sie auch bei einer Hochzeit spielen würden. Und gegen ein bisschen Bares waren sie auch bereit, mit ihren Instrumenten bei uns vorbeizukommen, damit ich dich überraschen kann.« Er wirft mir einen zärtlichen Blick zu. »Und?«, will er dann wissen.

»Was, und?«

»Na, bist du überrascht?«

»Das kann man wohl sagen.«

»Super!« Er drückt mir ein Küsschen auf. »Ich weiß ja, wie schwer es dir gefallen ist, den Punkt *Musik in der Kirche* von der Liste zu streichen, weil ein professionelles Orchester viel zu teuer ist. Und als ich die Studenten gesehen habe, dachte ich mir, das ist *die* Lösung! Tatsächlich würden sie für nur zweihundert Euro auf unserer Hochzeit spielen, das ist doch klasse, oder?«

»Ja«, meine ich matt, weil es in meinem Kopf gerade drunter und drüber geht. Eigentlich hatte ich mir doch vorgenommen, Paul heute Abend die Sache mit meiner Beteiligung bei *Trostpflaster* zu erzählen … wie soll ich das denn jetzt hinbekommen?

»Und ich habe noch eine andere Überraschung«, fährt Paul

begeistert fort, springt auf und läuft rüber zur Kommode neben dem Fernseher. Eine Sekunde später kehrt er mit einem Stapel Prospekte zurück. »Ich hab mich mal schlaugemacht«, erklärt er und hält mir die Hochglanzflyer unter die Nase, »was es noch für schöne Schlösser in der Umgebung gibt. Und da sind eine Menge dabei, die man ebenfalls mieten kann, die aber längst nicht so teuer sind wie Schloss Wakenitz.« Eifrig blättert er in den Prospekten und zeigt mir mehrere Fotos. »Guck mal, das hier ist doch total romantisch, oder?«

»Äh, ja.« Ich werfe nur einen flüchtigen Blick darauf und fühle mich mehr als überfahren. Was ist denn bloß mit Paul los? Bisher hat er sich doch nicht sonderlich für die Planung interessiert, hat alles immer mir überlassen – und auf einmal mutiert er zum Number-One-Wedding-Planner?

»Außerdem habe ich ein paar günstige Varianten durchgerechnet – zum Beispiel mit dem Studentenorchester, Gesang von CD statt live und noch ein paar Punkten, die von deiner Planung abweichen. Die gute Nachricht ist«, er strahlt mich an, »dass wir für knapp zwanzigtausend Euro tatsächlich genau die Traumhochzeit finanzieren können, die wir immer wollten.«

»Wir immer wollten«, wiederhole ich tonlos. Irgendwie kommt mir die Sache hier gerade mehr als absurd vor.

»Liebling«, er drückt mich an sich und gibt mir noch einen Kuss. »Es stimmt, dass es mir bisher nicht sonderlich wichtig war, wie genau unsere Hochzeit am Ende aussieht – aber ich muss zugeben, dass ich dich jetzt, nachdem ich mich ein bisschen damit beschäftigt habe, viel besser verstehen kann. Es macht einfach tierischen Spaß, sich den schönsten Tag unseres Lebens auszumalen. Und wie gesagt: Wir brauchen nicht mehr, als du angespart hast.«

»Hm.« Ich bin immer noch überfordert und weiß nicht so recht, was ich sagen soll. Aber immerhin schwant mir, dass gerade kein guter Augenblick ist, Paul über die geringfügige Änderung in meinem Leben in Kenntnis zu setzen.

»Also lass uns jetzt endlich Nägel mit Köpfen machen«, schlägt Paul immer noch komplett euphorisiert vor. »Wir haben das viel zu lange schleifen lassen, und langsam müssen die Einladungen raus und die Hotelzimmer gebucht werden. Ich würde sagen, wir sehen uns am Wochenende die verschiedenen Locations an, die im August verfügbar sind, entscheiden uns dann sofort für eine und machen die Anzahlung. Ich will endlich Fakten schaffen und die Frau, die ich liebe, heiraten.«

Vermutlich wäre nun doch der angemessene Zeitpunkt, Paul zu gestehen, dass der Großteil meines Kapitals derzeit anderweitig festgelegt ist.

»Paul«, setze ich an und hole tief Luft. »Ich bin wirklich begeistert, dass du dich auf einmal auch so in die Sache reinhängst. Aber ...« Ich stocke. Ich kann einfach nicht in seine großen braunen Knopfaugen gucken und ihm mitteilen, dass ich gerade alles Mögliche im Kopf habe – nur nicht die Hochzeit. Das würde er nicht verstehen. Wie auch? Wie soll er verstehen, dass seine Freundin monate-, ach, was sage ich, jahrelang von nichts anderem spricht und dann ...

»Julia«, er zieht mein Gesicht zu sich und gibt mir einen langen, zärtlichen Kuss. »Ich weiß, es klingt seltsam – aber mir ist in den vergangenen Wochen erst so richtig bewusst geworden, dass ich mir nichts mehr wünsche, als die Frau meines Lebens ganz in Weiß vor den Altar zu führen.«

Ich muss schlucken. Paul macht es mir ja aber auch alles andere als leicht!

»Schnuckel«, setze ich noch einmal an ... und werde von einer göttlichen Fügung erlöst: Die Türklingel rappelt los. Schon will ich aufspringen, werde aber von Paul zurückgehalten.

»Lass es klingeln«, raunt er mir zu und küsst mich wieder. »Sind bestimmt nur Pia und Jan, die sich miteinander langweilen und bei uns einen Kinofilm gucken wollen.« Er küsst mich immer heftiger.

Die Klingel wird fünfmal nacheinander gedrückt.

»Scheint was Wichtiges zu sein«, meine ich und mache mich mit Gewalt aus Pauls Umklammerung los. Er setzt daraufhin sofort eine schmollende Miene auf und verschränkt die Arme vor der Brust.

»Wenn es Pia und Jan sind«, ruft er mir in den Flur nach, »sag ihnen, dass wir heute keinen Bock auf sie haben und allein sein wollen.«

»Mach ich«, verspreche ich, obwohl ich natürlich nicht vorhabe, das zu tun. Wenn es mir ein wenig Gnadenzeit bis zu meiner Beichte verschafft, kann ich mir nichts Schöneres als einen gemütlichen Kinoabend mit Pia und Jan vorstellen.

Es sind nicht Pia und Jan. Als ich die Tür öffne, steht vor mir – eine vollkommen aufgelöste Katja. Ihre Haare sind wirr, ihre Wimperntusche bildet unschöne schwarze Spinnenbeine unter ihren rot verheulten Augen, und ihre Nase sieht aus wie ein Feuermelder. Schluchzend fällt sie mir um den Hals und klammert sich dort gute fünf Minuten fest, bis ich mich endlich sanft von ihr befreien kann.

»Katja, was ist denn los?«, will ich besorgt wissen. »Was ist passiert?«

»Rafael«, bringt sie immer noch schluchzend hervor.

»Hatte einen Unfall?«, vollende ich ihren Satz und merke, wie mir mit einem Schlag ganz schwindelig wird. Doch Katja schüttelt energisch den Kopf, strafft dann die Schultern und schleudert mir entgegen: »Rafael, dieses miese kleine Arschloch, hat eine Freundin!«

26. Kapitel

Jetzt lass mich das kurz noch einmal zusammenfassen«, beginne ich, nachdem ich Paul kurz die Notlage erläutert, die heulende Katja in die nächste Bar verfrachtet und mit einem Gin Tonic grundversorgt habe, »dein sensibler, warmherziger, verständnisvoller und überhaupt wunder-o-wunderbarer Rafael ist also wieder mit seiner Ex zusammen, die ihn mit unserer Hilfe abgeschossen hat?« Ich bin immer noch einigermaßen fassungslos. Nie und niemals im Leben hätte ich gedacht, dass er zu dieser eiskalten Fiona zurückgeht, die bei uns das *Erbarmungslos-abschießen*-Paket für ihn gebucht hat.

»Nein«, antwortet Katja zu meinem großen Erstaunen. »Er ist nicht wieder mit Fiona zusammen.«

»Nein?«, frage ich nach. »Aber ich dachte ...«

»Ist mir schon klar, was du denkst.« Sie nimmt einen Schluck von ihrem Longdrink. »Aber die Geschichte ist noch viel besser. Rafael hat eine *andere* Freundin. Eine, mit der er offensichtlich schon zusammen war, als es Fiona noch gab. Genauer gesagt war sie wahrscheinlich der Grund dafür, dass Fiona die Dienste von *Trostpflaster* in Anspruch genommen hat.«

»Du meinst ...«, setzte ich an, verstumme dann aber. Zu ungeheuerlich, zu dreist erscheint mir das, was Katja da gerade erzählt.

»Genau so ist es«, stellt meine beste Freundin mit Grabesstimme fest. »Rafael hatte offenbar die ganze Zeit eine Freundin. Deshalb hat Fiona Schluss gemacht. Und aus diesem Grund muss ich wohl dasselbe tun.« Dann fängt sie wieder an zu weinen. »Wie hast du das rausgefunden?«, will ich wissen, als ich wieder neben Katja sitze.

Sie schluchzt noch einmal und nimmt dann einen weiteren Schluck von ihrem Longdrink. »Ganz banal«, erklärt sie. »Sie hat ihn auf seinem Handy angerufen und ich bin rangegangen.«

»Wieso gehst du an Rafaels Handy?«

»Weil er gerade mit seinem Kopf unterm Wasserhahn steckte«, erklärt sie. »Er war heute Abend bei mir im Salon, um sich die Haare schneiden zu lassen. Und als meine Auszubildende ihm das Shampoo ausspülte, klingelte sein Handy. Da bin ich eben drangegangen, es hätte ja seine Redaktion sein können. Hab mir nichts Böses dabei gedacht.«

»Natürlich nicht.« Wie soll man auch auf die Idee kommen, dass es die Freundin des eigenen Freundes ist, von der man doch denkt, dass sie ihn höchstpersönlich hat absägen lassen. Beziehungsweise, dass es neben dieser Freundin noch eine Zweitfreundin gibt. Genauer gesagt eine Erstfreundin, denn die andere Dame scheint es ja laut Katjas Aussage schon länger zu geben als Fiona … Ach, kompliziert, das alles!

»Jedenfalls bin ich rangegangen und hab mich mit *Rafaels Handy* gemeldet. Dann war erst einmal Schweigen am anderen Ende der Leitung.«

»Und dann?«

»Dann sagte jemand: Hier ist Nadja. Wer ist denn da?« Zum Glück war ich geistesgegenwärtig genug zu sagen, dass ich Rafaels Friseurin bin und er gerade nicht rangehen kann, weil er mit seinem Kopf im Waschbecken steckt.«

»Und dann?«

»Hat sie darum gebeten, dass ich ihm ausrichte, er möge bitte seine Freundin zurückrufen, sich bedankt und aufgelegt.«

»Oh, Mann!« Ich starre Katja fassungslos an – was für eine schreckliche Geschichte.

»Das kannst du wohl sagen! Ich bin fuchsteufelswild rüber

zum Waschbecken und hab das Wasser volle Pulle auf Kalt gedreht. Rafael ist mit einem Satz aus seinem Sessel, hat mich angebrüllt, was das denn solle. Tja, da habe ich ihm schöne Grüße von Nadja ausgerichtet und er hat mich nur wortlos angestarrt.«

Das klingt ja alles wie in einem Hollywood-Film! »Was hat er darauf gesagt?«, will ich wissen.

»Er hat rumgestottert. So was in der Art wie: *Nadja, äh, das ist … äh, Nadja …* War echt armselig. Und mit einem Mal war ich ganz glasklar und eiskalt. Ich habe ihn nur angesehen und gefragt: *Ist Nadja deine Freundin?* Darauf hat er *ja* gesagt.«

»Echt? Er hat es sofort zugegeben?«

Katja nickt. »Stand wohl unter Schock oder so.«

»Das ist ja echt der Hammer!«

Jetzt schüttelt Katja den Kopf. »Nein, der Hammer kommt erst noch. Auf meine Frage, wie lange er mit ihr schon zusammen sei, sagte er: *sieben Jahre.*«

»Sieben Jahre?«

»Genau. Sieben wunderbare Jahre. Exakt so lange wie Paul und du.«

»Du hast recht: Das ist *echt* der Hammer.«

»Er fing dann an, mir alles erklären zu wollen – aber da hab ich schon gar nicht mehr hingehört. Hab ihn einfach mit seinen nassen Haaren und meiner Auszubildenden stehen lassen, bin aus dem Salon gerauscht und sofort zu dir gefahren. Tja«, sie seufzt tief, »das ist also die ganze unschöne Geschichte.«

»Ich verstehe das alles nicht«, wundere ich mich.

»Da sind wir dann schon zu zweit.«

Ich denke einen Moment nach. »Dann hat Fiona wahrscheinlich auch rausgefunden, dass Rafael schon lange eine Freundin hat und deshalb Hilfe bei *Trostpflaster* gesucht.«

»Macht jedenfalls ganz den Eindruck.«

»Aber wieso …«, ich suche nach den richtigen Worten.

»Du fragst dich, wieso er dann so am Boden zerstört war, als wir ihm das Ende seiner Beziehung zu Fiona mitgeteilt haben. Und warum er sich sofort auf mich gestürzt hat?«

Wer sich da sofort auf wen gestürzt hat – das lasse ich jetzt mal unkommentiert; in der Sache an sich hat Katja natürlich recht. »Ja«, sage ich daher nur, »das verstehe ich wirklich nicht. Er hatte doch gar keinen Grund und hätte wissen müssen, dass …«

»Weil er eben ein Mann ist«, werde ich von Katja unterbrochen. »Und Männer scheinen offensichtlich wirklich alles dumme, gewissenlose Arschlöcher zu sein.« Sie guckt grimmig in ihr Glas, das mittlerweile leer vor ihr steht. »Bis auf Paul, meine ich. Vergiss wirklich alles, was ich jemals über ihn gesagt habe, von wegen, er wäre langweilig oder so. Sei echt froh, dass du ihn hast – so eine treue Seele findest du niemals mehr im Leben.«

Bei diesen Worten meldet sich sofort das schlechte Gewissen bei mir, weil es zwischen Paul und mir ja auch noch so ein paar Sachen gibt, die der Klärung bedürfen.

»Hm«, mache ich und schiebe den unangenehmen Gedanken beiseite. »Was hast du jetzt vor?«

»Das kann ich dir sagen«, schleudert Katja mir wütend entgegen, als wäre ich der Unhold, der sie belogen hat. »Wenn mir dieser Dreckskerl noch mal über den Weg läuft, werde ich ihn eigenhändig kastrieren. Und zwar sehr langsam und sehr schmerzhaft mit meiner Spliss-Schere.«

»Autsch«, entfährt es mir; ich muss fast lachen. Auf gewisse Weise hat es schon einen enormen Unterhaltungswert, wie Katja hier so vor mir sitzt und sich die finstersten Racheszenarien ausmalt. »Das wäre aber wirklich …«

In diesem Moment klingelt ihr Handy, Katja macht sich

nicht einmal die Mühe, es aus der Tasche zu holen. »Das ist nur Rafael«, stellt sie fest. »Hat in der letzten Stunde schon zehnmal versucht, mich anzurufen. Aber ich geh nicht ran.«

»Kann ich verstehen, würde ich auch nicht tun.«

»Wozu auch? Damit er mir erklärt, dass das alles nur ein riesiges Missverständnis ist und sich alles ganz anders verhält?«

»Muss man sich nicht anhören, das Gelaber«, gebe ich ihr recht.

Entschlossen steht Katja auf und holt uns noch zwei Gin Tonic von der Bar. Ich möchte eigentlich ablehnen – aber ist es nicht das Mindeste, was ich für eine Freundin in Not tun kann, dass ich mich mit ihr zusammen betrinke? Besondere Vorkommnisse verlangen nun einmal besondere Maßnahmen, das ist einfach so.

»Ich hab ihm echt vertraut«, sinniert Katja, als sie beim dritten Longdrink angelangt ist. »Und es war so schön, in ihn verliebt zu sein – in einen Mann, den ich attraktiv finde, der beruflich erfolgreich ist, der mich verwöhnt …«

»Das weiß ich doch«, versuche ich, sie zu trösten. Dabei fällt mir die Frage ein, die mich vor einiger Zeit so beschäftigt hat und die ich mir wegen dem ganzen Stress in der Agentur immer noch nicht zufriedenstellend beantwortet habe: *Was ist wichtiger, zu lieben oder geliebt zu werden.* Nun, Katja brauche ich danach im Moment wohl eher nicht zu fragen. »Aber vielleicht hättest du einfach etwas darauf geben sollen, was seine Ex über ihn gesagt hat.«

»Was genau meinst du?«

»Na ja, ich kann mich noch gut daran erinnern, was Fiona über ihn sagte, als sie uns den Auftrag erteilte: Dass er ein mieser kleiner Lügner und Betrüger sei, das hat sie genau so gesagt.«

»Stimmt«, stellt Katja fest. »Und ich habe ihr nicht geglaubt. Dachte, es sei nur die verletzte, enttäuschte Frau, die da aus ihr spricht. Und immerhin: Klein ist Rafael ja wirklich nicht.« Sie grinst bitter.

»Mies und betrügerisch aber anscheinend schon.«

»Ja, leider.« Noch einmal schluchzt Katja auf, aber im Großen und Ganzen hat sie sich relativ schnell wieder beruhigt. Ging ja auch nur ein paar Wochen mit den beiden, da schmerzt es wahrscheinlich nicht so sehr. »Ich habe keine Lust mehr, über diesen Idioten zu reden«, stellt sie energisch fest, trinkt ihr Glas mit einem Schluck aus und knallt es auf den Tisch.

»Okay«, sage ich durchaus erleichtert, »worüber reden wir dann?«

»Über dich.«

»Über mich? Was sollen wir denn da groß reden?«

»Wie läuft es zum Beispiel in der Agentur?«

»Ganz gut«, weiche ich aus.

Aber dann bricht es auf einmal aus mir heraus; zu groß ist das Bedürfnis, meiner besten Freundin von den jüngsten Ereignissen zu berichten. Auch, wenn ich eigentlich Paul zuerst davon erzählen wollte, weil es ja schließlich um uns beide und unsere Zukunft geht. Aber Paul ist im Moment eben nicht hier. Und so gebe ich Katja eine kurze Zusammenfassung darüber, dass Simon und ich jetzt Partner sind, dass ich viel Geld in die Firma gesteckt habe und mich nicht traue, es Paul zu beichten.

»Hm«, macht Katja, nachdem ich fertig bin. »Das solltest du Paul auf jeden Fall bald erzählen, sonst könnte er sich hintergangen fühlen.«

»Aber das ist ja genau der Punkt: Auf einmal macht er einen Riesentamtam um unsere Hochzeit, besorgt Prospekte von Schlössern, schleift musizierende Studenten zu uns nach Hause – und das in genau dem Moment, in dem ich mich dazu entschlossen habe, meinen Hochzeitsgroschen zuerst einmal in die Firma zu investieren, weil mir das wichtiger ist.«

»Scheint so, als hätten sich deine Prioritäten verschoben«, analysiert Katja messerscharf.

»Irgendwie schon«, gebe ich zu. »Die Agentur, die selbstständige Arbeit … das alles macht mir einfach riesigen Spaß. Und als Simon auf einmal meinte, er müsse die Firma verlassen – da hatte ich plötzlich unglaubliche Angst, alles zu verlieren, was ich mir in den vergangenen Monaten aufgebaut habe.«

»Aber wie ich Paul kenne, wird er das verstehen«, wendet Katja ein. »Er hat doch immer für alles Verständnis.«

»Weiß nicht«, meine ich etwas zweifelnd. »*Trostpflaster* war ihm doch von Anfang an ein Dorn im Auge. Wenn er jetzt erfährt, dass ich fast mein gesamtes Kapital in die Agentur gesteckt habe – ich denke nicht, dass er da sonderlich begeistert ist.«

»Ist es die Agentur, die ihm von Anfang an ein Dorn im Auge war«, will Katja wissen, »oder mehr etwas anderes?«

»Was anderes?«

»Du weißt doch, was ich meine. Ich rede von Simon.«

»Was hat denn Simon Hecker damit zu tun?« Natürlich weiß ich genau, was sie meint. Aber das heißt nicht, dass ich darüber sprechen möchte.

Katja verdreht gespielt genervt die Augen. »Eine ganze Menge, denke ich. Schließlich ist er ein gutaussehender Mann, mit dem du mittlerweile einen Großteil deiner Zeit verbringst.«

»Paul weiß, dass Simon und ich nur eine Zweckgemeinschaft sind!«, fahre ich Katja an.

»Ist das so?«

»Natürlich ist das so, denn …« Ich komme ins Stocken. »Das heißt, vielleicht nicht mehr ganz.« Ich unterbreche mich.

»Okay«, gebe ich dann zu. »Sicher finde ich Simon nicht mehr ganz so zum Kotzen wie früher. Wäre ja auch etwas schwierig, zusammen mit jemandem eine Firma aufzubauen, den man auf den Tod nicht ausstehen kann.«

»Ursprünglich war das aber mal so«, werde ich von meiner besten Freundin erinnert, »da war Simon Hecker dein persönlicher Staatsfeind Nummer eins, dem du die Pest, kreisrunden Haarausfall und sonst was an den Hals gewünscht hast. Und trotzdem hast du dich darauf eingelassen.«

»Weil ich darin eine Chance sah. Eine Chance für mich. Und damit auch für Paul und mich.«

»Und wie siehst du es jetzt?«

»Steh ich hier eigentlich vor Gericht?«

»In gewisser Weise: ja.« Jetzt grinst Katja mich an.

»Weißt du, es ist nicht so, dass Simon und ich auf einmal beste Freunde sind«, versuche ich ihr zu erklären, »ganz bestimmt nicht. Und das werden wir mit Sicherheit auch nie, dafür ist und bleibt er viel zu ich-bezogen und arrogant. Aber mittlerweile habe ich halt auch die eine oder andere nette Seite an ihm entdeckt. Er ist gar nicht so oberflächlich und kalt, wie wir gedacht haben, er kann sogar richtig einfühlsam sein. Außerdem ist er gut in seinem Job. Er weiß, was er tut und übernimmt die Verantwortung. Wir haben zusammen schon viel erreicht, und wenn es so weiterläuft, kann *Trostpflaster* für uns beide zur Goldgrube werden. Immerhin ist es uns gelungen, Beate und Gerd wieder einen Job zu verschaffen, mal ganz davon abgesehen, dass …«

»Julia«, werde ich von Katja unterbrochen. »Merkst du es denn selbst nicht?«

»Was soll ich merken?«

Sie beugt sich zu mir hinüber, legt ihre Hände auf meine und sieht mich nachdenklich an. »Du hast gerade ein ellenlanges Plädoyer auf Simon Heckers Qualitäten gehalten.«

»Hab ich?«

Sie nickt.

»Aber das war doch nur beruflich, ich bin doch nicht …«

Wieder unterbricht sie mich. »Julia, alles, was ich sagen wollte, ist, dass ich verstehen kann, wenn Paul mit der Situation nicht ganz glücklich ist. Bis vor kurzem hatte er noch eine Freundin, bei der er genau wusste, woran er ist. Die einen sicheren, wenn auch wenig aufregenden Job hatte und deren einziges Interesse darin bestand, ihre Traumhochzeit auszurichten.«

»Aber das will ich doch immer noch!«, rufe ich aus.

»Mag sein. Nur ist es nicht mehr *alles*, was du willst. Es ist nicht mehr das Zentrum deines Interesses.«

»Du hast doch immer gesagt, ich soll was wagen!«, beschwere ich mich.

»Das stimmt. Und das finde ich ja auch noch nach wie vor gut.« Sie legt mir eine Hand auf den Unterarm, und ich merke verblüfft, dass das genau die Geste ist, mit der ich Tag für Tag neue Trennungskandidaten beruhige. »Ich wollte dich nur darauf hinweisen, dass du dich verändert hast. Sicher nicht zum Negativen – aber für den Mann an deiner Seite ist diese Veränderung wahrscheinlich … gewöhnungsbedürftig. Darauf solltest du Rücksicht nehmen und ihn deshalb in wichtige Entscheidungen mit einbeziehen. Früher hast du das ja auch immer gemacht.«

»Früher gab's gar keine wichtigen Entscheidungen in meinem Leben«, erwidere ich trotzig. »Und das, was mir wichtig war, hat Paul nicht interessiert. Wenn es um die Hochzeit ging, meinte er immer nur: *Mach mal Schatz, mir ist alles recht.*«

»Nun, offenbar hat Paul eingesehen, dass das ein Fehler war, und gibt sich jetzt Mühe, es anders zu machen.«

Ich muss einen Moment nachdenken. »Da hast du natürlich irgendwie recht«, meine ich schließlich.

336

»Das liegt daran, dass ich *immer* recht habe«, grinst sie. Dann verdunkelt sich ihre Miene. »Zumindest, wenn es mal gerade nicht um *mein* Leben geht.«

Ich muss lachen und nun bin ich diejenige, die nach Katjas Händen greift. »Ach, Süße«, tröste ich sie, »gräm dich nicht – ich wäre auch auf die Rafael-Show reingefallen, so viel Gas wie der gegeben hat. Ich sage nur: *Lomi-Lomi für die frei flie-ßende Harmonie.*«

»Ja«, sie lacht auf, »die Rafael-Show ist genau das richtige Wort. Und ich hatte dabei einen Platz in der ersten Reihe!«

Eine Weile sitzen wir einfach nur so da, jede von uns hängt ihren Gedanken nach.

»Und jetzt?«, will ich dann irgendwann wissen. »Was soll ich nun machen?«

»Mit Paul offen und ehrlich reden. Ihm sagen, wie wichtig dir die Agentur mittlerweile ist, und ihm erklären, warum das so ist. Wenn du ihm die Wahrheit sagst, wird er es verstehen. Dann wird er nachvollziehen können, warum du dich verändert hast.«

»Du hast recht. Sobald ich nach Hause komme, rede ich mit ihm.«

Wieder klingelt Katjas Handy, diesmal fängt sie an, in ihrer Handtasche zu wühlen.

»Ich dachte, du wolltest nie wieder mit diesem Idioten reden?«

»Hab's mir gerade anders überlegt. Der soll ruhig wissen, was ich über ihn denke!« Bei diesen Worten hat sie ihr Mobiltelefon gefunden, geht ran und bellt ein »*Was ist denn?*« in den Hörer.

Dann ist es eine Weile still. Katja nickt nur stumm und hört zu. Ich sehe, wie ihr Tränen in die Augen steigen. Als sie auflegt, sieht sie mich etwas beklommen an.

»Und?«, will ich wissen.

»Ich muss zu ihm.«

»Zu Rafael?«, frage ich entgeistert.

»Ja«, gibt sie zu, »er meint, er könne mir das alles erklären, es sei …«

»… nur ein riesiges Missverständnis«, vollende ich ihren Satz. »Glaub mir, den Satz höre ich jeden Tag mindestens fünfmal!«

Katja zuckt hilflos mit den Schultern. »Was soll ich tun?«

»Ihm den Arsch aufreißen!«

Katja guckt mich groß an. »Mann, du hast dich echt verändert. Die Julia, die ich mal kannte, hätte so etwas niemals gesagt. Die hätte spätestens jetzt gefragt, ob ich ihm nicht doch etwas Verständnis entgegenbringen sollte.«

»Tja, diese Julia gibt es nicht mehr«, stelle ich nur fest. »Und ich bin darüber nicht traurig, denn die neue Julia hat gelernt, auch mal zurückzuschlagen und sich nicht alles gefallen zu lassen. Übrigens: Die Katja, die ich kenne, ist schon immer so.«

Katja seufzt. »Weißt du, was das Schlimmste ist? Ich bin eben immer noch verliebt in ihn. Und die Hoffnung stirbt ja bekanntlich …«

»… zuletzt.«

»Genau so sieht es aus. Und bevor ich Rafael zum Mond schieße, möchte ich ihm wenigstens die Chance geben, mir für all das vielleicht doch noch eine vollkommen logische Erklärung zu liefern. Damit ich mir später nicht vorwerfen muss, möglicherweise übereilt gehandelt zu haben.« Sie sieht mich bittend an. »Verstehst du das?«

Ich streichele noch einmal über ihre Hand. »Klar versteh ich das«, meine ich. »Ich war ja schließlich auch schon mal unglücklich verliebt und hätte eine Menge darum gegeben, wenn …« Ich komme kurz ins Stocken.

»Du meinst«, spricht Katja weiter, doch dann verstummt sie ebenfalls.

»Genau *den* meine ich.« Wir sehen uns an, keine von uns sagt ein Wort. Wir wissen beide, wovon die Rede ist, darüber müssen wir nicht mehr sprechen. Darüber ist schon vor Jahren genug gesprochen worden; das Kapitel ist mehr als abgehakt.

»Danke, dass du mich nicht verurteilst«, flüstert Katja nach einer Weile.

»Keine Sorge.« Ich versuche, sie fröhlich anzugrinsen. »Das mir dem Verurteilen kommt noch. Spätestens morgen.«

Katja lacht auf. »Ich kann mich nur wiederholen: Du hast dich echt verändert! Und ich muss sagen: Du hast eine Menge von Simon Hecker gelernt.«

»Das lasse ich jetzt mal unkommentiert im Raum stehen. Aber du hast dich auch verändert: Dass du mal an den Punkt kommst, wo du auf Pauls Seite stehst und findest, dass ich Rücksicht auf ihn nehmen soll, hätte ich nie für möglich gehalten. Oder du etwa?«

Katja steht kopfschüttelnd auf. »Ich sag doch: Viel gelernt – und damit meine ich uns beide.« Dann will sie ihr Portemonnaie aus ihrer Tasche kramen, aber ich winke ab.

»Lass mal. Das geht aufs Haus. Beim nächsten Liebeskummer bist du dann dran.«

»Bei *meinem* oder bei *deinem* nächsten Liebeskummer?«, will sie wissen.

»Die Frage ist ja wohl überflüssig«, erinnere ich sie. »Schließlich bin ich eine fast verheiratete Frau, da wird es keinen Liebeskummer mehr geben.«

Als ich um kurz nach Mitternacht wieder nach Hause komme, schläft Paul schon tief und fest. Einerseits finde ich das schade, weil ich durch das Gespräch mit Katja umso überzeugter davon bin, dass ich so schnell wie möglich mit ihm reden sollte – andererseits bin ich auch ganz erleichtert, denn so habe ich noch etwas Zeit gewonnen.

Während ich im Badezimmer stehe und mir die Zähne putze, denke ich über das Gespräch mit Katja nach. Sie hat recht, ich habe mich verändert. Aber es ist eine Veränderung, die mir gefällt. Und ich bin ja schließlich kein komplett neuer Mensch geworden. Nur gibt es in meinem Leben jetzt ein paar mehr Dinge, die mich begeistern. Das heißt natürlich nicht, dass ich nicht noch immer meine Traumhochzeit will. Nur wäre es mittlerweile kein Drama mehr für mich, wenn sie nicht ganz so riesig wird, wie ich es mal vorhatte. Oder wenn wir sie vielleicht doch um ein paar Monate verschieben, bis in meinem Leben alles wieder etwas ruhiger geworden ist und die Agentur richtig läuft.

Als ich ins Schlafzimmer komme und leise meine Nachttischlampe anknipse, betrachte ich Paul, der tief schlafend auf seiner Seite liegt und leise vor sich hinschnarcht. Rund um ihn verteilt liegen diverse Prospekte von Schlössern, Caterern sowie verschiedene Hochzeitsmagazine. Ich spüre eine Mischung aus Freude und schlechtem Gewissen. Irgendwie ist es niedlich, dass er sich plötzlich so engagiert kümmert. Niedlich – aber blöderweise nicht zum richtigen Zeitpunkt. Vor ein paar Wochen wäre ich noch begeistert gewesen, wenn Paul so viel Engagement gezeigt hätte. Jetzt bin ich – immerhin erfreut.

»Ich liebe dich«, flüstere ich ihm ins Ohr, als ich mich ganz dicht an ihn kuschele und seine warme Haut auf meiner spüre. Er antwortet nicht; neben Paul konnte man schon immer eine Blaskapelle abspielen, ohne dass ihn das wecken würde. »Ich liebe dich«, sage ich noch einmal, dann drehe ich mich auf meine Seite. Bevor ich mir noch vornehmen kann, wovon ich heute Nacht gern träumen würde, bin ich auch schon eingeschlafen.

27. Kapitel

Guten Morgen, guten Morgen!« Beate begrüßt mich wie immer bester Laune, als ich um kurz nach zehn ins Büro gestolpert komme. Sie ist gerade dabei, einen neuen *Trostpflaster*-Spruch aufzuhängen. »Toll siehst du heute wieder aus!«

Ich gucke an mir hinunter. Nachdem Paul unbemerkt irgendwann gegen sieben aufgestanden und ins Büro gefahren ist, habe ich den Wecker nicht gehört und kam erst um zwanzig vor zehn zu mir. Für's Duschen war keine Zeit mehr, für aufwendiges Styling ebenfalls nicht – und so stecke ich jetzt in einer alten Jeans, einem verschlissenen Sweatshirt und habe die Haare auf viertel vor acht. Wie gut, dass wir in der Agentur ein Badezimmer haben, da kann ich mich noch herrichten, bevor ich so vor irgendwelchen Kunden sitzen muss.

»Äh, danke«, erwidere ich etwas irritiert. Dann lese ich mir das neue Tagesmotto durch:

> *Liebe – Eine temporäre Verrücktheit,*
> *die durch Heirat geheilt werden kann.*
> Ambrose Bierce

»Wo hast du denn diesen Spruch schon wieder her?«, will ich wissen.

Beate lacht. »Der stand in der Karte, die Gerd mir heute morgen auf meinen Frühstücksteller gelegt hat«, erklärt sie.

»Wieso hat er das denn gemacht?«, wundere ich mich.

»Weil wir heute Hochzeitstag haben. Den achtundzwanzigsten!«

»Wow! Das ist lang«, stelle ich fest. »Aber den Spruch finde ich da nicht gerade passend.«

Beate zuckt mit den Schultern. »Wir sind über die Jahre eben ein skurriles Paar mit einem skurrilen Humor geworden.«

»Das kann man wohl sagen.«

»Wart's nur ab!« Beate zwinkert mir zu. »Wenn du mit deinem Paul so lange verheiratet bist, wirst du merken, dass man das gemeinsame Leben am besten mit Humor nehmen kann. Eine Ehe, in der viel gelacht wird, ist das beste Rezept für ein glückliches Leben.«

Na klar, wieder das Thema Heiraten. Scheint fast so, als würde mich auch das Universum ganz eindringlich darauf hinweisen, dass ich so schnell wie möglich mit Paul reden sollte. Aber ich hab's ja vor!

»Danke für den Tipp, werde ich mir merken.«

»Immer wieder gern«, antwortet Beate. »Wenn du irgendwelche Ratschläge brauchst, wende dich vertrauensvoll an mich.«

»Das mache ich«, erwidere ich. »Sag mal, ist Simon auch schon da?«

Beate zieht die Augenbrauen hoch. »Hast du mal auf die Uhr geschaut?«

»Ja, hab ich. Es ist kurz nach zehn.«

»Eben.«

»Stimmt … Ich vergesse immer wieder, dass Simon hier nicht mehr wohnt und deshalb so gut wie nie vor elf da ist.«

»Ja, ja«, sagt Beate, »so laxe Arbeitszeiten hätte ich auch gern mal. Gerd und ich«, sie wirft einen liebevollen Blick zu seiner Bürotür hinüber, »sind ja mal wieder seit acht Uhr hier.«

»Dafür schlägt Herr Hecker sich oft genug die Nächte um die Ohren«, nehme ich meinen neuen Partner in Schutz, schnappe mir den frischen Kaffee, den Beate mir hingestellt hat, und gehe rüber in mein Büro.

Nachdem ich den Terminkalender gecheckt habe, stelle ich fest, dass auch heute wieder jede Menge zu tun ist. Achtmal Schlussmachen per Telefon, dreimal per Abschiedsbrief. Zwischen 13.00 und 15.00 Uhr haben sich sieben Leute angekündigt, die Simon und mich als persönliche Überbringer der Hiobsbotschaft beauftragen wollen. Ja, so muss es laufen, so gefällt es mir und meinen investierten zwanzigtausend Euro! Bevor ich mich auf die Arbeit stürze, will ich mich aber doch erst einmal richtig frischmachen, und gehe deswegen wieder ins Vorzimmer, um Beate Bescheid zu sagen. »Ist heute *Casual Friday?* Dabei ist doch erst Mittwoch«, tönt es mir entgegen: Simon steht neben Beates Schreibtisch, im Gegensatz zu mir wie immer auf Hochglanz poliert und im schicken Anzug; ein Hauch von Frische weht zu mir herüber. Okay, dafür war ich eher da!

»Guten Morgen, Simon! Ich finde, auch die Mitte der Woche muss gefeiert werden«, gebe ich frech zurück.

»Ach? *So* sehen Sie also aus, wenn Sie feiern wollen?«

»Noch nie was vom neuen Grunge-Look gehört? Na, Modetrends sind offenbar nicht so Ihrs.« Ich grinse ihn an und genieße unseren kleinen verbalen Schlagabtausch. Beate offensichtlich auch, aus den Augenwinkeln kann ich sehen, dass sie lächelt.

»Für so etwas wie Mode hat ein vielbeschäftigter Mann wie ich keine Zeit«, mit einer betonten Geste streicht er sich dabei über das Revers seines Anzugs, wohl wissend, dass er in dem Teil wirklich ziemlich gut aussieht.

»Vielbeschäftigt, sicher ... aber haben Sie schon mal den schönen Spruch gehört: *Der frühe Vogel fängt den Wurm?*«, frage ich mit einem demonstrativen Blick auf die Uhr.

»Die Ersten, liebe Julia«, grinst er mich an, »werden bekanntlich ...«

»So, Kinder«, geht Beate dazwischen, »nun seht mal zu, dass ihr an eure Schreibtische oder unter die Dusche kommt und mich hier nicht von der Arbeit ablenkt. Also, husch, husch!« Gehorsam marschiere ich Richtung Badezimmertür. Als ich sie öffne, bemerke ich, dass Simon direkt hinter mir steht. Überrascht drehe ich mich um.

»Ist noch was?«, will ich wissen und registriere irritiert, dass meine Stimme leicht zittert. Es macht mich einfach nervös, wenn jemand so nah bei mir steht.

»Beate sagte, wir sollen unter die Dusche.« Er zieht neckend beide Augenbrauen in die Höhe, woraufhin ich kichern muss.

»Herr Hecker«, stelle ich betont streng fest, »ich Dusche – Sie Schreibtisch.«

Er zuckt mit den Schultern und wendet sich seufzend ab. »Habe ich mir doch gleich gedacht, dass ich da irgendetwas missverstanden habe«, murmelt er, während er sich an seinen Schreibtisch trollt. Ich kann einfach nicht anders, als fröhlich vor mich hin zu kichern, während ich unter der Dusche stehen. So bescheuert Simon auch manchmal ist – er ist einfach auch ein unglaublich witziger Kerl!

Eine halbe Stunde später sitze ich frisch geduscht und in dem grauen Kostüm, das ich immer im Büro hängen habe, an meinem Schreibtisch und verfasse konzentriert einen Abschiedsbrief. Susanne Diehlen heißt die Klientin, die uns den Auftrag erteilt hat, ihrem Freund Thomas Völler den Laufpass zu geben, weil er sich nach mittlerweile über zehn Jahren Beziehung noch immer nicht auf sie festlegen mag. Ich studiere die Auftragsmail von Susanne Diehlen, in der sie mit Hilfe von Stichpunkten vermerkt hat, was in dem Brief stehen soll. Dann haue ich in die Tasten.

Lieber Herr Völler,

vermutlich sind Sie etwas irritiert, einen Brief von der Trennungsagentur Trostpflaster *zu erhalten. Ihre Freundin Susanne Diehlen ist der Meinung, dass eine neutrale Klärung der Situation das Sinnvollste ist. Zu unserer Legitimierung lege ich Ihnen eine Kopie des Auftragsschreibens bei.*

Frau Diehlen möchte die Verbindung zu Ihnen beenden, denn sie sieht für Sie beide keinerlei Zukunft mehr. Als wichtigsten Trennungsgrund benennt Frau Diehlen Ihren Unwillen, sich voll und ganz auf eine Beziehung mit ihr einzulassen. Lieber Herr Völler, wir wissen, dass dies im ersten Moment ein Schock für Sie ist, und möchten Ihnen anbieten, sich im Zweifel jederzeit an uns … Ach was, das ist hier ja alles großer Mist, den ich schreibe, denn die Wahrheit, Herr Völler, sieht doch mal ganz einfach so aus: Sie haben die Bedürfnisse Ihrer Freundin jahrelang missachtet und sie schlecht behandelt, Sie haben in der Öffentlichkeit so getan, als gehörten Sie nicht zusammen, um sich noch andere mögliche Optionen offenzuhalten. Frei nach dem Motto: Festhalten und gucken, ob sich noch was Besseres findet. Tja, Herr Völler, und das haben Sie jetzt davon, Ihre Alte hat die Schnauze voll von Ihnen und schießt Sie deshalb endlich dahin, wo der Pfeffer …

Natürlich werde ich diesen Brief so nicht abschicken, auch wenn ich das gerade wirklich schade finde. Die ganzen normalen, einfühlsamen Abschiedsbriefe langweilen mich inzwischen; es ist schon erstaunlich, in welchen Disziplinen man Routine entwickeln kann. Ich hätte wirklich Lust, bei einem dieser Idioten mal ordentlich auf die Tonne zu hauen …

»Und?«

Ich werde aus meinen Gedanken gerissen und blicke auf. Simon sieht von seinem Schreibtisch aus fragend zu mir herüber.

»Und was?«, frage ich.

»Wie war der gestrige Abend noch? Haben Sie mit Paul gesprochen und ihm von unserer Partnerschaft erzählt?«

Ich schüttele den Kopf. »Dazu hatte ich leider noch keine Gelegenheit, es kam etwas Wichtiges dazwischen.«

»Etwas Wichtiges?«

»Ja«, antworte ich einsilbig, denn schließlich geht Katjas Privatleben Simon nicht das Geringste an. Dabei fällt mir ein, dass ich von ihr noch immer nichts gehört habe, seit sie zu Rafael und dem alles erklärenden Gespräch abgerauscht ist. Muss sie nachher dringend mal anrufen.

»Hm«, kommt es von Simon zurück. »Ich dachte nur, dass wir das bald mal verkünden müssten. Es soll ja auch anständig gefeiert werden.«

»So eilig ist es nicht, wir haben uns ja gerade erst geeinigt.«

»Das stimmt.« Er konzentriert sich wieder auf seinen Bildschirm, ich wende mich erneut meinem Brief zu. Aber irgendwie wollen mir heute nicht die richtigen Worte kommen. Dabei muss ich noch zwei mehr von den Dingern schreiben, dann die Telefonanrufe hinter mich bringen und außerdem die Hausbesuche heute Nachmittag vorbereiten. Aber irgendwie bin ich gerade so ... uninspiriert. Liegt vermutlich daran, dass mir sowohl Paul als auch die Sache mit Katja und Rafael durch den Kopf gehen. Wie Rafael die Tatsache, dass er seit sieben Jahren eine Freundin hat, wohl sinnvoll begründen will?

Frau Diehlen möchte die Verbindung zu Ihnen beenden, denn sie sieht für Sie beide keinerlei Zukunft mehr. Als

wichtigsten Trennungsgrund benennt Frau Diehlen Ihren
Unwillen, sich voll und ganz auf eine Beziehung mit ihr
einzulassen. Lieber Herr Völler, wir wissen, dass dies im
ersten Moment ein Schock für Sie ist, und möchten Ihnen
anbieten, sich im Zweifel jederzeit an uns zu wenden. Sie
erreichen uns ab Erhalt dieses Briefes drei Werktage lang
vierundzwanzig Stunden unter der oben genannten Tele-
fonnummer. Frau Diehlen hat ausdrücklich darum gebe-
ten, dass wir Ihnen diesen Service anbieten – und bittet
Sie eindringlich, sich vorerst nicht bei ihr zu melden. Dies
ist für Sie im Moment vielleicht schwer zu verstehen,
aber mal im Ernst: Wollen Sie dieser wirklich netten Frau
zumuten, sich mit einem charakterlosen Egozentriker
wie Ihnen auseinanderzusetzen? Haben Sie überhaupt
eine Vorstellung davon, wie weh es ihr getan hat, dass Sie
sie so viele Jahre am ausgestreckten Arm haben verhun-
gern lassen, während sie wahrscheinlich damit beschäf-
tigt war, Ihre gemeinsame Zukunft zu planen? Wahr-
scheinlich finden Sie es toll, sich lieben zu lassen, ohne
dafür etwas zurückgeben zu müssen, was? Wenn Sie mein
Freund wären, ich hätte Ihnen schon längst …

»Was machen Sie denn gerade?«, will ich von Simon wissen,
weil es einfach keinen Sinn hat, in meiner Stimmung weiter
an dem Brief zu arbeiten.

»Rechnungen schreiben. Und Sie?«

»Bastele an einem Abschiedsbrief, damit Sie etwas haben,
wofür Sie eine Abrechnung rausschicken können.«

»Worum geht's?«

»Das Übliche: Frau hat sich jahrelang an einem Kerl abge-
arbeitet, der sie nicht verdient hat«, erkläre ich. »Jetzt hat Frau
das endlich auch erkannt und schießt ihn ab.«

»Sehr schön.«

Ich betrachte ihn nachdenklich. »Wissen Sie, die Geschichten, die ich in den vergangenen Wochen hier zu hören bekommen habe, ähneln sich doch alle in gewisser Weise. Entweder geht es darum, dass die Leidenschaft verloren gegangen ist und unsere Auftraggeber sich so sehr langweilen, dass sie aus der Beziehung aussteigen wollen. Oder aber es sind Leute, die einfach keine Kraft mehr haben, darauf zu warten, dass ihr Partner sich endlich zu ihnen bekennt und sich um sie kümmert.«

»Beides sind doch gute Gründe für das Ende einer Beziehung«, meint Simon.

»Schon«, gebe ich ihm recht, »aber unterm Strich finde ich das alles ganz schön traurig.« Ich denke an Susanne Diehlen und an Katja, die sich – obwohl sie es doch besser wissen müsste – noch einmal mit Rafael trifft.

»So ist das Leben. Ich glaube nicht, dass es eine Liebe gibt, die ewig hält.«

»Das glaube ich schon«, erwidere ich heftig.

»Das hoffe ich doch!« Simon lacht auf. »Sonst müsste ich Ihnen dringend von Ihrer Heirat mit Paul abraten.« Er zwinkert mir zu – und auf einmal habe ich ein ganz seltsames Gefühl in der Magengegend.

»Was haben Sie denn?«, will er wissen. Offenbar kann man mir ansehen, dass mir mit einem Schlag ganz blümerant geworden ist.

»Äh, nichts«, beeile ich mich, zu versichern. »Es ist nur ... mir gehen manchmal viele Dinge durch den Kopf.«

»Wissen Sie, Julia«, Simon steht auf, kommt zu meinem Schreibtisch herüber und nimmt auf dem Stuhl davor Platz, »Ihre größte Qualität ist gleichzeitig auch Ihre größte Schwäche.«

»Was meinen Sie damit?«

»Ich meine Ihre Fähigkeit, empathisch zu sein. Sich in

348

andere Menschen hineinzuversetzen. Das ist zwar einerseits gut, weil Sie unseren Klienten dadurch überzeugend das Gefühl vermitteln können, dass Sie sie verstehen. Aber andererseits: Wenn Sie sich hier jedes Schicksal persönlich zu Herzen nehmen, werden Sie den Job nicht mehr lange durchstehen.«

»Manche Dinge nehmen mich halt mit«, meine ich und starre angestrengt auf meine Tastatur, weil ich merke, wie es mich nervös macht, dass Simon so direkt vor mir sitzt und mich eingehend mustert. »Und ich habe immer öfter das Gefühl, dass es wichtiger wäre, die beiden Menschen, die sich auseinandergelebt haben, an einen Tisch zu setzen und dazu zu bringen, wirklich miteinander zu sprechen, statt ihnen zu erlauben, ihre Trennung schön einfach über uns abwickeln zu lassen.«

»Jeder Mensch ist letzten Endes für sich allein verantwortlich. Wir sind nur das ausführende Organ, aber wir treffen keine Entscheidungen.«

»Ich weiß ja. Trotzdem denke ich manchmal, dass ich bei einer Partnervermittlung vielleicht besser aufgehoben wäre. Manchmal macht es mich eben … traurig, zu sehen, wenn Menschen auseinandergehen.«

»Sie haben doch selbst mal gesagt«, er beugt den Kopf, damit er mich von schräg unten angrinsen kann, »dass mit jeder Tür, die sich schließt, eine neue aufgeht. Wenn eine unglückliche Liebe endet, ist das gleichzeitig die Chance, danach eine viel glücklichere zu finden.« Er zwinkert mir zu.

Ich kann kaum glauben, dass wir hier gerade so ein Gespräch führen. Ausgerechnet Simon Hecker und ich! Aber gleichzeitig tut es auch ganz gut.

»Apropos neue Chance, wie geht es eigentlich Melanie?«, will ich von ihm wissen. »Von der habe ich schon lange nichts mehr gehört.«

»Äh, richtig, Melanie. Die ist zur Kur.«

»Zur Kur?«

»Ja, sie hatte da so eine seltsame Allergie …« Er spricht nicht weiter. Aber ich kann mir schon denken, was für eine seltsame Allergie das ist: vermutlich die Simon-Hecker-Allergie. Da ich merke, dass ihm das Thema offenbar unangenehm ist, hacke ich nicht weiter darauf herum. »Ja, die Liebe«, fahre ich stattdessen fort. »Was ich mich, seit wir die Agentur gegründet haben, ehrlich gesagt immer häufiger frage, ist eben …« Ich suche nach den richtigen Worten.

»Ist eben?«, hakt Simon Hecker nach. Ich überlege einen Moment, wie ich das jetzt am besten formulieren kann.

»Na ja, worum es in der Liebe geht. Was eine gute Beziehung ausmacht. Und warum manche Paar glücklich miteinander sind und andere nicht.«

Simon streicht sich nachdenklich übers Kinn. »Ich denke nicht, dass es da ein Patentrezept gibt. Und wenn es das gäbe«, er lacht auf, »dann hätte ich es mir schon längst patentieren lassen und wäre damit Multimillionär geworden.«

»Mit Ihnen kann man nicht ernsthaft reden«, werfe ich ihm scherzhaft vor.

»O doch! Mit mir kann man sogar hervorragend ernsthaft reden.« Er strahlt wie ein Honigkuchenpferd. »Nur gebe ich mir meistens die größte Mühe, dass man es nicht merkt.«

»Das gelingt Ihnen wirklich wunderbar, Herr Hecker!«

»Vielen Dank, Fräulein Lindenthal!«

Wir grinsen uns an, dann werde ich wieder ernsthaft.

»Es gibt da eine Frage«, erkläre ich, »die ich mir bis heute nicht beantworten kann. Eine unserer ersten Kundinnen hat sie mir einmal gestellt, und bis heute habe ich darauf keine richtig passende Antwort gefunden.«

»Nur zu, Frau Kollegin, schießen Sie los. Ich helfe gern, wenn ich kann!«

»Also«, setze ich an und denke darüber nach, wie ich es am besten formuliere. Ach, am besten frei heraus. »Was ist wichtiger: Zu lieben – oder geliebt zu werden?«

Simon guckt mich überrascht an. »Das ist doch wohl klar«, antwortet er. »Ich will selbstverständlich beides!«

War ja klar, irgendwie. »Verstehe«, sage ich. »Und denken Sie, dass man beides haben kann?«

»Nein.«

»Wie, nein?« Jetzt verstehe ich überhaupt nichts mehr. »Sie sagen, Sie wollen beides – glauben aber, dass man nicht beides haben kann? Was soll das denn heißen?«

Er steht seufzend auf, geht wieder rüber zu seinem Schreibtisch und lässt sich auf seinen Stuhl sinken. »Sehen Sie, Julia – jetzt wissen Sie, warum ich im Wesentlichen Dauersingle bin. Weil ich nämlich doch noch an die Liebe glaube.«

Ich muss fast lachen, so absurd klingt das gerade. »Sie sind also deshalb allein, weil Sie an die Liebe glauben?«

Er wirft mir einen amüsierten Blick zu, dicht gefolgt von einem gönnerhaften Lächeln. »Das mag sich seltsam anhören. Aber wenn Sie erst einmal so weit sind wie ich, liebe Julia, werden Sie schon noch verstehen, was ich meine.«

»Dann erklären Sie, der doch schon so wahnsinnig weit ist, mal eines«, sage ich etwas zickig, weil ich mich von ihm hier nicht zum kleinen unwissenden Mäuschen erklären lassen will. »Gerade haben Sie noch gesagt, Sie glauben nicht daran, dass eine Liebe ewig halten kann. Und nun wollen Sie mir verkaufen, dass Sie trotzdem an die Liebe glauben? Das passt absolut nicht zusammen, Herr Hecker. Sie widersprechen sich.«

»Glauben Sie, Julia?« Sein gönnerhaftes Lächeln ist wie weggewischt. »Oder haben Sie gerade, ohne es zu merken, die große Tragik des Lebens auf den Punkt gebracht?«

Darauf fehlen mir die Worte. Irritiert wende ich mich wieder meinem Abschiedsbrief zu. Und frage mich dabei, ob ich Simons Gerede nun für Schwachsinn halte – oder ob darin vielleicht wirklich die Wahrheit liegt.

Bevor ich mir noch weitere Gedanken darüber machen kann, entdecke ich eine neue E-Mail in meinem *Outlook*-Posteingang. Sie ist von Paul und hat den Betreff *Guck mal*. Ich klicke die Nachricht an, etwas Ablenkung von Simons wirrem Vortrag kommt mir gerade recht.

Paul hat mir ein paar Links zu verschiedenen Oldtimer-Vermietungen geschickt und gleich vermerkt, welche Fahrzeuge ihm persönlich am besten gefallen. Ich seufze still. Paul gibt sich wirklich hinreißend viel Mühe! Noch vor einem Vierteljahr wäre ich über so viel Aktionismus restlos begeistert gewesen. Jetzt macht es mir hingegen ein schlechtes Gewissen. Also schließe ich *Word* und beschäftige mich die nächste halbe Stunde endlich mal wieder mit dem Thema, das ich in den vergangenen Wochen zu sehr habe schleifen lassen. Erstaunlicherweise kann ich Thomas Völler danach den perfekten Trennungsbrief schreiben.

Am Nachmittag haben sich alle Spuren von Romantik allerdings schon wieder verflüchtigt. Ich sitze im Besprechungsraum, vor mir die heulende Annikó Rosenboom.

»Er ist so gemein zu mir, so hundsgemein. Wissen Sie, was er immer zu mir sagt?« Theatralische Pause; ich schüttle den Kopf. »Er sagt: *Annikó, was regst du dich auf? Ohne mich wärst du immer noch Kellnerin auf einem Budapester Ausflugsdampfer.* So gemein!« Ich reiche ihr noch ein Kleenex, sie schnaubt voller Empörung hinein.

Seit einer guten Stunde geht das schon so. Annikó Rosenboom ist offensichtlich nicht nur gekommen, um ihren gemeinen Ehemann loszuwerden; sie sucht auch jemanden, dem sie ihr Herz ausschütten kann. Und so bin ich jetzt bestens im

Bilde: Wie sich Annikó und Michael vor zehn Jahren bei einer Busfahrt in Budapest kennengelernt haben – der Bus machte eine unsanfte Bremsung und Annikó fiel direkt in Michaels Arme. Wie ihr erstes Rendezvous ganz furchtbar war – weil Michael unwissentlich eine schaurige Touristenpinte vorgeschlagen hatte. Wie das zweite Treffen dann aber unglaublich romantisch war – weil Annikó eine einmalige nächtliche Flussfahrt auf besagtem Ausflugsdampfer klargemacht hatte. Wie Michael immer wieder nach Budapest kam. Wie Annikó schließlich nach Hamburg zog. Wie sie sich über die erste gemeinsame Einrichtung stritten. Sich wieder versöhnten. Und. Und. Und.

Verstohlen blicke ich auf die Uhr. Braucht Simon nicht gleich den Besprechungsraum? Außerdem knurrt mein Magen. Ich beschließe, das Gespräch ein bisschen zielorientierter zu lenken.

»Okay, Frau Rosenboom. Sie sind also entschlossen, sich von Ihrem Mann zu trennen?« Sie nickt. »Wann genau sollen wir es Ihrem Mann sagen? Haben Sie schon eine neue Wohnung? Oder sollen wir ihn bitten, auszuziehen?«

»Ja, also, ich dachte mir, am besten ist es …«

In diesem Moment klopft es, und ohne meine Antwort abzuwarten, steht Simon auch schon in der Tür. Der Mann hat einfach kein Benehmen.

»Oh, tut mir leid, Julia. Ich dachte, Sie wären schon fertig.«

»Wieso klopfen Sie dann, wenn Sie das angeblich dachten?«, fauche ich ihn an.

»Na, ich habe Stimmen gehört. Da klopft man höflicherweise.«

»Korrekt. Und noch höflicher ist es, wenn man wartet, bis …«

Weiter komme ich mit meinen Ausführungen nicht, denn Simons Kunde steht mittlerweile auch im Raum und fängt sofort an, loszuschreien: »Annikó, was in aller Welt machst *du* hier?«

Ups, die beiden kennen sich? Wie unangenehm.

»Ja, Michael, da wunderst du dich, was? Ich habe Schnauze voll von dir!«

Nochmal *ups*. Offensichtlich handelt es sich um *Herrn* Rosenboom.

»Ach, du hast die Schnauze voll? Was meinst du, wie es mir geht? Deine ständigen Sticheleien, das ewige Genörgel: Michael, mach dies, Michael mach das. Nie ist dir etwas gut genug!«

Annikó springt auf und steht jetzt direkt vor ihrem Mann. Beide beschimpfen sich in einer schönen Mischung aus Deutsch und Ungarisch. »*Idiotá!*« – »Dumme Pute!« – »*Seggfej!*« – »Schlampe!«

Simon versucht, die beiden Streithähne auseinanderzubringen, und zieht Michael Rosenboom sanft Richtung Tür. Aber keine Chance – die beiden machen munter weiter. Ich überlege fieberhaft, wie wir aus dieser Nummer wieder rauskommen. Annikó schlägt bereits eine dramatische Tonlage an.

»Du hast gesagt, du wirst mich immer lieben! Und jetzt kommst du heimlich hierher!«

»Das sagt doch wohl die Richtige! Ich denke, ich bin dein ein und alles? Das war ja wohl nichts.«

»*Pah!* Habe ich gesagt, dass du mein Herz bist. Und habe ich auch so gemeint.«

»Und ich habe es auch genau so gemeint, wie ich es gesagt habe: Ich werde dich immer lieben. Ich bin nur hier, weil du ja ganz offensichtlich mich nicht mehr liebst.«

»Wie kannst du so sagen?« Frau Rosenboom heult auf. »Ich liebe dich immer noch. Du liebst mich nicht!«

Und dann geschieht das Unglaubliche: Herr Rosenboom stürzt sich auf seine Frau … und reißt sie in seine Arme.

»Annikó! Schatz! Natürlich liebe ich dich noch! Ich dachte, du willst mich nicht mehr.«

»Doch, mein Herz, doch.«

Der Rest ihrer Worte geht in Tränen unter. Die beiden liegen sich in den Armen, halten sich ganz fest, küssen sich immer wieder. Ich beschließe, dass jetzt ein guter Moment wäre, den Raum zu verlassen. Simon teilt meine Einschätzung offensichtlich.

Grinsend stehen wir beide vor der Tür.

»Na, das ist doch mal was anderes. Gut, dass ich nicht so höflich bin, wie Sie mich gerne hätten. Sonst hätten die beiden sich nie gesehen und wären schon bald ein unglücklich getrenntes Paar.« Ich muss lächeln.

»Sie haben recht. Seien Sie ruhig weiter unhöflich.«

Fünf Minuten später öffnet sich die Tür und Annikó und Michael Rosenboom kommen händchenhaltend herausgeschlendert.

»Frau Lindenthal, Herr Hecker – ich freue mich, Ihnen mitteilen zu müssen, dass wir Ihre Dienste doch nicht in Anspruch nehmen werden.«, verkündet Michal strahlend. Simon klopft ihm auf die Schulter.

»Herr Rosenboom, glauben Sie mir, das freut mich. Ich wünsche Ihnen alles Gute! Eine Frage habe ich allerdings noch – an wen soll ich die Rechnung schicken?«

Die Rosenbooms starren ihn ungläubig an und ich gebe mir Mühe, nicht loszulachen.

»Welche Rechnung?«

»Na ja – zweimal Beratungsgespräch. Und zwar äußert erfolgreiche Beratungsgespräche, möchte ich meinen.«

»Halsabschneider!«, fährt Rosenboom ihn an.

»*Arcátlanság!*«, faucht seine Frau. Dann rauschen die beiden raus.

»Ich bin froh, dass ich kein Ungarisch kann«, stellt Simon fest. »Die Leute wissen Top-Kundenbetreuung einfach nicht zu schätzen.«

Als ich abends meinen Computer runterfahre, überlege ich, ob ich auf dem Heimweg noch bei Katjas Salon vorbeifahre, schließlich interessiert es mich schon, was bei meiner besten Freundin los ist. Ich habe sie den ganzen Tag nicht an die Strippe bekommen. Aber andererseits bin ich viel zu müde, und wenn tatsächlich etwas los wäre, hätte sie mich sicher angerufen. *Morgen,* sage ich mir selbst. *Wenn ich bis morgen nichts von ihr gehört habe, fahre ich hin.* Ich stehe auf, ziehe meinen Mantel an und schnappe mir meine Tasche.

»Gehen Sie nach Hause?«, will Simon wissen.

»Sieht so aus, oder?«

»Dann wünsche ich einen schönen Feierabend.«

»Danke«, erwidere ich. »Den werde ich haben – einfach mal die Füße hochlegen und nichts tun.«

»Und mit Paul reden?«

»Richtig«, sage ich und ärgere mich, dass Simon offenbar glaubt, er müsse mich wieder und wieder daran erinnern. »Das werde ich heute Abend tun.«

»Dann viel Erfolg!« Er grinst mich aufmunternd an. »Und bis morgen!«

Als ich unten in meinen Opel Corsa steige, ändere ich spontan meine Meinung. Vielleicht ist es doch besser, kurz nach Katja zu sehen. Nur mal schauen, ob bei ihr alles okay und sie im Salon ist. Schließlich würde ich es mir nie verzeihen, wenn sie gerade irgendwo vollkommen verzweifelt und am Boden zerstört herumhockt. Und die Tatsache, dass ich sie heute noch nicht gesprochen habe, macht mich eben tatsächlich ein wenig nervös.

Gut, das anstehende Gespräch mit Paul macht mich ebenfalls nervös. Aber wie heißt es so schön: Immer eins nach dem anderen!

28. Kapitel

Hallo, Süße!« Nein, Katja sieht nicht so aus, als wäre sie kurz davor, sich die Pulsadern aufzuschneiden oder sich in der Elbe zu versenken. Im Gegenteil: Sie strahlt wie das blühende Leben, als ich zwanzig Minuten später ihren Salon betrete, kommt auf mich zugestürzt und reißt mich euphorisch in ihre Arme.

»Wie schön«, stelle ich leicht konsterniert fest und mache mich wieder los von ihr, »du lebst.«

»Natürlich lebe ich!« Sie guckt mich an, als hätte ich gerade etwas vollkommen Absurdes gesagt.

»Ich meine ja nur, weil ich von dir nichts mehr gehört habe«, erkläre ich, »und du auch nicht an dein Handy gehst.«

»Du siehst doch, was hier los ist.« Ich sehe mich um – und entdecke eine einzige Kundin, die mit eingedrehten Lockenwicklern vorm Spiegel sitzt. »Bis vor fünf Minuten tobte hier noch die Hölle«, fügt Katja erklärend hinzu.

Ich lege den Kopf schief und mustere sie eindringlich. »Katja?«

»Hm?«

»Also, was ist mit Rafael?«

»Was soll sein?«, flötet sie zurück, als würden wir hier belanglosen Small Talk führen.

»Verarsch mich nicht, dafür bin ich gerade nicht in Stimmung. Ich hab mir echt schon Sorgen gemacht. Was ist passiert, erzähl's mir!« Meine Miene lässt keinen Widerspruch zu.

»Moment.« Katja eilt zu ihrer Kundin und brüllt ihr – die Dame ist scheinbar schwerhörig – ins Ohr: »Ich muss kurz nach hinten ins Lager, Frau Thomsen, und bin in zehn Minuten zurück. Ich stelle schon mal die Haube zum Durchtrocknen an.«

»Okay«, brüllt Frau Thomsen zurück. »Ich hab ja was zu lesen.« Katja rollt eine große Trockenhaube neben sie, schraubt sie auf die richtige Höhe und schaltet sie ein. Sofort erklingt ein sonores Brummen. Katja winkt mir, dass ich ihr folgen soll. Wir huschen durch den Vorhang aus Bambusröhrchen und verziehen uns ins Hinterzimmer des Salons. Katja setzt sich auf einen Klappstuhl, ich nehme auf dem ausrangierten Friseursessel ihr gegenüber Platz.

»Hör zu«, beginnt sie mit einem schuldbewussten Tonfall – und ich weiß sofort, was Sache ist: offensive Defensive. »Mit Rafael ist wieder alles in Ordnung«, bestätigt sie sofort meinen schlimmsten Verdacht.

»Du hast dich also absichtlich nicht bei mir gemeldet. Und deshalb bist du auch nicht ans Telefon gegangen.«

»Quatsch«, erwidert sie. »Warum sollte ich das tun?«

»Weil du mir nicht erzählen wolltest, dass du dich von diesem Idioten wieder hast einwickeln lassen.«

»Aber ich erzähle es dir doch gerade!«

»Weil ich vorbeigekommen bin und du keine andere Wahl hattest.«

»Das stimmt nicht«, widerspricht sie mir – und schon ihr Tonfall verrät, dass ich hundertprozentig recht habe. »Ich kam bisher nur noch nicht dazu, weil …« Sie unterbricht sich. »Außerdem ist Rafael kein Idiot. Und eingewickelt hat er mich auch nicht.«

»Hat er nicht?«

Sie schüttelt den Kopf.

»Wie hat er es dann geschafft, dass du ihn nicht gleich mit deiner Spliss-Schere kastriert hast? Das wolltest du doch, erinnerst du dich?«

»Die Sache ist eben etwas kompliziert.«

»Kann ich mir vorstellen«, meine ich sarkastisch. »Gar nicht so einfach, mehrere Frauen zur gleichen Zeit unter einen Hut zu bringen. Jedenfalls in einem Land, in dem Polygamie verboten ist.«

Bei meinem letzten Satz verfinstern sich Katjas Gesichtszüge. »Von *Polygamie* kann keine Rede sein, Rafael ist ja nicht verheiratet.«

»Wenigstens etwas.«

»Willst du jetzt hier das Jüngste Gericht spielen«, Katja springt von ihrem Stuhl auf, »oder willst du meine beste Freundin sein, die mir einfach mal in Ruhe zuhört?«

»Was heißt denn hier Jüngstes Gericht? Ich will doch nur ...«

»Du gibst mir ja nicht einmal die Chance, es dir zu erklären«, fährt Katja mich an. Noch immer steht sie kampfeslustig vor mir. Ich überlege einen Moment.

»Okay, setz dich bitte wieder hin und erzähl mir alles in Ruhe«, sage ich dann. »Ich halte auch brav meine Klappe.«

Katja zögert noch eine Sekunde, als wolle sie abwarten, ob ich es auch wirklich ernst meine. Aber dann nimmt sie wieder auf ihrem Klappstuhl Platz. »Gut. Also ...« Sie scheint nach den richtigen Worten zu suchen. »Als ich gestern Abend zu Rafael gefahren bin, war ich tatsächlich ziemlich fest entschlossen, mich von ihm zu trennen. Ganz egal, was er sagt.«

»Das hätte ich ...«

»Julia!«

»Tut mir leid«, entschuldige ich mich zerknirscht, »ich werde nichts mehr sagen.«

»Okay. Wo war ich? Ach ja, richtig, ich bin also zu ihm gefahren. Auf dem Weg habe ich mir schon alles Mögliche überlegt, was ich ihm um die Ohren hauen würde. Von wegen verletztes Vertrauen und so weiter und so fort. Aber als er dann die Tür öffnete und wie ein kleines Häufchen Elend vor mir stand – da ... da war mein Ärger einfach mit einem Schlag verpufft.«

»Aha.« Ich werfe ihr einen aufmunternden Blick zu, damit sie weitererzählt.

»Ich weiß, das klingt jetzt blöd«, fährt sie fort; mir liegt ein »*Stimmt!*« auf der Zunge, das ich nur mit äußerster Willensanstrengung hinunterschlucken kann. »Aber da war so viel Gefühl, so viel *echtes* Gefühl in seinem Blick, dass ich mir in diesem Moment nicht vorstellen konnte, dass Rafael mich wirklich nur kaltherzig benutzt haben soll.«

»Hm.« Ruhig, Julia, ganz ruhig! Warte ab, was noch kommt.

»Wir haben uns ins Wohnzimmer gesetzt und er hat mir alles erzählt. Dass er schon ewig mit Nadja zusammen ist und es einfach nicht übers Herz bringt, sich von ihr zu trennen. Weil sie so sehr an ihm hängt, dass er Angst hat, sie würde es nicht verkraften.«

»Und deshalb bescheißt er sie erst mit dieser Fiona und dann mit dir«, rutscht es mir nun doch heraus, weil ich nicht glauben kann, dass meine Katja – meine süße, liebe, lebenslustige und vor allen Dingen *toughe* Katja – mir und vor allem sich selbst gerade so einen Unsinn erzählt.

»Mit Fiona war es nichts Richtiges«, betont Katja. »Sie war nur eine Art Versuch, ein Rettungsanker, um aus der Beziehung mit Nadja herauszukommen.«

»Lass mich raten: Mit dir ist es etwas völlig anderes!«

»Mensch, Julia«, fährt Katja mich an und zieht einen Schmollmund. »Denkst du denn, ich weiß nicht selbst, wie bescheuert das alles klingt? Aber ich war doch bei ihm, ich habe ihn gesehen, ich *weiß*, dass er es wirklich ehrlich meint.«

»Okay«, lenke ich ein, weil ich merke, dass Katja auf dem vernünftigen Ohr im Moment komplett taub ist. »Gehen wir ruhig mal davon aus, dass Rafael kein Arschloch ist und er es wirklich ernst mit dir meint …« Sofort breitet sich auf Katjas Gesicht ein hoffnungsvolles Strahlen aus; ich hasse es, meine beste Freundin so zu sehen. Wo ist denn nur die Katja hin, die so einen Typen noch vor wenigen Wochen abserviert hätte, ohne mit der Wimper zu zucken? Tja, die scheint vorübergehend außer Haus zu sein – anwesend ist nur noch die verliebte Katja.

»Julia? Was wolltest du sagen?« Ich schrecke auf, offenbar war ich einen Moment lang mit meinen Gedanken woanders.

»Äh, ja«, setze ich wieder an, »angenommen, er ist wirklich verliebt in dich und will mit dir zusammen sein – wie stellt er sich dann eure Zukunft vor? Ihr könnt ja wohl schlecht eine Beziehung zu dritt führen, Rafael, Nadja und du.«

»Natürlich nicht«, gibt Katja mir recht. »Rafael hat mir versprochen, dass er sich so bald wie möglich von Nadja trennen wird. Er braucht nur noch ein wenig Zeit, um …«

»Und wie lange ist ein wenig?«, spiele ich den Advocatus Diabolus.

»Keine Ahnung«, seufzt Katja. »Aber ich denke, man muss ihn da verstehen. Sieben Jahre – das ist eine ganz schön lange Zeit, das wirft man nicht einfach von heute auf morgen weg.«

Jetzt kann ich mich doch nicht mehr beherrschen und springe erregt von meinem Sessel. »Das ist doch absoluter *Schwachsinn!* Damit will er dich doch nur hinhalten!«, bricht es aus mir heraus. »Paul und ich sind genauso lange zusammen. Aber ich sag dir was: Wenn ich merken würde, dass es zwischen uns beiden nicht mehr klappt und wenn ich mich noch dazu in einen anderen verliebt hätte – dann würde ich mich sofort trennen und gut.«

»Würdest du?« Katja guckt mich groß an.

»Natürlich würde ich das!«

»Das glaube ich nicht.«

»Glaub, was du willst!«, fahre ich sie an. Dann werde ich wieder versöhnlicher. »Tut mir leid, ich wollte dich nicht anmotzen. Ich mache mir doch einfach nur Sorgen um dich. Und wenn ich den Eindruck habe, dass gerade jemand dabei ist, meiner allerbesten Freundin das Herz zu brechen – dann regt mich das einfach auf.«

»Das verstehe ich ja.« Katja steht ebenfalls auf und nimmt meine Hand. »Mir würde es nicht anders gehen. Aber ich vertraue Rafael wirklich. Ich habe es doch in seinen Augen gesehen, dass er mich nicht anlügt.« Ein schiefes Lächeln tritt auf ihr Gesicht. »Du weißt doch, dass ich eine gute Menschenkenntnis habe. Ich glaube nicht, dass ich da falsch liege.«

Ich nehme Katja in den Arm, ziehe sie an mich und drücke sie einmal kräftig. »Das hoffe ich«, meine ich seufzend. »Glaub mir, das wünsche ich dir wirklich! Und dass es nicht zu lange dauern wird, bis Rafael es Nadja sagt. Du hast einen Mann verdient, der sich voll und ganz für dich entscheidet und nicht feige abwartet, bis man ihm die Entscheidung abnimmt.«

Bei diesen Worten macht Katja sich von mir los und wirkt mit einem Schlag total aufgeregt. »Mensch, Julia!«, ruft sie aus, »das ist es!«

»Was ist was?« In diesem Moment ertönt ein melodisches Gedudel aus dem Salon.

»Moment, das ist die Haube. Die kühlt jetzt runter und ich muss kurz rüber«, erklärt Katja und saust raus. Fünf Minuten später kommt sie wieder zu mir. »Echt, dass ich darauf nicht gleich gekommen bin«, nimmt sie den Faden wieder auf, »dabei liegt es so was von auf der Hand!«

»Was liegt auf der Hand?« Offenbar bin ich gerade ein wenig begriffsstutzig.

»Na, wie wir Rafael helfen können!«

»Wir? Rafael? Helfen?«

Katja lacht auf. »Du stehst ja echt auf der Leitung«, teilt sie mir dann grinsend mit. »Schalt doch mal dein Köpfchen ein! Rafael kriegt es allein nicht hin, sich von dieser Nadja zu trennen – und du hast eine, *tataaaaa:* Trennungsagentur!«

Ich brauche trotzdem noch ein paar Sekunden, um zu begreifen, was Katja damit meint. Das heißt, ich verstehe es schon – nur kann ich nicht glauben, dass sie diesen Gedanken ernsthaft in Erwägung zieht. Das glaube ich erst, als Katja es dann tatsächlich ausspricht: »Du musst mit Rafael reden und ihn davon überzeugen, dass seine Beziehung mit Nadja ein klarer Fall für *Trostpflaster* ist!«

»Muss *ich* das?«

»Klar!« Katja nickt energisch. »Rafael ist ein absolut typischer Fall, quasi ein echter Klassiker! Er selbst bekommt es nicht hin, mit Nadja Schluss zu machen – also muss ein Profi ran.« Jetzt grinst sie wirklich von einem Ohr zum anderen. »Ich meine, dafür seid ihr doch da: Um Leuten zu helfen, die es selbst nicht schaffen.«

»Das stimmt schon«, gebe ich ihr recht. »Aber diese Leute müssen sich von selbst an uns wenden. Und bisher scheint Rafael ja noch nicht auf die Idee gekommen zu sein, uns darum zu bitten.«

»Richtig. Und deshalb müssen wir mit ihm reden und ihn überzeugen.«

»Ich bequatsche niemanden, dass er seine Beziehung beenden soll«, erwidere ich empört.

»Ach«, Katja macht eine wegwerfende Handbewegung, »jetzt sei mal nicht päpstlicher als der Papst. Ist doch egal, ob er auf die Agentur zukommt oder die Agentur auf ihn.«

»Das sehe ich ein kleines bisschen anders. Das wäre ja so, als würden Simon und ich in der Gegend rumlungern und nach Pärchen Ausschau halten, die sich miteinander streiten. Und dann drücken wir ihnen mit den Worten *Wenden Sie sich gern an uns* eine Visitenkarte in die Hand.«

Katja lacht laut auf. »Vielleicht gar keine schlechte Idee, um das Geschäft noch mehr ans Laufen zu bringen.«

»Ha, ha, sehr witzig!«

»Jetzt mal im Ernst.« Katja wirft mir einen bittenden Blick zu. »Hier geht's ja nicht um irgendwelche Paare, sondern um das Glück deiner besten Freundin. Ich bin mir sicher, wenn du mit Rafael sprichst, könntest du ihn überzeugen, dass es so das Beste für ihn wäre. Und letztendlich auch für Nadja, denn dann wüsste sie darüber Bescheid, dass ihr Freund sie nicht mehr liebt.«

»Dich bewegen allein die edelsten Motive, schon klar …«

»Aber natürlich!« Katja reißt gespielt entrüstet die Augen auf. »Du kennst doch deine beste Freundin!«

»Eben.« Nun muss ich auch grinsen.

»Also?« Wieder dieser bittende Blick. »Tust du es für mich? Sprichst du mit Rafael?«

Herrje, mit diesem Augenaufschlag könnte Katja die Polkappen zum Schmelzen bringen. Etwa zehn Sekunden kämpfe ich mit mir, aber dann schüttele ich den Kopf.

»Tut mir leid, Süße. Du weißt, dass ich so gut wie alles für dich tun würde. Aber das geht einfach nicht. Wenn Rafael will, dass *Trostpflaster* seinen Fall übernimmt, tue ich das gern. Aber dafür muss er schon selbst kommen, ich werde ihn nicht dazu überreden.«

Ein enttäuschter Ausdruck tritt auf Katjas Gesicht; wie ein kleines Kind schiebt sie ihre Unterlippe vor. »Echt nicht?«

»Echt nicht«, bleibe ich hart. »Ich hoffe, du verstehst das.«

Für den Bruchteil einer Sekunde guckt Katja immer noch wie ein beleidigtes Kind, aber dann nickt sie.

Den Sonntag verbringen Paul und ich mehr oder weniger im Auto. Und zwar auf der Suche nach einer geeigneten Location für die Hochzeitsfeier. Paul hat eine ausgeklügelte Route entwickelt, die uns von Schloss zu Herrenhaus, von Herrenhaus zu Gutshof und von Gutshof zu Landhotel führt.

»Das hat mir ganz gut gefallen«, meint Paul, während er über die gepflegte Auffahrt eines Anwesens in der Nähe von Bad Oldesloe zurück zur Bundesstraße steuert. »Der Blick von der Terrasse in die Gärten ist wirklich atemberaubend. Wenn das Wetter im August mitspielt, können wir aus der Hochzeit ein richtig schönes Sommerfest machen.«

»Hm …« Ich blinzele gegen die Sonne an, die mich durch die Windschutzscheibe blendet.

»Die Tagesmiete von tausend Euro finde ich auch völlig in Ordnung«, fährt Paul weiter fort, »passt doch super in unser Budget.«

»Hm«, erwidere ich zustimmend.

»Weißt du, ursprünglich hatte ich ja gedacht, dass es besser wäre, in Hamburg zu feiern.« Paul weicht geschickt einem Schlagloch aus. »Schon allein wegen der Übernachtungen und so. Aber je mehr ich mich damit beschäftigt habe, desto besser gefällt mir die Idee, wenn das Fest etwas weiter außerhalb stattfindet.«

»Hm.«

»Wenn keiner mehr fahren muss, können wir noch so richtig einen draufmachen, wenn die älteren Herrschaften das Feld geräumt haben.« Er lacht auf.

»Hm.«

Paul wirft mir einen unsicheren Blick von der Seite aus zu. »Alles klar?«

»Ja, natürlich«, beeile ich mich zu versichern, »ich finde es wirklich toll, dass du dir so viele Gedanken gemacht hast. Total süß.«

»Gut.« Paul klingt erleichtert. »Dann müssen wir jetzt echt mal langsam zusehen, dass wir den Rest auch eingetütet bekommen. Der 5. August wird schneller da sein, als du denkst.«

Bei diesen Worten zucke ich zusammen. Es sind tatsächlich nur noch vier Monate bis zu unserem großen Tag! Vor gut einem halben Jahr hatte ich noch den Eindruck, die Zeit würde dahinkriechen, und konnte es gar nicht erwarten, bis endlich der Sommer kommt. Und jetzt sind es nur noch vier Monate! Bei dem Gedanken wird mir ganz schwindelig. Nicht, weil ich dann Pauls Frau werde – sondern weil mir im Moment schleierhaft ist, wie ich bis dahin mein festgelegtes Kapital wieder loseisen soll. Beziehungsweise zumindest einen Großteil davon, denn schon bald werden die ersten Anzahlungen fällig werden ... Irgendwie erscheint mir die Situation gerade einigermaßen ausweglos.

Wieso habe ich nicht darüber nachgedacht, wohin es führen würde, wenn ich das Geld in die Firma stecke?, frage ich mich. Mir hätte doch klar sein müssen, dass es dann erst einmal futsch ist. Aber Katja hat recht: Meine Prioritäten haben sich verschoben. Momentan ist *Trostpflaster* mir einfach das Wichtigste. Also, das Wichtigste nach Paul, versteht sich! Ich hole tief Luft. Höchste Zeit, ihm die ganze Sache mit der Kohle zu beichten. Jetzt ist vermutlich ein guter Zeitpunkt dafür.

»Paul«, fange ich an, »es ist so ...«

»Ach, mein Liebling«, unterbricht er mich und legt seinen rechten Arm um meine Schulter. »Ich bin mir ganz sicher, dass das alles wunderbar wird. Der Tag heute hat einfach riesigen Spaß gemacht. Hast du denn schon einen Favoriten für die Feier? Also, mir hat ja der Gutshof hier gerade richtig klasse gefallen.«

Okay, kein guter Zeitpunkt dafür.

Drei Stunden später sitzen wir wieder zu Hause auf dem Sofa und diskutieren die verschiedenen Angebote, die wir heute eingeholt haben. Das heißt, genau genommen diskutiert Paul, ich selbst bin irgendwie nicht so ganz bei der Sache. Das liegt zum einen natürlich an meinem rasend schlechten Gewissen, weil ich es nicht übers Herz bringe, meinem Freund endlich zu sagen, dass wir den Termin unter Umständen noch einmal verschieben müssen; jedenfalls, wenn nicht noch ein Wunder geschieht und *Trostpflaster* überraschend den Auftrag für eine Massentrennung erhält. Vielleicht von einer vorausgegangenen chinesischen Massenhochzeitsgesellschaft? Oder einer obskuren Sekte?

Zum anderen wandern meine Gedanken immer wieder zu Katja. Fünfmal hat sie mich seit unserem Gespräch in ihrem Salon noch angerufen und mich darum gebeten, doch mit Rafael zu sprechen und ihm meine Dienste anzubieten. Aber ich bin hart geblieben. Bei der Sache hätte ich einfach kein gutes Gefühl. Und ich kann es nicht abstreiten: Ich glaube Rafael nicht. Mag ja sein, dass er es geschafft hat, Katja einzuwickeln – für mich klingt die ganze Geschichte mehr als faul. Arme Katja, sie ist so schrecklich verliebt in ihn! Hoffentlich wird er ihr nicht das Herz brechen, das hätte sie nicht verdient. Wobei: Wer hat das schon? Niemand hat es verdient, dass man ihm das Herz bricht.

»Schatz?«

»Äh, ja, Schnuckel?«

»Was ist denn heute los mit dir?«, will Paul wissen.

»Was soll los sein?«

»Ich weiß nicht.« Er sieht mich nachdenklich an. »Du bist irgendwie so wenig bei der Sache, so abwesend.«

»Es ist gar nichts«, behaupte ich. »Mir gehen nur so viele Sachen durch den Kopf.«

»Wegen der Hochzeit?«

Ich nicke. »Wegen der Hochzeit«, bestätige ich. »Und wegen ...« Ich unterbreche mich.

»Wegen was? Du kannst mir doch sagen, was dir auf dem Herzen lastet, dafür bin ich doch da!«

»Es ist gar nichts Besonderes. Wirklich nicht.«

»Ich will's aber auch wissen, wenn es nichts Besonderes ist.«

»Na ja, ich frage mich nur, ob Katja sich nicht in den Falschen verliebt hat.«

»Katja verliebt sich doch alle Nase lang«, gibt Paul zu bedenken. »Ob nun in den Falschen oder den Richtigen ist meiner Meinung nach ziemlich egal. Meistens ist es ja nach ein oder zwei Wochen schon wieder vorbei.«

»Sicher«, gebe ich ihm recht, »das ist bei ihr meistens so. Aber ich habe den Eindruck, dass es sie diesmal richtig doll erwischt hat.«

»Umso besser«, stellt Paul fest. »Auch das wildeste Huhn sehnt sich in Wirklichkeit offenbar nach einer festen Beziehung. Weißt du, Katja ist eine dieser Frauen, die ständig geliebt werden wollen. Ist doch schön, wenn sie das nun endlich mal erwidert.«

»Hm, stimmt schon«, sage ich. Dabei sehe ich es eigentlich anders: Katja ist es vor allen Dingen wichtig zu lieben, weil sie die Verliebtheit so sehr mag – alles ist neu und aufregend, gibt ihr Kraft und bringt sie auf tausend Ideen. Umso mehr würde sie es verdienen, wenn sie nun endlich jemanden gefunden hätte, der ihr dieses Gefühl etwas länger schenken könnte. »Aber ...« Ich stocke, weil ich Paul eigentlich keine Details über Raphaels andere Freundin erzählen wollte. Fällt für mich irgendwie unter Freundinnengeheimnis.

»Aber?«, hakt er nach. Also erzähle ich ihm, was passiert ist; Katja wird schon nichts dagegen haben. Nachdem ich Paul ins Bild gesetzt habe, zuckt er mit den Schultern.

»Da heißt es wohl abwarten und schauen, was passiert.«

»Das ist nicht so einfach. Ich mache mir Sorgen um Katja.«

»Deine Freundin ist erwachsen«, stellt er lapidar fest.

»Glaubst du wirklich?«, erwidere ich skeptisch. »Manchmal befürchte ich, in Liebesdingen wird man nie erwachsen, sondern bleibt immer ein Teenager.«

Paul schmunzelt. »Ich finde es ja wirklich süß, dass du dir mal wieder Gedanken um Hinz und Kunz machst – aber wenn du mich fragst, ist das völlig überflüssig.«

Ich verzichte darauf, Paul auf den Umstand hinzuweisen, dass Katja für mich nicht gerade unter dem Oberbegriff *Hinz und Kunz* läuft. Stattdessen schießt mir plötzlich wieder diese eine ganz besondere Frage durch den Kopf. »Sag mal, was ist dir wichtiger«, will ich von ihm wissen, »zu lieben oder geliebt zu werden?«

Paul mustert mich irritiert. »Wie kommst du denn jetzt auf so eine Frage?«

»Na, du hast gerade selbst gesagt, dass Katja immer geliebt werden will. Das bedeutet doch, dass es auch Menschen gibt, denen das Gegenteil wichtiger ist«, erwidere ich. »Und ich will wissen, wie es bei dir ist.«

»Wozu?« Paul seufzt und legt einen Arm um mich. »Liebling, ich glaube, diese Trennungsagentur ist nicht gut für dich.«

»Warum?«

»Weil ich mir im Leben noch nie eine derart unsinnige Frage gestellt habe. Und du hast doch früher auch nicht zum unsinnigen Philosophieren geneigt, das passt überhaupt nicht zu dir.«

»Wieso *unsinnig?*« Ich sehe ihn erstaunt an. »Ich finde das wichtig.«

»Schatz«, er gibt mir ein Küsschen auf die Nase, »ich liebe

dich und du liebst mich. Und in vier Monaten werden wir heiraten. Das ist das Einzige, was wichtig ist und worum es geht.«

29. Kapitel

Na? Schönes Wochenende gehabt?« Simon sitzt an seinem Schreibtisch, trägt mal wieder eines seiner schauderhaften rosafarbenen Hemden und strahlt mich an wie eine Tausend-Watt-Birne.

»Guten Morgen, Simon«, begrüße ich ihn und unterdrücke ein herzhaftes Gähnen. »Was machen Sie denn schon hier? Aus dem Bett gefallen?«

»*Der frühe Vogel fängt den Wurm*«, werde ich von ihm belehrt. »Kommt Ihnen das nicht irgendwie bekannt vor? Und der frühe Simon Hecker hatte bereits um sieben Uhr morgens die Handwerker im Haus«, fügt er dann mit einem Augenzwinkern hinzu.

»Verstehe«, sage ich und lasse mich auf meinen Stuhl plumpsen. »Die haben Sie wohl aus dem Haus gejagt.«

»Exakt«, gibt er zu. »Der Vermieter meinte, es müsste irgendetwas an den Fenstern gemacht werden. Hab auch nicht genau verstanden, was. Und? Wie war denn nun Ihr Wochenende?«

»Schön. Paul und ich haben eine flotte Landpartie gemacht und uns geschätzte fünfhundert mögliche Veranstaltungsorte für unsere Hochzeit angesehen.«

»Ah, richtig, die Hochzeit!«, sagt Simon. »Da wird es wohl langsam Zeit, dass ich mir einen Anzug besorge. Was schwebt Ihnen denn vor? Mehr ganz klassisch im englischen Stil oder soll ich mich eher in etwas Modernes werfen?«

Ich sehe ihn erstaunt an. »Wie kommen Sie denn auf die Idee, dass ich Sie zu meiner Hochzeit einlade?«

Simon lacht auf. Allerdings habe ich das Gefühl, dass das breite Lächeln nicht ganz seine Augen erreicht, als er antwortet: »Ich bitte Sie – nach Paul bin ich doch schließlich der wichtigste Mann in Ihrem Leben!«

»Das wüsste ich aber«, kommt es aus Richtung Tür. Beate kommt herein und legt uns die Post hin.

»Doch, doch, Beate«, wendet sich Simon nun an sie, »Frau Lindenthal will es nur nicht zugeben. Aber ich bin für Julia schließlich nicht nur ihr Boss, sondern, ich möchte sagen … ein Mentor, wenn nicht sogar ein Freund oder …«

»Partner«, fahre ich ihn genervt an.

»Wie meinen?«

»Sie sind nicht mehr mein Boss – wir sind jetzt *Partner!* Oder haben Sie das schon wieder vergessen?«

In dem Moment, in dem die Worte raus sind, ist es auch schon zu spät.

»Partner?« Beate steht irritiert vor uns und lässt ihren Blick zwischen Simon und mir hin- und herwandern.

»Äh«, setze ich an, »das ist … das … also, wir wollten …«

»Frau Hansen«, geht Simon nun dazwischen, »Sie haben ganz richtig gehört: Julia und ich sind ab sofort Partner und zu gleichen Teilen an der Firma beteiligt. Wir haben das gerade heute Morgen besprochen.« Dann senkt er vertraulich die Stimme. »Aber verraten Sie das bitte noch niemandem, wir wollen es erst offiziell verkünden.«

»Wem denn?« Jetzt bedenkt Beate sowohl Simon als auch mich mit eindeutig wütenden Blicken.

»Wie, wem?«, fragt Simon nach.

»Na, *wem* Sie das offiziell verkünden wollen?«

»Tja, äh … also … den Mitarbeitern von *Trostpflaster* natürlich und, also …«, erklärt Simon und sieht mich hilfesuchend an. Wenn die Situation nicht so unangenehm wäre, fände ich es richtig goldig, dass er gerade nicht weiterweiß.

»Sehr witzig«, fährt Beate ihn an. »Wenn ich mal kurz daran

erinnern darf: Außer *mir* hat *Trostpflaster* keine weiteren Mitarbeiter!«

»Haben Sie etwa den lieben Gerd vergessen?«, fragt Simon und lächelt wieder so selbstsicher wie eh und je.

»Gerd«, zischt Beate ihn an, »ist nicht Ihr Mitarbeiter. Er ist hier als Hausmeister tätig und damit Herrn Wiesel unterstellt.«

»Ja, sicher«, kommt es nun von Simon, »rein technisch gesehen schon. Aber immerhin hat er bei uns einen Arbeitsplatz, in gewisser Weise betrachten wir ihn also schon als Teil der Agentur.«

»Na, *das* ist doch schön. Dann gehe ich mal zu meinem *Kollegen* und frage ihn, ob er mir erklären kann, wie Sie so etwas wie eine Partnerschaft in den sechs Minuten, die Julia heute schon im Büro ist, besprechen konnten.« Beate macht auf dem Absatz kehrt und rauscht aus dem Zimmer.

»Mist«, entfährt es mir. »So hatte ich mir das eigentlich nicht vorgestellt.«

»Ist doch kein Drama, Julia«, versucht Simon mich zu beruhigen. »Wir hätten es ihr ja sowieso bald erzählt. Und außerdem ändert sich für Beate doch nicht das Geringste, ob wir nun Partner sind oder nicht.«

Ich weiß, ich sollte eigentlich nicht auf ihn, sondern auf mich selbst sauer sein. Immerhin hat er mit seiner Behauptung, wir hätten die Vereinbarung erst heute Morgen getroffen, sogar versucht, mir aus der Klemme zu helfen. Aber sein selbstgerechter Ton ist genau das Ventil, das ich brauche, um meinen Ärger abzulassen. »Simon, das hat was mit einer Sache zu tun, von der Sie nichts verstehen.«

»Nämlich?«

»Mit *Vertrauen*«, blaffe ich ihn an. »Ich wollte mit Beate in Ruhe darüber reden. Dass sie es jetzt so erfährt, mal eben zwischen Tür und Angel, ist nicht richtig. Als wäre sie hier nur eine Erfüllungsgehilfin, auf deren Meinung niemand etwas gibt.«

»Mit Verlaub, meine Liebe: Beate *ist* eine Erfüllungsgehilfin«, sagt Simon kalt. »Schließlich bedient sie nur das Telefon und macht die Post, dafür braucht man nun wirklich keinen Hochschulabschluss.«

Wütend springe ich auf. »Wissen Sie, was, Simon? Ich hatte wirklich schon gedacht, dass Sie eigentlich ganz nett sein können. Aber das hier gerade – das zeigt mir, dass Sie im tiefsten Innern Ihres Herzens immer noch der schnöselige Vollidiot sind, für den ich Sie von Anfang an gehalten habe!«

Ich renne ebenfalls aus dem Büro; bevor ich mit einem lauten Knall hinter mir die Tür ins Schloss donnere, höre ich Simon noch ein sarkastisches »Na, dann ist doch alles wunderbar«, murmeln, das mir einen Stich versetzt. Ich weiß ja, dass ich gerade ungerecht zu ihm bin … Ach was, er ist Simon Hecker. Er wird damit schon klarkommen. Und verdient hat er es doch im Zweifelsfall auch!

Beate steht in der Teeküche und heult, Gerd streicht ihr sanft über die Schulter.

»Beate?«, frage ich vorsichtig und gehe einen Schritt auf sie zu.

»Hau ab!« Sie schnäuzt sich geräuschvoll in ein Taschentuch.

»Bitte«, versuche ich es weiter, »lass uns doch bitte in Ruhe miteinander reden!«

»Was gibt's denn da zu reden?«, fährt sie mich an. »Ich habe deinen Partner gerade noch deutlich hören können: Ich bin hier die Erfüllungsgehilfin, die gerade mal schlau genug ist, um ans Telefon zu gehen und ein paar Briefe einzuwerfen.«

»Das ist doch Quatsch, so hat er das nicht gemeint«, behaupte ich, wobei ich mir da nicht im Geringsten sicher bin.

Ich werfe Gerd einen bittenden Blick zu, den er versteht – er verzieht sich aus der Küche und lässt uns allein. »Du bist ein fester Bestandteil von *Trostpflaster*, das Herzstück der Agentur. Ohne dich würde das hier alles gar nicht laufen.« Ich nähere mich ihr noch ein Stückchen und lege dann eine Hand auf ihren Arm.

»So?« Wieder prustet Beate in ihr Taschentuch. »Warum habt ihr mir dann das mit der Partnerschaft nicht gesagt, wenn ich«, sie äfft mich nach, »*das Herzstück der Agentur* bin? Ich meine, ihr kocht da schön euer privates Süppchen, die blöde Beate soll mal schön einen auf Telefontrine machen.«

»Du hast recht«, gebe ich zu, »das war blöd von uns. Aber das hatte rein gar nichts mit dir zu tun.«

Beate lacht auf. »Schön, wenn solche Entscheidungen nichts mit dem *Herzstück* zu tun haben! Und dann dieses verlogene: *Wir haben das gerade heute Morgen besprochen* – denkt dein Schnöselpartner, er kann mich verarschen?«

»Damit wollte Simon es nur leichter für mich machen«, nehme ich ihn in Schutz. »Denn genau genommen ist es wirklich nur meine Schuld, dass wir es dir noch nicht gesagt haben. Das hat absolut nichts mit dir zu tun – sondern mit Paul.«

»Mit … Paul?« Jetzt sieht sie mich überrascht an. Ich nicke. Und dann erzähle ich ihr alles: von Simons Entschluss, *Trostpflaster* zu verlassen, von meiner Kapitaleinlage und auch davon, dass Paul noch nichts davon weiß, dass ich mein Hochzeitsgeld vorerst in die Firma investieren musste. »Das habe ich auch für dich getan«, behaupte ich, obwohl das nicht so ganz der Wahrheit entspricht. Natürlich soll Beates Arbeitsplatz erhalten bleiben, aber in erster Linie ging es mir schon darum, dass ich hier weitermachen kann. Egal, der Zweck heiligt die Mittel, und momentan geht es erst einmal darum, Beate wieder einigermaßen zu beruhigen.

»Ich wusste nicht, dass Herr Hecker mit dem Gedanken spielt, die Agentur aufzulösen«, sagt Beate und wirkt dabei fast erschrocken. Dann mischt sich wieder ein trotziger Ton in ihre Stimme. »Aber trotzdem hättest du es mir sagen können, das betrifft mich doch ganz genauso.«

»Das hätte ich«, versichere ich ihr, »sogar schon bald. Aber erst einmal muss ich doch Paul darüber in Kenntnis setzen, dass wir den Termin für die Hochzeit möglicherweise verschieben müssen.«

Beate hat sich sichtlich beruhigt und nickt zustimmend. »Ja, das solltest du schleunigst tun.«

»Ich weiß.« Innerlich seufze ich: mein derzeitiges Lieblingsthema ... »Also?«, will ich dann wissen und gebe mir Mühe, einen möglichst dackelähnlichen Blick aufzusetzen. »Bist du wieder gut mit mir?«

Beate grinst mich schief an. »Klar, dir kann ich sowieso nicht lange böse sein.«

»Und was ist mit Simon?«, frage ich nach.

»Simon?« Jetzt tritt ein breites Grinsen auf Beates Gesicht. »Dem kann ich allerdings ziemlich lange böse sein.« Jetzt müssen wir beide lachen.

»Na, dann ist ja alles geklärt«, stelle ich fest. »Ich bitte dich nur, unser kleines Geheimnis noch für dich zu behalten, bis ich mit Paul gesprochen habe. Käme irgendwie nicht so gut, wenn er es nicht von mir erfährt.«

»Du meinst, so, wie ich es eben nur durch Zufall erfahren habe?«, zieht Beate mich auf.

»Genau«, bestätige ich seufzend.

»Kein Problem«, verspricht Beate, »von mir erfährt keiner ein Wort.« Sie fährt sich mit Daumen und Zeigefinger über die Lippen, als würde sie einen Reißverschluss schließen, und zwinkert mir zu.

Ich gebe ihr einen freundschaftlichen Klaps auf die Schulter. »Wollen wir uns nun wieder mit vereinten Kräften um Hamburgs trennungswillige Paare kümmern?«

»Alles klar, zurück zur Arbeit.«

Puh, denke ich, während ich wieder in mein Büro gehe. Nicht mal elf Uhr am Montagmorgen und bereits die erste Katastrophe abgewendet. Wenn der Tag so weitergeht – dann prost Mahlzeit!

»Alles klar!«, trompetet plötzlich eine Stimme hinter mir, als ich gerade um meinen Schreibtisch herumgehen will. Ich bekomme fast einen Herzinfarkt und fahre herum: *Katja!* Sie steht mit geröteten Wangen mitten in meinem Büro, strahlt mich an und hält ein Blatt Papier in die Höhe. »Ich hab sie!«, ruft sie euphorisch aus. »Die Lizenz zum Schlussmachen!«

»Wir sollen Rafaels Freundin also mitteilen, dass er sich von ihr trennen will?«, frage ich Katja, nachdem ich die Schiebetür zu Simons Büro geschlossen habe. Zwar protestierte er und wollte – *natürlich!* – unbedingt wissen, was hier los ist, aber das geht ihn vorerst noch nichts an. Jetzt sitze ich an meinem Schreibtisch und studiere die Einverständniserklärung, die Rafael Katja mitgegeben hat. Meine beste Freundin sitzt aufgeregt vor mir und hibbelt auf ihrem Stuhl herum.

»Ja«, bestätigt sie. »Wir haben das gesamte Wochenende diskutiert. Am Ende ist Rafael tatsächlich zu der Überzeugung gelangt, dass es das Beste wäre, die Nadja-Sache einem Profi zu überlassen, weil er es allein einfach nicht hinkriegt.«

»Hm … ich weiß nicht«, meine ich etwas zweifelnd. »Dabei habe ich irgendwie kein gutes Gefühl.«

»Aber wieso denn?« Katja mustert mich überrascht. »Das ist es doch, was ihr hier macht: Beziehungen beenden. Warum dann nicht Rafaels?«

»Weil …«, ich suche nach den richtigen Worten. »Weil … na

ja, einen richtig greifbaren Grund gibt es da eigentlich nicht«, muss ich schließlich gestehen.

»Siehste.«

»Es ist nur so«, fahre ich fort, »du bist meine beste Freundin, das hat alles einen seltsamen Beigeschmack.«

»Ich zahle wie ein ganz normaler Kunde«, wirft Katja ein. »Beziehungsweise: Rafael bezahlt das natürlich.«

»Und er ist sich ganz sicher, dass er das will?«, hake ich noch einmal nach.

»Jepp«, bestätigt Katja noch einmal. »Das ist er.«

»Und du bist dir auch ganz sicher, dass das alles richtig ist? Immerhin hat Rafael dich ganz schön angelogen. Das hat schließlich auch was mit Vertrauen zu tun.«

Katja seufzt genervt auf. »Ich weiß auch, dass das von Rafael nicht gerade eine Meisterleistung war«, gibt sie dann zu. »Aber wir haben wirklich stundenlang darüber geredet und es tut ihm wahnsinnig leid. Er hat mir mehrfach versichert, dass er mich wirklich aufrichtig liebt und sich nichts mehr wünscht, als mit mir zusammen zu sein.«

»Hoffentlich stimmt das auch.«

»Herrjeh, Julia!«, wird Katja nun auf einmal lauter. »Wir alle machen doch mal Fehler. Gerade, wenn es um die Liebe geht, das ist eben manchmal nicht so einfach.«

»Das sehe ich ein kleines bisschen anders.«

»Klar«, schnappt Katja. »Du mit deiner *perfekten* Beziehung mit deinem *perfekten* Paul kannst natürlich nicht nachvollziehen, dass es bei anderen Leuten vielleicht nicht so glattläuft.«

»Hee, das ist kein Grund, beleidigend zu werden«, wehre ich mich. »Außerdem weißt du genau, dass ich sehr wohl schon einmal die Erfahrung gemacht habe, wie es ist, wenn alles überhaupt nicht glattläuft.« Ich merke, wie ich richtig sauer werde. »Und es tut mir leid, dass ich aus eben dieser Erfahrung heraus ein kleines bisschen skeptisch bin, wenn einer seine Freundin verschweigt.«

»Tut mir leid«, erwidert Katja einigermaßen kleinlaut. »Das weiß ich ja. Aber … aber ich bitte dich wirklich, mir … ich meine, uns diesen Gefallen zu tun.«

Ich denke einen Moment nach. »Ich rufe Rafael noch einmal an«, beschließe ich dann. »Bevor ich das mache, möchte ich wenigstens noch einmal kurz mit ihm sprechen.«

»Sehr gute Idee. Aber das kann heute etwas schwierig werden. Er hat den ganzen Tag über Sendung und ist im Studio nicht zu erreichen.«

»Dann rede ich halt morgen mit ihm.«

»Er möchte es aber jetzt so schnell wie möglich hinter sich bringen«, merkt Katja an. »Nachdem er sich endlich dazu entschlossen hat, will er nicht mehr warten. Außerdem ist Nadja heute Abend mit Sicherheit zu Hause.«

»Heute Abend schon?«

Katja nickt und setzt nun ihrerseits einen Dackelblick auf.

»Und was soll ich ihr als Trennungsgrund nennen? Dass Rafael sich in meine beste Freundin verliebt hat?«

»Quatsch, so natürlich nicht. Aber mach dir keine Gedanken – Rafael wollte dir noch eine Mail schreiben und dir ein paar Anhaltspunkte für das Gespräch geben. Vielleicht hast du die Mail ja schon. Guck doch mal in deinen Posteingang.«

Ich seufze und drehe meinen Stuhl Richtung Computer. Tatsächlich, in meinem Postfach befindet sich eine neue Nachricht von Rafael, die er – der E-Mail-Adresse nach – direkt aus dem Sender geschrieben hat.

@ Liebe Julia,

ich weiß, du hältst mich für einen totalen Idioten, weil ich deiner Freundin Katja sehr weh getan habe. Und da hast du natürlich recht. Aber: Ich will das alles wiedergutmachen. Und der erste Schritt dazu muss wohl sein, mich von Nadja zu trennen. Das fällt mir aber nach der langen Zeit unserer Beziehung sehr schwer, und deswegen brauche ich deine Hilfe. Bitte nimm mich als Trostpflaster-Kunden an und mache mit Nadja Schluss. Und zwar so schnell wie möglich, denn Katja verdient endlich die Klarheit, zu der ich mich schon längst hätte entscheiden müssen.

Nadja ist heute Abend zu Hause – kannst du bitte zu ihr fahren? Aus eigener Anschauung weiß ich ja, dass ihr verschiedene »Trennungsformen« im Angebot habt – bitte mach ihr einfühlsam klar, dass wir uns auseinandergelebt haben, aber erzähl nichts von Katja. Ich möchte Nadja nicht unnötig kränken. Wichtig ist aber: Ich will momentan keinen weiteren Kontakt zu ihr. Nadja hat mich in den letzten Jahren mit ihrer beharrlichen Weigerung, das Ende unserer Beziehung zu akzeptieren, immer wieder rumgekriegt, und das darf diesmal einfach nicht mehr passieren.

Bitte, könntest du das für mich tun? Und wenn nicht für mich, dann wenigstens für Katja?

Weil ich heute sehr schlecht zu erreichen bin, habe ich alles mit Katja besprochen. Ich vertraue ihr voll und ganz. Falls du also noch Fragen hast: Sie ist genau informiert. Wahrscheinlich hältst du mich für ein Weichei, weil ich nicht selbst mit dir spreche. Aber die Vorstellung, dass Nadja weh getan wird, setzt mir natürlich auch zu. So, wie ich es nun entschieden habe, ist es hoffentlich für alle Beteiligten die beste Entscheidung. Kannst du das verstehen?

Vielen Dank, Rafael

Na ja, wenigstens hat er sich die Mühe gemacht, eine Mail an mich zu schreiben. Und ich kann auch nachvollziehen, dass der Schritt schmerzhaft für ihn ist und er den nicht im Detail noch mal mit mir durchdiskutieren will. Wenn er sich nun endlich zu Katja bekennt, will ich ihrem Glück natürlich nicht im Weg stehen. Noch einmal studiere ich Rafaels Einverständniserklärung. Ist alles da, eine Kopie seines Ausweises, die Auftragsbestätigung mit seiner Unterschrift – mehr brauche ich eigentlich nicht. Und trotzdem habe ich bei der ganzen Sache ein mehr als ungutes Gefühl.

»Ich weiß nicht«, versuche ich noch einmal, mich aus der Situation zu winden. »Irgendwie bin ich in diesem Fall befangen, weil du meine Freundin bist und ich …«

»Dann lassen Sie es mich machen!« Simon hat unbemerkt die Schiebetür ein Stück geöffnet und steht jetzt lässig in den Rahmen gelehnt vor uns.

»Simon!«, fahre ich ihn an. »Sie sollten doch nicht zuhören, hier geht es um etwas Privates!«

»Da muss ich Ihnen widersprechen, Julia«, erwidert er, kommt rüber zu uns und nimmt auf dem zweiten Stuhl vor meinem Schreibtisch Platz. »Wenn ich das alles richtig verstanden habe, ist Katja als Kundin hier. Beziehungsweise im Auftrag ihres Freundes.«

»Könnten Sie sich da wohl bitte mal raushalten?«

Simon zieht überrascht eine Augenbraue in die Höhe. »Als Mitinhaber der Firma *Trostpflaster* muss ich Ihnen sagen … nein, kann ich nicht.«

»Super!«, kommt es erfreut von Katja. »Sie nehmen den Auftrag also an?« Simon schnappt sich Rafaels Unterlagen und wirft einen kurzen Blick darauf.

»Nadja Wagenstein«, liest er laut. Dann wirft er Katja einen beruhigenden Blick zu. »Betrachten Sie die Angelegenheit als erledigt. Ich kümmere mich heute Abend persönlich darum. Was wäre ich für ein«, er tut so, als suche er nach den richtigen Worten, »*schnöseliger Vollidiot*, wenn ich es Julia nicht

gerne ersparen würde, sich mit moralischen Bedenken herum-
schlagen zu müssen.« Er bedenkt mich mit einem gönnerhaften Lächeln. Was für ein Riesenidiot!

»Vielen Dank!«, jauchzt Katja, springt auf und fällt Simon
um den Hals.

»Aber, aber«, wehrt Simon meine Freundin beinahe peinlich berührt ab. »Das ist doch nicht der Rede wert – das ist
schließlich unser Job.« Dann, wieder an mich gerichtet, fragt
er: »Julia, würden Sie Beate bitten, dass sie schon mal die
Rechnung vorbereitet?«

»Nein«, schnappe ich zurück. »Wenn Sie sich höchstpersönlich der Sache annehmen wollen, schlage ich vor, dass Sie sich
auch höchstpersönlich um den Papierkram kümmern.« Ich
bin innerlich so wütend, dass ich fast platzen möchte.

»Gut«, schwungvoll steht er auf und marschiert wieder
rüber zu seinem Schreibtisch. »Kein Problem für mich.«

»Bitte sei nicht sauer«, sagt Katja, als ich sie fünf Minuten
später zum Ausgang begleite.

»Sauer sein? *Ich?*«, frage ich betont überrascht. »Warum
sollte ich sauer sein, nur weil du mich gegen Simon ausge-
spielt hast?«

»Tut mir leid«, kommt es zerknirscht zurück. »Das wollte
ich nicht, ich will doch nur …«, wieder der Dackelblick, »… mit
Rafael glücklich sein. Verstehst du das nicht?«

Ich seufze. »Doch. Es ist eben nur dieses komische Gefühl,
das ich habe.«

»Da mach dir mal keine Sorgen«, beruhigt Katja mich. »Wenn
Simon die Sache in die Hand nimmt, musst du dich damit nicht
rumschlagen.«

»Na, wir werden sehen.« Wir verabschieden uns mit Küsschen. Dabei fällt mein Blick auf den *Trostpflaster*-Spruch des
Tages.

*Autorität und Vertrauen werden durch nichts
mehr erschüttert
als durch das Gefühl, ungerecht behandelt zu werden.*
Theodor Storm

Na super, denke ich, *hofft Beate wirklich, dass Hecker diese
Anspielung versteht?* Andererseits: Vielleicht ist »Autorität« genau das Stichwort, das ich nun mal ausdiskutieren
sollte.

»Ich glaube, wir müssen etwas Grundsätzliches klarstellen«,
lege ich los, sobald ich die Tür zu Simons Büro aufgerissen
habe.

»Nämlich?« Simon sieht mich erwartungsvoll an.

»Zum einen sind wir jetzt *Partner.* Und Partner sein bedeutet, dass man Entscheidungen zusammen trifft.«

»Oh«, stichelt Simon, »das tut mir leid! Ich werde Sie in
Zukunft selbstverständlich auch fragen, wenn ich kurz aus-
treten möchte.«

»Können Sie bitte mal für fünf Minuten ernst sein?«, fahre
ich ihn an.

»Ich weiß gar nicht, was Ihr Problem ist«, meint Simon.
»Der Freund Ihrer Freundin gibt uns einen Auftrag. Sie wollen das nicht machen, also übernehme ich den Job. Ist doch
alles bestens.«

»Gar nichts ist *bestens!*«, brülle ich ihn dermaßen an, dass
Simon erschrocken zusammenzuckt. Aber er fängt sich schnell
wieder.

»Sie haben offensichtlich ein Problem, Julia«, sagt er mit
eisiger Stimme. »Und offensichtlich wird es zu einer lieben
Tradition von Ihnen, das an mir auszulassen.« Ich muss kurz
schlucken. Ist das so? Ach, Unsinn, das redet er sich nur ein.
Ich beschließe, daher nicht darauf einzugehen. »Wir reden
hier von meiner Freundin, Simon. Von meiner *allerbesten*

384

Freundin, die sich in einen verlogenen Idioten verliebt hat. Jedenfalls ist das meine Meinung. Und ich habe eben Sorge, dass sie jemand verletzt. Dass dieser Rafael es nicht ernst meint und Katja hinterher am Boden zerstört ist.«

»Aber Julia«, lenkt Simon versöhnlich ein, »es scheint doch alles in Ordnung zu sein: Wir haben von Rafael den Auftrag, seine Beziehung zu beenden. Und genau das werde ich heute Abend tun.«

»Gut«, schnaube ich. »Wenn Sie das so einfach sehen, bitteschön. Um wie viel Uhr wollen wir los?«

»Wir?«, erwidert Simon erstaunt. »Ich dachte, Sie wollten mit diesem Auftrag nichts zu tun haben.«

»Habe es mir anders überlegt. Immerhin geht es um *meine* beste Freundin; ich denke, da sollte ich in jedem Fall mitkommen.«

»Wie Sie meinen.« Simon zuckt mit den Schultern. »Ich würde sagen, wir fahren so gegen 18.00 Uhr.«

»In Ordnung«, erwidere ich, drehe mich um und gehe in meinen Teil des Büros zurück. Demonstrativ ziehe ich die Verbindungstür hinter mir zu und lasse sie mit einem lauten Knall einrasten. Ich brauche jetzt einfach mal etwas Ruhe für mich, nachdem der Tag bisher so turbulent war.

Zurück an meinem Schreibtisch, öffne ich die Schreibvorlage für unsere Abschiedsbriefe, da müssen dringend noch ein paar rausgeschickt werden. Aber es scheint wie verhext, mir fallen wie neulich schon bei dem Brief an Thomas Völler nicht die richtigen Worte ein. Immer wieder wandern meine Gedanken ab: zu Katja, Rafael und Nadja – und zu Paul. Ich habe mit ihm noch immer nicht über das Geld gesprochen. Ich frage mich, ob wir mit dem Gutshaus bei Bad Oldesloe wohl verhandeln können, dass wir die Kosten erst später und in Raten abstottern?

Gedankenverloren surfe ich im Netz zu der Seite des Anwesens und sehe mir alles noch einmal in Ruhe an. Paul hat recht, der Ort wäre für unsere Hochzeit nahezu perfekt. Der geräumige Festsaal, der große Garten – und nicht zuletzt die sehr romantisch eingerichtete Flitterwochensuite mit ihrem Himmelbett und dem großen Whirlpool im Badezimmer. »Guck mal«, hat Paul bei unserer Besichtigung begeistert festgestellt, »vom Bett aus hat mein einen super Blick auf den großen Flatscreen-Fernseher!« Ich habe ihn gespielt empört in die Seite gestoßen und gemeint: »Du willst doch in unserer Hochzeitsnacht wohl kein Fernsehen gucken!« Paul hat mir einen Kuss auf die Nase gegeben und ein »danach, mein Liebling, danach« ins Ohr geraunt.

Ach, Paul … Ich klicke mich durch meine privaten Ordner und betrachte die Fotos von uns, die ich hier abgelegt habe. So viele Jahre sind wir jetzt schon zusammen, so viele gemeinsame Erlebnisse und Erinnerungen … Ich muss daran denken, wie die Geschichte mit uns damals anfing. Ich trauerte bereits seit Jahren hartnäckig einem anderen hinterher: Gunnar. In den hatte ich mich mit achtzehn Jahren verliebt. Und zwar so richtig, richtig, richtig. Er war der hübscheste Kerl meiner Schule: Blonder Wuschelkopf, die Haare immer einen Tick zu lang und dadurch verwegen, eine Halskette aus Korallen, an dem ein kleines hölzernes Surfbrett baumelte, stahlblaue Augen der Marke Halogenstrahler und noch dazu immer einen lässigen Spruch auf den Lippen. In drei Worten: *Nicht meine Liga.*

Eigentlich hatte ich immer gedacht, dass Gunnar jemanden wie mich gar nicht wahrnimmt. Aber bei einer gemeinsamen Klassenfahrt unserer Stufe an die Nordsee saß er abends auf einmal beim Lagerfeuer neben mir und fing an, sich mit mir zu unterhalten. Ich weiß bis heute, wie mir das Herz bis zum Hals schlug und ich mein Glück kaum fassen konnte, dass ausgerechnet der *schöne Gunnar*, wie wir ihn nannten, mit mir sprach. Und ich weiß auch noch bis heute, wie mich die neidischen Blicke meiner Freundinnen verfolgten, als er mich zu einem Spaziergang am Strand aufforderte ...

Drei Monate lang war ich so dermaßen verknallt, dass ich nicht mehr wusste, wo unten und wo oben war. Ich träumte mir eine Zukunft mit Gunnar zusammen; wir würden uns irgendwann ein Häuschen in Dänemark kaufen, wo ich ihm beim Windsurfen zuschauen würde, unsere zwei bezaubernden Kinder auf dem Schoß ... Na, wie man halt so ist mit achtzehn. Im Leben scheint noch alles möglich zu sein.

An einem regnerischen Herbsttag bekam mein leidenschaftlicher Liebeswahn dann unverhofft einen ziemlich deutlichen Dämpfer verpasst. Gunnar zog mich während der großen Pause in die Raucherecke. Um zu knutschen, dachte ich; um Schluss zu machen, war Gunnars eigentliches Anliegen. Er setzte mir relativ kurz, knapp und schmerzhaft auseinander, dass er schon länger in Sandra – ihres Zeichens das Pendant zu ihm, weil absolute Schulschönheit – verliebt sei und sie nun endlich eingewilligt hätte, mit ihm zu gehen. »Nimm's mir nicht übel«, sagte er, »aber es war ja wohl klar, dass das mit uns nichts für die Ewigkeit sein kann. Du bist ein super Kumpel, Julia, und ich finde dich auch irgendwie süß, aber, na ja, du verstehst das doch sicher – Sandra und ich, wir sind wie füreinander gemacht. Ich muss jetzt los, mach's gut, ja?« So ließ er mich zurück, in der Raucherecke, und wenn ich damals geraucht hätte, hätte ich mir unter Garantie sofort eine angezündet. So aber schlurfte ich nur zurück in meinen Klassenraum, mit einem Herzen, das soeben in zwei Stücke gehauen worden war. Meine Mitschüler bedachten mich mit mitleidigen Blicken; ein paar Wochen später erfuhr ich warum: Gunnar war offenbar schon eine Weile zweigleisig gefahren und hatte mich mit der lieben Sandra beschissen. Das gab mir endgültig den Rest. So etwas verkraftet ein zartes Teenagerherz nicht ohne weiteres. Hätte ich Katja nicht gehabt, die schon damals der Optimismus in Person war und es irgendwie schaffte, mich wieder einigermaßen aufzubauen – ich weiß nicht, was passiert wäre.

Es dauerte ganze drei Jahre, bis ich mich wieder imstande sah, mich für einen anderen Mann zu interessieren: nämlich für Paul. Ich lernte ihn auf der Party einer Kollegin kennen und fand ihn gleich ganz nett. Mehr allerdings nicht – von Liebe auf den ersten Blick war ich ziemlich weit entfernt. Aber Paul schien ein netter Kerl zu sein, und je mehr wir gemeinsam unternahmen, desto mehr wuchs er mir ans Herz. Er war so anders als Gunnar: fürsorglich, ehrlich, warmherzig – er tat mir richtig gut. Tja, und irgendwann war es dann so weit: Ich hatte mich verliebt und fand heraus, dass es Paul schon die ganze Zeit erwischt hatte.

Ich seufze, während ich unsere Fotos betrachte. Es hilft nichts: Ich muss dringend mit ihm über unsere Hochzeit sprechen und wie die Planung weitergehen kann; es ist nicht okay von mir, dass ich ihm die jüngsten Geschehnisse verschweige.

»Also gut«, sage ich zu mir selbst, greife nach dem Telefonhörer, um die Besitzer des Gutshofs anzurufen und für den 5. August zu reservieren. Irgendwie werden wir das schon gewuppt bekommen. Wir sind schließlich ein unschlagbares Team, in all den Jahren haben wir immer zusammengehalten.

»Das ging aber schnell.«

Irritiert starre ich auf den Telefonhörer. Wo kommt diese Stimme jetzt her?

»Hallo?«, frage ich verwundert. »Wer ist denn da in der Leitung.«

»Ich bin's, Paul.«

»Schnuckel!«, rufe ich. »Du musst genau in dem Moment angerufen haben, als ich den Hörer abgehoben habe!«

»Gedankenübertragung, was?« Er lacht. »Wie geht's denn meiner Süßen?«

»Och, ganz gut so weit«, meine ich, »und bei dir?«

»Auch alles gut, ich musste gerade nur an dich denken und dachte, ich melde mich mal.«

»Schön«, antworte ich.«

»Und außerdem«, fährt Paul fort, »wollt ich dich fragen, wann du heute Abend nach Hause kommst. Ich hätte da nämlich eine Überraschung für dich.«

»Eine Überraschung? Das klingt ja spannend.«

»Ist es auch«, sagt Paul. »Was meinst du denn, wann du es schaffst?«

Ich überlege einen Moment. Um 18.00 Uhr wollen Simon und ich noch zu Rafaels Demnächst-Ex-Freundin, das wird wohl nicht länger als eine halbe Stunde dauern. »So gegen halb acht.«

»Prima! Dann sehen wir uns heute Abend. Ich freu mich.« Er kichert in sich hinein.

»Ist es etwas Lustiges?«, frage ich nach.

»Das wird nicht verraten«, erhalte ich als Antwort. »Du wirst schon sehen. Und jetzt arbeite mal schön weiter.« Paul schickt mir einen Schmatzer durch die Leitung. »Ich liebe dich.«

»Ich liebe dich auch. Bis heute Abend!«

30. Kapitel

H ier muss es sein.« Simon steuert seinen Jaguar langsam durch die Schlüterstraße und deutet auf ein großes Gebäude im Gründerzeitstil.

»Ja«, erwidere ich und vergleiche die Hausnummer mit dem Zettel, auf der Nadjas Adresse steht, »hier ist es.« Fünf Minuten später hat Simon das Auto geparkt, wir steigen aus und begeben uns auf den Weg zu unserer Mission.

»Denn man los«, sagt Simon, als wir vor der Haustür stehen und drückt auf die Klingel mit dem Namen *Wagenstein*. Ich verspüre ein nervöses Grummeln in der Magengegend. Weiß gar nicht, weshalb ich so aufgeregt bin, schließlich habe ich so etwas hier mittlerweile schon zigmal gemacht. Aber diesmal ist es irgendwie … anders. Ich bin froh, wenn wir das hinter uns haben, und sehr dankbar, dass ich Simon als Verstärkung dabeihabe. Auch wenn ich mir eher die Zunge abbeißen würde, als das zuzugeben.

»Hallo?«, erklingt eine Frauenstimme aus der Gegensprechanlage.

»Frau Wagenstein?«, fragt Simon.

»Ja?«

»Lindenthal und Hecker«, fährt Simon routiniert fort. »Würden Sie uns bitte hereinlassen? Wir hätten etwas Wichtiges mit Ihnen zu besprechen.«

»Worum geht es denn?« *Mist!* Nadja Wagenstein gehört zu den Leuten, die nachfragen und nicht einfach so Fremde ins Treppenhaus lassen.

»Das würden wir gern in Ruhe und persönlich mit Ihnen besprechen«, erwidert Simon mit einer extrem vertrauenseinflößenden Stimme. Ich bin mir sicher: Wenn er mit dieser besonderen Tonlage arbeitet, würde auch ich ihm glauben, dass er nichts Böses im Schilde führt, selbst wenn er dabei gerade mit einer blutigen Kettensäge auf mich zukäme.

»In Ordnung, kommen Sie herein, dritter Stock.«

Der Summer erklingt, Simon drückt die Tür auf. Während wir auf den Aufzug warten, legt er mit einem Mal unverhofft einen Arm um mich und drückt mich an sich. Vor Schreck fahre ich zusammen.

»Machen Sie sich keine Sorgen, Julia«, sagt er und zwinkert mir lächelnd zu. »Das schaukeln wird schon.«

»Äh … ja. Sicher.« Die Fahrt dauert nicht lange. Deswegen sehe ich auch keine Veranlassung, seinen Arm wieder abzuschütteln. Lohnt ja gar nicht.

Oben angelangt steigen wir aus und sehen uns um. »Da ist es.« Ich deute auf das Schild neben der mittleren Wohnungstür, auf dem *Wagenstein* steht. Wir gehen darauf zu; in diesem Moment geht die Tür auch schon auf. Vor uns steht eine hübsche, kleine blonde Frau mit Sommersprossen. Sie trägt einen Pulli und eine Jogginghose und hat …

… einen unübersehbaren Babybauch!

»Guten Abend«, begrüßt sie uns mit einem freundlichen Lächeln, wobei ein paar hinreißende Grübchen in beiden Wangen sichtbar werden. »Was kann ich für Sie tun?«

Simon und ich werfen uns einen schnellen Blick zu; es scheint uns beiden die Sprache verschlagen zu haben. Ich habe ja mit vielem gerechnet – aber einer hochschwangeren Frau gegenüberzustehen, das ist dann doch zu viel.

»Wir wollten eigentlich zu Frau Wagenstein«, findet Simon als Erster seine Sprache wieder, obwohl seine Stimme seltsam zittert. Das hier haut offenbar selbst den abgebrühten Herrn Hecker aus den Schuhen.

»Steht vor ihnen«, erwidert die junge Frau und bestätigt dabei meine schlimmsten Befürchtungen.

»Nadja Wagenstein?«, fragt Simon noch einmal nach. Die Frau nickt.

»Das bin ich.« Ihr Lächeln ist inzwischen deutlicher Irritation gewichen. Schützend legt sie eine Hand auf ihren Bauch und greift mit der anderen nach der Tür, wahrscheinlich, um sie jederzeit zuschlagen zu können.

»Also«, setzt Simon wieder an, »wir wollten eigentlich … wir wollen …« Ich schicke ein Stoßgebet gen Himmel, dass Simon jetzt um Himmels willen *nicht* auf die Idee kommt, der armen Frau unsere ursprünglich geplante Nachricht zu übermitteln.

»Ja?«, fragt Nadja Wagenstein nach, als Simon verstummt. »Was genau möchten Sie denn nun?« Jetzt lächelt sie wieder, vielleicht, weil sie unsere Unbeholfenheit amüsant findet. »Ich habe leider nicht so lange Zeit. In meinem Zustand«, sie deutet auf ihren Bauch, »brauche ich viel Zeit und Ruhe, ich möchte mich gleich wieder hinlegen.«

»Natürlich!«, erwidert Simon eilig. »Wir wollen Sie auch gar nicht lange aufhalten, wir machen nur eine Umfrage.«

»Eine Umfrage?«

Simon nickt. »Ja«, antwortet er. »Und zwar kommen wir von der Behörde für Soziales und Familie«, beginnt er zu spinnen, »und möchten gern von werdenden Müttern wissen, was ihnen bei der zukünftigen Betreuung ihres Nachwuchses wichtig ist.« Keine Ahnung, woher Simon auf einmal diese Idee hat – aber ich bin ihm dankbar dafür. Jedenfalls so lange, bis Nadja Wagenstein uns freundlich in ihr Wohnzimmer bittet, uns beiden eine Tasse Tee einschenkt und dann freimütig darüber erzählt, wie sie sich ihre Zukunft als Mutter vorstellt.

»Für meinen Freund und mich kam die Schwangerschaft ziemlich überraschend«, erzählt sie, fügt aber gleich hinzu: »allerdings nicht ungewollt, wir freuen uns sehr!«

Vor meinem inneren Auge sehe ich Katja und frage mich, wie sie darauf reagieren wird, wenn ich ihr berichten muss, dass Rafael mit seiner Freundin ein zwar nicht geplantes, aber durchaus gewolltes Kind erwartet. Nicht so gut, schätze ich. Und weiß im Moment gar nicht, wer mir mehr leid tut: Katja, die immer noch glaubt, in Rafael den Richtigen gefunden zu haben – oder die kugelrunde Nadja, die ganz offensichtlich nicht die geringste Ahnung hat, was der Kindsvater hinter ihrem Rücken so treibt. Ich werfe Simon aus den Augenwinkeln einen Blick zu. Auch er scheint nicht gerade erheitert zu sein, wie er da auf Nadja Wagensteins Sofa sitzt, seine Tasse Tee schlürft und ihren Ausführungen lauscht. Jedenfalls hat sich auf seiner Stirn wieder eine steile Falte gebildet, wie ich ja mittlerweile weiß, bei ihm ein Zeichen äußerster Anspannung.

»Die nächste Zeit wird wohl ziemlich chaotisch werden«, erläutert Nadja. »In vier Wochen ziehe ich zu meinem Freund um«, bei diesen Worten deutet sie auf ein Foto, das auf dem Sekretär neben der Couch steht – es zeigt ganz eindeutig Rafael, also ist auch hier jeder Irrtum ausgeschlossen. »Vorher haben wir es einfach nicht geschafft, mein Freund ist sehr beschäftigt und arbeitet beim Radio, wissen Sie?« Simon und ich nicken, befinden uns beide in einer Art Schreckstarre. »Dann müssen wir so schnell wie möglich das Kinderzimmer einrichten, denn die kleine Maus hier kann sich jeden Moment auf den Weg machen. Was die Betreuung betrifft, werde ich mich natürlich im ersten halben Jahr um Johanna kümmern.« Wie schön, ein Name steht auch schon fest. »Aber dann will ich auch irgendwann wieder arbeiten. Wir haben uns schon nach Kita-Plätzen und einer Tagesmutter erkundigt, aber das scheint alles nicht so einfach zu werden.« Sie seufzt. »Ich fände es schon wichtig, dass die Stadt Hamburg sich dafür einsetzt, dass jedes Kind einen gesicherten Betreuungsplatz erhält.« Sie wirft Simon und mir einen auffordernden Blick zu.

»Äh, genau deswegen machen wir ja diese Umfrage«, behauptet Simon, der verstanden hat, dass an dieser Stelle unser Einsatz gefragt ist. »Um zu überprüfen, wie der tatsächliche Bedarf aussieht.«

»Genau«, füge ich hinzu, um auch mal etwas zu sagen. Und so sitzen wir fast eine Stunde bei Nadja Wagenstein auf dem Sofa und plaudern über Kinder und die Möglichkeiten, seine Karriere trotzdem weiterzuverfolgen, und dies, das und jenes. Und nichts, aber auch wirklich gar nichts deutet – trotz meiner vorsichtigen Nachfragen – darauf hin, dass sie davon ausgeht, einem Leben als alleinerziehende Mutter entgegenzublicken. Im Gegenteil, sie lobt Rafael in den höchsten Tönen. Mir wird schlecht, als ich begreife, welches hinterhältige Spiel dieser Mistkerl treibt – Nadja denkt, er macht im Sender neben der Moderation eine Riesenkarriere und kommt deswegen oft sehr spät nach Hause; ich hingegen weiß, dass er diese »Überstunden« mit Katja verbringt. Es ist einfach nur widerlich.

»Einen schönen Abend noch«, verabschiedet sich Nadja, als sie uns irgendwann zur Tür bringt.

»Ja, das wünschen wir Ihnen auch«, krächze ich. »Und noch einmal vielen Dank für Ihre Hilfe.«

»Gern geschehen.« Wieder diese niedlichen Grübchen. Das macht mich alles komplett fertig.

Den Weg zurück zum Auto legen Simon und ich schweigend zurück. Offenbar sind wir beide total fertig mit den Nerven. Erst, als wir im Auto sitzen, findet Simon seine Sprache wieder.

»Was für ein Riesenarschloch«, bringt er wütend hervor und boxt mit einer Hand auf das Lenkrad.

»Ich fasse es einfach nicht. Wie kann man nur so ein skrupelloser, gewissenloser Mensch sein?«, will er von mir wissen.

Er klingt geradezu … entsetzt? Nein, mehr noch. Er ist komplett erschüttert und ratlos. Ich sehe ihn nachdenklich an. Es ist schon richtig, dass ich Simons Ansichten teilweise für fragwürdig halte – aber so, wie ich ihn mittlerweile kennengelernt habe, ist er alles in allem doch ein feiner Kerl. Jedenfalls würde ich ihm nie im Leben so eine Nummer zutrauen wie die, die Rafael hier gerade durchzieht. Und wie er bei Nadjas Anblick sofort irgendein Thema erfunden hat, um ihr nicht sagen zu müssen, weshalb wir eigentlich gekommen waren – das war schon unheimlich süß. So wie sein Rettungsversuch, als ich heute mit Beate aneinandergerasselt bin. Oder damals, als er … *Moment mal*, rufe ich mich zur Ordnung. *Du stehst wahrscheinlich unter Schock, Julia, aber das ist noch lange kein Grund, Simon Hecker jetzt einen Heiligenschein aufzusetzen.*

»Und jetzt?«, will Simon wissen.

»Weiß auch nicht.«

»Eigentlich hätte man dieser Nadja die Wahrheit sagen müssen«, presst Simon zwischen seinen Lippen hervor. »Dass ihr Typ das Hinterletzte ist und sie besser daran täte, ihr Kind ohne ihn aufzuziehen.«

»Das stimmt«, gebe ich ihm seufzend recht. »Zumal Rafael uns ja sogar den Auftrag erteilt hat, es seiner Freundin zu sagen. Seiner *schwangeren* Freundin! Ich fasse es echt nicht!«

»Manchmal habe ich den Eindruck«, sagt Simon, »Frauen wollen gar nicht merken, was wirklich los ist!«

»Wie meinen Sie das?«

»Na, Sie können mir doch nicht erzählen, dass diese Nadja nicht merkt, dass ihr Freund sie schon länger betrügt. So blind kann man doch gar nicht sein! Seit Jahren Überstunden, aber immer noch kein nachweislicher Karrieresprung? Er wartet, bis sie hochschwanger ist, bevor er sie zu sich ziehen lässt? Oder nehmen Sie Ihre Freundin Katja: Die klammert sich an die Hoffnung, dass Rafael es wirklich ernst mit ihr meint, dabei müsste ihr doch klar sein, dass ein Lügner eben ein Lügner ist.«

»Das stimmt schon«, meine ich. »Aber wenn man verliebt ist, will man manche Dinge eben nicht wahrhaben. Und ich glaube nicht, dass das nur Frauen so geht.«

Einen Moment lang sitzen wir einfach nur schweigend nebeneinander da. Dann startet Simon den Wagen. »Und nun kommen wir zum zweiten Teil dieses heiteren Abends.«

»Der da wäre?«, will ich erstaunt wissen.

Simon fährt los und bedenkt mich mit einem angespannten Seitenblick. »Ihrer Freundin Katja berichten, was bei unserem Termin herausgekommen ist.«

Scheiße, stimmt, das steht uns ja auch noch bevor! »O weh«, stöhne ich, »das wird mit Sicherheit kein Spaß.«

»Glaube ich auch nicht.«

Zehn Minuten später hält Simon vor Katjas Wohnung. Ich sehe hoch zu ihrem Fenster. Schade, das Licht ist an. Für einen kurzen Moment hatte ich gehofft, sie sei vielleicht nicht zu Hause. Aber montags ist der Salon geschlossen und Katja ist offenbar auch nicht ausgegangen.

»Dann werde ich das mal hinter mich bringen«, sage ich schicksalsergeben, öffne die Beifahrertür und mache Anstalten, auszusteigen.

»Julia?«

Ich halte in der Bewegung inne. »Ja?«

»Soll ich vielleicht mitkommen?«, bietet Simon an. »Ich meine, nur, falls Sie nicht …«

»Das ist lieb von Ihnen«, bedanke ich mich. »Aber das hier mache ich lieber allein. Ein Gespräch unter Freundinnen, das wird wohl das Beste sein.«

»Ja.« Simon nickt. »Sagen Sie Katja bitte, dass sie nicht zu traurig sein soll. Das ist der Kerl nicht wert.«

Ich werfe ihm ein schiefes Grinsen zu. »Das werde ich machen!« Ich steige aus und winke Simon nach, als er losfährt. Dann klingle ich – und kann nicht behaupten, dass ich mich auf das anstehende Gespräch sonderlich freue. Aber vielleicht wird Katja es ja einigermaßen gefasst aufnehmen.

»*Seine Freundin ist schwanger?*«

Okay. Sie nimmt es *nicht* gefasst auf. Nicht mal einigermaßen.

Kaum habe ich Katja von Simon und meinen Erkenntnissen berichtet, bricht sie zuerst in Tränen aus, dann fängt sie an, herumzuschreien. »Das kann ja wohl nicht wahr sein!«, brüllt sie, dass die Wände wackeln. »So ein mieses *Schwein, so ein riesengroßes, mieses, verlogenes, gemeines Schwein!*«

»Bitte, Süße«, versuche ich, dazwischenzugehen, als ihre Hand sich um eine Wasserkaraffe schließt, die sie offensichtlich zum Wurfgeschoss umfunktionieren will. »Ich weiß ja, dass das schrecklich ist. Aber versuch, dich ein wenig zu beruhigen.«

»*Beruhigen?* Wir soll ich das bitteschön machen? Rafael erzählt mir was von großer Liebe und Bladiblah – und in Wahrheit hat er ein kleines Frauchen, das darauf wartet, mit ihm zusammen ein Nest zu bauen!«

»Ja, das ist natürlich das Allerletzte«, pflichte ich ihr bei. »Und dann schickt er uns auch noch los, um die Sache zu beenden – da fehlen einem echt die Worte.«

Mit einem Schlag läuft Katja dunkelrot an. »Ähm«, stottert sie und senkt den Blick.

»Was ist denn mit dir?«, will ich wissen. »Ist dir nicht gut?«

»Ja, ich, ähhh …« Jetzt wird sie noch roter, was ich kaum noch für möglich gehalten hätte.

Und das kann nur eines bedeuten!

»Katja?« Ich lege einen ernsten Tonfall an den Tag. »Was los ist, will ich wissen.«

»Die Sache ist die ... also«, sie ringt sichtlich mit den Worten. »Also, genau genommen hat Rafael den Auftrag gar nicht erteilt.«

»Wie meinst du das?« Obwohl ich schon ahne, was nun kommt, kann ich kaum glauben, was Katja da gerade sagt, und hoffe ganz schwer, dass ich mich verhört habe.

»Ich habe die Einverständniserklärung gefälscht«, flüstert sie kleinlaut und betrachtet ihre Füße.

»*Was hast du?*«

»Ja, weißt du ... er hat doch gesagt, dass er sich auf jeden Fall trennen will und dass es ihm aber so schwerfällt. Und da habe ich eben ... also, erst habe ich ihm vorgeschlagen, dass er sich an *Trostpflaster* wendet. Er hat gesagt, dass er das auf jeden Fall machen wird, aber erst in ein paar Wochen, weil er im Sender so viel Stress hat und sich damit nicht auch noch belasten will. Na ja, und nachdem er trotzdem wieder und wieder gesagt hat, dass er die Beziehung wirklich nicht mehr will und nur mich liebt ... da ... da hab ich eben gedacht, es sei so das Beste und ich würde ihm damit einen Gefallen tun.«

»Rafael hat also keine Ahnung, dass wir mit Nadja gesprochen haben?«, will ich schockiert wissen.

»Genau genommen ... nein. Ich habe seinen Ausweis kopiert und die Einverständniserklärung selbst geschrieben.«

»Aber was ist denn mit der Mail von Rafael?« Ich bin völlig verwirrt. Wieso fälscht Katja seine Unterlagen, wenn er mir dann eine Stunde später eine so klare Mail schreibt?

»Die Mail habe ich dir geschrieben.«

»Ja, aber ... die kam doch von Alpha Radio. Direkt von Rafael.«

»Nein, genau genommen kam sie nur von seinem Account,

nicht von Rafael selbst. Rafael kann sich von jedem PC der Welt aus für seinen E-Mail-Account anmelden. Wenn er dann eine Mail verschickt, sieht niemand, wo er tatsächlich ist. Hat er auch schon von meinem Computer öfter gemacht. Nachdem wir wieder zusammengekommen sind, musste ich ungefähr dreimal über seine Schulter gucken, dann hatte ich sein Passwort.«

Ich starre Katja völlig fassungslos an. Das ist doch nicht die Frau, die meine beste Freundin ist!

»Und weil ich sichergehen wollte, dass du mir die Geschichte auch glaubst, bin ich auf die Idee mit der Mail gekommen. Nadjas Adresse habe ich dann über ihre Rufnummer herausgefunden, die ich aus Rafaels Handy hatte. Mittlerweile geht das ganz einfach. Wenn jemand eingetragen ist, kann die Auskunft anhand der Nummer die Adresse nachsehen. Und dann …«

»Sorry«, unterbreche ich Katja, »deine Fähigkeiten als Sherlock Holmes interessieren mich gerade nur am Rande. Ich komme immer noch nicht darüber hinweg, dass du mich angelogen hast.«

»Also, angelogen würde ich das nicht …«

»*Doch!*«, schneide ich ihr das Wort ab. »Genau so würde ich das nennen! Du hast mir wissentlich eine falsche Information gegeben und mich und Simon einer schwangeren Frau auf den Hals gehetzt.« Wütend starre ich meine beste Freundin an, die sekündlich kleiner und kleiner wird.

»Ich wusste es doch nicht«, bringt sie schließlich murmelnd hervor. »Ich wusste doch nicht, dass sie schwanger ist.«

»Selbst, wenn sie es nicht wäre – was du getan hast, war einfach nicht korrekt! Und mehr als das: es war *kriminell!* Adressen recherchieren, Passwörter klauen – das darf doch alles nicht wahr sein! Was ist denn das für eine Beziehung, die auf solchen Machenschaften aufbauen soll? Rafael ist ein

Lügner, aber was du getan hast, ist nicht wesentlich besser. Was ist bloß los mit dir?«

»Ich weiß es auch nicht! Ich weiß nur, dass ich wahnsinnige Angst hatte, Rafael wieder zu verlieren. Und ich habe noch nie einen Mann so geliebt wie ihn. Auf einmal konnte ich mir all das vorstellen, wovon du schon seit Jahren redest: heiraten, Kinder und so weiter. Ich dachte, ich hätte endlich meine verwandte Seele getroffen.« Jetzt fängt Katja wieder an zu weinen. »Glaub mir, ich weiß doch, dass das total daneben war. Und ich verstehe auch, dass du jetzt richtig wütend auf mich bist und nie wieder mit mir reden willst, weil ich ...« Ein Schluchzen lässt ihre Stimme versiegen.

Mit einem Schlag verraucht mein Ärger, den Anblick einer heulenden Katja kann ich einfach nicht ertragen. Augenblicklich wird mir das Herz weich; ich bin wirklich nicht gerade das, was man landläufig *tough* nennt.

»Och, Süße«, sage ich und breite meine Arme aus. »Nu komm schon her, du verrücktes Huhn!«

Weinend stürzt Katja sich in meine Arme und schluchzt an meine Schulter.

»Eigentlich müsste ich dir in der Tat super, super böse sein«, erkläre ich und streichele ihr über den Kopf. »Aber ich finde auch, dass du mildernde Umstände geltend machen kannst. Schließlich wäre das alles nicht passiert, wenn Rafael dich nicht angelogen hätte.«

»Ich fühle mich schrecklich«, nuschelt Katja an meine Schulter. »Du bist wunderbar und ich bin eine doofe Kuh.« Ich muss laut auflachen.

»Na, *daran* erinnere ich dich in ein paar Wochen noch einmal, wenn das hier längst vergessen und Schnee von gestern ist.«

»Kannst du mich denn vielleicht auch ein ganz, ganz klitzekleines bisschen verstehen?«, will Katja wissen, nachdem sie sich aus unserer Umarmung gelöst hat. Ich seufze.

»Es fällt mir zwar schwer – aber vielleicht ein winzig kleines bisschen.«

»Danke«, erwidert Katja. Dann tritt ein nachdenklicher Ausdruck auf ihr Gesicht. »Wie ist sie denn so?«, will sie wissen.

»Wie ist wer?«

»Na, Rafaels Freundin.«

Ich überlege einen Moment, dann zucke ich mit den Schultern. »Ganz süß eigentlich.«

»Hm.« Katja guckt traurig.

»Aber ich kann dir nur eins sagen: Sei echt froh, dass du nicht an ihrer Stelle bist.«

»Ich versuche es. Aber es … es fällt mir schon schwer. Bis vor ein paar Minuten war ich noch glücklich verliebt – und jetzt ist auf einmal alles vorbei.«

»Es kommt doch nicht nur darauf an, ob du verliebt bist, Katja«, widerspreche ich ihr. »Er muss dich doch genauso lieben, und wenn er das nicht tut, dann …« Ja, was dann, Julia?

»… dann war er es einfach nicht wert«, erwidert sie leise.

Ich gebe ihr einen Stubser in die Seite. »Und umso besser wird es sich anfühlen, wenn du Rafael jetzt einen richtigen Tritt in den Hintern gibst«, versuche ich, sie aufzumuntern. Aber Katja schüttelt sofort abwehrend den Kopf.

»Auf gar keinen Fall! Ich will dieses Arschloch niemals mehr wieder sehen, für mich ist der echt gestorben.« Sie seufzt. »Es ist wohl an der Zeit, Rafael bei einem feierlichen Kaltgetränk zu beerdigen. Komm«, sie steht auf und geht rüber zum Weinregal, »darauf trinken wir erst einmal einen. Ich buche hiermit das Trost-Deluxe-Paket!«

»In Ordnung. Ich bin ja nicht mit dem eigenen Auto hier, da kann ich ein Gläschen nehmen.«

Katja entkorkt eine Flasche, holt uns zwei Gläser, schenkt

den Wein ein und prostet mir dann zu. »Auf uns Frauen. Die Einzigen, die noch wirklich zu wahrer Liebe fähig sind!«

»Prost.«

Aus dem einen Gläschen werden dann doch eher drei oder vier. Jedenfalls befinde ich mich, als ich gegen Mitternacht zu Hause aus dem Taxi taumele, in ziemlicher Schräglage. Na ja, Rotwein auf mehr oder weniger nüchternen Magen ist ja auch nur bedingt empfehlenswert. Früher wäre mir das an einem Wochentag nie und nimmer passiert, dass ich so spät und in diesem Zustand nach Hause komme, schließlich ging an nächsten Morgen immer um Punkt sechs Uhr der Wecker. Auch eine praktische Seite der Selbstständigkeit: Man muss sich nicht sklavisch an Arbeitszeiten halten, sondern kann auch mal fünfe gerade sein lassen. Und außerdem war der Abend mit Katja ja quasi ein Arbeitsgespräch.

In der Wohnung ist es stockdunkel, als ich in den Flur tapse. Paul schläft wahrscheinlich schon, im Gegensatz zu mir hat sich an seinen Arbeitszeiten nichts geändert. Leise ziehe ich Jacke und Schuhe aus, schleiche in die Küche, um vor dem Schlafengehen noch ein Glas Wasser zu trinken. *Vielleicht in Verbindung mit einer Aspirin*, denke ich, als ich den Lichtschalter anknipse.

»Guten Abend.«

Vor Schreck schreie ich kurz auf und fahre zusammen. Am Küchentisch sitzt Paul, den Kopf in die Hände gestützt, und sieht mich seltsam an. Eine Mischung aus … aus Wut und Traurigkeit? Vor ihm aufgebaut stehen etwa zwanzig verschiedene kleine Kuchen, die meisten davon sind schon angebissen.

»Warum sitzt du hier im Dunkeln?«, frage ich ihn fassungslos und mit einem schlechten Gewissen, denn in diesem Moment wird mir bewusst, was ich bei dem Trubel um

Nadja und Katja vollkommen vergessen habe: Pauls Überraschung!

»Ich sitze hier und warte auf meine Verlobte«, erwidert Paul lakonisch. Dann steht er auf. »Eigentlich wollte ich mit dir diese Kuchen hier probieren, damit wir uns eine als Hochzeitstorte aussuchen können. Aber ...« Er spricht nicht weiter, sondern geht einfach wortlos an mir vorbei Richtung Schlafzimmer.

»Paul?«, rufe ich ihm unsicher hinterher. Doch ich höre nur noch, wie er die Tür hinter sich ins Schloss zieht. *Scheiße!* Wie konnte ich das so komplett vergessen?

Mein Blick fällt auf die vielen kleinen Torten. So viel Mühe hat Paul sich gemacht – und ich idiotische Kuh hatte mal wieder komplett andere Dinge im Kopf!

Schnell laufe ich ins Bad, putze mir die Zähne, gehe dann ins Schlafzimmer und krabbele zu Paul unter die Decke. »Es tut mir so leid«, flüstere ich und lege von hinten meine Arme um ihn. »Aber heute war wirklich ein schrecklicher Tag, ich musste ...«

»Schatz«, unterbricht Paul mich. »Ich bin müde und muss morgen früh raus. Lass uns jetzt bitte nicht über die Agentur reden.« Er rückt ein Stück ab von mir und befreit sich aus meiner Umarmung.

Und so liege ich also in unserem Bett und kriege kein Auge zu, weil ich darüber nachgrübeln muss, warum ich so bescheuert bin.

31. Kapitel

Als ich am nächsten Morgen in die Küche komme, hat Paul bereits die Kuchenspuren beseitigt. Eigentlich hatte ich mir vorgenommen, ganz früh aufzustehen, alle Torten zu probieren und Paul meine Meinung mitzuteilen, aber nachdem ich noch bis vier Uhr früh wach lag, hat mich irgendwann ein dermaßen tiefer Schlaf übermannt, dass ich nicht einmal den Wecker gehört habe. Jetzt ist es kurz vor neun und Paul bereits seit zwei Stunden aus dem Haus.

Während ich mich dusche und anziehe, beschließe ich, Paul heute in seiner Mittagspause zu überraschen. Das habe ich schon lange nicht mehr getan – vielleicht nimmt er das ja als Friedensangebot an? Und dann werde ich ihm endlich die Sache mit dem Geld gestehen. *Wie ich Paul kenne*, versuche ich, mir selbst Mut zu machen, *wird ihm da schon eine Lösung einfallen. Zusammen kriegen wir das schon hin. Irgendwie.*

»Guten Morgen, Julia«, werde ich von Beate begrüßt, als ich in die Agentur komme.

»Morgen!«

»Wie geht's dir denn?« Sie mustert mich besorgt. »Hab von Herrn Hecker schon gehört, was gestern noch los war.«

»Tja«, meine ich, »alles nicht so toll.«

»Ich verstehe die jungen Leute nicht«, erklärt Beate, als wäre sie mindestens siebenundneunzig. »Oder?«, wendet sie sich dann an Gerd, der gerade seine Werkzeugkiste sortiert. »Das ist doch nicht zu verstehen!«

»Hm«, brummelt er und prüft eine Zange auf ihre Tauglichkeit.

»Bei uns war das damals anders«, erzählt Beate weiter, während sie mir in die Teeküche folgt, wo ich mir einen Kaffee holen will. »Da hat man sich verliebt, geheiratet und dann ist man auch zusammengeblieben. Die Freiheiten, die ihr heute habt, sind doch eher ein Fluch als ein Segen.«

»Mag sein«, gebe ich mich einsilbig, weil ich nicht so recht Lust habe, mit Beate über das Thema zu diskutieren.

»Ich meine, wenn ich Gerd und mich nehme – natürlich hatten wir unsere Krisen. Das bleibt ja nicht aus, wenn man so lange zusammen ist wie wir. Aber trotzdem wussten wir immer, dass wir zusammengehören, das war einfach klar. Und dann hat man eben umeinander gekämpft und nicht gleich hingeschmissen, sobald es ein Problemchen gab. Da stand nicht an jeder Ecke sofort ein Neuer, da hat man sich zusammengerissen.«

»Nun mach mal halblang, Beate. Du bist dreiundfünfzig, nicht fünfundneunzig. Ich würde jetzt mal die These aufstellen, dass in deinem Jahrgang auch so ungefähr jede zweite Ehe geschieden wird. Nur weil es bei dir und Gerd so gut läuft, heißt das nicht, dass jedes Paar das hinbekommen kann.«

Beate schaut mich erstaunt an. »Bist du irgendwie sauer auf mich? Du klingst so aggressiv.«

»Nein, ich wollte lediglich sagen, dass es Leute gibt, die um ihre Beziehung kämpfen, aber letztendlich trotzdem scheitern.«

»Schon klar«, murmelt Beate jetzt etwas kleinlaut. Dann lächelt sie mich versöhnlich an. »Wenn es nicht so wäre, dann würde unsere Agentur ziemlich schnell pleitegehen.«

»Genau.«

»Aber trotzdem – so eine Geschichte, wie Katja sie erlebt hat, macht mich einfach fassungslos. Wie kann denn sowas angehen? Hat eine schwangere Freundin und geht ständig fremd.«

»Ja«, seufze ich, »ist nicht so toll.«

»Stell dir mal vor, Paul würde so etwas machen!«

»Wieso sollte ich mir das vorstellen?« Überrascht lasse ich von der Kaffeemaschine ab und drehe mich zu Beate um.

»Nur mal so«, meint sie, »das wäre doch wohl das Allerletzte.«

»Bei Paul muss ich mir da wohl keine Sorgen machen«, beruhige ich sie. »Und außerdem bin ich ja nicht schwanger«, füge ich dann scherzhaft hinzu.

»Na ja«, Beate zwinkert mich an, »das kann schneller gehen, als du denkst …« Sie geht zurück zu ihrem Platz, ich mache mich ebenfalls auf den Weg zu meinem Schreibtisch.

»Guten Morgen!«, werde ich dort von Simon begrüßt.

»Na? Schon wieder die Handwerker im Haus?«

Er seufzt. »Leider ja. Ich hoffe, die sind da bald fertig, dieses frühe Aufstehen bringt meinen Biorhythmus komplett durcheinander.«

»Sie Armer!«, spotte ich. »Das grenzt ja an eine Verletzung der Menschenrechte.«

»Das kann man wohl sagen«, geht er auf meinen Spaß ein. »Das wird noch ein echter Fall für Amnesty International.« Wir lachen beide, dann wird Simon ernst. »Und?«, will er wissen. »Wie hat Ihre Freundin die Nachricht verkraftet?«

»Gerade glücklich war sie nicht«, erkläre ich. »Aber trotzdem ist sie ganz froh, dass sie jetzt die Wahrheit weiß.«

»Und was will sie in Sachen Rafael tun?«

Ich zucke mit den Schultern. »Was soll sie da schon groß tun? Ihn vergessen, schätze ich mal.«

»Ja, aber«, kommt es einigermaßen erregt zurück, »das kann sie doch nicht so auf sich sitzen lassen! Ich finde, Rafael hat einen Denkzettel verdient. Und zwar einen ziemlich deutlichen!« Er mustert mich angriffslustig.

»Das ist ja eine recht weibliche Sicht, die Sie da haben«, ziehe ich ihn auf. »Rache ist doch eigentlich nur was für uns Frauen.«

»Da sehen Sie mal, wie ich hier zunehmend verweibliche.« Er grinst mich an. »Aber finden Sie nicht, dass ich recht habe?«

Ich denke einen Moment nach. »Hm, vielleicht schon. Immerhin hat er Nadja, Katja und seine Affäre davor ziemlich verarscht.«

»Genau! Es ist Zeit für ein bisschen Frauensolidarität!«, posaunt Simon. »Und ich hätte da auch schon eine ganz, ganz wunderbare Idee!« Dann erzählt er mir, was er sich in seinem – offensichtlich recht diabolischen Gehirn – so überlegt hat. Und ich klatsche vor Begeisterung in die Hände. *Wunderbar!*

»Mannomann, ihr kommt auf Ideen!« Katja ist richtig aufgeregt, als wir sie um 12.00 Uhr bei ihrem Salon einsammeln und gemeinsam im Jaguar Richtung Sender fahren. »Aber es ist eine tolle Idee!«, fügt sie dann begeistert hinzu. »Dafür mache ich doch gern mal kurz meinen Laden zu. Bin echt gespannt, wie der Idiot das findet.«

»Ich auch«, grinst Simon. Es ist ihm anzusehen, dass er gerade richtig viel Spaß hat. Steckt eben doch ein echter Teufel in meinem Geschäftspartner. Aber wenn ich ehrlich bin, muss auch ich bei dem Gedanken daran, was wir vorhaben, kichern. Nicht ganz so lustig ist, dass ich das Mittagessen mit Paul leider ausfallen lassen muss, aber ich habe mir fest vorgenommen, heute Abend etwas Leckeres für ihn zu kochen. Und ihm dann alles zu erzählen, länger schiebe ich das jetzt nicht vor mir her!

Als wir zehn Minuten später den Sender erreichen, steht Schnuckel bereits draußen vor der Tür und wartet auf uns. »Moin!«, begrüßt er uns, als er sich neben Katja auf die Rückbank plumpsen lässt.

»Hallo Schnucki!«, grinst Katja ihn an. »Und? Bereit und alles dabei?«

Er nickt und deutet auf sein Aufnahmegerät. »Akkus sind aufgeladen, von mir aus kann's losgehen.«

»Dann wollen wir mal«, sagt Simon. Er tritt aufs Gas, mit quietschenden Reifen düsen wir nach Blankenese.

Katja und ich bleiben im Auto sitzen, während Simon und Schnuckel erst bei Rafael klingeln und schließlich im Haus verschwinden. Katja ist so aufgeregt, dass sie an ihren Fingernägeln kaut.

»Meinst du, die beiden kriegen das hin?«, fragt sie.

»Na klar. Wenn Simon irgendwas richtig gut draufhat, dann ist es die Rolle des Obermuftis. Wirst sehen, Rafael kauft ihnen die Geschichte ab. Du hast doch selbst gesagt, wie wichtig ihm seine Radiokarriere ist. Das noch dazu gepaart mit seiner Eitelkeit – der geht uns ins Netz. Todsicher!«

Nach einer halben Stunde kommen Schnuckel und Simon wieder aus dem Haus – und Simon macht sofort das Victory-Zeichen. Katja stößt einen spitzen Schrei aus und springt aus dem Auto, um den beiden um den Hals zu fallen. Dann steigen alle wieder ein.

»Und?«, will ich wissen. Simon lehnt sich von der Rückbank nach vorne zu mir vor.

»Wie der Meister vorausgesagt hat: Rafael hat gesungen wie ein Vögelchen.«

»Welcher Meister?«, will Schnuckel irritiert wissen.

»Na ja, ich«, gibt Simon gönnerhaft zurück. Ich verdrehe die Augen. Understatement ist eindeutig nicht Simons Sache. Aber egal – Hauptsache, es hat geklappt.

»So, dann wollen wir mal reinhören, ob auch alles drauf ist.« Schnuckel zieht das Aufnahmegerät aus der Innentasche seiner Jacke. »Wahrscheinlich ist die Tonqualität ein bisschen dumpf, aber man müsste es trotzdem ganz gut hören können.« Er schaltet das Gerät auf Abspielen.

»Guten Tag, Herr Kaiser. Ich bin Holger Bernzen, Geschäfts-führer Personal von Radio Berlin«, hören wir Simons Stimme. »Wir hatten miteinander telefoniert. Und das ist mein Assis-tent Jens Schnuckel.«

»Guten Tag«, hört man Rafael Kaiser klar und deutlich. »Ja, schön dass Sie da sind, kommen Sie doch herein.«

Es knistert ein bisschen, anscheinend reibt Schnuckels Jacke beim Gehen an das Mikrofon.

»Herr Kaiser, wie ich Ihnen schon am Telefon erklärt habe, wollte ich mich gerne einmal im vertraulichen Rahmen mit Ihnen treffen, weil wir Ihnen ein sehr lukratives Angebot unterbreiten wollen. Ich habe mit meinem Chefredakteur des-halb vereinbart, dass ich gleich persönlich Kontakt zu Ihnen aufnehme.«

»Schießen Sie los, Herr Bernzen. Ich bin ganz Ohr.«

»Also, Radio Berlin ist die erfolgreichste Rock-&-Pop-Welle der Hauptstadt«, doziert Bernzen alias Hecker.

»Ich weiß. Höre ich auch sehr gerne, wenn ich in Berlin bin.«

»Wir haben traumhafte Quoten, aber mit unserem Morgen sind wir nicht zufrieden. Wir haben uns deshalb mal unter den Morningshows der Republik umgehört und sind auf Sie gekommen.«

»Das freut mich natürlich.«

»Sie sind eindeutig der Lichtblick auf Alpha Radio. Und wenn ich das so sagen darf: Sie sind an dieses Umfeld ver-schwendet.«

Kaiser lacht selbstgerecht. *Jaja*, denke ich, *freu dich, solange du noch kannst.*

»Wem sagen Sie das. Alpha Radio ist wirklich ein ziemlicher Schnarchladen. Die lassen da Deppen ans Mikrophon – unglaublich.«

Ein »Hm, Hm« von Schnuckel, dann redet wieder Hecker-

Bernzen. »Tja, das ist ja oft ein Führungsproblem. Da hört man auch so einiges von Alpha Radio.«

»Und glauben Sie mir, die Gerüchte sind nur die Spitze des Eisbergs. Unser Chefredakteur hat null Ahnung, was er da tut. Kein Wunder, ist eben kein Radio-Mann. War lange bei der Zeitung – und ich sage immer: Print ist nur was für die Geriatrie.«

Alle drei lachen herzhaft. Und wir lachen jetzt auch. Zuerst ich, dann Schnuckel. Schließlich stimmt auch Katja mit einem vergnügten Prusten ein. Es ist aber auch einfach zu schön: Unser Plan scheint genau aufzugehen!

Nur Simon bleibt gelassen. »Bevor hier allgemeiner Jubel ausbricht: es fehlt noch Teil 2. Die Damen, ihr seid dran.«

Katja nickt, ich klemme mir Schnuckels Gerät unter den Arm, dann steigen wir aus und steuern auf Kaisers Haus zu. Es dauert eine Weile, bis Rafael auf Katjas Klingeln reagiert, aber dann öffnet er uns die Tür.

»Katja, Schatz! Hallo Julia!«, sagt er erstaunt »Was wollt ihr denn hier?«

»Haben wir dich geweckt?«, will Katja leutselig wissen.

»Ja«, erwidert er, »ich bin erst vor einer halben Stunde aus dem Sender gekommen und hatte mich hingelegt. Du weißt doch, dass ich mittags meistens schlafe.«

»Tut mir leid«, erwidert Katja, »aber es ist etwas wirklich Wichtiges.«

»Na, dann kommt mal rein.« Er hält uns die Tür auf. Als er Katja in den Arm nehmen will, um ihr einen Kuss zu geben, weicht sie instinktiv zurück. Ich dränge mich schnell zwischen sie, um das zu überspielen, und strahle den Mistkerl zuckersüß an.

»Wir haben eine Überraschung für dich.«

»Was für eine Überraschung?«, will er wissen und guckt dabei etwas irritiert zu Katja rüber.

Jetzt halte ich ihm das Aufnahmegerät unter die Nase. »Uns ist da spontan ein völlig neues Sendeformat eingefallen. Und weil du doch durch und durch ein Radio-Mann bist, wollten wir mal wissen, was du davon hältst«, erläutere ich ihm.

»Genau«, ergänzt Katja, »es orientiert sich etwas an dem Seitensprung-Tester von Radio Hanse. Du weißt schon, wo die Moderatorin Typen anruft und versucht, sich mit ihnen zu verabreden, um zu testen, ob sie ihrer Freundin treu sind.«

»Äh, ja, tolle Show«, sagt Rafael. »Und so etwas ähnliches habt ihr euch ausgedacht?«

Ich nicke. »Ja, aber bei uns geht es nicht um die Treue in Liebesbeziehungen, sondern in Arbeitsbeziehungen. Als Titel schwebt uns so etwas vor wie: *Hallo Chef, du bist ein Idiot.*«

»Aha ...« Rafael runzelt die Stirn. »Das kann ich mir offen gestanden gerade nicht vorstellen.«

»Verstehe. Darum haben wir schon mal eine Probeaufzeichnung gemacht, vielleicht wird es dann deutlicher.«

Wir setzen uns an den Esszimmertisch, dann schalte ich das Gerät ein. Kaum sind Simons erste drei Worte zu hören, da weiß Rafael schon, welches Gespräch er nun zu hören bekommt. Hektisch drückt er auf die Stop-Taste.

»Mal ehrlich, Mädels, was soll die Verlade?«, fragt er mit einem angespannten Lachen. »Ich weiß nicht genau, warum ihr mir so einen Streich spielt. Findet ihr das lustig? Ihr meint doch nicht ernsthaft, so ein Quatsch eignet sich fürs Radio?«

»Och, weißt du«, Katja zeigt einen hinreißend unschuldigen Augenaufschlag, »wir wollten das Ganze jetzt mal unter echten Bedingungen testen und gucken, ob es funktioniert.«

»Ja, Schatz ... schön«, sagt Rafael; man kann förmlich sehen, wie sich auf seiner Stirn Zahnräder drehen. »Der Versuch war's sicher wert, aber wenn ihr meine Meinung als Profi hören wollt: löscht das einfach und vergesst es.«

»Och, Rafael, das tut mir nun aber wirklich weh, dass du so

411

wenig von meinen Ideen hältst«, flötet Katja. »Was sagt du denn dazu, Julia?«

Ich lege mir scheinheilig die Hand auf die Brust. »Ich bin auch ganz aufgewühlt, weil Rafael so abweisend reagiert. Wie gut, dass wir noch einen Plan B haben.«

»Plan B?«, will er wissen. Meine ich das nur – oder treten da wirklich erste Schweißperlen auf seine Stirn?

»Aber natürlich, *Schatz*«, sagt Katja. »Wir fahren jetzt zum Chefredakteur von Alpha Radio und spielen ihm vor, was sein Starmoderator wirklich von ihm hält. Stelle ich mir schon sehr spannend vor, was er zu unserem Konzept sagt.«

»Bist du *irre*?« Rafael schnappt hörbar nach Luft. »Weißt du nicht, was das für mich bedeutet? Willst du mir alles kaputt machen, was mir im Leben wichtig ist?«

»Offen gestanden – ja, das will ich.« Katja lächelt ihn immer noch so freundlich an, als könne sie kein Wässerchen trüben. »Und damit wären wir dann quitt. Schließlich hast du mir auch gerade kaputt gemacht, was mir im Leben wichtig ist: Meinen Glauben an die Liebe.«

Jetzt scheint bei Rafael der Groschen zu fallen. »Oh mein Gott ... du hast Nadja gesehen.«

Katja schweigt.

»Dann hast du das von Anfang an geplant, um mich fertig zu machen? Den ganzen Zauber mit Bernzen und Berlin Radio?«

»Ja.«

»Aber, aber ... das kannst du doch nicht machen! Wenn mein Chef das hört, schmeißt er mich sofort raus!«

»Das will ich doch hoffen«, mische ich mich ein. »Sonst müssten wir mit dem Band noch alle anderen Sender Hamburgs abklappern, damit deinem Chef keine andere Wahl bleibt.« Ich sehe Katja gespielt erstaunt an. »Jetzt wo ich's sage ... das sollten wir auf jeden Fall machen. Sonst kommt noch irgendein anderer Chefredakteur auf die Idee, Rafael einzustellen.«

»Das gilt es auf jeden Fall zu verhindern«, bekräftigt Katja mit einem tatkräftigen Nicken.

Rafael ist mittlerweile kreidebleich – und es sieht nicht gespielt aus. Schon traurig: Sein Job scheint ihm viel mehr zu bedeuten als Katja oder Nadja. Das Arschloch liebt ganz offensichtlich nur sich selbst.

»Das dürft ihr gar nicht!«, startet er noch einen hilflosen Versuch. »Wer heimlich Bänder aufnimmt, macht sich strafbar!« Katja wirft ihm einen verächtlichen Blick zu. »Was meinst du, wie egal mir das ist. Kannst mich ja anzeigen, du Wicht. Hast ja demnächst viel Zeit.«

»Bitte, Katja, tu das nicht!«, winselt Rafael. Dann nimmt er Haltung an, schaltet nahtlos das Charmeur-Programm ein und sagt mit weicher Stimme: »Lass mich dir doch erklären ...«

»*Nein!*«, schneidet ihm Katja das Wort ab. »Du hast nur noch eine Chance, zu verhindern, dass Alpha Radio das Band erhält.«

»Ja?« Ein Hoffnungsschimmer tritt in Rafaels Augen. Ich bin erstaunt und sehe Katja groß an. So war das eigentlich gar nicht geplant.

»Erzähle Nadja die Wahrheit, damit sie selbst entscheiden kann, ob sie mit einem Schwein wie dir zusammenbleiben will oder nicht.«

Rafael zuckt kurz zusammen, nickt dann aber.

»Ich bin nicht besonders gut in Gebärdensprachen«, knarzt Katja ihn an. »Sag es.«

»Ich ... ich werde Nadja die Wahrheit sagen.«

»Und?«

Ich staune. Katja ist ja eine richtige Rachegöttin!

»Ich werde Nadja die Wahrheit sagen, damit sie selbst entscheiden kann, ob sie mit mir zusammenbleiben will«, wiederholt Rafael mit belegter Stimme.

»Hast du nicht immer noch etwas vergessen?« Katja klingt nun eiskalt. Wenn ich nicht sehen würde, wie ihre Hände unter dem Tisch zittern, könnte man meinen, ihr würde das hier gerade Spaß machen.

»Ich ...« Rafael schluckt schwer. »Ich werde Nadja die Wahrheit sagen, damit sie selbst entscheiden kann, ob sie mit mir zusammenbleiben will. Mit ... mit ...« Er bringt es nicht über sich, die Beleidigung auszusprechen.

»Gut, ich werde es überprüfen«, erlöst ihn Katja. »Verlass dich drauf.«

Dann stehen wir beide auf und lassen einen Rafael zurück, der nicht mehr viel mit dem Strahlemann gemein hat, in den sich Katja verschossen hat.

Draußen klopfe ich ihr auf die Schulter. »Hast du super gemacht. Und die Idee mit Nadja fand ich auch richtig gut. Eigentlich viel besser als zu Alpha Radio zu rennen. So hat Nadja wenigstens eine Chance auf die Wahrheit, auch wenn es ihr weh tun wird.«

Katja nickt. Sie wirkt nun nicht mehr halb so selbstbewusst wie gerade eben noch; man sieht ihr an, dass die Geschichte sie sehr mitgenommen hat. »Ja, die Wahrheit ist schon grausam. Aber noch grausamer wäre es doch, ein ganzes Leben auf ... auf einer Lüge aufzubauen.« Und dann fängt sie an zu weinen.

Ich nehme sie ganz fest in den Arm.

Als ich am Abend mit einer großen Einkaufstasche voller Leckereien nach Hause komme und Paul bei einem schönen Essen von meinem anstrengenden, aber auch aufregenden Tag berichten will, sitzt er im Wohnzimmer und betrachtet böse eine Flasche Bier.

»Hallo, Schatz«, begrüße ich ihn überrascht. »Ist was los?«
Normalerweise sitzt mein Liebster nämlich nie allein mit Bier
bei uns rum.

»Ja«, kommt es einsilbig zurück. »Es ist was los.«

Schlagartig sackt mir das Blut in die Knie, das klingt irgendwie so, als sei eine mittelschwere Katastrophe passiert.

Und es ist eine Katastrophe passiert.

Allerdings keine mittelschwere.

Mehr so eine *riesenriesenriesengroße*.

Paul deutet auf mein Sparbuch, das aufgeschlagen vor ihm
auf dem Tisch liegt. Das Sparbuch, das als letzten Eintrag die
Auszahlung eines Betrages in Höhe von zwanzigtausend Euro
aufweist.

»Könntest du mir das bitte mal erklären?«

32. Kapitel

Wir haben Streit. Und zwar so richtig.

»Du hast die Kohle verschenkt? *Zwanzigtausend Euro?* Bist du denn von allen guten Geistern verlassen?« Paul sitzt mir fassungslos gegenüber, während ich ihm – in aller Ruhe und Sachlichkeit, die ich mit meinen flatternden Nerven noch aufbringen kann – zu erklären versuche, was mit dem Geld passiert ist.

»Ich habe das Geld investiert«, wiegele ich ab. »Das ist ein wichtiger Schritt in die Zukunft.«

»*Ha!*«, ruft Paul aus. »Da wäre ich mir an deiner Stelle nicht so sicher!«

»Vielen Dank! Du hast mir ja schon öfter deutlich gezeigt, was du von *Trostpflaster* hältst«, pampe ich ihn an.

»Darum geht's doch hier gar nicht«, pampt Paul zurück. »Und es stimmt auch nicht. Wenn mir *Trostpflaster* völlig egal wäre, hätte ich mich mit Sicherheit nicht überreden lassen, mit dem nervigen Hecker einen trinken zu gehen. So ein großes Vergnügen war das nämlich nicht. Worum es mir jetzt geht, ist die Tatsache, dass du so etwas hinter meinem Rücken machst.«

»Ist ja schließlich *mein* Geld«, erwidere ich bockig. »Außerdem: Was hast du an meinem Sparbuch zu suchen?«

»Oh, Verzeihung!«, kommt es zynisch zurück. »Es lag im Sekretär, den ich aufgeräumt habe, weil du hier ja seit Wochen alles nur fallen lässt, wo es dir gerade passt.«

»Ach so!«, rufe ich – ebenfalls zynisch – aus, »und da musstest du ganz zufällig gleich mal reingucken.«

»Mir war ja nicht bewusst, dass wir jetzt Geheimnisse voreinander haben«, kontert er. »Und ich wollte halt mal nachschauen, wie viel Geld wir denn nun de facto – zusammen mit dem, das uns meine Eltern noch geben – für die Hochzeit zur Verfügung haben. Entschuldige, dass ich da mal kurz aus allen Wolken gefallen bin, als ich feststellen musste, dass *du* dich mit dem Thema offenbar nicht mehr beschäftigst.«

»Natürlich tue ich das«, widerspreche ich heftig.

»Ach? Und deshalb gibst du diesem Idioten Hecker deine Ersparnisse, die für die Hochzeit gedacht waren?«

»Ich sagte doch: Es ist eine *Einlage!* Außerdem habe ich ja noch siebentausend Euro.«

»Damit werden wir aber keine allzu großen Sprünge machen können.«

»Du hast doch selbst immer gesagt, eine Nummer kleiner tut's auch«, wende ich ein. »Und wenn es hart auf hart kommt, feiern wir eben kleiner.«

»Finde ich ja toll, dass du mich in diese Überlegungen mit einbezogen hast«, schleudert Paul mir immer noch bockig entgegen. »Und ich Idiot fahre mit dir durch die Gegend, damit wir uns Locations ansehen können. Ich beschäftige mich mit Musikern, Menüfolgen, Blumenarrangements ...«

»*Ha!*«, schreie ich so laut, dass er tatsächlich kurz zusammenzuckt. Wütend blitze ich ihn an. »Du *Armer!* Du musstest dir also tatsächlich mal Gedanken machen – was ich in den letzten Jahren komplett allein tun durfte, weil es dich da absolut gar nicht interessiert hat!«

»Ja, ich habe dich das machen lassen, weil es doch das Einzige war, für das du dich überhaupt interessiert hast – aber ich wäre garantiert nie auf die Idee gekommen, über das Budget für die Hochzeit zu verfügen, ohne es dir zu sagen!«

Ich starre Paul an wie einen Fremden – denn der Mann, der mir das gerade alles an den Kopf knallt, kann doch unmöglich mein Freund sein. Ich habe mich also für gar nichts anderes interessiert? Das ist ja mal eine interessante Meinung, die er

da von mir hat! Ich merke, wie mein Gesicht heiß wird, vor
Wut und vor Enttäuschung gleichermaßen.

Beruhig dich, Julia, sage ich angestrengt zu mir selbst. *Er
ist aufgeregt. Du bist aufgeregt. Aber letztendlich sind das
doch gerade alles nur Missverständnisse. Denk an die Rosenbooms!*

»Das tut mir ja auch leid«, lenke ich so beherrscht wie möglich ein. »Ich wollte es dir längst sagen, aber ich bin irgendwie
immer nicht dazugekommen.«

Jetzt sieht Paul mich richtig traurig an. »Früher hättest
du so etwas mit mir *vorher* besprochen und keine einsame
Entscheidung getroffen.« Doch im nächsten Moment schlägt
seine Miene wieder Richtung Wut um. »Aber mittlerweile
besprichst du die wichtigen Dinge offenbar lieber mit Simon
Hecker!«

Nicht auch noch die Geschichte! »Das ist doch Quatsch«,
brause ich auf. »Es ging hier nicht um Simon, es ging einzig
und allein um meine Existenz.«

»Genau das ist es: *deine* Existenz, *deine* Agentur, *dein* Geld.
Und was ist aus *unserer* Existenz geworden und *unserer*
Hochzeit? So langsam habe ich den Eindruck, du willst das gar
nicht mehr!«

»Natürlich will ich das noch. Aber die Agentur …«

»Ja, die Agentur, die Agentur, die Agentur! Was anderes
höre ich von dir seit Wochen nicht mehr!« Mittlerweile schreit
Paul mich an. »Ich bekomme dich so gut wie gar nicht mehr
zu Gesicht. Und wenn, redest du nur über das eine Thema!
Merkst du eigentlich nicht, dass du dich total verändert hast?
Wahrscheinlich muss ich schon dankbar sein, dass in den
letzten zehn Minuten nicht einmal dein verdammtes Handy
geklingelt hat, weil irgendeine Lusche sich vom Michel stürzen will und du ihn trösten musst!«

»Und wär's dir lieber, ich lasse ihn springen?«, verteidige ich mich. »Ich habe einen wichtigen Job, Paul, und den kann ich im Moment noch nicht einfach abstellen, wenn ich abends das Büro verlasse. Das ist ganz normal in der Anfangsphase eines Unternehmens, und …«

»Ich frage mich nur, wie lang diese *Phase* dauern soll. Ein halbes Jahr? Ein Jahr? Drei Jahre? Wo ist die Julia hin, die ich so lieb habe, der unser gemeinsames Leben wichtig war?«

»Die sitzt immer noch vor dir! Und der ist unser gemeinsames Leben auch immer noch wichtig! Es ist nur so …« Ich suche nach den richtigen Worten. »Du bist mir wichtig, Paul, wichtiger als alles andere. Aber darf ich deswegen nichts haben, was mir auch wichtig ist?«

»So wie deinen Simon, schon klar!« Paul springt auf und fängt an, durchs Zimmer zu marschieren. »Dieser Simon Hecker ist doch bloß ein Aufschneider, ein Großmaul, ein richtiger Windbeutel.« Er macht eine Pause, bleibt direkt vor mir stehen und sieht mich dann durchdringend an. »Ich weiß nicht, was du an ihm findest.«

»Schatz!« Ich springe auf und will Paul in den Arm nehmen, doch er macht sich widerwillig von mir los. »Es geht also gar nicht so sehr um das Geld, oder? Du bist also total eifersüchtig auf Simon.«

»Und wenn schon!«

»Paul«, schlage ich einen versöhnlichen Ton an. »Ich weiß ja, dass du ihn nicht sonderlich magst und auch ein bisschen eifersüchtig bist – aber dass es *so* schlimm ist, damit hätte ich nun wirklich nicht gerechnet.« Wieder starte ich einen Versuch, ihn in den Arm zu nehmen. Diesmal lässt er es widerwillig zu. »Auch«, gesteht Paul und klingt dabei wie ein kleiner, trotziger Junge. Ich lotse ihn zurück zum Sofa. Als wir sitzen, nehme ich seine Hand.

»Schatz«, fange ich mit ruhiger Stimme an, »ich habe das Geld wirklich nur investiert, um die Agentur zu retten. Simon war pleite und wollte sie aufgeben, da musste ich doch etwas tun, sonst hätten Beate und ich unseren Job verloren. Aber das hat nichts, wirklich gar nichts mit Simon zu tun.« Ich streichle ihm zärtlich über die Wange. »Meinst du denn, ich wüsste nicht, dass er durchaus ein – wie hast du noch gesagt – Windbeutel ist?«

»Und ein Aufschneider und ein Großmaul«, grummelt Paul leise. Aber ich merke, dass er sich wieder beruhigt hat. Er seufzt. »Es ist halt so, dass du so viel Zeit mit ihm verbringst. Und für die Hochzeit scheinst du dich gar nicht mehr zu interessieren, da mache ich mir halt so meine Gedanken und ...« Er kommt ins Stocken. »Na ja, er sieht halt schon ganz gut aus, dieser Idiot.«

»Das finde ich ja nun gar nicht!« Aber während ich es sage, weiß ich, dass das geschwindelt ist. Paul hat recht. Simon Hecker ist schon ein sehr attraktives Kerlchen. Und wohl der einzige Windbeutel der Welt, in dessen Innerem nicht nur heiße Luft ist, sondern ... ach, was weiß denn ich. Vielleicht kein Herz aus Gold, aber doch etwas, was mir in den letzten Wochen immer sympathischer geworden ist. Aber natürlich werde ich den Teufel tun, Paul das jetzt zu sagen.

»Aber es ist schon so, dass du dich extrem verändert hast«, spricht Paul weiter. »So kenn ich dich gar nicht, so ...« Er sucht nach den richtigen Worten.

»Selbstbewusst«, sage ich. »Ich traue mir jetzt Dinge zu, von denen ich vor Monaten nicht einmal geträumt hätte.«

»Vor ein paar Monaten hast du auch noch von anderen Dingen geträumt.«

»Wenn du damit die Hochzeit meinst: Davon träume ich immer noch.«

»Ehrlich?« Paul sieht mich mit geradezu ängstlichsten Augen an.

»*Ehrlich*«, sage ich. Und hoffe, dass es überzeugend klingt.

Überzeugend für Paul – und für mich. Denn die Wahrheit ist ... na ja, im Moment sind mir halt andere Sachen wichtiger. Und über die Frage, warum der Mann, den ich heiraten soll ... äh ... heiraten *will*, ein Problem damit hat, dass ich selbstbewusst geworden bin, denke ich lieber nicht nach.

»Aber wie stellst du dir das vor?«, will Paul nun wissen. »Ich meine, wir müssten langsam alles buchen und die Anzahlungen leisten. Ich selbst habe im Moment einfach nicht genug, meine Ersparnisse sind alle fest angelegt. Deine Siebentausend reichen nie für das Fest unseres Lebens.«

»Ist doch nicht so schlimm«, rutscht es mir heraus, bevor ich es verhindern kann.

»Siehst du?« Jetzt wirkt er wieder ganz traurig. »Du hast dich verändert. Die alte Julia hätte das total schlimm gefunden.«

»Aber dann freu dich doch«, versuche ich, ihn aufzuheitern, »dass die neue Julia so pragmatisch ist wie du.«

»Was soll das heißen?«

»Können wir es nicht so machen: Wir heiraten wie gehabt Anfang August. Daran will ich auf keinen Fall etwas ändern! Aber wir heiraten erst mal nur standesamtlich, im ganz kleinen Kreis. Und nächstes Jahr, da machen wir die Riesensause.«

Paul sieht mich einen Moment lang schockiert an. »Du willst die Hochzeit *verschieben?*«, bringt er dann fassungslos hervor. »Du willst allen Ernstes die Hochzeit verschieben!«

»Doch nur die große Feier«, versuche ich, ihn zu beruhigen. »Heiraten werden wir trotzdem jetzt schon.« Weil er mich immer noch zweifelnd anschaut, versuche ich, es ihm anders zu erklären. »Die alte Julia wollte alles auf einmal. Die neue Julia weiß, dass es wichtig ist, realistisch zu sein. Aber beide Julias wollen nur eins: dich heiraten!«

Paul schweigt lange, legt einen Arm um mich und zieht mich ganz fest an sich. »Gut«, sagt er dann. »Ich versuche, die neue Julia zu verstehen. Also: Standesamt im August, große Feier nächstes Jahr.«

»Danke, Schatz!« Ich gebe ihm einen ganz zarten Kuss. Und frage mich, warum ich es gerade bin, die sich bedankt.

Als wir drei Stunden später im Bett liegen und Paul schon wieder friedlich schnorchelt, ist für mich an Schlaf nicht zu denken. Millionen Gedanken jagen mir durch den Kopf. Schlimme Gedanken. Paul. Die Hochzeit, die nun erst einmal ausfällt, zumindest die Feier. Die Agentur. Simon. Und auf einmal fühle ich mich ganz schrecklich. Weil mir mit einem Schlag bewusst wird, was in den letzten Wochen passiert ist.

Ja, ich bin gern in der Agentur, weil mir die Arbeit Spaß macht und ich es toll finde, auf eigenen Füßen zu stehen.

Ja, ich habe Simon das Geld gegeben, weil ich das auf gar keinen Fall verlieren will. Aber in einem finsteren, kleinen Winkel meines Herzens ist da noch etwas anderes. Etwas, das ich vor mir selbst zu leugnen versucht habe.

Ja, ich bin gerne mit Simon zusammen. Ich liebe unsere kleinen Kabbeleien, unsere verbalen Ping-Pong-Spiele. Ich mag es sogar, dass ich nie genau weiß, ob er nun ein Kotzbrocken ist oder doch jemand, den ich … den ich ins Herz schließen kann. Da ist plötzlich so eine Aufregung in meinem Leben, die ich schon ewig nicht mehr gefühlt habe. Mit Simon zusammen fühle ich mich auf einmal so anders, so lebendig, so kribbelig, so … gut.

Ja, mein Leben mit Paul ist wunderbar, er gibt mir alles, was ich mir nur wünschen kann. Aber manchmal fehlt mir diese kleine Extraportion Kick, ein kleines bisschen *mehr* als nur *okay*. Und das habe ich in der Agentur und bei Simon.

Du liebst Paul, sage ich mir selbst. *Du liebst deinen Paul, der*

der beste Mann ist, den du dir überhaupt wünschen kannst. Unruhig drehe ich mich von einer Seite auf die andere und versuche, mich auf den Heiligabend zu konzentrieren. Auch das Buch, das Paul mir da geschenkt hat. An seine Liebeserklärung, die mich warm und weich umhüllt hat wie eine Kuscheldecke. Aber mit einem Mal taucht vor meinem inneren Auge die verwaschene Erinnerung an die Weihnachtsfeier auf: der Gang vor dem Zigarettenautomaten, Simon, der mich anlächelt …

Energisch schiebe ich diesen Erinnerungsfetzen zurück. Okay, sicher genieße ich es, mit Simon ein bisschen zu flirten. Spiel mit dem Feuer und so. Ist ja auch ganz normal. Vor allem, wenn man wie ich kurz vor der Heirat steht. Das ist halt ein großer Schritt, und die letzten Monate haben mich ganz schön durcheinandergebracht: Job weg, neue Herausforderung und so. Ist doch keine große Sache. Ja, vielleicht habe ich mich sogar ein ganz kleines bisschen verknallt. So, wie man halt mal für jemanden schwärmt. Aber das, was Paul und ich miteinander teilen, ist doch so viel mehr! Da ist so viel Vertrautheit, so viel Nähe. Das, was Paul und mich miteinander verbindet, das …

»Du liebst Paul«, flüstere ich mir selbst zu. »Und er dich. Das ist das Einzige, was wichtig ist.«

Am nächsten Morgen habe ich das erste Mal seit langer Zeit nur wenig Lust, in die Agentur zu fahren. Kurz überlege ich, ob ich anrufen und mich krankmelden soll.

Paul hat sich ganz süß von mir verabschiedet, bevor er zur Arbeit los ist. Hat mein ganzes Gesicht mit Küsschen bedeckt und mir etwa tausendmal versichert, wie sehr er sich freut, wenn wir im Sommer heiraten und dann nächstes Jahr richtig groß feiern. Wir haben heute früh sogar ganz zärtlich miteinander geschlafen. Ich glaube, Sex am Morgen hatten wir bestimmt schon seit zwei Jahren nicht mehr, weil dazu immer irgendwie die Zeit gefehlt hat. Und ich muss sagen: Es war richtig schön.

Trotzdem ist meine Laune nicht gerade blendend, als ich um kurz nach zehn ins Büro komme. Die schlaflose Nacht steckt mir noch in den Knochen und ich bin echt froh, wenn ich den Tag hinter mich gebracht habe.

»Guten Morgen!«, begrüßt mich Simon freudestrahlend.

»Wo stecken denn Beate und Gerd?«, will ich wissen und sehe mich um.

»Gerd musste im zweiten Stock einen defekten Boiler reparieren«, erklärt Simon, »und Beate ist kurz weg, nachdem ich gekommen bin. Ich glaube, sie wollte zur Post.«

»Ah ja«, erwidere ich matt.

»Außerdem hat Katja angerufen. Rafael hat sich nämlich noch mal bei ihr gemeldet.«

»Echt? Der ist ja mutig. Und was wollte er?«

»Etwas wirklich Unglaubliches: Er wollte wissen, ob sich Katja noch einmal mit ihm treffen würde, falls Nadja jetzt mit ihm Schluss macht.«

»Ist nicht wahr!«, rufe ich.

»Doch, ehrlich, das hat er wirklich gefragt.«

»Und was hat Katja gesagt?«, frage ich.

»Die hat einfach den Hörer aufgelegt.«

»Sehr gut. Und ich hoffe sehr, dass sich Katja auch an ihre hehren Vorsätze hält, sollte Rafael sich doch noch einmal bei ihr melden.«

»Ja, aber das glaube ich auch. Das kriegt sie schon hin«, stellt Simon fest. »Ist das nicht eine unglaubliche Geschichte? Wenn das mit der Agentur so weitergeht, können wir bald ein Buch darüber schreiben. Ich meine: Liebe, Trennung, Eifersucht …«

»Hm«, mache ich nur. Bei diesen drei Stichworten schleicht

sich wieder ein komisches Gefühl bei mir ein und ich muss an den gestrigen Abend und die Nacht denken.

»Vielleicht wäre das wirklich gar keine schlechte Idee«, spinnt Simon den Gedanken laut weiter. »Sowas würde sich doch bestimmt gut verkaufen, oder? Die eine oder andere Geschichte könnten wir ja noch ein bisschen aufpeppen, die Fälle wären ja sowieso anonym.«

»Hm.« Ich versuche, mich auf meine E-Mails zu konzentrieren.

»Ehrlich jetzt mal!« Simon gerät über seine eigene Idee sichtlich in Verzückung. »Das wären zwei Fliegen mit einer Klappe: Wir würden mit dem Buch ein schönes Sümmchen verdienen – und könnten damit gleichzeitig Promotion für die Agentur machen. Also mal wieder eine klassische Win-Win-Situation. Was sagen Sie, Julia?«

»Hm.«

»Julia?«

Ich blicke von meinem Bildschirm auf. »Ja?«

»Was haben Sie heute eigentlich?«

»Was soll ich denn haben?«

»Weiß nicht. Schwere Hm-Mitis?« Er grinst mich an; gegen meinen Willen muss ich auch lächeln.

»Ach, nix«, wiegle ich nur ab. »Hab einfach nicht so gut geschlafen.«

»Wollen Sie darüber reden?«

»Darüber, dass ich schlecht geschlafen habe?«

»Nein. Ich meine, ob Sie über den Grund Ihrer Schlaflosigkeit sprechen wollen.«

»Gibt keinen Grund.«

»Ach Julia …« Simon kommt zu meinem Tisch und setzt sich mal wieder in den Korbsessel vor meinem Schreibtisch. »Wir arbeiten ja nun eine Weile miteinander. Und ich glaube, ich kenne Sie schon ganz gut. Mir ist heute gleich aufgefallen, dass mit Ihnen etwas nicht stimmt. Ich weiß, wir hatten immer mal wieder Differenzen. Aber glauben Sie mir: Eigentlich bin ich ein ganz netter Kerl, und wenn es etwas gibt, was ich für Sie tun kann, dann können Sie es mir gern sagen.«

Tja. Und dann sage ich es ihm.

Warum auch immer, denn Simon Hecker ist eigentlich der Letzte, dem ich von meinem Streit mit Paul erzählen sollte. Aber es sprudelt halt nur so aus mir heraus: Dass Paul die Sache mit dem Geld allein herausgefunden hat; dass er total sauer war; dass wir die Hochzeitsfeier jetzt erst einmal verschieben werden. Und dass Paul eifersüchtig auf Simon ist, das erzähle ich ihm auch.

Dass er das nicht vollkommen grundlos ist, behalte ich natürlich für mich.

»Eifersüchtig?«, staunt Simon, nachdem ich zu Ende gesprochen habe. Ich nicke.

»Er scheint zu befürchten, dass Sie in mich verliebt sind und sich an mich ranschmeißen.«

»Also, wirklich!« Simon lacht auf und klatscht sich mit beiden Händen auf die Oberschenkel. »Das ist ja ein völlig absurder Gedanke! Wie kommt er denn auf so eine Idee?«

»Weil wir eben sehr viel Zeit miteinander verbringen«, erkläre ich und merke, wie ich mich gleichzeitig ein kleines bisschen darüber ärgere, dass Simon Pauls Befürchtung als *völlig absurd* bezeichnet. Aber andererseits geht es hier gerade nicht um mein Ego, sondern um meine Beziehung zu Paul.

»Hm, das tut mir natürlich leid«, meint Simon, »dass Sie deswegen Stress mit Ihrem Verlobten haben.«

»Er ist es nicht gewohnt, dass ich so viel unterwegs bin. Als ich noch die Buchhaltung bei der Fidelia gemacht habe, war ich jeden Nachmittag brav um fünf zu Hause und hatte Zeit für ihn. Jetzt ist das halt anders; ich schätze, für Paul ist es nicht so einfach, sich daran zu gewöhnen.«

Simon kichert. »Tut mir leid«, sagt er dann, und versucht seine Heiterkeit zu unterdrücken, weil ihm bewusst wird, wie unpassend das gerade ist. »Aber ich musste gerade daran denken, was Sie mal zu mir gesagt haben.«

»Was denn?«

»Irgendetwas in der Art, dass es doch eine vollkommen gestrige und unemanzipierte Vorstellung sei, dass Männer ein Problem damit haben, wenn ihre Partnerin beruflich durchstartet. Und dass Paul überhaupt nicht so wäre, eher im Gegenteil.«

»Stimmt«, nun muss ich auch schmunzeln. »Das habe ich mal gesagt. Und im Wesentlichen ist das auch so. Paul macht sich ja weniger Gedanken über die Firma als vielmehr über Sie.«

»Das schmeichelt mir zwar persönlich, macht aber die Sache nicht einfacher.«

Ich nicke. »Ja, schwierig. Aber ich baue einfach drauf, dass sich die Situation entspannt, wenn wir endlich heiraten. Spätestens dann wird Paul begreifen, dass es keinen Grund gibt, eifersüchtig zu sein. Außerdem werde ich mir endlich mal ein bisschen mehr Zeit für ihn nehmen und nicht mehr bis ultimo in der Agentur hocken. Das bedeutet auch, dass derjenige«, ich drehe mit dem Zeigefinger einen Kreis in die Luft und deute dann auf Simon, »der so gerne kostenintensive Trauer-Deluxe-Pakete verkauft, in Zukunft selbst das Handy mit nach Hause nimmt und den Verflossenen unserer Mandanten vierundzwanzig Stunden zur Verfügung steht.«

Simon grinst. »Ja, ja, Work-Life-Balance! Machen Sie ruhig. Ich bin mir sicher, dass ich die Doppelbelastung mit der mir eigenen Effizienz problemlos hinbekommen werde.«

»Ich bin aufrichtig beeindruckt von Ihrer Opferbereitschaft, Simon«, ätze ich, obwohl ich ein Grinsen dabei nicht ganz unterdrücken kann. »Und weil Sie so effizient sind, dürften

Sie für neue Eroberungen auch noch ausreichend Spielraum haben. Wir wollen doch nicht, dass *Ihre* Work-Life-Balance zu kurz kommt.«

»Das sagen Sie so leichtfertig, Julia. Sie ahnen ja nicht, wie anspruchsvoll die Frauen mittlerweile sind! Aber machen Sie sich bitte um mich keine Sorgen, ich habe stets ausreichend Gelegenheit, zum Zuge zu kommen.«

»Na, wenn das nicht wunderbar ist! Dann wollen wir unsere Aufmerksamkeit doch nun den Trennungswilligen zuwenden, die auf uns warten!«, flöte ich. Und schenke mir die Frage, was Simon eigentlich unter »zum Zuge kommen« versteht.

33. Kapitel

Ich würde wirklich gerne mehr Freizeit mit Paul verbringen. Aber diesen Wunsch scheint das Universum mir einfach nicht erfüllen zu wollen. In den vergangenen vier Wochen hat es in der Agentur dermaßen gebrummt, dass ich mich mittlerweile wundere, wenn ich überhaupt noch irgendwelche Paare auf der Straße sehe. Rein vom Gefühl her würde ich wetten, wir haben mittlerweile so gut wie jeden in Hamburg getrennt. Wir haben sogar schon einen Stammkunden, der unsere Dienste inzwischen dreimal in Anspruch genommen hat. Zum Glück finden sich permanent neue Paare, so dass wir nicht Gefahr laufen, dass uns irgendwann die Kundschaft ausgeht.

Katja ist ein gutes Beispiel dafür. War sie vor einem Monat noch am Boden zerstört wegen Rafael »Ich bin das größte Schwein der Erde« Kaiser«, hat sie seit einer Woche einen neuen Kandidaten am Wickel. Das heißt, so ganz neu ist der Kandidat eigentlich nicht …

»Ja, und dann durfte ich ganz allein die Sendung moderieren, weil so schnell kein anderer einspringen konnte. Das war echt total geil!«, strahlt mich der neue Mann im Leben meiner besten Freundin gerade an.

Ich kann es immer noch nicht fassen, dass Schnuckel und Katja jetzt ein Paar sind! Aber tatsächlich sitzen die beiden, Paul und ich gerade bei einem »gemütlichen Pärchenabend« – so nennt es Katja – beim Italiener und Schnuckel berichtet begeistert von den neuesten Ereignissen bei Radio Hanse. Während er mit leuchtenden Augen erzählt und Katja stolz sein Händchen hält, muss ich innerlich den Kopf schütteln. Was für ein Paar: ausgerechnet Schnuckel, der zweiundzwanzigjährige Radio-Praktikant und meine beste Freundin! Na gut, was sind schon sechs Jahre Altersunterschied; wäre es umgekehrt, würde sich daran auch keiner stören. Meinte Katja jedenfalls, als ich sie gefragt habe, ob sie nicht der Meinung wäre, dass Schnuckel – Verzeihung, ich soll ihn jetzt nicht mehr so nennen, weil er schließlich mit Vornamen Jens heißt – ein kleines bisschen ... na eben zu »klein« für sie wäre. Da hat sie mir auseinandergesetzt, dass ich mit meinen konservativen Ansichten ja wohl dem 18. Jahrhundert entstamme und dass Schnuckel – Verzeihung, Jens! – wesentlich mehr Mann wäre als so mancher Mittdreißiger. Ich muss zugeben, dass der Kleine wirklich Chuzpe hat: Es gibt sicher nicht viele Jungs, die eine durchaus einschüchternde Powerfrau wie Katja einfach anrufen und zum Essen einladen. Tja, und so sitzen wir jetzt eben hier. Beim »Pärchenabend«.

»Demnächst bekommt Jens eine eigene Sendung«, teilt Katja uns stolz mit, beugt sich zu Schnuckel und gibt ihm einen dicken Schmatzer auf die Wange. »Ist das nicht toll?«

»Ja, super«, kommentiere ich. Paul nickt ebenfalls anerkennend.

»Ich habe mir sogar schon eine tolle Rubrik überlegt, über die ich mit dir sprechen wollte«, sagt Schnucki-Jens dann an mich gewandt.

»Nämlich?«

»Das Trostpflästerchen«, erklärt er. »Die Zuhörer könnten in meiner Sendung anrufen und ihrem Partner mitteilen, dass sie die Beziehung beenden wollen. Live und im Radio, das wäre doch spitze, oder?«

»Ähm«, meine ich, »weiß nicht ...« Will der jetzt einfach dreist unser Geschäftsmodell klauen?

»Doch, doch, das käme riesig an, mein Chef findet die Idee auch super«, insistiert er. »Quasi die Anti-Verkupplungs-Show.

Und präsentiert würde das dann immer von eurer Agentur, das wäre doch eine klasse Promotion!«

»Ich müsste mal mit Simon drüber reden, ob er das gut findet.«

»Der doch bestimmt«, mischt Katja sich ein. »Simon findet doch alles gut, was kostenlose PR bringt. Und außerdem bist du doch Mitinhaberin der Agentur, oder? Da kannst du doch auch selbst entscheiden.«

»Das stimmt schon«, gebe ich ihr recht, »aber ...«

»Sorry, Leute«, meldet Paul sich nun zu Wort. »Aber wir müssen jetzt nicht schon wieder den ganzen Abend über die Agentur sprechen, oder?«

»Nein, natürlich nicht«, beruhige ich ihn. Paul ist zwar insgesamt etwas entspannter, was meine Arbeit betrifft – aber so ganz entspannt dann doch wieder nicht.

»Reden wir lieber über eure Hochzeit«, lenkt Katja ein. »Wann ist denn nun der genaue Termin?«

»Das wüsste ich auch gern«, erwidert Paul. »Aber solange Julia nicht die Zeit findet, mal alle Unterlagen zusammenzusuchen und mit mir zum Standesamt zu gehen, können wir euch das leider nicht sagen.« Der Schuss ging in meine Richtung.

»Nächste Woche schaffen wir das«, behaupte ich, nehme Pauls Hand und drücke sie.

»Da bin ich ja mal gespannt, das hab ich mittlerweile schon öfter gehört.«

»Es war halt in der Agentur in letzter Zeit ...«, setze ich an, unterbreche mich dann aber, weil ich schon wieder mit dem Job anfange. »Also, nächste Woche.«

»Prima.« Paul gibt sich keine große Mühe, überzeugt zu wirken. Wir schweigen alle; irgendwie ist die Stimmung gerade ein kleines bisschen gekippt.

»Jedenfalls war die Reaktion der Zuhörer richtig klasse«,

fängt Schnucki irgendwann wieder an. »Ich glaube, ich komm echt gut rüber als Moderator.«

»Das kann man wohl sagen«, pflichtet Katja ihm bei und schmachtet ihn regelrecht an. »Das klang so richtig professionell, wie du das gemacht hast, ich bin echt total stolz auf dich.«

Als wir gegen zehn Uhr nach Hause kommen – irgendwie kam der Abend nicht so recht in Schwung –, schlage ich Paul vor, uns zusammen noch einen Film anzusehen.

»Was meinst du? Schön aufs Sofa kuscheln, ich mach uns Popcorn und wir genießen einen ruhigen Samstagabend?«

»Normalerweise gern«, antwortet Paul. »Aber ich muss noch einmal dringend los.«

»Wie, los?«, frage ich verwundert. »Wo musst du denn jetzt noch hin?«

»Zum Gericht. Ich hab da ein paar Unterlagen liegen lassen, die ich morgen brauche.«

»Morgen ist Sonntag!«

»Ich muss trotzdem noch was wegarbeiten, in letzter Zeit stapelt sich bei mir die Arbeit.«

»Dann kannst du die Unterlagen doch auch morgen holen«, meine ich.

»Nee, ich mach das lieber jetzt.« Bevor ich noch etwas erwidern kann, hat Paul mir schon ein schnelles Küsschen gegeben und ist mit den Worten »Bin gleich wieder da« aus der Tür.

Ich bleibe einigermaßen verwundert zurück. So etwas habe ich bei ihm ja noch nie erlebt! Ist das vielleicht die Retourkutsche dafür, dass ich immer so beschäftigt bin? Aber eigentlich ist Paul nicht so, er neigt nicht zum billigen Aufrechnen.

Seufzend lasse ich mich aufs Sofa plumpsen und schalte den Fernseher ein. Mache ich es mir eben mit mir selbst gemütlich, wenn Paul beschlossen hat, so ein Muffelkopf zu sein.

Es ist ein Uhr nachts, als ich mit schmerzenden Gliedern erwache. Muss auf dem Sofa eingeschlafen sein; im Fernsehen läuft gerade die Wiederholung irgendeiner Quiz-Show. Verwundert stehe ich auf und gehe rüber ins Schlafzimmer. Wieso hat Paul mich denn nicht geweckt?

Weil Paul nicht da ist, wie ich mit einem Blick auf das leere Bett und noch verwunderter feststelle. Hat der vor, im Gericht zu übernachten? Ich rufe ihn auf dem Handy an, um rauszufinden, wo er steckt. Aber es geht nur die Mailbox ran. Auch im Büro hebt niemand ab, da ist er also nicht. *Hm.* Mehr als seltsam ist das alles. Vielleicht hat er ja noch einen Kollegen getroffen und ist spontan mit ihm in eine Kneipe gegangen? Aber dann hätte er mich doch angerufen oder hätte mir einen Zettel geschrieben.

Während ich noch überlege, ob ich die Polizei anrufen soll oder ob das jetzt hysterisch ist, höre ich den Schlüssel im Schloss.

»Paul!« Etwas aufgeregt laufe ich in den Flur, wo mein Verlobter gerade seine Jacke an die Garderobe hängt. »Wo warst du denn so lange? Ich habe mir schon Sorgen gemacht!«

»Ach, sorry«, entschuldigt er sich, »ich habe durch Zufall noch einen Kollegen auf der Straße getroffen und mich mit ihm verquatscht. Hab vergessen, anzurufen. Außerdem dachte ich, du schläfst wahrscheinlich schon.«

»Wen hast du denn getroffen?«, will ich wissen, weil mir das alles mehr als seltsam vorkommt. Wie gesagt, bisher ist so etwas noch nie passiert.

»Kennst du eh nicht«, erwidert Paul mit einer wegwerfenden Handbewegung.

»Aha.« Was soll ich dazu noch sagen?

»Lass uns mal ins Bett gehen.« Paul fängt an, sein Hemd aufzuknöpfen. »Ich muss morgen früh raus, da wartet tatsächlich noch eine Menge Arbeit auf mich.«

»Wo sind denn die Unterlagen, die du holen wolltest?«, frage ich. Paul hält in der Bewegung inne und schlägt sich mit der flachen Hand vor die Stirn.

»Mist! Sowas Dummes! Die hab ich doch jetzt glatt vergessen!«

»*Vergessen?*«

»Ja«, sagt er. »Ich wollte gerade ins Gericht, als ich den Kollegen traf und mit ihm um die Ecke in eine Kneipe gegangen bin. Und dann hab ich es total vergessen.«

»Aha.«

Wie gesagt: Dazu fällt mir wirklich nicht viel ein.

In den nächsten Wochen passiert es seltsamerweise recht häufig, dass mir nicht viel einfällt. Paul verhält sich irgendwie ... eigenartig. Macht Überstunden ohne Ende, sogar am Wochenende, und mosert kein einziges Mal mehr darüber, dass ich so viel Zeit in der Agentur verbringe. Auch zum Thema Standesamt hat er nichts mehr gesagt, obwohl wir – entgegen meinem Versprechen – noch immer nicht da waren. Und als er dann neulich sogar, als ich endlich mal Zeit hatte, sagte, ihm würde es leider gerade überhaupt nicht passen – da war ich dann doch echt baff. Immerhin haben wir mittlerweile schon Mitte Juni, so langsam müssten wir den Termin tatsächlich festzurren!

»Sag mal«, will ich eines Morgens beim Frühstück von Paul wissen, der sich hinter seiner Zeitung verschanzt hat. »Bist du eigentlich irgendwie sauer auf mich?«

»Sauer auf dich?« Paul lässt verwundert die Zeitung sinken. »Wieso sollte ich sauer auf dich sein?«

»Ich dachte nur, weil ... weil du in letzter Zeit so anders bist und immer so viel arbeitest.«

Paul lacht auf. »Ausgerechnet du beschwerst dich darüber, dass ich viel arbeite? Das ist ja sehr putzig!«

»Komm«, schmolle ich, »jetzt sei nicht so.«

»Wie bin ich denn?«

»So … komisch halt.«

»Schatz, ich bin doch nicht komisch«, widerspricht Paul lächelnd. »Ich bin nur sehr beschäftigt, das müsstest du doch nachvollziehen können.«

»Kann ich ja auch.«

»Dann ist doch alles bestens.« Paul legt die Zeitung zusammen und steht auf. »Ich muss jetzt los, wir sehen uns heute Abend.«

»Paul?«, rufe ich ihm nach und spiele verlegen mit meinem Verlobungsring, den er mir bei seinem Antrag geschenkt hat und den er sich selbst ein paar Nummern größer gekauft hat.

»Ja, Schatz?«

»Ist alles in Ordnung bei uns?«

Er dreht sich beim Rausgehen noch einmal zu mir um. »Sicher, alles in Ordnung.«

Ich bleibe nachdenklich in der Küche zurück. Denn irgendwie habe ich überhaupt nicht das Gefühl, dass bei uns alles in Ordnung ist. Und wenn ich ehrlich bin, habe ich dieses Gefühl nicht erst, seit Paul sich so seltsam verhält.

Eine Stunde später stehe ich bei Katja auf der Matte. Kaum habe ich ihre Wohnung betreten, stehe ich mitten im Chaos; meine beste Freundin turnt hektisch zwischen diversen Klamotten herum, die überall verstreut auf dem Boden liegen.

»Mach's dir schon mal in der Küche gemütlich!«, ruft sie mir zu, während sie Richtung Badezimmer hechtet. »Ich muss nur schnell den Trockner anwerfen!«

Ich setze mich an den Küchentisch, zwei Minuten später gesellt Katja sich zu mir. »Sorry, dass es hier so chaotisch ist, aber ich weiß echt nicht, was ich alles einpacken soll – und um zwei Uhr will Jens schon meinen Koffer abholen und zum Einchecken bringen.« Ihr Gesicht glüht vor lauter Aufregung. »Drei Wochen Karibik – ich kann es immer noch nicht fassen, dass wir zusammen in den Urlaub fliegen!«

»Das wird bestimmt eine tolle Zeit«, meine ich. »Du und Schnuck… äh, Jens am Strand unter Palmen, was soll da schiefgehen?«

»Na ja … ich war bisher eben noch nie mit einem Mann im Urlaub, dafür hielten meine Beziehungen nie lang genug. Und jetzt bin ich eben aufgeregt, wie das so wird und ob wir uns vertragen, wenn wir so lange rund um die Uhr zusammen sind.«

»Bestimmt«, beruhige ich sie. »Genieß einfach die Zeit.«

Katja seufzt. »Ja, das werde ich«, stellt sie dann fest. »Drei Wochen ohne Arbeit – das kann ich mir immer noch nicht vorstellen, so lange habe ich den Salon noch nie geschlossen.«

»Ich beneide dich wirklich«, muss ich gestehen. »Auf einen Liebesurlaub hätte ich jetzt auch große Lust.«

»Jetzt guck nicht so düster«, sagt Katja. »Den wirst du doch auch bald haben. Ich sage nur: *Flitterwochen!*« Dann lacht sie auf. »Jedenfalls, wenn ihr endlich mal den Termin festlegt.«

»Genau deshalb wollte ich mit dir vor deiner Abreise noch sprechen.«

»Habt ihr jetzt ein Datum?«

»Eher im Gegenteil«, erkläre ich. »Momentan bin ich mir gar nicht mehr so sicher, ob Paul und ich überhaupt heiraten werden.«

»Wie? Was?«, ruft Katja überrascht aus. »Ist irgendwas passiert?«

»Nein, eigentlich nicht. Es ist nur … Paul ist in letzter Zeit so komisch. Und ich … also, wenn ich ehrlich bin, weiß ich gerade gar nicht mehr so genau, was ich will.«

»Das musst du mir genauer erklären.«

»Na ja, bis vor ein paar Monaten habe ich mir nichts sehnlicher als eine romantische Hochzeit gewünscht. So mit allem Drum und Dran. Doch seitdem ist so viel passiert, dass ich … ach, ich weiß auch nicht, wie ich es erklären soll. Und eigentlich hast du ja gar keine Zeit, du musst doch für deine Reise packen und ich laber dich hier voll.«

»Süße«, Katja greift über den Tisch nach meiner Hand, »für meine beste Freundin habe ich immer Zeit. Vor allem, wenn es so wichtig ist. Moment mal eben.« Sie steht auf, geht raus in den Flur zum Telefon und ruft Jens an. »Schatzi?«, höre ich sie sagen, »ich bin's. Du, ich schaff das nicht bis zwei Uhr, wir müssen dann halt doch erst kurz vorm Abflug einchecken und unser Gepäck mitnehmen.« Sie kichert. »Was soll das heißen, ich brauch doch nur ein Handtuch?« Wieder ein Kichern. »Ja«, sie senkt ihre Stimme, »ich hab dich auch am liebsten nackt im Bett. Aber vielleicht wollen wir zwischendurch auch mal was essen gehen, da wäre es doch praktisch, wenn ich dazu ein Kleid anziehen könnte.« Sie schweigt, offenbar sagt er gerade irgendwas. »Okay, Schatz, dann stehe ich um fünf mit fertig gepacktem Koffer bereit … ich liebe dich auch, bis nachher!« Sie legt auf und kommt zu mir zurück. »So«, sagt sie, als sie sich zu mir setzt. »Dann schieß mal los, wir haben jetzt alle Zeit der Welt.«

»Was ist dir wichtiger?«, fange ich mal wieder mit der Frage an, die mich in letzter Zeit häufiger beschäftigt. »Zu lieben oder geliebt zu werden?«

»Oh«, entfährt es Katja. »Ich glaube, ich setz uns mal einen Kaffee auf. Scheint tatsächlich ein längeres Grundsatzgespräch zu werden.«

Als wir beide vor unseren Kaffeetassen sitzen, erzähle ich Katja alles. Alles, was mir in letzter Zeit so durch den Kopf geht und was ich mich bisher nicht getraut habe, zuzugeben.

Aus dem Kinderglauben heraus, dass Dinge erst dann wahr sind, wenn man über sie spricht. Weil ich mir selbst immer schön einreden wollte, dass doch alles in Ordnung ist.

»Aber es ist nicht wirklich in Ordnung«, erkläre ich Katja. »Und das ist es schon länger nicht. Wenn ich die Geschichten meiner Kunden höre, warum sie sich von jemandem trennen wollen – dann fühle ich mich erschreckenderweise verdammt oft an Paul und mich erinnert. Das Prickeln fehlt, die Aufregung, man lebt mehr nebeneinander als miteinander. Im Großen und Ganzen ist zwar alles ganz okay – aber reicht *ganz okay* für ein ganzes Leben?«

»Du hast doch immer gesagt, dass eine lange Beziehung eben nicht mehr jeden Tag aufregend ist.«

»Das stimmt schon«, gebe ich ihr recht. »Aber wenn es *nie* aufregend ist? Ich denke schon, dass ich Paul liebe. Aber es war halt von Anfang an nie das ganz große Ding, das Erdbeben, das Gefühl, dass dir die Luft wegbleibt vor lauter Glück.«

»Ich darf da mal meine liebe Freundin Julia zitieren«, erwidert Katja schmunzelnd: *»In einer Partnerschaft geht es nicht um die Schmetterlinge im Bauch. Es geht darum, ob man ein gutes Team ist.«*

»Ja, natürlich, das auch. Oder vielmehr: Das ist das Allerwichtigste. Ich frage mich gerade nur, ob das andere – die Schmetterlinge im Bauch – nicht auch irgendwie wichtig sind.«

»Hast du die«, Katja sieht mich nachdenklich an, »bei Paul denn nie gehabt?«

»Wenn ich ehrlich bin«, ich spüre, wie mir die Tränen in die Augen steigen, »nein.«

»Oh. Das wusste ich nicht.«

»Wie solltest du auch? Ich hab's dir ja nie erzählt. Und ich war auch glücklich, insgesamt. Dachte ich jedenfalls. Nur mittlerweile … da habe ich manchmal den Verdacht, dass ich dieses ganze Brimborium um meine Hochzeit … Na, dass ich das vielleicht nur deshalb veranstalten wollte, weil es sonst in meinem Leben so wenig Romantik und Aufregung gibt.«

»Und jetzt gibt es Aufregung in deinem Leben und deshalb brauchst du die große Hochzeit nicht mehr«, stellt Katja fest.

»Es scheint fast so.«

»Aber dann ist doch alles super: Du holst dir die Kicks, die du in deinem Leben mit Paul nicht unbedingt hast, im Job – und alle sind glücklich und zufrieden.«

»Und was ist mit der Romantik?«

»Hm …« Katja überlegt einen Moment. »Vielleicht solltest du mit Paul auch mal wegfahren. Nur du und er, irgendwohin, wo es schön ist.«

»Meinst du?«

Katja nickt. »Ja. Wenn du dir nicht mehr ganz sicher bist, ob es mit Paul das Richtige ist, solltest du es schleunigst herausfinden. In jedem Fall, bevor ihr heiratet.«

»Das wäre vermutlich ganz … praktisch.«

»In der Tat.«

Als ich gegen Mittag von Katja aus in die Agentur fahre, steht mein Entschluss fest: Ja, ich werde für Paul und mich eine Reise buchen. Wird höchste Zeit, dass wir mal wieder was zusammen machen, dass wir uns wie ein echtes Paar fühlen können und nicht nur eine bequeme Zweckgemeinschaft sind. Das hätten wir schon viel früher machen sollen! Mittlerweile bin ich mir auch wieder einigermaßen sicher, dass wir doch zusammengehören. Ich meine, Paul und ich sind schon so viele Jahre ein Paar und haben uns immer gut verstanden. Wer kann das schon von sich behaupten? Fast schäme ich mich, dass ich in den letzten Wochen oft so komische Gedanken hatte. Klar, unsere Geschichte fing anders an als in einer romantischen Kinokomödie, da gab es nicht diesen aufregenden

Moment, in dem der Blitz einschlug. Wir haben uns eben langsamer ineinander verliebt, aber das heißt doch nichts.

Simon ist nicht da, als ich in die Agentur komme, er hat heute mehrere Auswärtstermine. *Umso besser*, denke ich, als ich den Computer hochfahre. So kann ich in aller Ruhe durchs Internet gurken und mal schauen, wohin Paul und ich verreisen könnten. Mein Telefon stelle ich auf Beate um und sondiere dann mit wachsender Begeisterung das Angebot verschiedener Internet-Reisebüros. Doch, da wäre schon das eine oder andere dabei, was mir gefallen könnte.

Gegen halb sechs habe ich einen dicken Packen mit verschiedenen Reisealternativen ausgedruckt, den ich heute Abend Paul vorlegen werde. Mir persönlich gefallen zwei Wochen Thailand am besten, da gibt es ein bezauberndes Hotel mit kleinen, romantischen Hütten. Und günstig ist es auch noch, da kann Paul eigentlich gar nicht nein sagen. Mal sehen, wie schnell er sich im Job freimachen kann; ich selbst werde Simon einfach vor vollendete Tatsachen stellen. Schließlich habe ich ein Recht auf Urlaub, Weihnachten hat er ja auch einfach so von heute auf morgen beschlossen, die Agentur für ein paar Tage dichtzumachen.

Beate klopft gegen die Tür und steckt ihren Kopf herein. »Julia?«

»Ja?«

»Da ist eine Kundin, die sofort mit dir sprechen möchte. Geht das jetzt?«

»Klar«, sage ich. Meine Recherche ist schließlich beendet, da kann ich mich wieder dem operativen Geschäft zuwenden.

»Okay, ich schicke sie rein.« Eine Sekunde später betritt eine äußerst attraktive, äußerst langbeinige Brünette mein Büro. Ich schätze sie auf Mitte dreißig, vielleicht auch ein wenig jünger. »Frau Lindenthal?«

»Ja.« Ich stehe auf und schüttele die Hand, die sie mir ent-
gegenstreckt.

»Marie Schürmann«, nennt sie ihren Namen.

»Bitte, setzen Sie sich doch.« Sie nimmt vor meinem
Schreibtisch Platz. »Wie kann ich Ihnen helfen?«

»Ich habe einen sehr eiligen Auftrag«, erklärt sie. Ihr ist anzu-
merken, dass sie extrem aufgeregt ist. »Am liebsten wäre es
mir, wenn Sie das noch heute Abend erledigen würden. Oder
morgen tagsüber, wenn dieser Kerl …«, sie ringt sichtlich um
ihre Fassung, »… wenn dieser Kerl bei der Arbeit ist. Ich möchte
nämlich gern, dass so viele Leute wie möglich mitbekommen,
was er für ein Scheusal ist.«

»Frau Schürmann«, sage ich so einfühlsam wie möglich.
»Jetzt beruhigen Sie sich erst einmal …«

»Ich *will* mich nicht beruhigen!«, brüllt sie mich auf einmal
an. »Ich will, dass Sie diesen *Mistkerl* für mich absägen! Und
zwar auf die *brutalste* Art und Weise, die Sie hier im Angebot
haben!«

Oh, da ist aber jemand ganz offensichtlich auf Zinne …

»Gut, Frau Schürmann«, fahre ich mit ruhiger Stimme fort.
»Vielleicht sagen Sie mir erst einmal, um wen es sich handelt.«

Sie kramt in ihrer Lederhandtasche und donnert mir eine
Sekunde später ein Foto auf den Tisch. Es ist ein Streifen mit
vier Automatenfotos, die Marie Schürmann zeigen.

Und einen Mann.

Einen Mann, den ich kenne.

»Das Schwein«, sagt sie, »heißt Paul Ewald Meißner.«

Ich glaube, ich falle vom Stuhl!

34. Kapitel

Paul?«, wiederhole ich fassungslos. »Sie meinen, er heißt Paul Ewald Meißner?«

Marie Schürmann nickt. »Das habe ich doch gesagt.«

Noch einmal betrachte ich das Foto des turtelnden Paares. Ja, kein Zweifel, das ist Paul Ewald Meißner. *Mein* Paul Ewald Meißner. Der Paul, dem ich heute Abend vorschlagen will, nach Thailand zu fliegen.

»Ich habe ihn vor sechs Wochen kennengelernt«, erzählt Marie Schürmann, während ich mich noch immer in Schreckstarre befinde. »Wissen Sie, ich bin erst vor kurzem nach Hamburg gezogen, weil ich Partnerin in einer großen Rechtsanwaltskanzlei wurde …« Sie unterbricht sich. »Na, die Kennenlerngeschichte ist ja eigentlich egal. Wir haben uns ineinander verliebt. Alles war bestens. Dachte ich jedenfalls.«

Erde an Julia: Kann es sein, dass hier gerade eine wildfremde Frau vor dir sitzt und dir berichtet, dass sie und dein Freund sich ineinander verliebt haben? *Hallo?*

»Natürlich, es kam mir schon komisch vor, dass ich in der ganzen Zeit nicht ein einziges Mal bei ihm zu Hause war. Sicher kann man mir vorwerfen, ich wäre dumm und naiv gewesen. Aber wie das halt so ist, wenn man verliebt ist. Und Paul hat mir ja auch sonst keinen Anlass gegeben, misstrauisch zu sein. Er war immer total lieb und hat sich neben seinem stressigen Beruf trotzdem viel Zeit für mich genommen. In unserem Alter geht man die Dinge eben langsamer an, wir sind ja keine Teenager mehr. Aber heute Mittag waren wir essen. Und als Paul bezahlt, fällt ihm doch tatsächlich aus dem Kleingeldfach das hier aus dem Portemonnaie.« Sie donnert einen goldenen Ring neben das Foto, das bereits vor mir liegt. Ich beäuge ihn, immer noch schockiert.

Könnte mal bitte jemand die Vorführung stoppen, mit dem Film stimmt etwas nicht ...

Nein, jeder Zweifel ist ausgeschlossen. Das ist Pauls Verlobungsring.

»Ich habe ihn lachend genommen und Paul gefragt, was das denn sei. Erst, als ich die Inschrift *Julia* las, zusammen mit einem Datum – da fiel bei mir der Groschen. Paul ist verlobt! Er hat mir die ganze Zeit was vorgespielt – in Wirklichkeit hat er zu Hause eine Verlobte sitzen! Ist das zu fassen? Er hat auch sofort alles zugegeben, irgendwas gewinselt von wegen, dass es in der Beziehung nicht mehr gut läuft und so. Na ja, kennt man ja, das übliche Blabla. Ich bin dann einfach aufgesprungen und aus dem Restaurant gelaufen, den Ring habe ich gleich mitgenommen. Quasi als Beweis. Dann habe ich mich bei einer Kollegin ausgeheult, was total peinlich war, weil sie mich ja noch nicht so lange kennt. Und die hat mich dann hierhergeschickt. Tja, und da bin ich.«

Ich gucke Marie Schürmann mit großen Augen an. Immer noch unfähig, ein Wort zu sagen.

»Hallo, Frau Lindenthal? Hören Sie mir überhaupt zu?«

»Das«, bringe ich stockend hervor, »das ist ein Witz, oder?«

»Sehe ich so aus, als würde ich Witze machen?«

»Doch, doch«, auf einmal muss ich hysterisch auflachen. »Sicher, das ist ein Witz!«

»Frau Lindenthal, ich ...«

»Nee, echt lustig!« Ich pruste richtig los. »Da hat Paul sich ja echt mal einen Scherz überlegt, das muss ich schon sagen!«

»Paul? Sie ... Sie kennen Paul?«

»Jetzt tun sie doch mal nicht so, Frau Schürmann! Ich meine, im ersten Moment war ich echt schockiert, aber jetzt muss ich sagen, das ist Ihnen wirklich gelungen, mich mal so richtig auf die Schippe zu nehmen.«

»Äh …« Jetzt ist es an Marie Schürmann, groß zu gucken. »Sie sind doch nicht etwa *die* Julia … also, die Julia, die mit …«

»… Paul Ewald Meißner verlobt ist. Genau. Aber das wissen Sie doch.«

Jetzt guckt sie schockiert und schlägt sich die Hände vors Gesicht. »Oh mein Gott! Ich hatte doch keine Ahnung!«

Okay. Die Sache war kein Scherz. Nach einer halben Stunde hat Marie Schürmann mich überzeugt, dass alles ganz und gar kein Witz von Paul war. Und dass ihr Auftauchen in der Agentur nur ein dämlicher, bescheuerter und unglaublicher Zufall ist, weil die Kollegin ihr den Tipp gegeben hat. *Trostpflaster* ist in Hamburg schließlich mittlerweile richtig bekannt.

Ich bin immer noch komplett im Schockzustand, als ich mit dem Auto vor unserer Haustür einparke. Das kann ja wohl alles nicht wahr sein! Aber es erklärt natürlich Pauls seltsames Verhalten seit ein paar Wochen. Erklärt, warum er auf einmal so viel arbeiten muss, warum er auch oft am Wochenende ins Büro gefahren ist. Wegen Marie Schürmann. Paul hat mich doch tatsächlich beschissen! Nie, nie, niemals und niemals nie hätte ich das für möglich gehalten. Paul doch nicht!

Eilig renne ich die Treppe hoch und bete, dass er noch nicht zu Hause ist. In letzter Zeit hat er sich ja nie vor acht Uhr blicken lassen, aber da sein Techtelmechtel nun ein plötzliches Ende gefunden hat – wer weiß?

Ich schließe die Tür auf und lausche. Nichts zu hören, er ist offenbar nicht da. In Windeseile raffe ich ein paar Sachen zusammen und stopfe sie in eine Reisetasche. Ich muss hier raus, muss irgendwohin, wo ich meine Gedanken sortieren kann. Undenkbar, heute Nacht im gleichen Bett, in der gleichen Wohnung mit Paul zu schlafen!

Nach zehn Minuten habe ich das Nötigste gepackt und will schon aus der Wohnung stürzen, da fällt mir in der Tür noch etwas ein. Ich gehe zurück in die Küche, hole das Foto und Pauls Ring aus meiner Tasche und lege beides auf den Tisch. Marie Schürmann hatte sich mit den Worten: »Das, äh, brauche ich ja jetzt nicht mehr. Und mein Auftrag hat sich wohl dann auch erledigt. Viel Glück!« aus meinem Büro verzogen.

Ja, das hat sich wohl erledigt, denke ich, als ich einen letzten Blick auf das Bild und den Ring werfe. Ich ziehe meinen Verlobungsring vom Finger und lege ihn auch auf den Tisch. Das fühlt sich merkwürdig an. Nach gar nichts – und doch nach allem. Surreal. So als ob ich einen Schritt neben mir stehe und dabei zusehe, wie das Leben, das ich kenne, zerbricht.

Dann flüchte ich aus der Wohnung, springe ins Auto und rase los. Keine Ahnung, wohin. Hauptsache weg.

Zwei Stunden lang gurke ich ziellos durch Hamburg und überlege krampfhaft, was ich jetzt machen soll. So ein Mist, dass Katja gerade für mehrere Stunden im Flieger sitzt, so kann ich sie nicht einmal anrufen. Abgesehen davon habe ich mein Handy ausgeschaltet und auch nicht vor, es so schnell wieder einzuschalten. Denn ich wette, Paul ruft mich an, sobald er nach Hause kommt. Aber bevor ich mit ihm spreche, muss ich mir erst einmal darüber klar werden, was ich ihm sagen soll.

Je länger ich durch die Gegend fahre, desto mehr ebbt die Wut in meinem Bauch ab. Hinzu gesellt sich ein neues Gefühl: Traurigkeit. Und ... eine Art schlechtes Gewissen.

Natürlich ist Paul das Allerletzte – aber gleichzeitig frage ich mich, ob ich ihn nicht auch irgendwie dazu getrieben habe. Nein, ich bin natürlich nicht der Meinung, dass Frauen, die von ihren Männern betrogen werden, es selbst zu verantworten habe. Aber es ist schon so, dass ich Paul sehr vernachlässigt habe, das kann ich nicht bestreiten.

»Trotzdem, Julia!«, sage ich zu mir selbst und trete so energisch aufs Gaspedal, dass der Motor aufheult. »Das ist alles kein Grund! Kein Grund, hinter deinem Rücken eine Affäre anzufangen!«

Ohne zu wissen, wie ich dort hingekommen bin, stehe ich auf einmal in der Sierichstraße vor unserem Büro. Eigentlich auch die einzige Alternative, die ich im Moment habe; in der Agentur steht immer noch eine Schlafcouch, auf der ich erst einmal bleiben kann. Stellt sich nur die Frage, wie ich es Simon und Beate erkläre, dass ich auf einmal in unseren Büroräumen kampiere. Aber darüber werde ich mir später Gedanken machen, glücklicherweise ist heute ja Freitag, so dass ich erst einmal das Wochenende für mich in Ruhe habe. So ein Mist, dass ich keinen Zweitschlüssel zu Katjas Wohnung habe, sonst könnte ich da erst einmal unterkommen! Aber gut: Die Schlafcouch im Büro ist auch okay.

Und so hocke ich in der Agentur auf dem Sofa und tue mir selbst leid. Die Gedanken rasen durch meinen Kopf; ist das heute wirklich alles passiert oder habe ich mir das nur eingebildet? Ich zwicke mit selbst. Nein, ich scheine durchaus wach und bei Sinnen zu sein.

Seufzend gehe ich rüber zu meinem PC, fahre ihn hoch und schaue mir eine ganze Weile Pauls und meine Fotos an. Ich heule Rotz und Wasser, während ich Schnappschüsse aus dem Urlaub, Bilder von Familienfeiern und einem gemeinsamen Besuch einer Hochzeitsmesse betrachte. War es das jetzt? Ist es das Ende von Paul und mir? Während dieser Gedanke mir einerseits unvorstellbar erscheint, spüre ich, wie sich ganz langsam und sachte …

Nein!

Doch.

Ein Teil von mir verspürt tatsächlich so etwas wie Erleichterung. Erleichterung darüber, dass auf einmal etwas passiert ist, das mein Leben vermutlich in eine neue Richtung lenkt. Ja, ich kann nicht anders, als es mir selbst einzugestehen: Ich war mir tatsächlich nicht mehr sicher, ob ich Paul wirklich heiraten will. Hatte richtig Angst vor diesem Schritt, Angst davor, das Falsche zu tun. Angst, dass nach der Hochzeit nicht mehr viel kommt, dass unser Leben einfach so weiterläuft. Klar, vielleicht noch Kinder, ein neues Auto, irgendwann ein Hund oder Zwergkaninchen. Aber was ist mit all meinen Sehnsüchten, die ich gar nicht genau benennen kann, aber von denen ich spüre, dass sie irgendwo in mir schlummern; mit dem Wunsch danach, doch noch mal ein paar Höhen – und von mir aus auch Tiefen – zu erleben, statt immer nur schön auf Normalnull vor mich hinzudümpeln? Es kommt mir vor, als hätte ich all das viele, viele Jahre unterdrückt und als würde es nun plötzlich mit Gewalt aus mir herausbrechen.

Ja, Paul hat mich betrogen. Aber in gewisser Weise habe ich ihn – und uns – schon viel, viel länger betrogen. Habe die perfekte Rolle in unserem perfekten Leben gespielt. Mit echten, tiefen Gefühlen hatte das nicht wirklich etwas zu tun. Das alles wird mir klar, als ich unsere Bilder betrachte, auf denen ich eigentlich richtig glücklich aussehe – aber ich weiß, dass ich es nicht wirklich war, als sie aufgenommen wurden. Komisch, dass mir das vorher noch nie aufgefallen ist. Jetzt heule ich richtig laut, weil ich mir so klein und doof und jämmerlich vorkomme.

Und immer wieder kommt sie, diese eine schreckliche Frage: *Was ist wichtiger: Zu lieben – oder geliebt zu werden?*

Simon Hecker hat recht: Auch ich will beides.

Oder gar nichts.

Ich stehe auf, mache das Licht aus, gehe wieder rüber zum Sofa und rolle mich in Embryonalstellung in eine Decke ein. Zwei Minuten später bin ich eingeschlafen, körperlich und emotional erschöpft.

»Autsch!«

Ein lauter Knall und ein Schmerzensschrei lassen mich aus dem Schlaf hochschrecken. Um mich herum ist es stockdunkel, in Panik springe ich auf. Jemand ist im Büro!

Draußen im Flur rumpelt es, dicht gefolgt von einem »Was, zum Henker?«

Simon, denke ich erleichtert. Ich hatte schon Einbrecher befürchtet.

Schnell laufe ich zum Lichtschalter, knipse ihn an und öffne dann die Tür zum Flur. Vor mir steht Simon, reibt sich den Kopf und betrachtet nachdenklich meine Reisetasche, die ich hinter der Eingangstür abgestellt hatte.

»Simon!«, begrüße ich ihn. Er fährt erschrocken herum und mustert mich irritiert.

»Was machen *Sie* denn um diese Uhrzeit hier? Und warum bin ich gerade über Ihre Tasche gestolpert?«

»Gegenfrage: Was wollen Sie um diese Uhrzeit hier?«

»Mir fiel zu Hause die Decke auf den Kopf, da dachte ich, ich könnte noch ein bisschen arbeiten.«

»Am Freitagabend?«, will ich erstaunt wissen.

»Haben Sie eine bessere Entschuldigung?«, knurrt er.

»Mein Verlobter hat mich ein paar Wochen lang mit einer anderen betrogen, daher bin ich zu Hause kurzfristig ausgezogen.«

»Oh. Verstehe. *Das* ist ein Grund.«

»Und die Dame ist tatsächlich heute in der Agentur aufgetaucht? Das ist ja wirklich nicht zu fassen!«

Simon und ich haben es uns auf dem Sofa gemütlich gemacht, zusammen mit einer Flasche Cognac, die er für »besondere Umstände« in seiner Schreibtischschublade aufbewahrt. Ich habe zwar keine Ahnung, mit was für »besonderen Umständen« er hier im Büro so rechnet – aber nachdem ich die ersten zwei Gläser nur widerwillig runtergewürgt habe, schmeckt das dritte bereits ganz hervorragend und zaubert mir eine angenehme Wärme in den Bauch.

Hätte mir jemand vor ein paar Monaten geweissagt, dass ich mal mit Simon Hecker auf dem Sofa rumlümmeln und dabei mit ihm über meine Beziehungskrise lamentieren würde – ich hätte ihn ausgelacht. Und zwar so richtig. Jetzt aber habe ich Simon die Geschichte mit Marie Schürmann erzählt. Und noch dazu alles das gestanden, was in meinem Kopf so vor sich geht. Dass ich schon länger nicht mehr sicher bin, ob Paul und ich heiraten sollten und der ganze Krempel.

»Ja«, erwidere ich. »Zuerst habe ich es ja auch für einen Spaß gehalten.«

»Und Sie sind sich ganz sicher: Paul und diese Frau wollen Sie nicht veräppeln?«

Ich schüttele energisch den Kopf. »Nein, da hat diese Schürmann mich durchaus überzeugen können.« Ich seufze und nehme noch einen Schluck aus meinem Glas. Mittlerweile ist mir schon ein wenig schummrig, ich habe ja noch nicht einmal ein Abendessen im Bauch. Und Cognac auf leeren Magen – das haut einen doch ganz schön um. Trotzdem halte ich Simon mein leeres Glas hin und lasse mir noch einmal nachgießen. »Aber wie ich ja schon sagte: So richtig bin ich auf Paul gar nicht wütend. Unsere Beziehung hat schon länger das Temperament einer Amöhöbö …« Puh. Schwieriges Wort! »Einer Amöbe. Da war irgendwie die Luft raus.«

Simon betrachtet mich nachdenklich. »Schon komisch. In puncto Beziehungen waren Sie für mich immer ein bisschen Vorbild.«

Bitte, habe ich mich gerade verhört? Ich lache laut auf.

»Jetzt machen Sie Witze! Paul und ich waren für *Sie*«, ich stupse ihm mit dem ausgestreckten Finger kräftig gegen die Brust und registriere zum ersten Mal zu meiner Überraschung feste Muskeln, »doch immer das klassische Beispiel eines langweiligen Spießerpaares.«

»Wie kommen Sie den bloß auf so einen Unsinn?« Simon schüttelt den Kopf. »Eigentlich ist es doch toll, wenn man so lange mit dem gleichen Partner glücklich ist.« Er nimmt einen tiefen Schluck aus seinem Glas. »Manchmal habe ich schon ein bisschen Angst, dass ich das nie erleben werde.«

»So, meinen Sie?«

Er schaut nachdenklich auf seine Hände. Seine sonst so glatt nach hinten gegelten Haare scheinen einen Ölwechsel hinter sich zu haben, denn sie fallen ihm in die Stirn.

»Ja, Julia, das meine ich. Und … und ich habe ein bisschen Angst davor.« Er sieht mich immer noch nicht an, als er nun bitter auflacht. »Streichen Sie das bisschen«, setzt er ganz leise hinterher.

Ich merke, wie mein Hals ganz trocken wird.

»Sowas dürfen Sie nicht denken.« Ich trinke schnell noch einen Schluck.

Simon nickt. Dann rutscht er etwas näher an mich ran und blickt mir tief in die Augen.

Mir wird ziemlich warm.

»Julia?«

Ein Kribbeln breitet sich auf meiner Haut aus und ich spüre, wie sich die kleinen Härchen auf meinen Unterarmen aufrichten.

»Ja?«

»Sie klingen so, als hätten Sie schon etwas Schlagseite. Soll ich Ihnen ein Mineralwasser aus der Küche holen? Und vielleicht ein paar von unseren Keksen?«

Hmpf. Mineralwasser? Kekse?

»Wird Ihnen schlecht?«, will Simon wissen. »Sie gucken so komisch.«

Kann ein einzelner Mann tatsächlich so unsensibel sein? Jetzt starre ich Simon tatsächlich an, was mir zugegebenermaßen schwerfällt, weil mir schon ein wenig die Tiefenschärfe abhanden gekommen ist.

»Julia? Was haben Sie denn?«

»Ich dachte, Sie wollten mich küssen«, bricht es aus mir heraus. »Dabei wollten Sie nur Wasser holen. Mineralwasser!«

Au weia. Gut, dass ich das gerade unmöglich gesagt haben kann … oder vielleicht doch? Der Schreck reicht fast, um mich wieder nüchtern werden zu lassen. Allerdings auch nur fast. Wie wird Hecker auf diesen Frontalangriff reagieren?

»Äh.«

Etwas Schlaueres fällt ihm nicht ein?

»Julia, wieso denken Sie denn, dass ich ausgerechnet in so einer Situation einen Annäherungsversuch starte? Morgen täte es Ihnen leid und ich wäre der Böse.«

Tja, guter Punkt.

»Ich dachte es, weil …« Ja, warum eigentlich? Ich halte kurz inne, dann ist die Sache für mich sonnenklar. »Ich dachte es, weil ich es mir gewünscht habe, Simon. Aber wissen Sie was? Selbst ist die Frau!«

Und mit diesen Worten ziehe ich ihn an mich heran und hauche einen Kuss auf seine Lippen.

Simon guckt völlig verdattert – aber nur für einen kurzen Moment. Dann erwidert er meinen Kuss so leidenschaftlich, dass mir fast die Luft wegbleibt. Mein Herz fängt an zu rasen und ich habe mit einem Mal wieder die Szene von Weihnachten vor Augen. Die Filmriss-Lücke schließt sich: Ich sehe uns gegen den Zigarettenautomaten gelehnt, wild knutschend, die Arme umeinander geschlungen ...

Mittlerweile sind wir vom Sofa auf den Boden gerutscht. Ich schiebe meine Hände unter sein T-Shirt, erkunde die warme, glatte Haut auf seinem Rücken, ziehe ihn so dicht an mich, dass ich seinen Herzschlag spüren kann. »Julia«, höre ich ihn leise sagen, »vielleicht sollten wir ...ich, meine, vielleicht willst du das ja gar nicht.«

»Pssst,« flüstere ich und lege meine linke Hand auf seinen Mund, »ich weiß, was ich will. Und das hole ich mir jetzt.« Dann küsse ich ihn noch heftiger und wilder, bis sein Atem schwer und unregelmäßig geht. Schließlich wandern seine Hände zu den Knöpfen meiner Bluse, langsam und vorsichtig öffnet er sie, als wolle er mir die Gelegenheit geben, ihn noch aufzuhalten. Aber das will ich nicht, ich will diesen Moment in vollen Zügen auskosten. Ganz egal, was danach ist, egal, was für Konsequenzen es hat, ich wünsche mir nichts mehr, als Simon Heckers Körper auf meinem zu fühlen, als ihn ganz dicht bei mir zu haben, seinen Duft aufzusaugen, seine Küsse zu erwidern.

Jetzt flüstere ich seinen Namen: »Simon.«

Dann schiebe ich mit meinen Händen sein T-Shirt hoch, ziehe es ihm über den Kopf und beginne, seinen breiten Brustkorb mit vielen kleinen Küssen zu bedecken. Er streichelt mir dabei über den Kopf, haucht mir Küsse aufs Haar. Schließlich stehen wir auf, ziehen uns gegenseitig die restlichen Sachen aus und lassen uns zurück aufs Sofa fallen. Ganz sanft zieht Simon mich zu sich heran, sieht mir direkt in die Augen, wir lächeln uns an, dann scheint die Welt um uns herum zu versinken ...

»Guten Morgen!« Simon steht – nur mit Boxershorts bekleidet – vor dem Sofa, auf dem ich immer noch nackt unter der Decke liege. Er hält zwei Becher Kaffee in den Händen und betrachtet mich etwas verlegen. »Kaffee?«

Ich setze mich auf, ziehe mir etwas verschämt die Decke unters Kinn und nicke. »Danke, gern.« Ich nehme den Becher entgegen, Simon setzt sich neben mich.

Schweigend trinken wir unseren Kaffee, nur hin und wieder werfen wir uns von der Seite verstohlene Blicke zu. Einerseits ist mir danach, zu kichern – andererseits ist mir die Situation, jetzt und bei Tageslicht betrachtet, doch ein wenig unangenehm. Was war das bloß letzte Nacht? Na ja, was es war, ist ja eigentlich klar. Aber *wie* ist es passiert? Noch einmal mustere ich Simon verstohlen. Nein, es ist auch klar, wie es passiert ist. Simon ist mehr als nur ein guter Kollege; ich habe mich in ihn verliebt. Spätestens jetzt ist mir das mehr als bewusst. Ich hab's halt nur nicht wahrhaben wollen, dass ich mich ausgerechnet in den Idioten verguckt habe, für den ich ihn anfangs gehalten habe … Und natürlich konnte ich mir auch gar nicht erlauben, mich in irgendwen zu verlieben – schließlich gibt es da ja auch noch Paul. *Gab.* Oder so. Hach, ich bin doch echt noch ziemlich durcheinander! Was für ein Kuddelmuddel!

Trotzdem genügt schon Simons Anblick, damit ich wieder dieses Kribbeln im Bauch verspüre.

»Wie haben Sie«, setzt Simon an und verschluckt sich an seinem Kaffee. Er hustet ein paarmal, dann findet er seine Sprache wieder. »Wie hast du geschlafen?«

»Gut«, antworte ich und lächele ihn an. »Und selber?«

»Auch gut.« Dann verstummen wir wieder.

»Also«, mache ich irgendwann einen weiteren Kommunikationsversuch, »ich denke, ich werde jetzt mal unter die Dusche springen.«

»Ja, gut, machen Sie … du das«, erwidert Simon stotternd. »Ich kann ja so lange ein paar Brötchen vom Bäcker holen.«

Mein Herz macht einen kleinen Hüpfer; Simon hat also nicht vor, sofort die Flucht zu ergreifen. Davor hatte ich nämlich ein kleines bisschen Angst. Nicht nur, weil ich gerade merke, dass ich für ihn doch eine ganze Menge empfinde – so ein peinlicher Abgang am Morgen wäre für unsere zukünftige Arbeitsatmosphäre sicherlich nicht besonders förderlich.

Ich wickele die Decke um mich und stehe auf. »Ich mag am liebsten Sesam.«

»Sesam.« Er grinst mich an. »Ist notiert.« Er steht auf und schnappt sich seine Hose, ich gehe ins Bad.

Kaum stehe ich unter der heißen Dusche, höre ich draußen laute Stimmen. Ich drehe das Wasser ab, wickele mich in ein Handtuch und gehe hinaus.

Der Anblick, der sich mir bietet, lässt mich erstarren. Im Türrahmen zu unserer Agentur steht ein wütender Paul, der Simon – nur in Hose und mit nacktem Oberkörper – anschreit.

»Was ist hier los? Wo ist Julia?«

Ich will mich in Windeseile verstecken, da hat Paul mich schon entdeckt. Klatschnass und nur von einem Handtuch verhüllt. »Julia«, schreit er. Dann guckt er Simon böse an. »So ist das also!« Er brüllt so laut, dass im wahrsten Sinne des Wortes die Wände zu wackeln scheinen. »Das haben Sie sich ja fein ausgedacht! Mir den Rat geben, Julia mal ein bisschen eifersüchtig zu machen – und es dann selbst auf meine Verlobte abgesehen haben!«

Wie bitte? Ich verstehe nur Bahnhof!

»Bitte? Was für einen Rat soll ich Ihnen gegeben haben? Ich weiß überhaupt nicht, wovon Sie reden«, beginnt Simon, sich zu verteidigen. »Aber wenn ich Julia richtig verstanden habe, gibt es hier doch wohl vor allem einen Menschen, der so richtig danebengegriffen hat – und das sind Sie selbst!«

»Was *fällt* Ihnen ein, sich da einzumischen? Ich finde Sie, halbnackt mit meiner ebenfalls halbnackten Freundin – und da wollen *Sie* mir einen moralischen Vortrag halten? *Unfassbar!*«

»Moment mal«, gehe ich – so souverän wie möglich, weil vor mich hintropfend – dazwischen. »Kann mir bitte mal einer von euch erklären, was hier los ist? Was soll das heißen, eifersüchtig machen?«

Mittlerweile ist Paul ganz hereingekommen und knallt die Tür hinter sich zu. »Das kann ich dir erklären, mein Schatz.« Er sieht noch immer so aus, als würde er Simon jeden Moment erwürgen. »Bei unserem sogenannten Männerabend vor ein paar Monaten hat mir Simon in epischer Breite erläutert, Frauen müsse man nur schlecht behandeln, dann würden sie einem zu Füßen liegen. Hielt ich natürlich für ausgemachten Schwachsinn. *Willst du gelten, mach dich selten* – genau das waren seine Worte. Außerdem hat er mir von seinem spitzenmäßigen Eifersuchtstrick erzählt – funktioniert garantiert immer: Der Freundin vorgaukeln, man habe sich neu verliebt, um sie wieder interessierter zu machen. So soll es angeblich laufen. Ich habe mich natürlich innerlich geschüttelt bei diesem ganzen chauvinistischen Bockmist. Aber dann …«, Paul macht eine kleine Pause und funkelt Simon böse an, »aber dann hast du immer mehr von diesem Deppen geschwärmt und warst kaum noch zu Hause und … und ich habe langsam richtig Angst bekommen.«

Oh, oh … ich ahne schon, was jetzt kommt. Und Simon scheint es genauso zu gehen, denn er schaut Paul völlig fassungslos an und fängt an, zu reden, bevor Paul mit seiner traurigen Geschichte weitermacht.

»Aber Paul, Sie haben mein Gewäsch doch wohl nicht ernst

455

genommen? Ich meine, ja – ich habe vielleicht die eine oder andere meiner Exfreundinnen nicht wirklich pfleglich behandelt. Aber eine Frau wie Julia – da ziehen doch solche taktischen Spielchen nicht! Ich meine, die ist doch kein Betthase, sondern eine Partnerin auf Augenhöhe! Da haben Sie mich komplett falsch verstanden, Paul.«

Ich merke, wie ich rot werde. Paul übrigens auch. Aber wohl kaum aus dem gleichen Grund wie ich.

»Für Sie immer noch *Herr Meißner!*«, schreit Paul ihn an. Dann spricht er weiter: »Jedenfalls habe ich also erst mal versucht, mich rar zu machen. Das hat aber fast gar nichts geändert. Und dann hatte ich die Idee, dass ich dich eben ein bisschen eifersüchtig mache. Bin also öfter mal überraschend weggeblieben. Als das immer noch nicht gezogen hat, habe ich beschlossen«, er stockt kurz, »eine Geliebte zu erfinden. Die dann bei dir auftaucht und dir den Auftrag gibt, mit mir Schluss zu machen.«

Ich starre ihn fassungslos an. »Die Sache mit Marie Schürmann war Absicht, um mich eifersüchtig zu machen?«

Paul nickt.

»Was bist du nur für ein Riesenidiot!«, sage ich tonlos.

»Ja, aber Hecker …«

»Also mich lassen Sie da bitte aus dem Spiel!«, widerspricht Simon sofort. »Für diese völlig schwachsinnige Idee können Sie mich nun wirklich nicht verantwortlich machen.«

Paul will anscheinend erst etwas sagen, aber dann lässt er die Schultern hängen und starrt auf seine Füße. Auf einmal tut er mir wahnsinnig leid, und ich fühle mich furchtbar. Wie konnte ich bloß in eine solche Situation geraten? Gestern noch Julia Lindenthal, die glückliche Verlobte. Und heute? Ja, was bin ich eigentlich heute?

35. Kapitel

Als Paul und ich zusammen in unsere Wohnung kommen, weiß offenbar keiner von uns beiden, was er sagen soll. Schon während der Autofahrt haben wir nicht miteinander gesprochen. Aber was soll man in Anbetracht dieser verfahrenen Situation auch reden?

»Julia?«, will Paul wissen, nachdem wir – immer noch schweigend – unsere Jacken in den Flur gehängt haben und ich den Inhalt meiner Reisetasche zurück in den Schrank geräumt habe. »Haben wir noch eine Chance? Denn wenn es so ist, dann verspreche ich dir, über diese Sache mit Simon nie wieder ein Wort zu verlieren.«

»Paul, ich glaube, so einfach ist es nicht«, sage ich und spüre wieder diese Traurigkeit in mir, weil mir klar ist, dass jetzt ein schlimmes Gespräch kommt. Denn auch, wenn Paul mich gar nicht betrogen hat, sondern ich jetzt umgekehrt ihn, ändert es nichts an der Tatsache: Wir haben keine Zukunft mehr miteinander. Das ist mir trotz allem immer noch klar. Aber das macht es mir trotzdem kein bisschen leichter.

Zwei Stunden später verlasse ich, wieder mit einer Reisetasche bepackt, die Wohnung. Ich werde erst einmal in ein Hotel ziehen.

Wir haben lange geredet. Ich habe dabei lange seine Hand in meiner gehalten, obwohl mir klar war, dass wir uns nicht mehr aneinander festhalten konnten. Ich habe versucht, Paul zu erklären, dass ich mehr will vom Leben; dass ich erkannt habe, dass mir »ganz okay« einfach zu wenig ist.

»Aber ich liebe dich«, hat Paul gesagt und fast trotzig hinzugefügt, »und du liebst mich auch.«

»Ja, Paul, das tue ich. Nur heißt das leider nicht, dass wir uns gegenseitig glücklich machen können.«

Ich weiß nicht, ob Paul es wirklich verstanden hat. Aber ich habe endlich verstanden, dass es so ist.

Eine weitere Wahrheit ist: Simon Hecker hat mit meiner Entscheidung nichts zu tun. Ich hätte es auch so früher oder später erkannt. Simon war nicht der Grund – möglicherweise aber der Auslöser.

Während ich durch die Stadt fahre und überlege, in welchem Hotel ich für die erste Zeit unterkommen könnte, klingelt permanent mein Handy. Ich gehe nicht ran, denn ich kann sehen, wer es ist: Simon. Und offen gestanden weiß ich nicht, was ich ihm sagen soll. Ich bin in ihn verknallt, ja. Aber gleichzeitig bin ich auch ziemlich durcheinander. Keine gute Grundlage, um nun die nächste weitreichende Entscheidung zu treffen. Ich glaube, ich brauche erst einmal ein bisschen Ruhe.

Danach sieht es momentan allerdings nicht aus: Schon wieder bimmelt mein Handy. Eines muss man Simon lassen – er ist hartnäckig. Aber dann stelle ich mit einem Blick aufs Display fest, dass es gar nicht Simon ist – sondern Katja!

Schnell fahre ich rechts ran und schnappe mir das Telefon. Endlich kann ich mit meiner besten Freundin sprechen!

»Katja«, schreie ich ins Telefon, »ich bin so froh, dass du anrufst! Ich muss so dringend mit dir reden. Seid ihr gut gelandet?«

»Ja«, kommt es zurück. »Und zwar in Hamburg. Ich bin zu Hause.«

In diesem Moment breche ich haltlos in Tränen aus.

»Wieso seid ihr denn zurückgeflogen?«, will ich wissen, als ich eine halbe Stunde später bei Katja in der Küche sitze.

»Na ja, irgendwie haben wir schon bei dem Zubringerflug

nach Frankfurt gemerkt, dass das für uns zu früh ist«, erklärt sie mir. »Dass wir uns nicht gut genug kennen, um so lange Zeit am Stück miteinander zu verbringen. Da haben wir spontan beschlossen, es zu lassen.«

»Ihr habt ja echt beide einen Hau!«

»Das stimmt«, meint Katja und grinst mich an. »Aber deshalb passen wir auch so gut zusammen. Und deshalb wollen wir es auch nicht kaputt machen.«

Ich schüttele den Kopf. »Mannomann – das soll mal einer verstehen!«

»Aber jetzt erzähl du«, lenkt Katja auf ein anderes Thema, »was hier los ist. Du siehst ja wirklich schrecklich aus!«

Und so erzähle ich ihr von den Ereignissen der letzten Stunden. Dabei erlebe ich Katja in einem Zustand, in dem ich sie bisher noch nicht kannte: sprachlos. Als ich fertig bin, schüttelt sie den Kopf.

»Du hast dich wirklich von Paul getrennt?«

Ich nicke.

»Das ist ja unglaublich!«

»Was denkst du? War es auch unglaublich blöd?«

»Auf keinen Fall!«, sagte sie entschieden. »Es war unglaublich mutig und deswegen bin ich unglaublich stolz auf dich!«

Wieder muss ich ein bisschen schniefen. »Mensch, das sind ja ganz schön viele *Unglaublichs* in einem Satz.«

»Ja, und jedes einzelne war so gemeint.« Sie legt einen Arm um meine Schulter und drückt mich. »Süße, das mit Paul war bestimmt schon mal die richtige Entscheidung. Spannender finde ich aber, wie es mit dem anderen Mann in deinem Leben nun weitergeht.«

»Schätze mal, du meinst nicht meinen Vater.« Ich versuche, ein Grinsen hinzubekommen. Katja knufft mich in die Seite.

»Also, raus mit der Sprache? Was ist mit Simon?«

»Ich weiß es nicht.«

»Bist du in ihn verliebt?«

»Ja, ich glaube schon.«

»Und, ist er auch in dich verliebt.«

»Ich denke mal ja.«

»Herrje, Julia! Jetzt lass dir doch nicht jeden Wurm aus der Nase ziehen – also: Was ist das mit euch?«

Ich starre auf meine Fingernägel. Es ist ja nicht so, dass ich bockig wäre. Aber die Wahrheit ist, dass ich das wirklich alles nicht weiß.

»Gut, dann hole ich uns erst mal eine Flasche Wein aus dem Kühlschrank. Ist zwar noch früh am Tag, aber vielleicht löst das ja deine Zunge.«

Ein Glas Weißwein später muss ich erkennen, dass ich a) wahrscheinlich ein Alkoholproblem habe, weil es mir b) jetzt wirklich leichterfällt, über Simon und mich zu sprechen.

»Die Nacht war wunderschön, und wenn ich ehrlich zu mir selbst bin, habe ich mich schon länger zu Simon hingezogen gefühlt. Und ich glaube, er empfindet so ziemlich dasselbe für mich. Ist jetzt zwar eine selbstbewusste Behauptung, weil wir nicht darüber gesprochen haben. Aber ich glaube, so ist es. Andererseits bin ich natürlich unglaublich traurig und vermisse Paul jetzt schon. Wir waren so lange ein Paar – die Vorstellung an ein Leben ohne ihn kommt mir völlig unwirklich vor. Und deswegen bin ich völlig verwirrt und weiß momentan überhaupt nicht mehr, was ich will. Verstehst du das?«

Katja nickt. »Ich kann es zumindest theoretisch nachvollziehen. Praktisch war ich noch nie so lange mit jemandem zusammen, dass er eine echte Lücke in meinem Leben hätte hinterlassen können.« Sie seufzt und ich muss kichern.

»Na, da bin ich aber froh, dass du Rafael anscheinend ganz gut überwunden hast!«

»Pfui, schäme dich! Du bist eine schlechte Freundin – ich

versuche, dich moralisch aufzurichten, und dann so was!« Jetzt müssen wir beide lachen.

»Weißt du«, sage ich, als ich mich wieder gefangen habe, »es ist natürlich eine ziemliche Versuchung, jetzt Simon zurückzurufen, mit ihm auszugehen und dann hoffentlich zu Geigenklängen vor einem Sonnenuntergang in seine Arme zu sinken. Aber eigentlich glaube ich, dass ich mehr Zeit brauche.«

»Wofür?« Klar, für diese verkopfte Überlegung hat Katja natürlich kein Verständnis. Ich glaube trotzdem, dass sie richtig ist.

»Zeit, um festzustellen, was ich wirklich will. Denn eines habe ich gelernt in den vergangenen Monaten: Ich habe noch viel vor in meinem Leben – und es lohnt sich, in Ruhe darüber nachzudenken, welche Ziele man hat und wie man diese erreicht.«

»Aber …« Katja schüttelt den Kopf. »Du *hast* doch schon viel erreicht, und vielleicht bist du auch schon am Ziel und Simon ist der Richtige.«

»Ja, vielleicht. Aber das kann ich momentan nicht entscheiden und will es auch gar nicht. Ich glaube, es ist besser, nach diesem ganzen Schlamassel ein bisschen Ruhe einkehren zu lassen. Wenn Simon wirklich der Richtige ist, wird er das in ein paar Wochen auch noch sein.«

»Wow, Julia, du klingst wie ein Beziehungsratgeber.«

»Katja, ich bin Beziehungsratgeberin«, erinnere ich sie lächelnd. »Oder zumindest so etwas in der Art. Ich helfe Menschen, sich zu trennen.«

»Du bist also eine Anti-Beziehungsratgeberin?«, zieht sie mich freundlich auf.

»Was auch immer dir lieber ist«, sage ich. »Aber weißt du: Wenn ich eines in den letzten Monaten gelernt habe bei all den Trennungen, die ich hautnah miterlebt habe: So einfach, wie die Menschen sich das vorstellen, ist es nicht. Die denken, sie kommen zu uns, geben uns den Auftrag und damit können sie den Punkt abhaken. Aber das ist falsch. Jede Trennung tut weh, auf die eine oder andere Weise. Und wer sich nicht die Mühe macht, diese Wunde heilen zu lassen, bei dem ... na, bei dem schwärt sie ewig weiter. Und deswegen muss ich jetzt erst einmal eine Zeit für mich alleine sein.«

»Sind das nun deine professionellen Sprüche, oder bist du sicher, dass du das wirklich so willst? Ist das Risiko nicht ziemlich groß, dass du in spätestens drei Tage in dein Kissen weinst, weil du weder Paul noch Simon hast?« Sie schaut mich mit einer Mischung aus Sorge und Neugier an.

»Hm ... Nee. Glaube ich nicht. Ich habe jetzt nämlich die ultimative Antwort auf eine wichtige Frage gefunden.«

Als ich sieben Tage später ins *Cafe Hirsch* komme, sitzt Simon schon da. Er sieht mich nicht gleich, deswegen kann ich ihn eine Weile beobachten. Er scheint nervös zu sein, jedenfalls dreht er das leere Wasserglas vor sich in den Händen, als wolle er sich vergewissern, ob da nicht doch noch ein Tropfen drin sein könnte.

Ich habe mir bei *Trostpflaster* Urlaub genommen und Simon deswegen eine Woche nicht gesehen. Gehört mit zu meinem Programm *Ich muss endlich herausfinden, was ich wirklich will*. Und außerdem bin ich in meinem momentanen Zustand für das Paare-Trennen nicht zu gebrauchen.

Dann sieht Simon mich und winkt mir zu. Ein ziemlich warmer Schauer läuft über meinen Rücken. Ich habe ihn vermisst. Und so, wie er mich jetzt anstrahlt, er mich eindeutig auch. Mir fällt ein kleiner Stein vom Herzen.

Ich gehe zu seinem Tisch, er springt gleich auf. Dann stehen wir ein bisschen verlegen voreinander. Küssen oder nicht? Ich will damit nicht anfangen ... und er? Traut er sich nicht –

oder will er nicht? Eine etwas krampfige Situation. Schließlich setze ich mich einfach.

»Julia, es ist so schön, dich …«, fängt er an, weiß dann offensichtlich nicht, ob er weitersprechen soll. Nach einer weiteren kleinen Pause fragt er: »Wie geht es dir?«

»Gut. Alles bestens. Die Frauen-WG mit Katja tut mir gut.«

»Der Urlaub offensichtlich auch – du siehst toll aus.«

»Danke.«

Dann schweigen wir uns an. Gott sei Dank bringt der Kellner zwei Minuten später die Karten und damit ein unverfängliches Gesprächsthema. Nachdem wir uns ausreichend über die Frage *Vorspeise ja oder nein* ausgetauscht und schließlich bestellt haben, greift Simon auf einmal an der Kerze auf unserem Tisch vorbei nach meiner Hand.

»Als du mich heute angerufen hast, war ich total glücklich. Ich habe dich vermisst. Eigentlich wollte ich es dir an dem Morgen im Büro schon sagen, aber dann, äh, dann wurden wir ja gestört.« Er räuspert sich. »Also, was ich sagen wollte …«

Ich lächle ihm aufmunternd zu.

»Julia, ich bin in dich verliebt. Schon eine ganze Weile. Aber ich hätte mich nie getraut, etwas zu sagen, denn ich habe einen Heiden-Respekt vor dir. Und davor, wie liebevoll du immer von dir und Paul erzählt hast. Ich war mir sicher, keine Chance zu haben.« Er stockt kurz und drückt meine Hand noch einmal ganz fest. »Aber dann, dann kam die Nacht im Büro und es war, als ob sich auf einmal ein Traum erfüllt. Mein Traum. Ich meine, ich war mir schon sicher, dass du mich mittlerweile mochtest – aber mehr eben auch nicht. Und dann saßen wir auf einmal da und du hast gesagt, dass du mich küssen willst. Ich dachte, mein Herz springt aus meinem Hemd direkt in deine Hände.« Er macht eine kleine Pause. Ich muss lächeln und greife nun nach seiner anderen Hand. Er sieht auf einmal so empfindsam aus, fast verletzlich, gar nicht wie der alte Angeber-Hecker. »Ich wollte dir die ganze Zeit sagen, dass ich mich richtig in dich verliebt habe, damit du nicht denkst, dass das nur so eine Bettgeschichte für mich ist. Aber ich habe immer auf den richtigen Moment gewartet, und bevor der kam, kam Paul.«

Ich muss lachen. »Schlechtes Timing.«

»Das kann man wohl sagen. Als du mit Paul gegangen bist, war ich mir sicher, dass ihr euch wieder versöhnt.«

»Nein«, sage ich langsam, »das ist endgültig vorbei.«

»Ja?« Simon schaut mich nachdenklich an. »Und, Julia, was fühlst du für mich?«

Es ist schon seltsam, so etwas direkt gefragt zu werden. Ich nehme all meinen Mut zusammen, um das zu sagen, was ich mir fest vorgenommen habe. »Ich bin auch verliebt in dich. Aber ich brauche mehr Zeit, um herauszufinden, ob das wirklich reicht.«

Simon runzelt die Stirn. »Warum sollte das nicht reichen?«

»Weil ich so lange mit Paul zusammen war. Ich kann nicht einfach von einer Beziehung in die nächste gehen; das fühlt sich nicht richtig an. Außerdem muss ich noch ein paar andere Sachen in meinem Leben ändern. Die Agentur, meine neue Selbstständigkeit, das hat viel für mich geändert. Ich habe endlich Spaß an der Arbeit, habe Verantwortung übernommen, bin ehrgeizig geworden. Aber gerade weil das so ist, reicht es mir nicht mehr. Ich will mich verändern – ich will nicht einfach nur Leute trennen. Ich will dafür sorgen, dass es für die Menschen auch weitergeht. So wie es jetzt für mich weitergeht.« Ich hole tief Luft, denn nun kommt der Punkt, der mir so klar ist wie lange nichts mehr – und der mir trotzdem Angst macht. »Deshalb werde ich *Trostpflaster* verlassen. Ich muss etwas Eigenes machen. Etwas *ganz* Eigenes. Und solange ich das nicht probiert habe, kann ich auch nicht sagen, ob es für dich und mich eine gemeinsame Zukunft gibt. Ich kann einfach nicht zwei so wichtige Sachen auf einmal machen.«

Simon schaut mich völlig verständnislos an. »Aber – ich dachte, wir wären Partner!«

»Das waren wir auch. Aber ich bin jetzt mutig genug, den nächsten Schritt zu gehen. Versteh mich nicht falsch – ich bin dir sehr dankbar. Ohne dich hätte ich niemals diesen Mut gefunden. Gib mir etwas Zeit, bitte!«

Simon sagt jetzt nichts mehr. Stattdessen löst er seine rechte Hand aus meiner linken und streicht mir langsam und zärtlich über das Haar. Ich habe das Gefühl, noch nie so genau betrachtet worden zu sein.

»Weißt du, Simon, ich habe endlich eine Antwort auf die Frage gefunden.«

»Welche Frage?«

»Na, du weißt schon: Was ist wichtiger: Zu lieben oder geliebt zu werden?«

»Und was ist *die* Antwort?«

»Na, ob es *die* Antwort ist, weiß ich nicht. Aber es ist *meine* Antwort.«

»Lass hören!«

»Ich muss mich selbst lieben. Und ich muss machen, was für mich wichtig ist. Dann wird sich alles andere von selbst ergeben.«

36. Kapitel

Stolz stehe ich vor meiner Ego-Wand. Gut, sie ist nicht so groß wie in unserem alten Büro; so viel Platz hätte ich hier gar nicht. Immerhin sind sechsundzwanzig Quadratmeter im Existenzgründerzentrum nicht gerade üppig. Aber es ist meine Wand – und zwar nur meine. Neben die beiden kurzen Meldungen, die dort schon kleben, kann ich heute endlich einen amtlich fetten Zeitungsartikel heften.

Heiter weiter!

Von Gerald Pauli

Fast könnte man sie schon einen alten Hasen auf dem Gebiet der Beziehungsdramen nennen – aber dafür ist Julia Lindenthal mit ihren 29 Jahren noch eindeutig zu jung. Erfahrung mit Herz und Schmerz hat sie aber schon reichlich – eröffnete sie doch vor einem guten Jahr gemeinsam mit einem Partner die Agentur *Trostpflaster*, die zahlungswillige Kunden gegen Geld von abgeliebten Lebensgefährten befreit. Inzwischen hat sich Lindenthal jedoch für ein etwas menschenfreundlicheres Geschäftsmodell begeistert und ein neues Büro gegründet: *Hoffnungsschimmer* heißt ihre Firma und ist gewissermaßen die logische Konsequenz aus *Trostpflaster*. Hier hilft Lindenthal Menschen, die verlassen wurden und nun Unterstützung brauchen, um wieder glücklich ins Leben zurückzufinden: Ob neue Wohnung nach dem Rauswurf aus dem gemeinsamen Nest oder die richtige Therapeutin für den großen Liebeskummer – Julia Lindenthal findet für ihre Kunden, wonach diesen momentan die Kraft zum Suchen fehlt. Und die Idee

466

kommt an: Erst seit drei Monaten im Geschäft, will Lindenthal schon bald den ersten Mitarbeiter einstellen. »Sensibilität und Mitgefühl sind das Wichtigste bei *Hoffnungsschimmer*. Und natürlich Optimismus. Ich will meinen Kunden zeigen, dass das Leben auch nach einer Trennung wieder schön werden wird«, so Lindenthal. Also – wer über diese »Schlüsselqualifikationen« verfügt, sollte sich vielleicht bei Hamburgs sympathischster Jungunternehmerin melden.

Gut, natürlich hat *Hoffnungsschimmer* noch nicht so viel zu tun wie *Trostpflaster*. Aber das mit dem Mitarbeiter stimmt tatsächlich. Ich habe sogar schon überlegt, ob ich nicht frecherweise Beate abwerbe; aber natürlich will ich Simon nicht schaden, schließlich muss er noch zwanzigtausend Euro bei mir abstottern. Aber es läuft immerhin schon so gut, dass ich die siebentausend Euro, die ich in *Hoffnungsschimmer* reingesteckt habe, schon fast wieder raushabe. Ein beachtliches Ergebnis, oder?

Ich schaue auf die Uhr. Schon Viertel nach zwei. Eigentlich wollte um zwei Uhr mein dritter Klient des Tages vorbeischauen. Ein ganz dringender Fall, hat nach der Trennung jeden Lebensmut verloren, schrieb er in seiner Mail, die heute Morgen von ihm kam. Ich habe vorsichtshalber schon mal einen Termin bei einer der Psychologinnen, mit denen *Hoffnungsschimmer* kooperiert, gemacht. Wenn der Mann nun noch später kommt, muss ich dort anrufen und etwas Neues ausmachen.

Seufzend greife ich nach meinem neuen Montblanc-Füller und mache mir eine Notiz. Das Luxusschreibgerät liegt wirklich super in der Hand, ich habe mich schon so daran gewöhnt, dass ich mir kaum noch vorstellen kann, jahrelang mit schnöden Kugelschreibern vorliebgenommen zu haben. Noch erstaunlicher ist allerdings, dass ich mir das Luxusteil nicht selbst kaufen musste – es war ein Geschenk zur Eröffnung von *Hoffnungsschimmer* … und zwar von Paul. Ich war ziemlich baff. Aber dann hat er mich auf seine so typische Art angesehen und gesagt: »Wenn du meinst, deine Lebensgeschichte so gründlich umschreiben zu müssen, dann solltest du das auf jeden Fall mit dem richtigen Werkzeug tun.« Ich bin jetzt noch gerührt, wenn ich daran denke. Und froh, dass Paul nicht komplett aus meinem Leben verschwunden ist, dafür ist er mir zu wichtig.

Zehn Minuten später klingelt es endlich. Weil Sybille, die Empfangsdame im Existenzgründungszentrum, heute schon früher weg musste, gehe ich selbst nach vorne.

Als ich die Tür öffne, muss ich lächeln. Den Typen, der in einem grauenhaft karierten Sakko und Hochwasserhosen vor mir steht, habe ich schon mal gesehen … Nur der monströse Schnurrbart irritiert etwas.

Was ist er doch für ein Kindskopf. Aber das Spiel mache ich gerne mit. »Herr Schröder?«, frage ich also hochoffiziell.

»Richtig. Gut, dass Sie gleich Zeit haben, Frau Lindenthal.«

»Kommen Sie doch rein.« Ich führe *Herrn Schröder* in mein Büro und biete ihm einen Platz an meinem Besprechungstisch an. »Wie kann ich Ihnen helfen?«

»Tja, der Fall ist dramatisch. Ich habe die Frau fürs Leben gefunden. Aber die will das einfach nicht einsehen. So kann ich nicht weitermachen. Sie müssen mir helfen, ihr Herz zu gewinnen.«

»Herr Schröder, das tut mir leid – *Hoffnungsschimmer* ist darauf spezialisiert, Menschen zu unterstützen, die gerade aus einer Beziehung kommen, nicht, diese anzubahnen.«

»Aber Frau Lindenthal – ich habe mir sagen lassen, dass Sie eine Geschäftsfrau sind, die gerne etwas Neues ausprobiert. Können Sie für mein Problem nicht vielleicht doch eine Lösung finden?«

»Wenn Sie darauf bestehen, Herr Schröder, werde ich es gerne versuchen. Warum, meinen Sie, hatten Sie bei der Dame bisher keinen Erfolg?«

»Ich glaube, sie hält mich immer noch für einen unsensiblen Angeber. Und natürlich für einen Chauvi.«

»Aber das stimmt gar nicht?«

»Nein. In Wirklichkeit bin ich mitfühlend und sensibel. Genau genommen wäre ich eigentlich der ideale Mitarbeiter für Sie, wie ich heute in der Zeitung lesen konnte, aber das nur nebenbei bemerkt.«

»Verstehe, Sie werden völlig verkannt.«

»Richtig.«

»Das könnte natürlich auch«, sage ich, während ich über den Tisch zu *Schröder* rüberlange, »an diesem unglaublichen Schnurrbart liegen.« Mit einem beherzten Ruck reiße ich das scheußliche Klebeteil ab.

Simon schreit laut auf. »Aua! Bist du verrückt? Ich wollte doch …«

Bevor er weitersprechen kann, beuge ich mich über den Tisch und verschließe seinen Mund mit meinen Lippen.

Als wir nach schätzungsweise fünf Minuten beide Luft holen müssen, gucke ich ihn streng an. »Simon Hecker – bewirbst du dich um den Job, oder um mich?«

»Du kennst mich doch, Julia Lindenthal. Ich will selbstverständlich mal wieder beides.« Dann grinst er mich breit an.

»Für das eine könnte ich dir zeitnah eine definitive Zusage geben – für das andere erst dann, wenn ich es für richtig halte.«

»Das geht doch genau in die Richtung, die mir vorschwebt.«

»Freu dich nicht zu früh, mein Lieber. Ich bin eine ziemlich strenge Chefin.«

Und dann küssen wir uns, als hätten wir damit sehr, sehr viel nachzuholen.

Epilog

Hoffnungsschimmer-Spruch des Tages:

Liebe ist das Größte auf der Welt.
Es gibt nichts als die Liebe.
Oscar Wilde

Dank an

... alle meine Freundinnen (und natürlich auch Freunde!), die mir mit Rat und Tat zur Seite standen und mir tiefe Einblicke in ihre Beziehungsdesaster gewährten. Das Leben schreibt doch meistens selbst die besten Geschichten. Und Dank natürlich auch an all die Psychopathen, die meinen Lebensweg kreuzten, bevor ich meinen wunderbaren Mann kennenlernte. Wie heißt es so schön? Alles ist für irgendwas gut!

... Bernd, wie immer – Du bist der Beste!

... meinen Lektor Timothy »I-Tüpfelchen« Sonderhüsken: Du bist natürlich der Allerbeste!

Anne Hertz

Glückskekse

Vier Monate waren wir Mr. und Mrs. Happy.
Drei Wochen nicht mehr ganz so happy.
Und heute morgen mutierte Markus zu
»Es liegt nicht an dir« und ich zu
»Aber du hast doch gesagt, du liebst mich«.

Wie findet man heraus, ob es die große Liebe wirklich gibt?
Eine SMS an eine unbekannte Nummer zu schicken gehört
sicher zu den ungewöhnlicheren Ideen. Genau das aber macht
Jana, als sie an ihrem 35. Geburtstag von ihrem Freund verlassen wird – und sie am Ende eines sehr feuchten, wenig fröhlichen Abends die Frage losschickt: »*Was kann ich tun, um
endlich glücklich zu werden? SIE*« Am Morgen danach hat Jana
einen Kater – und die Antwort: »*Das frage ich mich auch oft.
ER*« So beginnt eine Liebesgeschichte der besonderen Art …

»Ein herzerfrischender Roman
über Freundschaft und wahre Liebe.« *Bild der Frau*

Knaur Taschenbuch Verlag

Anne Hertz

Wunderkerzen

Es wird höchste Zeit,
dass ich mein Leben wieder in geregelte Bahnen lenke.
Na gut, streichen wir ehrlicherweise das »wieder«.

Tessa, die chaotische Idealistin, und Philip, der smarte Karrieretyp, haben nichts gemeinsam – außer ihrer Vergangenheit: Die beiden waren mal ein Paar. Doch das ist lange her. Und wenn es nach Tessa ginge, würde es auch dabei bleiben. Dann aber sprengt sie versehentlich ihr Wohnhaus in die Luft. Jetzt gibt es nur einen, der ihr in dieser misslichen Lage helfen kann: der beste Strafverteidiger der Stadt. Dummerweise ist das Philip. Und der bleibt nicht ihr einziges Problem …

»*Wunderkerzen* ist eine romantische Komödie über alte Gefühle, frische Funken und Fallstricke der Liebe. Anne Hertz schreibt spannend, witzig und wird manchmal sehr sentimental.«   *Südthüringer Zeitung*

Knaur Taschenbuch Verlag

Anne Hertz

Sternschnuppen

»Weißt du«, versuche ich zu erklären,
»ich mache nur Dinge, in denen ich gut bin.«
»Aber das ist sehr schade«, sagt er.
»Dann verpasst du viel im Leben!«

Bei Svenja läuft alles nach Plan: Gerade hat sie ihren Traumjob angenommen und ist auf dem Sprung nach ganz oben. Doch dann wird sie schwanger – und ist kurze Zeit später auch ihren Freund los. Was nun? Svenja hat nicht vor, zu verzweifeln. Man kann Kinder auch ohne Kerl mühelos aufziehen! Zu Svenjas ausgefeiltem Plan gehört natürlich ein Kindermädchen. Aber das will sich nicht finden lassen – bis der Russe Alexej auftaucht. Seine Qualifikation: fünf jüngere Geschwister. Sein Lebensstil: abenteuerlich. Seine Wirkung auf Frauen: enorm. Kann das gut gehen?

»Die Autorin schreibt mit so viel Herz und Verstand, dass jeder ihrer Romane zum Träumen einlädt. Mitlachen, mitfiebern, mitleiden: Die Figuren von Anne Hertz sind das Leben selbst und darum anziehend.« *Alex Dengler, Bild am Sonntag*

Knaur Taschenbuch Verlag